les frères FLANDRIN

Paris, Musée du Luxembourg
16 novembre 1984 - 10 février 1985

Lyon, Musée des Beaux-Arts
5 mars - 19 mai 1985

René Millemane

Hippolyte, Auguste et Paul FLANDRIN

Une fraternité picturale au XIXᵉ siècle

Ministère de la Culture
Editions de la Réunion des musées nationaux
Paris 1984

Cette exposition a été organisée par la
Réunion des musées nationaux et le Musée
des Beaux-Arts de Lyon avec le concours,
pour la présentation parisienne, des services techniques du Sénat et du Musée du
Louvre.

Couverture : Flandrin Hippolyte (1809-1864)
Jeune homme nu assis au bord de la mer
Etude

ISBN 2-7118-0278-7

© Editions de la Réunion des musées nationaux, Paris 1984
10, rue de l'Abbaye, 75006 Paris

Commissaires :

Jacques Foucart
Conservateur au département des peintures du Musée du Louvre

Bruno Foucart
Professeur à l'Université de Paris IV
et à l'Ecole nationale supérieure des Beaux-Arts

Auteurs des textes :

Abréviations :
b. :   bas
B. :   bois
d. :   droit
D. :   daté
h. :   haut
H. :   hauteur
L. :   largeur
P. :   papier
S. :   signé
fig. : figure
pl. :   planche
repr. : reproduit

Auteurs des notices :

Marie-Claude Chaudonneret (M.-C.C.)
Gilles Chomer (G.C.)
Jeannie Doublet (J.D.)
Marie-Martine Dubreuil (M.-M.M.)
Jacques Foucart (J.F.)
Etienne Grafe (E.G.)

Philippe Grunchec (Ph.G.)
Elisabeth Hardouin-Fugier (E.H.F.)
Olivier Jouvenet (O.J.)
Chantal Lanvin (Ch.L.)
Anne Pingeot (A.P.)

Que tous les prêteurs, anonymes ou non, qui ont permis
par leur généreux concours la réalisation de cette exposition
trouvent ici l'expression de notre gratitude
et tout particulièrement les descendants de Paul Flandrin
et l'Association du Centre Adélaïde Perrin à Lyon. 155

Nos remerciements s'adressent également
aux responsables civils et religieux
des collections suivantes :

Etats-Unis d'Amérique :

Albuquerque	University of New Mexico Art Museum : 27, 68	
Detroit	The Detroit Institute of Arts : 95	
Princeton	The Art Museum : 63	

France :

Aix-en-Provence	Musée Granet : 74, 77, 103, 169, 171
Angers	Musée des Beaux-Arts : 12, 164
Bergues	Musée municipal : 177
Besançon	Musée des Beaux-Arts et d'archéologie : 48
Bordeaux	Musée des Beaux-Arts : 176
Compiègne	Musée national du Château : 94
Dunkerque	Musée des Beaux-Arts : 26
Evreux	Musée de l'Ancien Evêché : 113
Grenoble	Musée de peinture : 102
Langres	Musées municipaux : 168
Laval	Musée du Vieux-Château : 166
Lille	Musée des Beaux-Arts : 73, 76, 82
Lisieux	Musée municipal : 15
Lyon	Musée des Beaux-Arts : 7, 9, 10, 18, 66, 67, 69, 78, 84, 87, 92, 104, 144, 146, 152, 154, 157, 158, 167
Metz	Musée d'Art et d'Histoire : 190
Montauban	Musée Ingres : 89
Moulins	Syndicat mixte du musée : 203
Nantes	Cathédrale : 11
	Musée des Beaux-Arts : 112, 116, 170, 201
Nîmes	Musée des Beaux-Arts : 34-35
Orléans	Musée des Beaux-Arts : 174
Paris	Dépôt des œuvres d'art de la Ville de Paris : 58
	Ecole nationale supérieure des Beaux-Arts : 1, 3, 8, 28, 30, 31, 38, 39, 50, 52, 115, 118, 160, 195, 200
	Musée Jean-Jacques Henner : 163
	Musée du Louvre Cabinet des dessins : 65, 178, 182, 187, 188, 193, 194
	Département des peintures : 14, 89, 93, 94, 96, 117, 165, 173
	Musée du Petit Palais : 46, 47, 62, 64
Poitiers	Musée Sainte-Croix : 25, 70, 79
Pontoise	Musée Tavet-Delacour : 29
Quimper	Musée des Beaux-Arts : 61
Reims	Musée Saint-Denis : 129
Rouen	Musée des Beaux-Arts : 126, 128
Saint-Etienne	Musée d'Art et d'Industrie : 6
Saint-Martory	Eglise paroissiale : 20
Tours	Musée des Beaux-Arts : 199
Versailles	Musée national du château : 107, 109
Vizille	Musée de la Révolution française : 110

Grande-Bretagne :

Cambridge	The Fitzwilliam Museum : 198

Nous exprimons enfin une gratitude particulière
pour l'aide qu'ils nous ont apportée à :

M. le directeur de l'Ecole nationale supérieure des Beaux-Arts
M. le directeur du Patrimoine

Les numéros indiqués sont ceux du catalogue ;
ils ne sont donnés que pour les œuvres
appartenant aux collections publiques.

INTRODUCTION

Jacques Foucart
Conservateur au Département
des peintures du Musée du Louvre

Avec les Flandrin, les trois frères Flandrin, Auguste, Hippolyte et Paul, nouveaux Horaces luttant pour la cause de l'Art au XIXᵉ siècle, on n'a pas — mais faut-il s'en excuser ? — le prétexte d'une rituelle commémoration-anniversaire. Simplement, la revanche toute naturelle contre une longue et très injuste indifférence qui fit que, de 1865 — date de la rétrospective posthume d'Hippolyte Flandrin à l'Ecole des Beaux-Arts — à 1984, il n'y eut plus jamais d'autre exposition d'ensemble consacrée au meilleur des trois Flandrin, les deux autres frères, Paul et Auguste, n'ayant jamais eu droit, eux, qu'à la négligence la plus massive. Mais si la présente exposition réparatrice — et collective, car on n'ira pas dans cet hommage dissocier une fraternelle réunion entre les trois membres artistes d'une même famille —, vient tardivement, elle a du moins pour elle de s'appuyer sur deux fondements fort solides : les raisons du cœur qui, comme chacun sait, sont toujours de bonnes conseillères (elles échappent aux modes, aux préjugés) et qui ont su animer le zèle d'une famille de descendants et puis, plus pompeusement dit, les raisons de l'Histoire qui ne sont d'ailleurs pas moins puissantes et convaincantes, celles mêmes qui, depuis une vingtaine d'années, redonnent peu à peu à l'art du XIXᵉ siècle toutes ses perspectives de grandeur inventive et de vertueuse originalité.

La prodigieuse célébrité passée d'Hippolyte, mort en pleine gloire mais encore relativement jeune à la date de 1864 — à 55 ans seulement — joua à la longue en sa défaveur. Car, illogiquement décédé avant son très vieux maître Ingres qui, magnifique chef d'école, sut orchestrer puissamment le deuil d'un élève cher et fidèle entre tous (« *la mort elle-même regrette le coup qu'elle vient de porter* »), Hippolyte souffrit toujours d'être rabaissé à l'état de simple disciple, tare irrémédiable en nos temps de recherche de la pureté et de l'originalité forcées. A l'enthousiasme lucide et raisonné des premiers commentateurs de Flandrin qui, tels les Gautier, les Lenormant, les Planche, avaient vu se déployer de Nîmes à Ainay, de Saint-Vincent-de-Paul de Paris à Saint-Germain-des-Prés l'un des plus valeureux efforts de peinture monumentale d'église — une des grandes questions du siècle : recréer une peinture pour le mur, digne et vraie !, devait succéder une phase d'indifférence polie et ennuyée, de respect blasé devant ces surfaces trop plates, trop nobles, trop parfaites et puis mal éclairées et bientôt égalisées par le blanchiment du chancis (c'est fort sensible à Saint-Germain), sinon par la saleté des poussières. Seul le décor de Nîmes a échappé à de tels handicaps, et les bleus et les verts y chantent toujours, mais Nîmes, il est trop vrai, est loin de Paris où, si longtemps, se sont faites et défaites toutes les réputations… et Nîmes, de ce fait, a mal préservé Flandrin de l'oubli. Ingres, quant à lui, ce factieux voilé, ce révolté secret, fut aisément récupéré par la « modernité », laquelle ne cesse en tant que telle d'être à la mode et à la sauce depuis plus de cinquante ans, mais non pas ses élèves, surtout quand, s'appelant Flandrin, ils n'avaient pas voulu (sauf en copie) jouer, comme le faisait au moins un Amaury-Duval, la carte de la primitivité ostensible du Gothique et de l'avant-Raphaël qui réussit si bien aux Nazaréens allemands ; quand, mêlant comme Hippolyte, la dignité formelle de la tradition raphaélesque à l'invention contemporaine et à une inspiration primitive fortement revue et amendée, le byzantinisme épuré et assagi qui triomphe à Nîmes puis à Saint-Vincent-de-Paul, ces consciencieux élèves et disciples du Maître visèrent à un beau calme et idéal, essentiellement noble et fortement équilibré, mais par là-même austère et trop égal, trop parfait, jamais excessif en ses effets. Relisons à cet égard la dure critique sans appel de Flandrin par un « jeune » du XXᵉ siècle comme Maurice Denis qui disserte sur les élèves d'Ingres en 1911 : Flandrin « vieux jeu » et saint-sulpicien, Flandrin conformiste et pâle reflet du Maître, artiste de sacristie au rayonnement éteint...

On a donc peine à imaginer un Flandrin actuel et « moderne », fort et présent comme celui qui mourait à Rome au lendemain des terribles débats qui avaient opposé sur la réforme de l'Ecole des Beaux-Arts les sages tenants de l'Institut (dont Hippolyte était, bien sûr) et les réformateurs activistes et agités de l'Administration impériale, un Hippolyte point de mire de l'actualité et soulevant l'enthousiasme des critiques et la violence des détracteurs, notamment celle d'iconographes pointilleux, incroyablement attentifs au sujet et au détail des accessoires (c'est une époque qui adore regarder et qui sait le faire longuement, efficacement, encore une saisissante différence avec notre temps !).

Cette « présence » active de Flandrin, on en prend toute la mesure quand on observe, — fait rarissime dans une église, le parallèle s'impose ici avec le seul Saint-Louis des Français à Rome, riche en toutes sortes d'hommages sculptés aux artistes français —, son pieux monument votif dressé par ses amis Oudiné et Baltard — le grand Baltard des Halles ! —, sur le théâtre même du plus grand exploit pictural de Flandrin, en plein Saint-Germain-des-Prés.

Dans un climat si constrasté où l'extrême faveur immédiate engendra un rejet « moderniste » trop cassant, la réparation ne pouvait être introduite que par le zèle familial et intact des descendants de Paul Flandrin qui ont joué ici un rôle marquant et singulièrement bénéfique. Auguste étant mort assez jeune et non marié, et la branche issue d'Hippolyte s'étant bientôt éteinte peu après la Première Guerre, le hasard des âges et des générations a fait qu'un patrimoine remarquable a reflué et s'est concentré chez les petits-enfants de Paul Flandrin (décédé juste au début de notre siècle) qui, pour trois d'entre eux (trois sur six) sont toujours de ce monde et ont pu de ce fait nous prodiguer leurs conseils et nous aider utilement dans la prospection des œuvres exposées : leur père, Louis Flandrin, avait lui-même pris part d'une façon active et directe à cette « mémoire » flandrinienne, puisqu'il fut l'auteur du seul grand livre paru en France sur Hippolyte Flandrin (en 1902), intelligente monographie écrite dans la belle et bonne langue « littéraire » qui était celle d'un professeur de rhétorique dans un grand lycée parisien de la « Belle Epoque »...

Comment ne pas rappeler ici, en tête de notre catalogue, tout ce que cette exposition doit concrètement au regretté Yves Froidevaux, architecte en chef et Inspecteur général des Monuments historiques, aux côtés de son épouse née Madeleine Flandrin et de sa belle-sœur Marthe, elle-même peintre estimé qui a su maintenir la tradition familiale ? Il n'était que trop juste de lui dédier cette manifestation puisqu'il n'a pu en voir, à un an près, l'accomplissement ; c'est lui qui nous en suggéra l'idée et nous facilita à ce sujet les premiers contacts. C'est encore lui qui recommanda toujours aux siens de remettre un jour au Louvre le chef-d'œuvre — ce sera demain l'un des « Classiques » du Musée ! —, qu'est la tendre et si pure effigie de Mme Hippolyte Flandrin portraiturée par son mari, pure dans le jeu des formes autant que dans l'intention sentimentale, et qu'on avait déjà pu remarquer dans nombre d'expositions, notamment au *Bimillénaire* de Lyon en 1958. Venant d'être donnée effectivement au grand musée national, elle est présentée ainsi pour la première fois et, rien que pour ce geste de compréhension très rare et très éclairée, une exposition Flandrin eût trouvé une légitimation plus que suffisante.

***

Il nous reste enfin à invoquer les raisons de l'Histoire..., l'air du temps, la magie de l'actualité (à ce seul mot, tous se réveillent !), nous voulons dire ici cette présence nouvelle du XIXe siècle qui ne cesse de revenir aujourd'hui comme un leit-motiv dans nos regrets et dans nos nostalgies, dans nos admirations comme dans nos destructions... Mais comme Hippolyte Flandrin-l'exemplaire, ce peintre *vertueux* au sens plastique autant que moral du mot, ce nouveau Fra Angelico (laïc) du siècle, est admirablement au cœur du problème, lui qu'on voulait, il n'y a pas si longtemps (c'était au beau milieu des *Golden Sixties*...), évacuer grandement des antiques parois de Saint-Germain-des-Prés (mais comment, *horresco referens*, gratter ou tout au moins détacher du mur ces belles et solides peintures à l'huile et non à fresque... exécutées dans cette technique à la cire aux impeccables effets d'adhérence lisse et plate qui sauva le peintre, par où la Matière la plus matérielle vint au secours de l'Esprit !), — ce Flandrin dont, en plein Paris et dans une église désaffectée depuis près de deux siècles, certaines murailles vénérables et aveuglément poussiéreuses portent encore et assez miraculeusement témoignage par d'intemporelles allégories de l'Agriculture et de l'Industrie, ces deux mamelles de la prospérité dix-neuviémiste... Oui, par quel hasard proprement merveilleux de telles surfaces, « gothiques » celles-là, n'ont pas été encore purgées de tout ornement « barbare » et mensonger (ah ! vérité de la « pierre apparente », mystique d'un soi-disant Beau pur et nu qui se perpétue en « design »...), ainsi qu'il arriva, inexorablement et victorieusement, quelques dizaines de mètres plus loin, à l'infortuné Gérôme qui n'avait pas encore trouvé ses défenseurs et ses amants ? Bref, Flandrin déchu de son piédestal eût pu être le grand héros et martyr de la cause du XIXe siècle... A défaut, il en aura été pour de longues années le grand laissé pour compte et le symbolique rescapé !

Mais, en sens contraire, que d'heureux signes qui attestent qu'à présent les choses vont changer, doivent bouger ! Déjà, des représentants de ce même mouvement ingresque comme Amaury-Duval (à Montrouge en 1974) et Lehmann (au Musée Carnavalet en 1983) ont eu leurs expositions, ont connu leurs chantres et leurs résurrections. Et si l'on est à fêter deux élèves d'Ingres aussi parfaitement irréprochables, que ne doit-on faire avec Hippolyte Flandrin qui fut le disciple entre tous et dont l'œuvre est d'une tout autre ampleur, incomparablement plus digne et plus haute ? Pour ne pas être en reste, Signol, le grand Signol avec lequel Flandrin partagea le vaste chantier pictural de Saint-Vincent-de-Paul, est enfin étudié dans une thèse de doctorat (par M. Caffort). Bien plus, voici que le principal élève et collaborateur de Flandrin lui-même, Louis Lamothe, a fait tout récemment l'objet d'une longue étude de Mme Aubrun (dans le méritoire *Bulletin du Musée Ingres* de Montauban), tandis qu'à l'étranger, par exemple, les Flamands étaient assez avisés pour célébrer à Hasselt, en 1981, l'infatigable et tardif Guffens (1823-1901) dont l'art religieux d'ailleurs très respectable propagea si bien, dette curieusement inavouée, la manière et les choix de Flandrin.

A dire vrai, le réveil pour Hippolyte avait sonné depuis bien des années : depuis 1967 exactement, date de l'imposante thèse de Mme Chantal Lanvin soutenue à l'Ecole du Louvre et qui signifiait un véritable retour en grâce. Elle renouvelait les données d'une connaissance qui s'identifiait depuis 1902 au beau livre un peu hagiographique du neveu d'Hippolyte, Louis Flandrin, mais insuffisant sur l'utilisation des sources, pauvre en références, peu illustré et sans catalogue critique de l'œuvre. Malheureusement, ce travail libérateur de Mme Lanvin devait rester inédit, au point que tout un chacun, spécialement dans le monde des chercheurs américains si friands de ce genre d'artistes du XIXe siècle, voulait le consulter, voire le recommencer ! Il dormirait encore..., si le présent catalogue n'en avait permis une première et légitime exploitation sous la propre égide de son auteur, et nous ne pouvons que formuler le vœu tout raisonnable et positif de voir Mme Lanvin nous donner demain un livre complet sur le peintre de Saint-Germain-des-Prés, qui parachève la mise en place esquissée par l'exposition (on a bien conscience qu'une exposition, en dépit ou justement à cause de ses facilités d'édition, ne peut tout dire et ne saurait à coup sûr remplacer le cadre plus intellectuel et mieux équilibré d'une monographie). De fait, Chantal Lanvin, avec l'aide enthousiaste et irremplaçable de Marthe Flandrin, se livra, il y a presqu'une vingtaine d'années, à une première et fructueuse enquête d'une immense ampleur, recensant avant d'inéluctables dispersions le vaste fonds des familles descendant des Flandrin, répertoriant et faisant photographier des centaines d'œuvres souvent inédites, reconstituant notamment, au prix de patients efforts, l'œuvre du brillant portraitiste que fut Hippolyte. Et, chose rare à signaler dans ce genre de recherches accumulatrices où l'on pourrait finir par perdre son âme…, sans perdre jamais de vue le sens de la qualité artistique, de la réussite esthétique des œuvres !

Ce que montrent encore ses recherches, c'est à quel point l'époque a vieilli, a reculé dans un passé en fuite : que de familles visitées en 1967, que de descendants consultés qui n'existent plus aujourd'hui ou ne répondent pas, que de patrimoines dispersés ou en voie de liquidation, que d'œuvres encore accessibles il y a vingt ans et dont le prêt a été rendu impossible par la peur des vols ou l'actuelle pression des faits ! L'espace du savoir, les facilités d'accès ont considérablement rétréci sous l'évolution des mœurs : un catalogue nourri comme celui de Mme Lanvin serait singulièrement plus difficile à écrire en 1984, et ceci explique certaines lacunes inévitables dans le choix des œuvres exposées comme le fait qu'à de rares exceptions près (les *Bergers de Virgile, Auguste Flandrin enfant, Mlle Zoé d'Aubermesnil, Mlle Duchâtel*) nos présentes recherches n'ont guère amélioré celles, déjà anciennes mais si approfondies, de Chantal Lanvin à qui nous devons une extrême reconnaissance.

Un autre travail universitaire de qualité à signaler dans un contexte Flandrin est le mémoire de maîtrise de Bruno Horaist (Université de Paris X) consacré en 1978 aux peintures murales religieuses d'Hippolyte. Cette fois, il n'est pas resté dans une regrettable pénombre, car la *Société de l'Histoire de l'Art français*, fidèle à son irremplaçable mission, en a déjà publié tout ce qui concernait le cycle — majeur — de Saint-Germain-des-Prés, avec la reproduction quasi intégrale desdites peintures qui ne se trouvait dans aucune publication précédente (seules les figures isolées de prophètes dans les parties hautes de la nef n'ont pu être alors illustrées en raison de la hauteur et du contre-jour de leur emplacement, lacune qui vient d'être comblée ici-même) et un premier essai de liste systématique des esquisses et dessins préparatoires connus pour cet ensemble. Courageuses « premières » efficacement relayées et prolongées par les fondamentales campagnes d'inventaires lancées depuis quelques années par la Conservation des objets d'art des églises de la Ville de Paris (M. Cazaumayou puis MM. Brunel et Imbert) et qui renouent, faut-il le dire assez, avec l'une des grandes et glorieuses traditions du siècle dernier, ce siècle universel assoiffé de recensions, de classements, d'énumérations (pour les édifices de Paris, ce furent les mémorables Inventaires Chaix, publiés de 1878 à 1886). Le présent catalogue en a bénéficié à point avec les « descriptions » d'ores et déjà opérées à Saint-Séverin, à Saint-Vincent-de-Paul et surtout à Saint-Germain-des-Prés dont la parfaite « couverture » photographique vient d'être enfin réalisée, en même temps qu'était repris à nouveau l'examen approfondi des sources d'archives et de toutes les données historiques et littéraires, notamment à propos de la question si critique des diverses restaurations apportées depuis plus d'un siècle à ces décors. Les trois essais publiés ici par MM. Horaist, Brunel et Imbert témoignent ainsi d'une nouvelle façon d'aborder et de regarder (on ne saurait mieux dire dans le cas de photographies si virtuosement exécutées sur des échafaudages mobiles appropriés !) l'œuvre de Flandrin.

N'oublions pas non plus la thèse générale de Bruno Foucart (Université de Nanterre,

1980) sur l'art religieux au XIXe siècle qui consacre évidemment maints passages circonstanciés au cas exemplaire de Flandrin, ni les travaux spécifiques de Michael Paul Driskel (Brown University) sur les rapports entre l'art, la piété et la politique en 1848 à propos de Saint-Paul de Nîmes et de son Christ égalitaire, très fraîchement parus dans *Art Bulletin* (juin 1984) et plus encore les recherches d'Henri Dorra (Stanford University) sur le *Dante et Virgile* de Lyon, presqu'une monographie intégrale du tableau intelligemment publiée dans l'excellent *Bulletin des musées de Lyon* et s'inscrivant dans le grand mouvement d'intérêt de ces dernières années pour l'art des Nazaréens allemands. Si Dorra, peut-être à tort, tend à faire d'Hippolyte Flandrin (et parallèlement à un autre « lyonnais » comme Orsel) une sorte de Nazaréen français vivement et durablement impressionné — à Rome — par la leçon des peintres religieux néo-primitivistes d'Outre-Rhin, ce point de vue un peu trop à la mode du jour et à base de rapprochements vite abusifs, a eu le grand mérite de re-situer Hippolyte dans un large contexte international, à la hauteur même des vastes et sincères ambitions de peintre monumental du XIXe siècle qui furent celles du *vertueux* Flandrin.

Mais la manne ne saurait s'arrêter à Hippolyte et, toujours sous le signe d'une nouvelle et globale approche du XIXe siècle (insistons bien sur cette notion fondamentale de *globalité*) la recherche s'est récemment tournée vers les deux autres frères d'Hippolyte qui avaient été presque complètement négligés jusqu'ici : le Professeur Ternois, à Lyon, a fait étudier Paul Flandrin par l'un de ses plus sûrs étudiants, Olivier Jouvenet. Grâce à ce dernier auquel nous avons pu immédiatement demander d'assumer la responsabilité du choix des œuvres du frère cadet d'Hippolyte et la rédaction des notices afférentes, la personnalité artistique de Paul se discerne enfin, ce qui permet d'aborder le thème, si important au XIXe siècle, du *Paysage historique*, noble et composé : quand a-t-il vieilli, en quoi consistait-il, jusqu'à quelle date a-t-il survécu ? En gros, le naturalisme barbizonnesque, puis le vérisme impressionniste ont fait tomber cette conception du Paysage dans un discrédit globalement négatif qui a été jusqu'à mettre en péril les témoins de telles ambitions fort respectables, si l'on en juge par la vitalité des commandes et des achats de l'Etat dans ce genre. C'est l'habituel et inquiétant revers de la médaille : on n'aime pas, on exile et l'on finit par jeter ou laisser périr ! Paul Flandrin avec ses « vues » noblement balancées et chargées de poésie littéraire, toutes en tons verts gris et ocres fort austères, devait être l'une des victimes toutes désignées de ce processus trop exemplaire : nous nous souvenons ainsi d'avoir vu rentrer en 1970 d'un exil de 72 ans dans quelque administration ingrate et trop peu conservatrice (il en existe...) les admirables et monumentales *Montagnes de la Sabine* de Paul, l'un des grands témoignages du Salon de 1838 et du Musée du Luxembourg où il demeura de 1852 à 1898 (son titre « historique » à l'ancienne était alors *Adieux d'un proscrit à sa famille...*), crevées et lardées de mille coups cruels comme on en aurait naguère avantageusement accusé les Prussiens et leurs « sauvages » baïonnettes de 1870-71... Las ! ce n'était que l'éternelle incurie et le moderne opprobre jeté sur toute création honteusement jugée inutile et démodée... Rendons précisément hommage à Geneviève Lacambre d'avoir su sauver à temps et récupérer ce bel et grand malade, qu'elle présenta en 1974, magnifiquement restauré, à l'exposition du *Luxembourg en 1874* : voilà bien un autre signe annonciateur que la faveur des temps avait su tourner et qu'une exposition des frères Flandrin paraîtrait un jour proche singulièrement apaisante, légitime, naturellement salutaire...

Lyon qui, comme chacun sait, a le sens de son passé et de ses augustes et romaines origines, Lyon n'a pas négligé non plus le troisième frère de cette noble et émouvante famille d'artistes, Auguste (on serait même tout à fait complet en citant, mais on change alors de génération et presque de siècle, le fils d'Hippolyte Flandrin, Paul-Hippolyte, zélé peintre religieux dans le genre de Jean-Paul Laurens). Ici encore, c'est d'une recherche universitaire toute fraîche que profite le présent catalogue, celle que Mme Doublet, efficacement secondée ici par Gilles Chomer, mène, toujours sous la stimulante direction de M. Daniel Ternois, sur l'œuvre encore obscur et trop rare de ce sympathique aîné d'Hippolyte et de Paul, mais maladivement hésitant et précocement disparu, au point qu'on aurait fini par l'oublier à peu près complètement si le Musée des Beaux-Arts de Lyon, dans sa nouvelle section de peinture lyonnaise, n'exposait en permanence depuis quelques années et avec beaucoup d'éclairement trois de ses œuvres (*M. Des Guidi*, la jolie *Femme en vert*, la *Prédication à San Miniato* : les deux derniers sont présentés ici). La quinzaine d'œuvres d'Auguste Flandrin (peintures et dessins) exposées pour la première fois en si grand nombre dont quelques inédits trouvés et commentés par M. Grafe et Mme Hardouin-Fugier qui adjoignent ici avec bonheur leurs efforts, permet ainsi une véritable résurrection et atteste la vitalité des recherches lyonnaises qui se partagent et se démultiplient entre les facultés de Lyon II et Lyon III.

A cet égard, nous ne saurions trop insister sur l'érudition d'Elisabeth Hardouin-Fugier qui, depuis plusieurs années, fait systématiquement et fructueusement dépouiller par ses étudiants les sources d'archives et la presse lyonnaise : la cause des Flandrin parmi bien d'autres artistes en a profité, comme en témoignent dans le présent catalogue les deux essais de Mme Hardouin-Fugier sur le rôle, les œuvres et la place d'Hippolyte Flandrin à Lyon.

***

Mais à quoi servirait d'étudier si l'on ne sauvait, si l'on ne montrait... Bientôt, notre histoire de l'art ne serait plus qu'une archéologie des choses défuntes et des nostalgies imprimées ou au mieux photographiées. Là encore, l'exposition Flandrin vient à son heure au sein d'une vaste remise en ordre des immenses ressources du XIXᵉ siècle : tant de sauvetages, de spectaculaires restaurations, d'heureuses acquisitions justifient assurément une manifestation spéciale en faveur des Flandrin. Le public saurait-il autrement que la Ville de Paris, renouant un fil interrompu depuis la dernière Guerre, se remet à restaurer l'extraordinaire patrimoine de peintures murales de ses églises ? Que les frises de Saint-Vincent-de-Paul redéploient depuis quelques années la tendre suavité retrouvée de leurs couleurs pâles sur fond or et la cadence exquise de leurs nobles défilés rythmiques ? Bien plus, que le premier et le plus majestueux décor pariétal de Flandrin, celui de Saint-Séverin, est en train de revivre, car il était, pour la *Cène* notamment, dans un si grave péril que d'aucuns le jugeaient à peu près perdu (déjà, la *Cène* avait été restaurée au siècle dernier, puis à nouveau dans les années vingt). Grâce à MM. de Saint-Victor et Brunel, la chapelle de saint Jean l'Evangéliste à Saint-Séverin a justement fait l'objet d'une complète et victorieuse restauration (due à Claire Brochu) qui a coïncidé avec notre exposition et qui succédait à celle, non moins réussie et spectaculaire, des étonnantes peintures de Gérôme dans une autre chapelle de la même église parisienne (pareille concordance n'avait malheureusement pu être réalisée pour la mémorable exposition Gérôme organisée à Vesoul en 1981, pareille résurrection n'a pu être accomplie aux Arts et Métiers en 1965...).

Le salubre exemple de Paris se doit d'être suivi par d'autres villes, car, en marge de cette Exposition Flandrin, force est de constater avec inquiétude le délabrement avancé de certaines parties du décor de Saint-Martin d'Ainay à Lyon (la peinture de l'absidiole de droite est devenue presqu'invisible, comme le montrent des photos récentes du Pré-inventaire utilisées ici dans l'essai de Mme Hardouin-Fugier). Quant aux peintures de Saint-Paul de Nîmes, le plus beau décor peint par Flandrin, sinon la plus évidente réussite de la peinture religieuse monumentale en France au XIXᵉ siècle, elles mériteraient d'être surveillées de près : déjà rôde l'insidieuse dégradation ! Puisse une exposition comme celle-ci et les divers travaux qui s'annoncent à cette occasion, notamment ceux de Bruno Foucart et de Christiane Lassalle (à paraître dans le *Bulletin de la Société de l'histoire de l'art français*) qui valorisent les participations de l'architecte Questel et du décorateur Denuelle par la découverte à Nîmes de toute une série d'aquarelles capitales, inciter à une scrupuleuse sauvegarde de cet ensemble « angélique » qui ravit et l'œil et l'esprit et qui constitue sans nul doute l'un des grands moments de notre culture !

De l'heureuse survie des décors parisiens — Paris, comme l'a bien rappelé Pierre Schneider en 1980, a le plus bel, le plus riche ensemble qui soit au monde de peintures religieuses du siècle, un patrimoine qui, littéralement, effraie par la dramatique ampleur des soins qu'il requiert : notre société saura-t-elle consentir assez d'investissements massifs et courageux dans ce qui apparaît comme la tâche primordiale de demain, rien de moins que la simple survie de la meilleure part d'un immense et récent passé, celui du XIXe siècle ? — l'on passe à d'autres sauvetages insignes, directement suscités cette fois par l'Exposition Flandrin. Ainsi nul ne pouvait voir depuis près de vingt ans la grande toile d'Hippolyte et son juvénile et ambitieux chef-d'œuvre envoyé de Rome, ample de formes et de rythmes, le *Christ et les enfants* du musée de Lisieux (une composition d'ailleurs si vaste qu'elle avait posé bien des problèmes d'exposition à la ville lors de son arrivée au siècle dernier). Mal roulée au cours des années 1960 et ayant de ce fait beaucoup et inutilement souffert, cette œuvre unique, le plus grand tableau religieux d'un artiste qui se spécialisa ensuite exclusivement dans la peinture murale, attendait en vain sa coûteuse restauration et quelques bons esprits avaient déjà conclu qu'invisible, le chef-d'œuvre avait bel et bien disparu pendant la dernière Guerre... Les efforts réunis de l'Etat qui a pu largement subventionner cette opération de survie et de la ville qui n'a pas moins eu à cœur d'entretenir une des gloires de son patrimoine — grâces soient rendues ici à la clairvoyance conjointe du maire et du conservateur du musée ! — sont venus à bout d'un problème qui décourageait d'abord les bonnes volontés. Le résultat est triomphal et révèle un tableau d'une extrême majesté, une sorte de Raphaël du XIXe siècle...

De même a été assurée à long terme la conservation d'un autre chef-d'œuvre non moins digne d'attention, la *Mater dolorosa* de l'église paroissiale de Saint-Martory qui n'avait jamais bougé depuis son installation après le Salon de 1845 (sauf pour l'exposition posthume à l'Ecole des Beaux-Arts de Paris) et qui commençait pourtant à s'écailler sournoisement par faiblesse et vieillissement de la toile : les Monuments historiques sont intervenus ici préventivement, grâce à la compréhension de l'Inspecteur général Costa et du maire de cette localité très attachée à la bonne tenue de son église. Même les descendants de Paul Flandrin ont pris soin eux aussi de faire restaurer certaines toiles d'Hippolyte et d'Auguste qui n'étaient guère présentables. A l'Ecole des Beaux-Arts de Paris enfin, sous la vigilance de M. Grunchec, d'importantes retrouvailles ont eu lieu (les tableaux donnés par Gatteaux mais perdus de vue depuis des dizaines d'années) et cinq tableaux au total glorieusement restaurés pour la présente exposition.

***

Cette pieuse et lucide sollicitude des conservateurs et des historiens d'art envers Flandrin s'étend forcément aux acquisitions : depuis quelques années, les œuvres d'Hippolyte ne sont que trop recherchées sur le marché d'art ! Dans la fortune artistique d'Hippolyte, il faudra donc retenir comme une grande date l'acquisition par le musée de Detroit du *Portait de Mme de Cambourg,* cette « icône » ingresque, froide, pure et parfaite jusqu'à la provocation que les collections françaises peuvent regretter (soyons quand même un peu nationalistes !) mais dont le départ a permis d'assurer à l'art et à la célébrité de Flandrin une audience magnifiquement élargie. Saluons à cet égard l'intelligente précocité avec laquelle les Américains surent reconnaître le mérite et la vertu des Ingresques, pour ne citer, à côté de Flandrin et en fait de portraits, que les exemples non moins fatidiques de Lehmann (à Minneapolis) et de Gérôme (à Ottawa). La différence avec la France, c'est que celle-ci, Belle au bois parfois endormie... a encore dans ses propres fonds (publics ou privés) toutes ces nouvelles et vieilles richesses et qu'il suffirait souvent d'un voyage en « Réservie » (ce fabuleux pays méconnu de nos contrées muséales...) et d'un coup de baguette (magique) pour les faire sortir d'un relatif oubli qui lui-même nous semblera demain comme un fait — heureusement ! — incompréhensible et très lointain... C'est plaisir que d'évoquer ici, sorties du jamais vu (ou du presque jamais vu) grâce à la présente exposition, la cristalline *Mme Cordier* de Grenoble à l'ovale parfait et aux courbes lisses comme celles d'une perle rehaussée de vert, ou bien l'altière et gracieuse *Sainte Pélagie* de Besançon aux arabesques de parade (encore une belle restauration décidée depuis longtemps par Mme Legrand, l'exigeante conservatrice de ce riche musée), l'impérieux et inoubliable *Dr Rostan* d'Aix, par ailleurs donateur de jolies esquisses du maître montrées également ici ou encore les somptueuses aquarelles de Nîmes retrouvées dans un grenier du musée de Nîmes et sauvées *in extremis* (elles servaient, décadrées, de cartons de rangement !) par M. et Mme Lassalle, vigilants conservateurs de leurs richesses nîmoises.

Côté français, ces retrouvailles d'un grand peintre auront été signifiées par la toute récente entrée au Louvre de l'admirable effigie de Mme Flandrin. Et la fâcheuse lacune qui fait qu'aucune esquisse n'évoque au Département des peintures le mâle décorateur de Saint-Séverin ou de Saint-Germain-des-Prés, tout comme dans les collections de la Ville de Paris d'ailleurs, a été largement compensée sur le plan français (heureusement, tout ne s'écrit plus à Paris, il est même impossible dorénavant qu'il en soit autrement !) par toute une série d'acquisitions opportunes qui sont révélées ici au grand jour après l'avoir été partiellement en 1979 dans cette exposition annonciatrice qu'était le *Second Empire* : achats de peintures et de dessins effectués depuis juste dix ans par les musées de Dunkerque, de Pontoise, de Poitiers, de Moulins (beau portait de femme ingresque dû ici à Paul Flandrin), de Quimper, du Petit Palais à Paris, de Lyon qui a toujours su maintenir une belle lucidité en faveur des Flandrin, ne serait-ce — évidence qui, de nos jours, finirait presque par devenir un étonnant paradoxe ! — qu'en les exposant... (voir ici même l'article de Mme Rocher-Jauneau qui rapporte le mouvement des acquisitions lyonnaises qui ne cessèrent du XIXe siècle à nos jours, notamment entre les deux Guerres, à un moment où les admirateurs d'Hippolyte et de Paul étaient plus que rares et singuliers). Le dernier achat en date à signaler est celui tout récent du musée non moins neuf de Vizille (fonds Casimir Périer). D'autres acquisitions vont sans doute suivre au Musée d'Orsay, à Paris, qui prolongera à dessein l'effort du Louvre, tandis qu'en Amérique même, sous l'impulsion de l'active Galerie Shepherd à New York, musées et collectionneurs privés ont su recueillir avec diligence maintes esquisses religieuses d'Hippolyte Flandrin (Princeton, Albuquerque, Collection Butkin à Cleveland, *etc*...).

***

Telle quelle, cette nouvelle « Triplice », pacifiquement fondée, elle, sur l'art et le lien familial, est une grande nouveauté. Elle n'avait encore jamais été tentée, que ce soit à Paris où Hippolyte et Paul exécutèrent la plupart de leurs œuvres, aux décors près de Nîmes et de Saint-Martin d'Ainay ou à Lyon, ville natale, comme chacun sait, de nos trois artistes frères. Nous ne pouvons à cet égard que remercier très vivement Mme Rocher-Jauneau de sa décisive compréhension et des précieux encouragements qu'elle a su réserver à notre projet, puisque la présente exposition bénéficie de prêts exceptionnels du musée de Lyon et qu'elle est montrée successivement à Paris puis à Lyon, exemple de collaboration positive et fructueuse entre ces musées qui renouvelle l'heureux mais déjà lointain précédent de l'exposition de la *Peinture Lyonnaise* à l'Orangerie, en 1947 (quelques œuvres des trois frères Flandrin y figurèrent juste à titre d'échantillon).

Dans le cas d'Auguste, le rassemblement et la sélection des œuvres ont été relativement aisés à opérer en raison de l'étroitesse de sa production artistique. Tout ou presque se trouvait à Lyon (entre bien d'autres exemples locaux, un savoureux portrait inattendu est celui de la grande figure lyonnaise d'Adélaïde Perrin, toujours conservé dans l'hospice qu'elle fonda au siècle dernier) ou chez les descendants de Paul Flandrin, et tout était à peu près inédit. Ainsi, pour ce qui est des prêts du Musée des Beaux-Arts de Lyon, on s'est attaché à présenter des œuvres d'Auguste restées en réserve comme l'étonnant *Père Colonia* digne de Granet et de ses coloris bruns et rouges ou ce *Portrait d'acteur* dont Mme Hardouin-Fugier vient de percer le secret, plutôt que le *Dr des Guidi* un peu compassé et bien connu depuis qu'il fut reproduit par Dissard dans son catalogue du musée en 1912. La perle rare reste bien sûr la *Femme en vert*, mais une vraie surprise venue, elle, d'un collectionneur parisien est le petit exercice napolitain du Salon lyonnais de 1838 qui montre un Auguste Flandrin plus divers dans ses curiosités qu'on ne pouvait le croire du fait de ses succès de portraitiste. A coup sûr, on peut prédire que l'exposition fera sortir d'autres œuvres d'Auguste et renforcera notre admiration pour son beau talent soigné, nourri de « lyonnisme », où l'influence d'Ingres joue finalement assez peu, et qui prouve une fois de plus que la France, parisienne ou non, des années 1830-1840 fut une terre bénie pour le portrait, juste avant l'éclosion de la photographie.

Pour Paul Flandrin, la constitution d'un ensemble de quelque cinquante numéros présenté ici fut facilitée cette fois par l'abondance et la régularité avec lesquelles l'artiste sut faire acheter à l'époque ses œuvres par les musées. le « paysage historique » semble avoir été particulièrement aimé des grands amateurs et des Directeurs des Beaux-Arts sous Louis-Philippe, on pourrait le vérifier avec des peintres tout parallèles à Paul Flandrin comme Desgoffe qui deviendra d'ailleurs son beau-père, Edouard Bertin ou Caruelle d'Aligny. Dès lors, le problème était celui d'une sélection sévère, d'autant que la qualité des ouvrages de Paul, on ne saurait le dissimuler, s'affaisse assez fâcheusement avec le temps et que cet artiste ne se renouvelle guère passé 1860. Sa longue survie jusqu'en 1902 le fera même apparaître à la fin du XIXe siècle comme un véritable témoin « fossile » d'un art complètement disparu qui avait fleuri plus d'un demi-siècle plus tôt. L'autre facette du talent de Paul sur laquelle on a insisté à dessein, est le portrait dessiné à l'« ingresque », où il fit merveille : le Louvre par des dons anciens de la famille Flandrin et de la veuve d'Ambroise Thomas possède une série incomparable de tels portraits d'artistes (Chancel, Signol, Didier, les Flandrin eux-mêmes, Lacuria), le plus souvent de la période romaine de Paul et toujours d'une attachante et ferme dignité de trait (certains n'ont pu être montrés en raison de leur médiocre condition, ainsi les portraits qui représentent Chancel ou Thomas). Ne pourrait-on dire que Paul a surpassé ici son frère Hippolyte, voire Chassériau et les autres Ingresques ? Quant aux portraits peints, ils sont malheureusement restés de la plus grande rareté, et celui de la baronne Henry, récente et suggestive acquisition du musée de Moulins, force l'attention par cette froide et impeccable pureté qui, au même moment, signale jusque chez un Scheffer (*Mme Gobineau*, à Beauvais), chez Delaroche (*M. de Salvandy*, au Louvre) ou Edouard Dubufe (*Portrait d'une inconnue*, Autun) le meilleur tonus des années 1840.

A contrario, on a négligé comme trop périphériques les nombreuses et d'ailleurs amusantes caricatures, complaisamment multipliées par Paul et bien conservées chez ses descendants : l'artiste ne les voulait pas comme des œuvres d'un art digne et sérieux.

Pourquoi insister alors sur le secondaire quand il y a tant de principal ? De même, par souci de la qualité esthétique et de l'intransigeance formelle du trait (Paul n'avait pas la force linéaire et plastique d'Hippolyte, sauf en portrait), on ne s'est pas outre mesure attardé sur la collaboration entre les deux frères dans les décors muraux. Il y eut certes imbrication, mais on ne peut nier que l'inventeur et le puissant généralisateur, c'était Hippolyte : Paul n'était qu'une main, admirablement fraternelle certes mais subordonnée, au même titre qu'un Lamothe sur lequel Mme Aubrun vient de donner un dossier fort substantiel qui permet de juger comme il convient ce probe élève assez mécanique et certes consciencieux mais falot, en définitive ni meilleur ni pire que les autres disciples un peu grisâtres d'Hippolyte, tels que Chancel, Poncet et Paul lui-même.

Reste Hippolyte qui constitue, à tout seigneur tout honneur !, le gros et central morceau de l'exposition (136 numéros sur 211). La gageure ici était double : l'exposition de 1865 (98 numéros bruts, en fait 173 pièces en décomptant les ensembles groupés sous un seul numéro) n'était pas renouvelable dans tous ses détails, et les grands décors muraux de Flandrin qui ont fait sa juste et durable gloire, sont par essence intransportables. Intervenant moins d'un an après la mort du peintre, alors même que son atelier n'avait pas encore été vendu (cette vente suivit l'exposition de quelques semaines), la rétrospective posthume de l'Ecole des Beaux-Arts bénéficiait de facilités contemporaines incomparables. On se doute bien que, sur les 47 portraits qu'elle présentait, maints ont été perdus de vue depuis longtemps (ainsi en est-il des effigies de Reiset, Edouard Mignon, Mlle Delessert, Chaix d'Est-Ange, Mme Cottin, des frères Dassy, de Marc Seguin, Mlle Rostan, les Freteau de Pény, Mme Legentil, Constant Say, le Comte Walewski, Mme Féburier, la Comtesse de Goyon, etc...). Le portrait de Gatteaux et le *Napoléon 1er législateur* (pour le Conseil d'Etat) ne survécurent pas, il est vrai, aux incendies de la Commune en 1871. Mais nombre des plus évidentes réussites du maître se retrouvent exposées ici comme elles l'avaient été en 1865, de *M. Broelmann* à *Ambroise Thomas*, de la charmante *Mlle Baltard enfant* à la pétrifiante *Mme Oudiné* (avouons qu'elle a un peu perdu à la restauration...), du fascinant *Prince Napoléon* au rêveur *Napoléon III* qui retient par ses superbes harmonies de rouges, du magistral *Dr Rostan* à la *Comtesse Maison* et au portrait enchanteur et ravissant de sa fille, celle-là même qu'encensèrent Théophile Gautier et Paul de Saint-Victor au Salon de 1859 pour lui valoir le titre inoublié de *Jeune fille à l'œillet*. Longtemps égaré, le majestueux et opulent portrait de Mlle Duchâtel où s'admire l'un des plus beaux bouquets de fleurs de la peinture du XIXe siècle (un Flandrin discret et amorti, rivalisant ici avec le silencieux Fantin : rencontre inattendue !) vient d'être retrouvé juste à temps pour la présente exposition où l'on verra également la glaciale et parfaite *Baronne de Cambourg* qui manquait à la rétrospective de 1865, sans compter une ultime et souveraine *Mlle d'Aubermesnil*, qui, curieusement, fit défaut à toutes les publications sur Flandrin (comme à la réunion de 1865) et n'avait été déjà montrée qu'une fois, lors d'une rétrospective d'art français à l'Exposition universelle de 1889. Autre nouveauté de marque, car révélée seulement par la thèse de Mme Lanvin, la puissante effigie du diplomate Roussel, un des plus anciens portraits peints par Flandrin, qu'il était de ce fait intéressant de saisir aux tout premiers débuts de sa brillante carrière de portraitiste.

En sens inverse, certaines défections peuvent s'expliquer par de simples considérations d'opportunité : il était certes plus utile de montrer l'implacable et franc *Monsieur Broelmann* tiré des réserves du musée de Lyon que l'effigie de *Varcollier* si proche dans sa pose (même main appuyée au menton !) et déjà révélée par l'exposition Baudelaire, en 1969 ; de même, on pouvait sans doute se passer des tardives, sages et vertueuses dames *Broelmann* et *Brame* du Palais Saint-Pierre qui les expose en permanence, et ainsi de suite... Mais ce n'est qu'à cause d'un subit décès familial que nous a fait défaut la très belle effigie ingresque de Mme de la Béraudière, bien repérée par Mme Lanvin chez les descendants du modèle et si proche à tant d'égards de l'infaillible *Mme de Cambourg* : leur confrontation eût été d'autant plus séduisante et instructive que chacun de ces tableaux peut prétendre s'identifier à celui du Salon de 1846 (en fait, la description assez précise de Thoré permet de trancher en faveur du portrait de Mme de la Béraudière).

Quant aux tableaux d'histoire peints par Hippolyte, ils ont été en fait si peu nombreux à l'origine qu'il était difficile de faire aujourd'hui beaucoup moins bien qu'en 1865. Rien de saillant ne manque ; il n'y a pas à regretter l'*Euripide*, Envoi de Rome passé autrefois du musée de Lyon à celui de Montauban, tableau hélas si noirâtre et si mal conservé qu'il en est devenu archi-décevant et tout à fait indigne d'une grande exposition. Alors que les *Bergers de Virgile* que Mme Lanvin n'avait pu retrouver en 1967 (ils appartiennent toujours aux descendants de Bodinier) sont heureusement présents, car il s'agit d'une œuvre fort attachante et de belle qualité (deux études préparatoires de nu viennent d'entrer, signalons-le au passage pour rester dans l'actualité de Flandrin, au musée de Troyes). En revanche et bien que l'exposition ait d'abord lieu dans l'enceinte même de l'ancien Musée du Luxembourg, nous n'avons pas cru devoir demander le coûteux déplacement, pour quelques centaines de mètres, de l'imposant *Saint-Louis dictant ses établissements*, toujours en place au Sénat. Le faste et la célébrité de l'endroit lui profiteront sûrement plus qu'une simple promenade d'exposition où il aurait peut-être souffert de certains voisinages !

Chef-d'œuvre ! C'est bien le seul terme qui puisse qualifier la dignissime *Mater dolorosa* de Saint-Martory déjà montrée en 1865, inoubliable de fermeté plastique, de raffinement coloré et de tendresse humaine, l'un des tout premiers tableaux religieux du siècle dont les anthologies auraient dû s'emparer depuis longtemps... Ne manque pas non plus à l'appel l'autre grand chef-d'œuvre religieux d'Hippolyte, cette *Piéta* de 1842, restée quant à elle invisible en 1865, curieusement absente du livre de Louis Flandrin en 1902 et jalousement conservée par Hippolyte puis par son fils Paul-Hippolyte, d'où elle parvint entre les Deux Guerres au musée de Lyon. Quelques appréciables compensations sont même à signaler çà et là, comme l'*Étude* d'Évreux qui, apparemment, ne figurait pas à l'exposition de 1865, la *Sainte Pélagie* de Besançon, (legs Gigoux) qui remplace celle du Baron James de Rothschild, seule présente en 1865 et introuvable de nos jours, ou encore ces deux petits bijoux de peinture fine et ferme que sont les esquisses des médaillons du berceau du Prince impérial, qui proviennent du peintre et ami de Flandrin, Timbal, et sont à distinguer des quatre modelli de la Collection Baltard, connus par d'anciennes photos et exposés en 1865 mais non localisables aujourd'hui (l'acquisition par le Musée d'Orsay des tableaux de Timbal est en cours).

La difficulté presqu'insurmontable d'une exposition Flandrin reste évidemment la peinture murale, par essence intransportable : la seule frise de Saint-Vincent-de-Paul couvre une étendue de mur de 100 mètres sur une hauteur de 3 mètres ! On n'a certes pas ici la ressource qu'offrait un Puvis avec ses grands « cartons » préparatoires à dimensions réelles qui frappèrent les visiteurs du Grand Palais en 1976. L'exposition de 1865 contournait partiellement l'obstacle en exposant les photos mêmes du décor de Saint-Germain-des-Prés et de précieuses suites complètes d'esquisses peintes et de dessins qu'il est évidemment impossible de reconstituer après la dispersion à l'Hôtel Drouot qui suivit immédiatement l'exposition des Beaux-Arts. Çà et là, quelques bribes en ont été retrouvées, notamment celles qui avaient été achetées à l'époque par un collectionneur nommé Lambertye et qui repassèrent en vente il y a quelques années, ce qui permit de les retrouver et d'en fixer quelques-unes dans des musées. D'autres à coup sûr réapparaîtront à la suite de la présente exposition. Dans ces conditions, plutôt que de chercher à être exhaustif et pédagogique, on s'en est tenu à un simple parti artistique et contemplatif, la matière documentaire étant réservée à l'espace du catalogue : choisir peu de dessins mais les retenir en fonction de leur mérite esthétique ; rassembler les quelques esquisses repérées mais pour insister d'abord sur leurs mérites intrinsèques, leur vivacité de coloris — le profond charme du bleu-vert de Flandrin ! — et leur fermeté de dessin. Il ne pouvait être question d'évoquer chaque décor — et la même restriction vaut pour les quelques grandes toiles d'Hippolyte comme le *Dante* ou le *Christ et les enfants* — par le rassemblement systématique et préparatoire des esquisses et des croquis. L'ensemble eût bientôt paru monotone et vain, car la qualité première des peintures décoratives d'Hippolyte eût toujours fait défaut : l'adaptation au cadre architectural, que ce soient les culs-de-four de Nîmes ou la frise démesurée de Saint-Vincent, — l'émotion proprement physique et matérielle causée par la grandeur du format, la noble matité des verts, des jaunes ou des rouges amortis rompus de blancs comme la profondeur des fonds bleus qui font tout le bonheur du décor de Nîmes, l'accord si réfléchi entre les « histoires » peintes par Flandrin et leur savant et riche entourage ornemental par Denuelle qui joue un rôle de cadrage et de mise en valeur essentiel. La vraie conséquence pédagogique de l'exposition, puisse-t-elle être, après tout, la simple et nouvelle fréquentation des cinq églises décorées par Hippolyte (trois à Paris, une à Lyon, une à Nîmes), puisqu'il est acquis que le grave portraitiste mondain ou l'esquissiste tendre et ferme ont déjà toutes nos ferveurs retrouvées ! Telle est bien, avant Puvis et aussi bien que le Chassériau de l'ancienne Cour des Comptes, l'exemplaire et si forte leçon d'un Hippolyte Flandrin, celle du meilleur et du plus actif peintre mural du XIXe siècle français, original par et dans sa perfection traditionaliste, ennemi austère de la facilité archaïque, sorti victorieux des tentations trop purement passéistes et décoratives comme l'étaient celles des Primitivistes gothicisants ou byzantins, suffisamment raphaë-lesque et « ingriste » pour maintenir l'excellence d'un dessin ferme et pur, mais en même temps assez moderne pour réinventer une formule inespérée de peinture murale qui soit immédiatement lisible, accessible, harmonieuse, narrativement populaire et comme rationnelle dans ses exigences de simplicité iconographique et de formalisme clair, une peinture à la facture plate et solide autant que digne, forte et monumentale : en Hippolyte Flandrin, l'idéalisme ambitieux et complet du XIXe siècle pouvait s'affirmer d'une façon privilégiée !

REMERCIEMENTS

Nos remerciements s'adressent à tous ceux qui nous ont aidé de la façon la plus précieuse à la réalisation de cette exposition et de son catalogue, notamment M. et Mme Balaÿ, Mme Bulloz, M. J. Bulloz, Mlles Blu, M. Cellier, M. Ciechanowiecki, M. Dhikéos, M. et Mme Dufresne, M. et Mme du Laurent de la Barre, Mlle Flandrin, M. et Mme Flandrin, Mme Flandrin-Latron, Mme Froidevaux et ses enfants, M. et Mme de Germiny, M. Godret, M. Grafe, M. Gueydan de Roussel, Mme Huaut-Dupuy, M. de La Haye-Jousselin, M. et Mme Lepeltier, Le Prince de Ligne, M. et Mme Pagneux, M. Perrod, M. Pin, M. et Mme Prat, M. et Mme Rosenberg, M. et Mme de Saint-Léon ; notre gratitude s'adresse également à MM. d'Arjuzon, M. Arizzoli, Mme Banidol, M. Bellosi, M. Bréon, M. Bruzon, Mme Bui, M. Caffort, Mme cagnard, Mme Cantarel-Besson, Mme Cardinal, Mlle Constans, Mme Cosneau, M. Coudane, M. Cuzin, Mlle Dijoud, M. Février, M. Fiori, M. Fischer, M. Girard, M. Grimm, M. et Mme Hahn, Mme Krebs, Mme Lavirotte, Mme Lecomte, Mme Le Normand-Romain, M. Lemaire, M. Loyrette, M. Méras, M. Metsers, M. Michot, M. Naet, M. Pinette, M. Pommier, M. Prévost-Marcilhacy, Mme de Puylaroque, M. Reymert, M. Schnapper, M. Thureau-Dangin, Mme Thiébaut, Mlle Varcollier. Il nous faut exprimer plus particulièrement notre reconnaissance à M. Personne qui s'est occupé des questions d'encadrement des œuvres, à MM. Vannier et Jeanneteau qui ont assuré une vaste fructueuse campagne photographique relative aux peintures et dessins des trois Flandrin dans le cadre d'une nouvelle coopération entre le Service de documentation des Peintures du Louvre, la Fondation Getty et la Caisse nationale des Monuments historiques (grâce à la compréhension de M. Poullet-Alamagny) ; saluer enfin l'efficace et grand dévouement de Mme Dubreuil qui nous a prêté pour toute la préparation du catalogue son concours actif, sûr et compétent.

Auguste Flandrin
Portrait de Madame Flandrin
(1835)

LES ŒUVRES DES FLANDRIN AU MUSEE DES BEAUX-ARTS DE LYON

Madeleine Rocher-Jauneau

Conservateur des Musées Nationaux,
Conservateur du Musée des Beaux-Arts de Lyon.

« En 1838, le nombre des tableaux était devenu si considérable qu'il fut créé dans l'étage supérieur de la partie est du Palais, une galerie nouvelle, dans le dessein d'y installer nos tableaux les plus précieux ; mais ce projet ayant été combattu, il fut décidé que la nouvelle galerie serait consacrée aux œuvres des artistes lyonnais ; c'est ce qui a été exécuté. Cette galerie lyonnaise, regardée généralement comme une création des plus heureuses, est, par elle-même fort remarquable. Lyon est certainement la seule Ville de France, excepté la capitale, qui ait pu former un Musée spécial aussi considérable composé en entier d'œuvres d'artistes nés dans son sein, et en général, élevés dans son école. Si un certain nombre sont allés à Paris pour compléter ou achever leurs études, plusieurs des plus célèbres les ont terminées à Lyon et ne sont allés dans la capitale que pour y voir couronner leurs œuvres. »

Ce premier historique de la mise en place de l'Ecole lyonnaise est dû à C. Martin-Daussigny, directeur des musées ; il paraît dans la préface du catalogue de 1877.

Après la crise révolutionnaire, la ville avait été une fois encore fortement ébranlée en 1831 et 1834.
La mise en valeur de son patrimoine artistique, n'était-ce pas la meilleure affirmation de sa personnalité, en face d'un pouvoir centralisateur, de plus en plus puissant ?

En 1842, Augustin Thierriat, conservateur du musée, fait paraître le premier catalogue, où les artistes lyonnais sont regroupés. A la page 16 un titre : « Explications des tableaux peints par les artistes de Lyon » ; à côté de Boissieu, Guindrand, Jacomin, Orsel, Grobon, on relève le nom d'Hippolyte Flandrin et deux œuvres :
— *Le Dante conduit par Virgile visite et console les envieux* (acquis par l'Etat avec participation de la Ville) ;
— *Euripide écrivant ses tragédies dans une grotte de l'Ile de Salamine* (sans mention de provenance) ;
et celui d'Auguste avec une œuvre :
— *Une prédication à San Miniato* (acquis par les soins de M. Terme en 1842).
La même année, la Ville achète au même artiste un portrait d'homme et recevait la commande qu'elle lui avait faite en 1839 : le *Portrait du Père Colonia*.
En 1869, paraît le premier catalogue consacré uniquement à la peinture lyonnaise ; seules les œuvres exposées sont mentionnées.
On pouvait voir dans les salles deux toiles d'Auguste :
— la *Prédication à San Miniato*,
— le *Portrait du Père Colonia* ;
deux toiles d'Hippolyte :
— *Dante et Virgile aux enfers*,
— *Euripide écrivant ses tragédies* ;
trois toiles de Paul :
— *Les pénitents de la mort dans la campagne romaine*, (acquis par la Ville en 1854),
— *Les bords du Rhône près de Givors*,
— *Paysage indien*.

21

Entre 1842 et 1869, la Ville avait acquis seulement une toile de Paul en 1854, les deux autres étant des Envois de l'Etat. Le catalogue sommaire paru en 1897 n'apporte aucune modification pour Hippolyte et Paul, par contre, la liste des œuvres d'Auguste s'enrichit d'une toile : le *Portrait du Dr Des Guidi* légué au musée en 1872.

En 1912, Paul Dissard publie le catalogue des peintures du musée de Lyon, comprenant trois cent cinquante-quatre reproductions. Hippolyte n'a toujours que deux toiles et une seule reproduite au catalogue : *Dante et Virgile* ; Auguste a trois portraits exposés dont celui du Dr Des Guidi reproduit au catalogue. Paul a trois toiles et deux reproduites au catalogue : *Les pénitents de la mort, Bords du Rhône à Givors*.

En 1917, Monsieur Paul-Hippolyte Flandrin offre au musée douze dessins d'Hippolyte Flandrin, dont le grand carton mis au carreau pour le *Dante et Virgile* et un grand calque pour *Jésus et les enfants*. C'est un enrichissement important pour le cabinet des dessins du musée qui, jusque-là, n'avait pas d'œuvres de cet artiste.

En 1918, le musée reçoit en don un charmant *Portrait de Femme*, d'Auguste Flandrin. La générosité de la famille se manifeste à nouveau en 1922 : la *Pieta* d'Hippolyte entre dans les collections lyonnaises ; de son côté, le musée achète la même année, l'*Autoportrait* de l'artiste âgé de 29 ans. Six ans plus tard, le legs de Monsieur Paul-Hippolyte Flandrin auquel Madame Paul-Hippolyte Flandrin joint un don important, permet au musée d'exposer :
— l'*Autoportrait âgé* d'Hippolyte,
— *Jonas*, esquisse pour Saint-Germain-des-Prés,
— le *Christ et les enfants*, copie du grand tableau d'Hippolyte par Paul,
— dix-huit dessins d'Hippolyte, quatre dessins d'Auguste et un dessin de Paul, ce dernier donné par Monsieur Louis Flandrin.

L'enrichissement de la salle consacrée aux frères Flandrin va se poursuivre. En 1930, le musée achète le portrait de Madame Oudiné ; en 1937, le *Berger* ; en 1938, entrent dans les collections les portraits de Monsieur et Madame Georges Broelmann grâce au don de Madame de Rouville. Madame Appenzeller de Cussy, en 1954, offre au musée le portrait de Mme Brame' née Paméla de Gardanne, deux esquisses pour Saint-Germain-des-Prés : *Gédéon* et *Marie sœur de Moïse*, et une sanguine représentant saint Joseph. Enfin, en 1982, le musée achète une troisième esquisse pour Saint-Germain-des-Prés : le *Prophète Elie*. Cet enrichissement consacre la réputation d'Hippolyte.

Actuellement, cinq toiles d'Auguste, treize toiles d'Hippolyte, quatre toiles de Paul, trente-huit dessins figurent dans les collections du musée des Beaux-Arts de Lyon. L'exposition présentée aujourd'hui à Paris et à Lyon permet de mesurer l'importance de l'œuvre des frères Flandrin.

Hippolyte FLANDRIN
(1809-1864)

DE L'ART D'HIPPOLYTE FLANDRIN : LETTRE OUVERTE AU PEINTRE

Chantal Lanvin

Peintre,
conservateur du Musée Rapin,
Villeneuve-sur-Lot.

« De tous les ouvrages de Monsieur Ingres, Monsieur Flandrin est peut-être le plus bel ouvrage. Il a toutes les qualités de son Maître : La conscience, la volonté, l'intelligence. Mais il a aussi l'obstination », écrivait Jules Janin, dans l'*Artiste*, lors du Salon de 1839.

Cher Hippolyte, cette obstination se lit immédiatement dans votre autoportrait de Florence, dont l'ébauche à la terre de Cassel parraine spirituellement l'exposition qui vous est consacrée aujourd'hui. Par la magie de la peinture, vous êtes présent parmi nous, en ce mois de novembre 1984. La profondeur de votre regard songeur, le charme de votre expression douce, pensive et mélancolique, ont ressurgi de l'ombre... Vos autoportraits s'écartent lentement du temps passé, de ces cent vingt années qui nous séparent, pour se rapprocher discrètement de nous, et nous parler de vous.

De vous, Flandrin, et non d'Ingres. Tout votre problème est là. Votre modestie, votre abnégation, votre désintéressement même ont souvent desservi de votre vivant votre personnalité et, aujourd'hui, gommé pour le grand public l'importance de votre œuvre dans l'Histoire de l'Art. On dit : « Flandrin, l'élève d'Ingres » ; bien sûr, et cette filiation ne saurait vous ternir. Bien au contraire, elle vous illumine. Mais il s'agit de définir « votre » art et de ne pas croire, comme l'écrivait Théophile Thoré lorsque vous étiez encore à Rome, que si vous « persistiez dans une imitation stérile de votre maître, le nom de Monsieur Ingres absorberait toujours le vôtre ».

Il est juste qu'aujourd'hui, « votre » nom soit honoré et je rappelerai à ce propos l'article paru dans le numéro d'*Art* du 4 novembre 1964, à propos de l'Exposition de peinture française au XIXe siècle, à Munich, où « 250 toiles provenant des Collections et Musées du Monde entier donnaient le reflet d'une des époques les plus riches de l'Art Français », ainsi que le soulignait Germain Bazin.

Or, parmi les multiples toiles qui y ont été exposées, *Art* avait choisi, pour illustrer son article, « Votre Jeune-Fille Grecque », votre *Jeune Fille* du Louvre, au profil perdu dans une pénombre de rêve, si douce dans son corsage de mousseline légère... Quel honneur, cher Hippolyte, et quelle surprise ! Ce choix ne fut pas l'effet du hasard, car l'article se terminait ainsi : « Quant à Hippolyte Flandrin, dont nous reproduisons le très beau *Portrait de Jeune Fille*, qui a songé à célébrer le Centenaire de sa mort, en montrant un ensemble de son œuvre si injustement oubliée » ?

Il y a vingt ans, l'élève de l'École du Louvre que j'étais alors répondait à cette question, en choisissant pour sujet de son diplôme, de dresser le Catalogue de vos peintures. Travail assez long qui devint un Dictionnaire commenté de chacune de vos œuvres dont l'étude se composait systématiquement d'une description des tableaux puis d'une analyse des dessins préparatoires à l'œuvre elle-même. Enfin, d'une collection d'articles parus dans la presse du temps pour la plupart, formant tout un faisceau d'opinions diverses sur le même sujet. Il en sortit trois tomes, et trois albums de 860 documents : vos dessins de jeunesse, vos premiers tableaux réalisés dans l'Atelier d'Ingres, vos Envois de Rome, vos aquarelles italiennes, vos copies d'après les Maîtres, vos caricatures faites à la Villa Médicis, vos commandes diverses, compositions allégoriques ou décoratives, vos peintures murales religieuses et 90 portraits *(n.b.)*.

n.b.
Travail qui se poursuit aujourd'hui, complété et enrichi par des chercheurs passionnés français et américains, conservateurs et étudiants.

Je découvrais alors le livre le plus émouvant qui soit pour comprendre un artiste : *Lettres et Pensées*, recueillies et publiées par le vicomte Henri Delaborde dès 1865, un an après votre mort. Votre pensée y féconde vos créations, mais surtout laisse transparaître votre forte sentimentalité. L'expression de votre sensibilité, très originale, éclaire tout votre Art, car « votre Ame était exquise ». On vous sent avide de toutes les émotions que procure la beauté, mais vous y mêlez toujours les élans de votre cœur, ainsi que vos sentiments filiaux et fraternels. Il faut souligner à ce propos cet aspect de votre vie, si souvent en liaison avec la genèse de votre Œuvre : cette dualité des premières recherches que vous faisiez avec votre frère Paul, lorsque vous cherchiez les compositions de vos grands tableaux. Cet accord était si tacite, si naturel, qu'il nous valut de curieuses confidences, celles où vous vous comparez tous deux, écrivez-vous, à deux chevaux attelés à la même voiture dont l'un un peu plus fort que l'autre « allait, allait toujours, mais l'autre, un peu plus faible, semblait souffrir et chercher un appui. Sa joue venait avec tendresse chercher la joue de l'autre. Cette caresse m'a ému. J'ai pensé à notre vie, à l'exemple qu'elle ne cessera de donner, j'en suis sûr, de deux frères, s'aimant et s'entraidant, véritablement, pour toujours ».

Le fils de ce frère Paul, Louis Flandrin, nous a d'ailleurs laissé un ouvrage, couronné par l'Académie Française en 1902, qui est une très attachante biographie agrémentée de chapitres de synthèse sur les thèmes principaux de votre production.

Votre vie d'artiste. Hippolyte Flandrin, commence d'une bien étrange façon, dans les années 1820, si l'on songe que vous vouliez devenir peintre de batailles, vous le peintre de Saint-Germain ! Vous êtes hanté par les défilés Militaires, les régiments en parade, que vous contemplez ingénuement, en vous appliquant à retracer tous les détails des uniformes. Excellent indice chez un enfant qui, devenu adolescent, laisse deviner dans ses écrits la joie et l'enthousiasme des choses vues. Lorsque vous montez à pied, de Lyon à Paris, avec Paul, vous écrivez à vos parents : « A Fontainebleau, nous avons traversé la forêt, où il y a de bien beaux arbres. Ici, on commence à sentir les approches de Paris, par la beauté des routes, le plus grand nombre de villages... Nous avons admiré le château... et le lendemain faisions cinq lieues, espérant bientôt voir Paris... Enfin, de dessus une hauteur, cette grande ville s'offre à nos yeux... Nous voyons les Dômes des Invalides, du Panthéon, les Tours de Notre-Dame et une foule d'autres... et là, nous nous sommes remis en marche pour y entrer... »

Vous « entriez » dans Paris, Hippolyte, et ne saviez pas encore qu'Ingres vous y attendait... Dans son Atelier, ce Sanctuaire, où « Monsieur Ingres » ne plaisantait pas, ses mots étaient célèbres ; « La Justesse des formes est comme la justesse des sons » ou bien : « Chaque fois que vous n'êtes pas sincère avec la nature, c'est comme si vous donniez un coup de pied dans le ventre de votre mère ».

Avec de tels principes, vous qui étiez si droit, si pur, vous deviez aller très loin. Car l'enseignement d'Ingres, qui forgera tout votre art, conciliait deux éléments contradictoires : l'imitation de l'Antique, nourri par l'enseignement de David, et donc soumis à une certaine conviction de la grandeur classique, mais aussi, une nouvelle inclination vers l'Art Moderne, par l'imitation de la nature, afin de vivifier le carcan académique, par une inspiration personnelle, et surtout par le sentiment de la chose vue.

C'est sur ce point que votre rencontre fut si enrichissante, vous qui étiez, parmi beaucoup d'autres, peut-être le plus disposé à recevoir cet enseignement qui devait faire éclore votre talent. Ce fut une impulsion décisive pour votre art. Ingres vous apprit à écouter votre propre voie intérieure. Il vous donna les moyens de vous étudier vous-même par l'élévation du sentiment, qui dirigeait tout naturellement vos pensées. Ce Maître avait tout de suite senti en vous son disciple préféré. Il vous aimait, « Les Frères Flandrin », pour votre sérieux et vous appelait « Les enfants de mon cœur ». A cette époque, vous viviez misérablement dans une petite chambre au 47 de la rue Mazarine, et n'ayant reçu aucune instruction littéraire, vous vous formiez tout seul, en lisant le soir

Homère, Plutarque, Virgile, Pascal et les Livres Saints. En 1830, vous montez en loge Hippolyte, pour le Concours de Rome, que vous n'obtiendrez pas, mais ce charmant petit tableau que vous repeindrez plus tard : « Les Bergers de Virgile », est déjà le fruit de vos lectures. L'on y goûte une inspiration virgilienne où le rêve et l'antique se mêlent avec grâce.

L'année suivante, vous l'obtenez, ce Prix de Rome tant souhaité, avec une œuvre dont le thème, tiré de la légende Grecque « Thésée reconnu par son père », raconte l'histoire d'un Prince d'Athènes jalousé par sa mère. Votre composition reflète le drame intérieur qui se joue dans les regards des personnages. On vous remarque : « Le Concours de cette année, si l'on excepte Monsieur Flandrin, n'est ni meilleur ni pire que celui de l'année précédente ». Le visage en colère de votre Médée est plein de caractère, le groupe des Jeunes Esclaves mérite l'attention, et tout porte à croire que vous deviendrez un grand artiste, car l'on y décèle une absence d'archaïsme et de pastiche. Votre *Thésée* n'est pas une froide statue peinte, et c'est un modèle vivant, votre ami Lacuria, qui posa. Un réalisme basé sur une observation très juste vous distingue des autres concurrents. Chacun des 12 personnages exprime un sentiment, la surprise, la reconnaissance, l'étonnement, la réflexion. Les modelés, les détails des épaules et des mains, les ombres vigoureuses, vous éloignent des habitudes académiques.

Rome vous attend… Vous y contracterez l'habitude d'un style. Vous y vivrez dans la familiarité de Raphaël. Il vous apprendra cette synthèse entre l'intemporel et le charnel si particulière à sa vision. Invité un jour dans l'atelier d'Overbeck, il vous semble que ce dernier n'observait pas la nature, en travaillant. De son propre aveu, il ne l'a presque jamais devant les yeux lorsqu'il peint… Il dit ne tenir qu'à rendre des idées… « Je crois qu'il a tort » écrivez-vous à Lacuria.
Si votre « Polytès », modelé avec science, reste encore un modèle un peu figé, votre *Dante et Virgile aux enfers* est d'une grande audace. « Je me suis jeté dans une terrible entreprise, et je crains bien que Monsieur Ingres ne l'approuve pas. Ne parle de ce tableau à personne… » écrivez-vous à votre frère Auguste.
Il faut vous louer, Flandrin, pour cette grande page, peinte à l'âge de 25 ans, et la qualité de votre réflexion transparaît dans vos propos : « Jamais on ne se débarrasse tant des petitesses dans le procédé que lorsque l'on est dominé par une pensée ». Votre envoi de Rome est empreint d'une grande poésie mélancolique. A Paris, il est placé dans la première travée de la Galerie, en face de la Seine, et une princesse de Saxe voulut vous l'acheter, mais il était trop grand ! La critique vous loue : « l'attitude du poète florentin se distingue par une majesté indulgente et sereine… pour trouver et pour rendre la figure du Dante, il a fallu un isolement recueilli, un oubli complet des lignes vulgaires ». Cette remarque est fort intelligente quant à l'expression de votre art, car vous avez une véritable passion pour le jeu des lignes et le lyrisme qui s'en dégage.
Cette admirable courbe tendue, cet arc cerné de noir dans le dessin du Dante, puis profilé dans un grand manteau souple pour la peinture, a été l'objet d'une multitude d'esquisses et ces premières pensées révèlent souvent chez vous une sensibilité parfois étouffée par l'immense effort de la composition finale.
Ce *Jeune Berger*, que vous avez offert à votre ancien professeur de Lyon, n'est-il pas étrange ? Mâle et gracieux tout à la fois, imposant devant ce fond d'ombre et de lumière, au feuillage décoratif à la Douanier Rousseau…

Votre mysticisme vous a guidé dans votre grand *Saint Clair*. Ingres, devenu Directeur de la Villa Médicis, vint le voir dans votre Atelier. Vous écrivez : « Il se lève, me regarde et m'embrassant avec effusion, me dit : « Non, mon ami, la Peinture n'est pas perdue. Je n'aurai pas été inutile ». Dans cette peinture d'une grande élévation d'esprit, les mains parlent, prient, implorent. L'aveugle exprime le doute, la crainte, l'espérance, et tous les visages très individualisés vous ont valu ce souhait lu dans l'*Artiste* : « On pourrait placer le *Saint Clair* de Flandrin au Louvre ».

Dans votre immense composition *Jésus et les petits enfants* où trois manteaux drapés de clarté sont trois taches lumineuses dans la pénombre d'une foule, vous avez donné la mesure de votre talent. Ce fut l'Envoi le plus remarqué au Palais des Beaux-Arts. Votre volonté persévérante vous a porté à réaliser cette composition très méditée, à l'ordonnance large, où l'on détaille de splendides attitudes, inspirées de Giotto et de Raphaël.

Cette page évangélique révèle aussi la candeur de votre âme, car vous avez un attrait particulier pour l'enfance. Vous avez peint ce tableau dans la fièvre, d'un seul jet, « alla prima », comme disent les Italiens, mais après y avoir pensé pendant un an.

Votre sentiment du Religieux s'y manifeste déjà, celui qui vous portera plus tard à peindre les murs de nos églises. L'on admira : « L'élévation et la gravité sans emphase de la figure du saint, ainsi que la foi qui rayonnait dans ses yeux fixés vers le ciel ».

Si votre dernier Envoi *Jeune homme nu au bord de la mer* est au Louvre aujourd'hui, vous ne pouviez deviner qu'il illustrerait un jour un article contemporain : « Humains trop humains » de Alvard et Mathey, qui ont mis en lumière des rencontres entre Peinture et Poésie, « élisant quelques peintres témoins, sans chercher à établir un bilan de talents », écrivit Georges Salles.. « La Figure d'Etude de Flandrin montre le chemin parcouru pendant cent ans » lisait-on... L'on y confrontait les corps de « Bonshommes » de Dubuffet et les « bébés » tombant en poussière de Dado, à votre *Nu assis* qui « impose ou oppose sa propre expérience émotionnelle à celle des émotions nouvelles »... et l'article se terminait par la fameuse question : « D'où venons-nous, que sommes-nous, où allons-nous ? »

Vous saviez, Flandrin, où vous avaient conduit vos cinq années passées à Rome. Ingres et les grands Maîtres avaient su fortifier et humaniser votre talent. Il se dégage de ce grand nu en profil de médaille, de ce haut relief d'argile isolé dans l'espace, une force puissante et silencieuse comme un roc, énigmatique et secrète par la réflexion méditative de l'attitude. Et si vous rejoignez l'Art d'aujourd'hui, c'est par le Surréalisme dont il est empreint.

Vous reviendrez de Rome, vos cartons et vos albums bourrés de croquis et d'études, d'après Giotto, Angelico, Raphaël..., « ce dieu de l'Art », disait Ingres. L'on voudrait vous avoir surpris, vous si secret, dans votre atelier de la Villa Médicis. Votre chambre donnait sur les jardins, dites-vous, et « entre les têtes des groupes de lauriers et au-dessus, j'aperçois les beaux pins de la Villa Borghese... des échappées de la plaine, et donnant sur tout cela, les belles montagnes de la Sabine, couvertes de neige... C'est d'une tranquillité, d'une fraîcheur extraordinaire... Ce soir, au moment où je vous écris, le ciel est brillant d'étoiles, je n'entends que le bruit du jet d'eau qui retombe dans son bassin, et je crois entendre le cri monotone et triste de l'oiseau du Luxembourg ».

Vous ne pouviez deviner, Hippolyte, que ce serait ici, près des jardins du Luxembourg dont l'écho d'un oiseau chantait dans vos rêves de jeune pensionnaire, que l'on viendrait vous rendre hommage un jour...

Si votre sens du Religieux était profondément ancré en vous, vous ne pouviez prévoir non plus qu'à votre retour à Paris vous alliez couvrir de peintures les murs de plusieurs de nos églises.

Votre peinture religieuse est le fruit d'un immense effort. Beaucoup d'articles lui furent consacrée. Trop élogieux au XIXe ; trop oubliés de nos jours. Vous avez obéi à une vocation naturelle, à ce sentiment chrétien qui avait nourri toute votre enfance. Austère et tendre comme votre vie : vos peintures d'églises ont confirmé vos rêves mystiques.

Lorsqu'éclata au début du XXe siècle une véritable querelle de l'Art Sacré, on critiqua tous les poncifs du XIXe et vos peintures religieuses furent souvent décriées. Il était fort injuste de vous classer parmi les faiseurs, car il y a dans vos peintures murales une grandeur monochrome, simplifiée et imposante, un sentiment profond de l'Evangile nourri par une foi trop grande pour ne pas vous avoir arraché quelques très beaux morceaux qui touchent l'âme.

Vos études peintes ou dessinées sont ici des éléments de repère pour nous aider à la mieux comprendre. Vos dessins en particulier révèlent souvent chez vous un tempérament plus vif que ne le laissent soupçonner les grandes décorations murales de nos églises.

Vous êtes porté par votre nature mystique et la noblesse de votre âme vers l'Art Sacré, mais vos peintures murales sont parfois refroidies par une certaine contrainte ; cependant, quelques très belles figures témoignent en votre faveur. Ce Moïse du Passage de la Mer Rouge, dans la nef de Saint-Germain-des-Prés, avec sa longue barbe et ses cheveux hérissés, se détachant sur un pan de sa robe rouge qui flotte au vent, est admirable. Le critique du *Temps* le reconnut bien : « Si les peintures de Saint-Germain-des-Prés offraient seulement dix Figures égales en beauté à son Moïse qui commande à la mer, M. Flandrin n'aurait pas vu diminuer sa réputation ».

Le dessin d'une délicieuse figure d'Ange prévu pour votre Baptême du Christ est d'une grande qualité, mais il devient un peu plat et conventionnel sur le mur. Vous avez dessiné le profil d'Ingres pour le visage du Pape Léon, dans le chœur des Docteurs à Saint-Vincent-de-Paul, et l'on chercherait en vain, sous la haute tiare du personnage peint, le profil incisif de votre excellente étude.

Bien évidemment, vos compositions murales sont volontairement calmes et rangées, car ces figures devaient avoir un caractère immuable, en harmonie avec l'état permanent où elles se trouvaient, fixées pour l'éternité. Il n'en reste pas moins que ma préférence va aux multiples études préparatoires, que j'avais étudiées avec ferveur, démontant les rouages de toutes vos peintures murales. Vous posiez l'un pour l'autre, votre frère Paul et vous, et mimiez à votre idée la plupart des gestes grandioses de la Bible ou de l'Evangile.

Vous vous drapiez, cherchiez, recommenciez avec acharnement jusqu'à trouver l'idéal entrevu. Pour tous vos apôtres, pour tous vos saints, chaque pli de tunique provoqué par un geste précis était consigné, et chacun d'eux passionnément suivi depuis sa naissance jusqu'à son expiration.

Quelle force et quelle volonté cachiez-vous derrière votre expression timide, Hippolyte, pour avoir poursuivi pendant tant d'années cet énorme travail ? Parti à Nîmes avec Paul, qui vous y aida, vous écrivez à votre ami Ambroise Thomas : « Nous nous enfermons entre nos quatre murs aussitôt qu'il fait jour, et nous n'en sortons pas aussitôt qu'il fait nuit... Nous travaillons à la lumière... »

Là-bas, dans la coupole de la grande abside, un Christ colossal est assis. De chaque côté de lui, l'Alpha et l'Oméga, le commencement et la fin... Le Christ est immense, et dans l'épaisseur d'un pli de la draperie, à la hauteur du cœur, vous avez inscrit des noms, une prière... A la distance où la figure est placée, ces inscriptions sont invisibles, et vous, sous une grande capuche, de dos, vous peignez, tout en haut d'une échelle, comme dans le dessin que vous nous avez laissé.

Vous cachiez votre visage, votre regard, ce regard qui a su explorer tant de visages...

Vos portraits, Hippolyte Flandrin, ont eu le mérite dangereux de recevoir cette appréciation de Champfleury : « quand on rencontre l'une de ces œuvres tranquilles et réfléchies, alors on comprend que Flandrin est, après Monsieur Ingres, le plus grand portraitiste de notre temps ».

Cet « Ingrisme » vous honore, mais il est évident qu'il était pour vous le parrainage le plus difficile à assumer. Votre esthétique, frappée d'abord par la marque du maître, se dégagera doucement de cette emprise. D'autre part, les regards superficiels qui ne voyaient au début que des « figures de parchemin sur des fonds verdâtres » comprendront vite que vos personnages ne se montrent pas, mais se laissent voir, et « qu'il faut les regarder longtemps, pour que les chairs semblent prendre de la vie, tant le dessin a de la puissance ».

Votre dessin est d'une sévérité et d'une pureté qu'il faut déceler. Il ne provoque pas. Il attire au bout d'un long moment, et Claudel, qui savait regarder, dira plus tard que « vos Portraits ne font pas de "l'effet choc", car ils ne parlent que lorsqu'on sait les écouter ». Notre « œil écoutera » vos visages dont plusieurs, hélas, sont absents. J'avais eu la joie d'en découvrir une bonne vingtaine cachés au fond de leurs châteaux, et parmi ceux-ci, deux qui vous rendirent célèbres, et dont la critique s'empara avec une force qui nous surprend aujourd'hui. L'un d'eux est présent sur nos murs aujourd'hui. Théophie Gautier et Paul de Saint-victor en ont parlé avec éloquence.

Leurs mots prouveront paradoxalement que l'avènement du daguérréotype avait débarrassé les peintres du soin de reproduire « ces têtes si chères à la famille, mais qui n'offraient aucun attrait en dehors de leur cercle étroit… devenues des duplicatas inutiles tenant une place énorme sur les murs de nos salons bourgeois… Le Portrait, le vrai », poursuit le critique, « comme l'ont fait Vinci, Raphaël, Holbein, Van Dyck et Rembrandt… et comme le font aujourd'hui M. Ingres et son disciple M. Flandrin est une des choses les plus difficiles de l'Art… Une physionomie humaine amenée par l'âme à la peau »… Résumant tout un temps, toute une caste dans une simple tête, cela peut suffire », et des générations rêveuses viendront s'accouder aux galeries devant l'image toujours jeune de la beauté disparue… Un tel sort est certainement réservé dans une centaine d'années d'ici aux deux portraits d'Hippolyte Flandrin que le catalogue désignera par un de ces petits mots familiers dont l'admiration baptise les chef-d'œuvres : La Dame à la fourrure, La Jeune Fille à l'Œillet, car ils iront, après avoir orné le salon de la famille, au Salon Carré du Louvre, écrin des plus précieux joyaux de l'Art ». « Du Portrait de Mademoiselle Maison, on dit déjà : La Jeune Fille à l'œillet rouge, comme on dit : La Femme à l'éventail… En vérité, on songe à Léonard devant cette tête juvénile. Elle a la douce malice des femmes du Vinci, leur organisation spirituelle, … Son imperceptible sourire fait rêver comme celui de la Joconde… »
Si la louange nous paraît trop forte aujourd'hui, ce portrait porte en lui ce poids d'admiration qui nous conduit à mieux le regarder. Il prouve aussi à quel point la célébrité de Flandrin était devenue grande.

Elle avait commencé dès 1840, lors de votre premier Salon, Hippolyte, où vous présentiez la femme de votre ancien ami de Rome, Madame Oudiné. Enigmatique et secrète, un peu figée dans son hiératisme issu de l'influence encore récente de l'école italienne des XVe et XVIe siècles, cette « Madone » aux admirables mains, pleine de grâce exacte, apparaît silencieusement dès les premières pages de votre album, et laisse présager beaucoup de promesses. On la regarde, on l'examine avec attention, on découvre sa « belle petite main qui éclate à travers les mailles déliées de son gant de soie » et l'on dit qu'il y faut « regarder de bien près pour s'apercevoir que cette main-là est gantée ».
On dit aussi qu'elle est « terne » et « saignée aux quatre veines »..! Qu'importe, on vous a remarqué, dès votre premier Salon et l'année suivante, vous prouverez que vous savez voir et sentir avec un visage plus doux et plus naturel, celui de Madame Vinet. Porté par le sentiment qui vous habite, vous peignez avec votre âme. Ce portrait est sans doute le moins « ingresque » de tous, il n'a pas cette pureté de la forme, cette carresse de la ligne, qui sont la marque de l'Ecole du Maître. Il est là pour prouver que vous n'êtes pas un fabricant d'images stéréotypées.
Il faut cependant attendre le Salon de 1846 pour vous définir plus sûrement. Deux Portraits : celui de votre femme d'abord, soumis à la pose romantique par l'inclinaison du visage reposant légèrement sur une de ses mains, est presque un hommage à celui de Mme d'Haussonville : vous prenez votre essor, vous êtes le plus fervent et le plus docile des élèves… et vous êtes déjà plein de savoir.
Vos héritiers l'offrent au Louvre et ce don précieux qu'est le portrait de votre épouse apportera à votre souvenir la note d'intimisme qui vous convient si bien. Celui de

Madame de Cambourg est peut-être le portrait le plus fidèle à l'esthétique ingresque. L'épure exigente de ses beaux contours s'impose. Elle est capitale dans votre évolution. Elle ouvre l'éventail de vos plus beaux portraits féminins.

Vous avez acquis une technique d'une extrême qualité. Vos teintes sont si précieuses et si fondues qu'avec la plus grande attention, l'on ne saurait dire comment vous posez vos couleurs. Les colliers de vos femmes brillent dans l'ombre de leurs nuques, les reflets vifs de leurs bagues avivent leurs phalanges racées. La calligraphie animée des contours de leurs visages est admirable, et les modelés de leurs épaules fort attirants, quand un châle de cachemire ne les enveloppe pas de leurs beaux motifs à ramages... La soie, les velours et les taffetas parent agréablement toutes ces femmes du meilleur monde qu'à l'encontre de votre timidité naïve, vous avez approché à leur demande. La comtesse Maison, la duchesse d'Ayen, Madame de la Béraudière et bien d'autres font partie de toute cette Société brillante du Second-Empire qui vint jusqu'à vous, pour s'y retrouver, et l'on entendait dans les couloirs : « Les portraits peints par Hippolyte Flandrin sont à chaque Salon un véritable événement. On se demande dans le monde : « Avez-vous vu les portraits de Flandrin ? » comme on se demande : « Avez-vous été à Chantilly ? »
Ce succès grandissant, vous ne le souhaitiez pas vraiment, Hippolyte, car vous étiez de cette race des vrais artistes, pour lesquels le contact du monde est parfois un drame, parce qu'il les empêche d'être eux-mêmes.

Dans l'une de vos lettres à votre ami Lacuria, on sent votre inquiétude : « Ma vie est toujours plus embarrassée... je suis devenu un peintre à la mode... Le succès ridicule, parce qu'il est sans mesure, de deux de mes portraits, me vaut ce surcroît. J'en ai refusé au moins 150 depuis ma dernière exposition, mais il y a les princes, les ministres » et l'Empereur..., auriez-vous pu ajouter, mais vous ne le saviez pas encore.

Vos portraits d'hommes laissent deviner le haut rang de leurs modèles, et souvent, bien qu'entachés d'une lourde solennité, ils nous émeuvent par un détail bien « vu ». Regardons les mains par exemple, ces mains qui si souvent expliquent l'homme.
La main du comte d'Arjuzon, ce futur chambellan de Napoléon III, homme extrêmement raffiné, dont l'index un peu raide passé sous le revers de l'habit explique la fonction, la main du grand professeur de médecine Rostan, emprisonnant avec décision le papier d'une allocution, la main du prince Napoléon, poing de marbre sur une stature de César moderne, celle du baron de Rothschild, digne et reposante, près d'un gilet enfermant ce torse si caractéristique du XIXe siècle. La main de l'Empereur elle-même, au bout d'une manche « posée »par vous, dans une photographie. Il vous avait en effet prêté son costume d'apparat. L'intervention de ce nouveau procédé était devenu courant à l'époque, et Delacroix lui-même l'utilisa beaucoup pour ses dessins, souvent exécutés directement à partir de clichés.
Vous aussi, Hippolyte, avez cherché plusieurs poses, crayonné avec vivacité des croquis multiples, d'après des photographies. Des documents nous le prouvent. La magnifique manche droite aux plis cassés de la robe du Dr Rostan fut précisément l'objet d'une photo, ainsi que la main gauche qui venait d'abord se rabattre sur le buste, avant de s'en écarter. Les mains du petit Prince Impérial, absent dans la version définitive du portrait de l'Empereur, rejoignaient la main protectrice du père, sur son épaule, exprimant avec force la filiation héréditaire. Des dessins inédits, des études, des photos du décor d'ensemble, dans le salon où posa quelques heures le souverain, nous ont permis de suivre votre pensée créatrice. Cet instantané un peu flou de vous-même, dans le costume de Napoléon III, est un bien émouvant document.
Loin d'être asservi à cette démarche dont la nouveauté avait fait irruption dans les ateliers des peintres depuis 1855, vous vous en servez pour préciser vos intentions.

Le portrait de l'Empereur, qui vous consacrera, aurait pu être banal, si vous n'aviez cherché à traverser les apparences. Son célèbre regard rêveur, dont vous avez dit vous-même « qu'il lisait dans l'avenir », a fixé « votre » avenir.

Ce regard nuageux qui lui donnait l'aspect d'un poète, sut donner à ce portrait l'accent de l'intime au fond de l'officiel. Corot lui-même, qui n'avait pas eu l'occasion de le voir, vous écrira ce mot :

« Mon cher ami Flandrin, serait-il encore temps de voir votre portrait de l'Empereur, mercredi matin, entre 8 h et 9 h ? Je désirerais beaucoup un mot pour voir s'il sera possible. Tout à vous. » Corot.

Cher Hippolyte,

Pendant que vous peigniez encore, durant ces quatorze années de la deuxième moitié du siècle, accaparé par vos commandes officielles, vos portraits et vos travaux d'église, dans l'humidité froide des nefs et des chapelles, Renoir entrait à l'École des Beaux Arts, Manet et Jongkind travaillaient au Havre, Boudin faisait des centaines de pastels improvisés en face du ciel et de la mer, et vous ne pouviez prévoir, Hippolyte Flandrin, que dans l'enthousiasme de ce plein-air, une marée nouvelle allait monter pour vous engloutir, vous et de nombreux peintres de votre génération, dans les replis de l'histoire.

Vous aviez pourtant pressenti, dans le secret de vos pensées, à la fin de votre vie, qu'une vision différente des choses s'élaborait, alors qu'une fièvre violente vous surprenait à Rome, en mars 1864, et vous endormait pour longtemps dans la mémoire du monde.

Hippolyte Flandrin
Napoléon III
(vers 1861-1862)

SAINT HIPPOLYTE FLANDRIN

Bruno Foucart

Professeur à Paris IV
et à l'Ecole nationale supérieure des Beaux-Arts

Dans la légende dorée des peintres, saint Hippolyte Flandrin a été doublement canonisé. Il est le plus pur, le plus fidèle des disciples d'Ingres ; il est aussi, nouveau docteur de l'Eglise, celui qui a su, mieux et plus que son maître, restaurer la possibilité au XIXe siècle, en pleine effervescence réaliste et matérialiste, de la plus grande et nécessaire des peintures, la peinture religieuse. Si l'on devait peindre, à l'instar de celle d'Homère, une apothéose d'Ingres, Hippolyte figurerait à la droite du dieu, comme le saint Pierre qu'il a représenté dans l'abside centrale de Nîmes. Hippolyte est le porteur des clefs de la tradition revivifiée, la pierre angulaire de cette école d'Ingres vite déchirée par les tentations maniéristes et archaïsantes. Ou encore, si l'on a besoin d'images pieuses, on imagine assez volontiers Hippolyte dans le rôle de saint Jean, couché sur la poitrine du Christ comme dans la peinture de Saint-Séverin.

Le disciple préféré avait à charge principale de faire revivre l'inspiration sacrée. Il a été le nouvel Angelico, tant attendu, que réclamait pour son siècle Montalembert, le vrai Raphaël, le nouveau Le Sueur. Le mythe de Raphaël, qui a joué un tel rôle dans le rêve de la peinture nouvelle au XIXe siècle, a trouvé en Hippolyte Flandrin, plus peut-être qu'en Ingres, son principal héros[1]. Ces renvois aux grandes figures des siècles passés, ces appels à autant de réincarnations sont plus qu'un amusant jeu de société pour critiques et historiens d'art. Ils doivent être considérés avec la plus grande attention, car ils miment les grands désirs de la peinture du XIXe siècle, ses rêves, ses tensions. Hippolyte Flandrin n'est certes ni Angelico ni Raphaël ni Le Sueur, mais en s'insérant dans les légendes constitutives du rêve de la peinture, en recevant le rôle d'un héros fondateur ou plus exactement restaurateur, il apparaît comme un des artistes qui a pu incarner le mieux une des aspirations fondamentales du XIXe siècle, la possibilité d'une peinture élevée, conciliant modernité et tradition. Le rêve éclectique du siècle a trouvé en Flandrin son plus noble chevalier. Hippolyte aura-t-il été digne de son mythe ?

Le nouvel Angelico

Théophile Gautier, dans un article nécrologique de juillet 1864, n'éprouve pas de doute. Il affirme ainsi que « jamais talent plus pur, plus chaste, plus élevé ne fut mis au service d'une inspiration plus religieuse », et renchérit : « il avait, dans sa nature, quelque chose de cette timidité tendre, de cette délicatesse virginale et de cette immatérialité séraphique de Beato Angelico... Chrétien d'une piété convaincue et pratique, il apportait à la peinture religieuse un élément bien rare aujourd'hui, la foi. Il croyait sincèrement ce qu'il peignait »[2]. Théophile Gautier, aussi sceptique que compréhensif, désigne ainsi pour la postérité l'artiste pieux, le nouvel Angelico attendu et promis depuis que Rio dans sa grande enquête sur « l'art chrétien » et Montalembert dans son essai de 1837 sur « l'état actuel de l'art religieux en France » avaient levé l'espérance d'un nouvel art inspiré. Le problème pouvait se résumer ainsi : le grand renouveau de la foi qui se vérifiait au XIXe siècle après l'effondrement du XVIIIe trouverait-il les artistes, peintres, architectes, sculpteurs, qu'il méritait ? Le XIXe siècle saurait-il, lui aussi, édifier des cathédrales,

1. Cf. les analyses de Jacques Thuillier et Jean-Pierre Cuzin dans le catalogue de l'exposition *Raphaël et l'art français*, Paris, 1983, 1984.

2. Gautier, 1874, p. 322.

revive l'ardeur et les réussites du XIIIᵉ siècle français ? Verrait-on de nouveaux Angelico, c'est-à-dire ces artistes peignant à genoux de pieux sujets avec illumination ? Pouvait-on faire revivre Raphaël, mais un Raphaël qui, sans mourir d'extase dans les bras de la Fornarina, aurait conservé les émotions et la pureté ombriennes du temps du Perugin en peignant cette *Transfiguration* qui rendait en quelque sorte inutile la *terribilità* de Michel-Ange ? Flandrin serait donc, selon Théophile Gautier, le peintre qui avait répondu au vœu de Montalembert, quand celui-ci rêvait qu'il soit « permis d'espérer que nous voyions enfin s'élever une école de peinture chrétienne dans cette France qui, depuis les enluminures de nos vieux missels, n'a pas compté un seul peintre religieux, sauf le seul Le Sueur, venu du reste à une époque qui rend sa gloire doublement belle »[3].

L'Eglise apparemment confirmait ce point de vue, si l'on entend Mgr Plantier, évêque de Nîmes, qui dans sa lettre circulaire de mars 1864 incitait « le clergé de son diocèse à prier pour l'âme d'Hippolyte Flandrin, le grand artiste auquel nous devons les belles peintures murales de l'église Saint Paul ». Comme il l'explique, « dans Hippolyte l'artiste et le chrétien n'avaient qu'une même âme ; ses compositions et ses vertus jaillissaient d'un foyer commun ». Mgr Plantier met Flandrin sur le même plan que Lacordaire et Ozanam. « Flandrin voulut prêcher à sa manière ; la peinture sous sa main devint de l'éloquence »[4]. Henri Delaborde, auquel on doit la meilleure analyse du talent de Flandrin, ne dit pas autre chose que le prélat nîmois, lorsqu'il déclare : « puisse ce Fra Angelico de notre âge par la candeur de l'âme et des mœurs comme par le caractère des inspirations, apparaître dans sa force paisible, dans le doux rayonnement de ses vertus, et demeurer à l'avenir environné de la double auréole qui couronne dès à présent pour nous les souvenirs d'une vie invariablement pure et d'un admirable talent »[5]. L'Académie des Beaux-Arts et l'Eglise catholique étaient d'accord et vouaient à Flandrin de comparables panégyriques. Ainsi le secrétaire perpétuel de l'Académie des Beaux-Arts, l'archéologue Beulé, sacre-t-il Flandrin comme « le *peintre religieux* de la France »[6], lui dont le pinceau fut comme sa vie, « chaste et irréprochable ».

Cette auréole allait en effet pour longtemps couronner Hippolyte Flandrin dans les pieuses histoires de l'art chrétien. Pour un Bournand dont le livre fut un classique à l'usage des séminaires, Flandrin figure « parmi les grands peintres chrétiens, parce que lui-même a cru aux choses dont son pinceau nous parle… Quand le pieux artiste reproduisait, sur les murs des églises, en plein siècle de scepticisme, le poème des miséricordes divines, il devait obéir, comme le maître du XIVᵉ siècle [Fra Angelico bien sûr] à l'élan de son cœur de chrétien »[7]. Dans tous les manuels d'art sacré, tels ceux de Gaborit ou de Fabre, l'antienne se répète : la sainteté de Flandrin, nouvel Angelico, semble vérité admise[8] ; sa peinture vaut par la piété autant que par le talent. En fait et sans qu'il soit besoin de mettre en doute les sentiments de Flandrin, il est clair que le procès en canonisation n'a jamais reçu le moindre dossier : les fioretti de Flandrin manquent ! La légende dorée du nouvel Angelico est encore à constituer. Saint Hippolyte a certainement été un brave et honnête homme, mais rien ne laisse croire à une spiritualité exceptionnelle. A lire sa correspondance, on est touché par les bons sentiments de ce bon jeune homme qui de préférence à l'atelier d'Hersent choisit, outre la question de talent, celui d'Ingres, « parce que son école est beaucoup mieux réglée et plus tranquille. Il ne souffre pas qu'on y fasse ces mauvaises farces qui font souvent que le meilleur jeune homme ne peut pas rester »[9]. Bon fils, bon frère, bon époux, Hippolyte Flandrin le fut certes. Les lettres à ses parents, à ses frères, à ses amis témoignent pour un historien de la sensibilité de la pratique chrétienne au XIXᵉ siècle, mais on ne saurait en inférer qu'il fut un peintre mystique ni même de l'âme. Le nouvel Angelico ne peignait jamais à genoux mais sur ses deux pieds d'excellent praticien et Prix de Rome. Sa légende ne le concerne pas. Reste, comme le remarquait Maxime Du Camp, pour lequel la peinture historique errait dans « l'illustration de faits religieux auxquels on ne croit plus »,

Comte de Montalembert « de l'état actuel de l'art religieux en France », 1837, repris dans *Mélange d'art et de littérature*, 1861, p. 183.

4. Plantier, 1864. Repris dans Delaborde, 1865, p. 547.

5. Delaborde, 1865, p. 3.

6. Beulé, 1864, p. 25.

7. F. Bournand, *Histoire de l'art chrétien*, Paris, Blond, s.d., t. II, p. 336.

8. Cf. chanoine Gaborit, *Le Beau dans les arts*, Paris-Lyon, 1913 (5ᵉ édition), p. 253. Abel Fabre, *Pages d'art chrétien*, Paris, 1910-1915 nouvelle édition 1920 et 1926.

9. Delaborde, 1865, p. 113, Lettre du 14 avril 1829.

Hippolyte Flandrin
Jonas rendu au jour par le monstre marin,
décor de la nef de Saint-Germain
(1860)

que Flandrin avait obéi « aux besoins de sa nature évidemment religieuse en peignant des tableaux de sainteté »[10]. Reste, selon l'analyse judicieuse de Charles Clément, que « Flandrin appartenait à une de ces familles comme il s'en rencontre encore beaucoup dans la bourgeoisie de Lyon où les idées religieuses sont pour ainsi dire d'habitude et où on les respire en naissant. Sa piété était sincère, naïve, sans effort. Ce n'était pas un converti »[11]. Un homme comme le Père Besson, qui fut un converti de Lacordaire et qui revêtit la robe de Dominique, pouvait beaucoup mieux et plus justement incarner l'Angelico du XIXe siècle. Le rôle revint à Flandrin et l'on doit se demander pourquoi et comment il le joua si bien.

C'est qu'il fut, peut-on résumer, le moins pré-raphaélite, le moins archaïsant des tenants d'un nouvel art chrétien, le plus fidèle à l'enseignement d'Ingres, quand ce dernier demandait de ne pas préférer Florence à Rome, les primitifs à Raphaël. Tout le paradoxe du succès, légitime, d'Hippolyte Flandrin est dans cette curieuse situation d'un peintre qui triomphe grâce aux distances qu'il a su prendre envers la cause qu'il incarne. Les contemporains sur ce point essentiel n'ont pas eu de doutes. Certes l'abbé Jouve, parlant longuement de Saint-Paul de Nîmes, admira dans le Christ de l'abside le rappel « de ces belles figures de Cimabue, de Giotto et d'Orcagna qui nous ont fait longtemps rêver dans le Campo Santo de Pise et dans le chœur de Santa Croce à Florence », mais il ajoute aussitôt : « nous aimons à constater que s'il a emprunté au XIIe siècle la pensée intime de ces compositions, il a su éviter l'archaïsme, joindre la grâce du Moyen Age à la science de la Renaissance »[12]. Saint-René Taillandier a devant les fresques de Nîmes la même et immédiate réaction. Certes les figures sont peintes sur fond or, mais « il n'y a que cela de byzantin dans le chœur de l'église Saint-Paul. M. Flandrin ne pense pas que la peinture religieuse doive reproduire les formes du Moyen Age et renoncer à tous les progrès de l'art moderne »[13]. Face aux peintures du chœur de Saint-Germain-des-Prés, Gustave Planche avait eu le même réflexe et la même expression : « il n'y a de byzantin que le fond or »[14]. Plus que l'archaïsme frappe la modernité de Flandrin, plus exactement sa capacité à faire vivre ensemble les deux. En somme Flandrin montre qu'il y a une autre voie que celle des Nazaréens. Là est l'originalité de Flandrin. La frise de Saint-Vincent de Paul vérifie cet accord de l'idéal antique et de l'idéal chrétien, elle qui mérita, comme le rappelle Théophile Gautier, « le nom de panathénées chrétiennes pour la beauté du style, le rythme des groupes, l'agencement des figures : c'est, en effet, de l'art grec baptisé et dont s'honorerait la frise du Parthénon changée en église »[15]. La formule a toujours semblé si heureuse qu'elle a pu servir de devise à l'art de Flandrin.

Ravenne plus le Parthénon

Flandrin serait donc celui qui, dans ces temps de l'éclectisme triomphant, de l'appel toujours plus large à l'Histoire, aurait su retrouver le passage qui du Parthénon à Ravenne conduit des temps antiques aux temps chrétiens, aurait su, tel un nouveau Lesseps, entrer dans les eaux de la modernité. Pour Louis Vitet, l'évidente et heureuse référence à Ravenne est en tout cas au bénéfice de Flandrin : « La supériorité de composition est sans contredit du côté de l'imitation ». Selon Vitet la frise de Ravenne reste « de l'art primitif, traditionnel, hiératique ». Flandrin, mieux que Picot avec lequel il partageait l'église Saint-Vincent-de-Paul, a su trouver la vraie modernité du XIXe siècle. « Il est facile aujourd'hui de composer plus savamment, plus habilement qu'un Byzantin ; ce qui est malaisé, c'est à la fois rajeunir la donnée traditionnelle et rester naïf, accentuer la composition et conserver l'aspect monumental, faire de la peinture en un mot sans trop faire œuvre de peintre »[16]. L'œil contemporain adhèrerait volontiers à un tel jugement. La juste intuition est celle d'Henri Delaborde selon lequel les travaux de Flandrin « sans complicité avec les fantaisies de l'art moderne comme sans parti pris plus rétrograde que de raison, sans exagération archaïque, perpétuent la tradition ancienne en l'interprétant

10. Du Camp, 1855, p. 14 et 196.

11. Clément, 1865, p. 195.

12. Abbé Jouve, 1856, article « Paul (Saint) de Nîmes », p. 483 et 484.

13. Saint-René Taillandier, 1849, p. 492.

14. Planche, 1846, p. 156.

15. Gautier, 1874, p. 324.

16. Vitet, 1864, p. 400-401.

dans le sens des progrès accomplis et des exigences de notre temps ». Le vicomte Delaborde n'a pas de mots assez durs pour les sectateurs de l'archaïsme : « Il se rencontra des réformateurs assez convaincus [il faut bien sûr penser à Rio et Montalembert] pour se cantonner à l'exclusion de tout le reste dans le dogme et dans l'époque qui personnifie Cimabue… Le moment où l'art byzantin se modifie quelque peu en Italie et, pour ainsi dire, s'y humanise, voilà, en matière de peinture religieuse, l'âge d'or qu'il s'agissait de remettre en honneur… Est-il besoin d'insister sur les principes erronés d'une doctrine qui n'allait pas à moins qu'à réduire la fonction de l'art en Europe à une sorte de fétichisme, à l'immobilité farouche de l'art égyptien ou chinois ? »[17]. Le vicomte Delaborde, peintre, élève de Delaroche, historien d'art, conservateur du Cabinet des Estampes retrouve ici les accents de Delécluze, peintre, élève de David, et critique d'art vitupérant dans le *Journal des Débats* les « Barbus ». Tous deux mènent le combat contre les exagérations archaïsantes, celles de Barbus de 1800 comme celles des néo-Nazaréens de 1840, qu'elles se fassent jour dans l'atelier de David ou dans l'atelier d'Ingres. En cherchant, selon le résumé de Gustave Planche, « à concilier le sentiment catholique de Giotto avec la science païenne de Raphaël », Flandrin pouvait apparaître en 1860 comme un peintre du juste milieu, à l'instar de Delaroche en 1830, comme un tiède. Il faut au moins constater qu'il n'eut pas à supporter les avanies qui furent réservées à Paul Delaroche ou à Horace Vernet. La « conciliation » tentée par Flandrin, dans la mesure où il sait échapper à la fois « aux licences pittoresques de l'école romantique ou au sentiment laborieux et voulu, à la piété pédantesque qu'accusaient déjà certains travaux imités de la manière allemande et des œuvres du Moyen Age[18] », apparut pour la majeure et meilleure partie de la critique et les contemporains comme la réussite propre à la France dans le domaine de la peinture religieuse. Il semble, plus d'un siècle après, que l'intuition était exacte.

Raphaël contre Overbeck

Cela correspondait bien aux réactions personnelles de Flandrin. A Rome durant son séjour à la Villa Médicis de 1833 à 1837 comme pendant le voyage final de 1863-1864 de nombreuses indications font part de ses curiosités préraphaélites[19] comme de sa fidélité raphaélienne. Dès son arrivée à Rome en janvier 1833 il se précipite au Vatican, chez Raphaël : « je peux dire que je m'attendais à bien du beau, mais j'ai été encore bien étonné. Oh ! la *Messe de Bolsène*, l'*École d'Athènes*, la *Dispute* et toutes les autres, mon Dieu ! ». D'un étonnement l'autre, le 27 mars 1833, il visite Sainte-Marie-Majeure : « Mon œil s'était accoutumé à l'obscurité et alors je distinguais les figures en mosaïques grecques qui décorent le fond du chœur et dont le caractère vraiment grand est terrible. Oh, ces vieilles basiliques font une autre impression que Saint-Pierre »[20]. Comment les décors de Saint-Paul de Nîmes ou de Saint-Martin-d'Ainay à Lyon n'auraient-ils pas rappelé de si fortes — et peu conformistes pour l'époque — impressions ? Le 25 février de la même année, ce curieux des hautes époques et ce sectateur du peintre des Loges écrivait à Paul : « dis bien à M. Ingres que lui, Raphaël et Phidias, voilà les seuls hommes avec qui je cause peinture »[21], triade que Flandrin ne reniera jamais. Si l'on pense que Montalembert était en Italie avec Rio un an avant, en 1832, on voit comment les réactions de Flandrin sont à la fois proches et distantes, caractérisant d'emblée des choix qui ne bougeront plus et qui placent Flandrin à la fois dans le camp et à l'extérieur des préraphaélites. A la fin de sa vie, pendant le dernier séjour de 1863-1864, ses réactions sont les mêmes. Il visite ses « chères églises », Santa Maria in Cosmedin, San Clemente, Santa Sabina et au Vatican court aux Stanze et à Raphaël. Il confie à Paul : « La *Transfiguration*, le *Couronnement de la Vierge*, la *Madone de Foligno*, je m'en suis délecté, je me suis nourri de tant de belles choses. Elles sont plus admirables, plus jeunes que jamais »[22]. L'identité des parcours, des réactions en trente ans est impressionnante. Le musée imaginaire de Flandrin reste le même et correspondait à l'évidence à un goût

17. Delaborde, 1864, p. 361 et 380.

18. Delaborde, 1865, p. 39.

19. Delaborde, 1865, p. 493-539.

20. Delaborde, 1865, p. 199.

21. Delaborde, 1865, p. 197.

22. Delaborde, 1865, p. 454 et 455. Lettres du 4 et 15 décembre 1863.

Hippolyte Flandrin
Portrait de Madame Flandrin
(1846)

profond, à la conviction que la modernité devait s'expérimenter dans le choc et le dépassement des extrêmes.

Avec Flandrin la France a eu conscience de trouver *son* Overbeck, c'est-à-dire un peintre qui allait à un même but par des voies autres : les distances de l'art de Flandrin par rapport à celui des Allemands permettaient précisément de situer l'originalité d'une école française de peinture religieuse. La visite à Overbeck effectuée à Rome en mai 1833 prend à ce propos valeur symbolique. Flandrin a pu apercevoir dans son atelier « l'immense composition représentant la renaissance des arts et des sciences sous l'influence de la religion », en place à Francfort. « Je trouve, écrit-il, cela beau et bien pensé, mais pour le rendre Overbeck emploie des moyens qui ne sont pas à lui. Il se sert tout à fait de la peinture, il ne tient qu'à rendre ses idées, à les écrire. Je crois qu'il a tort »[23]. Cette réaction, réservée sinon hostile, est partagée par ceux, tels Delécluze ou Delaborde, qui se méfient d'un art religieux trop philosophique ou trop archaïsant, qui craignent les excès du symbolisme et ceux de la citation archéologique, qui pensent qu'il revient à la France, par un bon usage des leçons d'Ingres, de proposer une solution différente de celle des nazaréens. Flandrin n'acclimate pas en France l'Ecole de Francfort ou de Munich, il les rend inutiles. Les positions prises par les peintres et les critiques français devant la peinture allemande sont révélatrices de l'essentiel : ce qu'il faut recevoir des grandes époques de la foi et de l'art chrétiens. Pour comprendre l'originalité de Flandrin, au sein même du camp catholique, il suffit de voir comment Montalembert réagit lorsqu'en février 1832, un an avant Flandrin, il rendit visite à Overbeck à Rome.

La différence des réactions est tellement révélatrice : « Overbeck, écrit Montalembert dans son Journal, c'est le Pérugin ressuscité, ou plutôt c'est un composé de ce qu'il y a de plus pieux et de délicat dans le Pérugin, Fra Angelico de Fiesole, Fra Bartolommeo… Et c'est aussi l'homme lui-même, à part de tous ces ouvrages, qui est admirable. Une tête d'une pureté et d'une expression ravissante, d'où rayonne tout ce qu'il y a dans la piété de plus austère et de plus élevé, une beauté de saint. C'est qu'en effet il est un saint »[24]. Celui qui devait être l'Overbeck français n'appréciait au contraire que modérément le grand allemand et ne semble pas éprouver les émotions que ressentit Montalembert. Pour ce dernier les espoirs de l'art français s'appelaient Orsel, Périn, Roger, soit les protagonistes du décor de Notre-Dame-de-Lorette. Montalembert, semble-t-il, ne démentit jamais ses préférences pour les peintres allemands face à l'école française. Au contraire, pour Delaborde, les distances prises par Hippolyte avec le préraphaélisme expliquent « l'incontestable supériorité des peintures religieuses qu'a laissées Flandrin sur les travaux du même genre accomplis de notre temps par les artistes allemands les plus renommés et par M. Overbeck lui-même »[25]. Charles Clément, l'historiographe de Géricault, félicite de même Flandrin de ne pas s'être enrôlé « sous le drapeau d'Overbeck ou de Cornelius. Il comprit ce qu'il y avait de systématique dans le mysticisme de l'un, de conventionnel dans le naturalisme outré de l'autre »[26]. A l'opposé du style archaïsant et des pensées complexes — qui est le grand art des chapelles d'Orsel et de Périn à Notre-Dame-de-Lorette — Flandrin peint, large, de franches et simples convictions. Saint-Vincent-de-Paul est à Notre-Dame-de-Lorette ce que sont les Stanze à la chapelle inférieure d'Assise. Des observateurs aussi intelligents que Delaborde et Clément, sans être démentis par Flandrin, nous introduisent au cœur de ce qui fut ressenti comme l'apport original et irremplacé du peintre ; avec les convictions religieuses qui manquaient à Ingres, dans le fil des leçons du maître, il révéla une entente possible entre le rêve historicisant et la pratique contemporaine.

Une iconographie murale

En choisissant sinon la fresque la peinture murale à la cire, Flandrin répondait à ce qui fut la grande pensée des rénovateurs de l'art chrétien : autant que l'inspiration préraphaélite

23. Delaborde, 1865, p. 205. Lettre du 23 avril 1833.

24. R.P. Lecanuet, *Montalembert*, Paris, 1920, t. I, p. 300. Extrait du *Journal* du 4 février 1832.

25. Delaborde, 1865, p. 76.

26. Clément, 1865, p. 199.

le choix de cette technique devait signaler le vrai peintre chrétien. Si Flandrin prend quelques distances avec l'archaïsme, sa fidélité au décor mural explicite sa vocation de peintre chrétien. Mais ce faisant il restait à l'écart des circuits habituels : on le voyait peu aux Salons ; il était peu accessible aux collectionneurs. Pour vivre avec Flandrin il fallait en somme soit se faire faire son portrait soit prolonger ses visites dans quelques rares églises. Ses quelques toiles à sujets religieux : le *Christ et les petits enfants* de 1838 (Lisieux, Musée), la *Mater Dolorosa* de 1845 (Saint-Martory) ne font pas avec le *Saint Clair* de 1836 (Nantes, Cathédrale) une bien grande production de tableaux. Or ce sont les tableaux qui permettaient les vrais succès populaires, célébrés qu'ils étaient par les critiques des Salons, diffusés par la gravure. En se donnant au décor mural, Flandrin gagnait la faveur du clergé et des connaisseurs mais à la différence de Scheffer ou de Delaroche limitait son audience. La popularité réelle de Flandrin est en vérité sans rapport avec l'estime qui l'entoure. On admire Flandrin mais on ne l'aime pas vraiment : la rareté des gravures d'après son œuvre est sur ce point le signe qui ne trompe pas. Un Signol, un Cibot connaissent en revanche cette faveur dont est privé Flandrin. Lazerges, Landelle seront plus célèbres que Flandrin. Le fait qu'il publie lui-même les peintures de Saint-Paul de Nîmes, la frise de Saint-Vincent-de-Paul dans des séries lithographiées, certes remarquables mais qui ne peuvent être consultées qu'en recueil[27] et qui ne supportent ni l'encadrement ni les réductions en images pieuses, est un autre témoignage de cette relative solitude de Flandrin. Les théories de Saint-Paul de Nîmes (1848), de Saint-Vincent-de-Paul de Paris (1849-1853), offraient un des plus savants et complets rassemblement de saints conçus au XIXe siècle. Tout aurait dû plaire, et l'apparent soin apporté au choix des attributs, et le regroupement en familles qui, des martyrs, docteurs et confesseurs aux pénitents et ménages, satisfaisaient et la tradition de l'église et la sensibilité moderne. Pourtant les séries de saints publiés en gravure oublient pratiquement Flandrin. L'imagerie sulpicienne ne l'utilisera pas. Un des paradoxes du nouvel Angelico est qu'il ne rassemble pas les cœurs et les foules, comme si ses ambitions le mettaient au-delà de la grande faveur publique, en-deçà de l'estime des professionnels mêmes de l'iconographie religieuse.

En fait Flandrin se tient à l'écart. Son iconographie ne satisfait pleinement ni ceux qui veulent parler à la sensibilité ni ceux qui veulent parler à la raison. Le lyonnais ne pratique pas les subtilités mystiques qui, orthodoxes ou non, sont celles d'Orsel ou de Janmot. Certes Flandrin invoque le satisfecit du Père Cahier, le grand spécialiste des attributs des saints, mais il n'est pas prêt à réparer toutes les « fautes » relevées par le savant iconologue. Il en tient respectueusement compte mais pas jusqu'à troubler ses propres nécessités visuelles. La lettre où il répond à Louis Lamothe qui lui faisait le compte-rendu d'une visite critique du Père Cahier à Saint-Vincent-de-Paul est de ce point de vue très révélatrice. On critiquait la couleur donnée au vêtement de saint Antoine de Padoue. « Je suis sûr, répond-il, d'avoir vu des franciscains espagnols vêtus d'un froc de cette couleur et, ce qui est plus concluant encore, j'ai vu dans des tableaux de maîtres déjà anciens la couleur que nous avons donnée à notre saint »[28]. A Saint-Germain-des-Prés il cède à son intuition : il peindra en blanc les vêtements des apôtres, dont les couleurs après tout « ne sont pas une tradition bien établie », car ces « douze hommes uniformément blancs auraient une apparence bien plus imposante et produiraient une impression plus grave que s'ils étaient bariolés de différents tons »[29]. Tout est dit du rôle que doit occuper l'iconographie ; elle est la servante ; sa part est celle de Marthe.

Flandrin se méfie de la peinture philosophique, à message et symboles : de ce point de vue il est, comme pour ses choix plastiques, aux antipodes des solutions nazaréennes et lyonnaises. Tout l'effort de la critique actuelle, fort bien représentée par les essais d'Henri Dorra, pour « nazaréenniser » Flandrin se place à contre-pied. La symbolique de Flandrin est des plus pauvres, sa richesse est celle de l'évidence. On peut avec raison

27. Flandrin, *Frise de la nef de l'église Saint-Vincent-de-Paul à Paris peint par Hippolyte Flandrin... reproduit par lui en lithographie*, Parris, Haro, 1855. Poncet, élève de Flandrin, avait publié chez Haro les peintures de Nîmes et de Lyon, l'*Entrée à Jérusalem* et la *Montée au Calvaire* de Saint-Germain-des-Prés.

28. Delaborde, 1865, p. 395.

29. Delaborde, 1865, p. 365.

faire une lecture « humanitaire » et quarante-huitarde des peintres de Nîmes, comme le propose T. Driskel, mais les sympathies sociales de Flandrin échappent à tout message trop précisément politique. Flandrin n'est pas plus l'homme d'une secte que d'une chapelle. Ses idées comme son art se fortifient d'une généralité qui croit à la solidarité de la nature humaine par delà les différenciations des classes sociales. Un roi et un esclave aux pieds du Christ lui suffisent pour exprimer l'égalité des hommes. Il est, semble-t-il, un théologien sinon médiocre, à tout le moins indifférent aux subtilités scolastiques ; les clercs auront beau jeu de lui reprocher des inexactitudes et des contradictions. Les décors de Saint-Vincent-de-Paul et de Saint-Germain-des-Prés lui vaudront ainsi de nombreuses avanies. Fallait-il placer ou non les scènes de l'Ancien testament avant celles du Nouveau Testament dans la représentation des figures bibliques ? Grave question qui ne trouble pas excessivement le peintre. Les attaques de l'abbé Lecanu, contrées par Claudius Lavergne, ont plus d'intérêt qu'il n'y paraît. L'abbé Lecanu reproche à Flandrin à la fois un mauvais usage du symbolisme religieux traditionnel (ainsi son Christ en croix n'a pas les bras allongés comme aux meilleurs premiers temps de l'iconographie chrétienne) et l'abstention de toutes préoccupations réalistes. « Vous voulez peindre la Prédication de Saint Jean-Baptiste et vous n'avez jamais vu un ciel de Judée, les bords du Jourdain, un costume juif…, le teint d'un Arabe des environs de Jérusalem »[30]. De fait, Hippolyte Flandrin ne suit pas les propositions d'Horace Vernet qui trouvait dans les mœurs bédouines un équivalent moderne des temps bibliques ; son Christ n'est pas celui que Renan croyait voir sur les rives du Jourdain. Flandrin reste en somme à l'extérieur des tentatives de renouvellement de l'art sacré qui passeraient par le symbolisme comme par le réalisme. La prise en compte de la tradition, Poussin y compris, lui paraît le plus sûr et juste moyen.

Le parti de la sévérité

Ce qui est vrai de ses choix iconographiques l'est aussi de ses partis esthétiques. Il se refuse les facilités de l'émotion comme les trop grandes subtilités des moyens plastiques. Il est du côté de Giotto et de Masaccio plus que de Simone Martini. Il est tout à Raphaël, mais au Raphaël des *Actes des Apôtres* et de la *Transfiguration*. L'apparente froideur du peintre, l'aspect répétitif de ses compositions lui furent souvent tenus à reproche. Même Vitet, si favorable à Flandrin qu'il décèle en lui le Le Sueur du XIXe siècle, regrette qu'il ne tombe pas plus souvent dans le défaut du tendre Picot : « Ce n'est pas lui qui s'oubliera à donner trop de relief à ses figures… mais les physionomies, les yeux surtout de ses personnages, pourquoi les sacrifier ainsi ? Pourquoi les tenir dans ces tons neutres ? Pourquoi, même avec le concours d'une lorgnette, est-il si difficile de découvrir un regard dans tout ce long cortège ? »[31]. En interprétant les faits sacrés « avec un calme, une placidité, une majesté extraordinaire, et c'est beaucoup dans notre temps d'insouciance et de laisser-aller »[32], comme le reconnaît Maxime Du Camp, Flandrin permet par nécessaire compensation le triomphe des peintres du sentiment, du clan Paul Delaroche-Ary Scheffer, de tous ceux qui, tels les Lazerges, les Landelle, seront aux origines, à travers trop de transpositions, de la fadeur sulpicienne. Il suffit de comparer le *Christ et les enfants* de Lisieux avec d'autres versions contemporaines pour bien saisir ce qu'est la sévérité de Flandrin. Réinventant en quelque sorte l'art antique, capable de tout exprimer dans les variations d'un corps nu reposant d'un pied sur l'autre, Flandrin, comme un nouveau Masaccio, confie tous ses pouvoirs expressifs aux seules figures drapées, à la puissance des masses corporelles et à la tension intériorisée des visages. Le *Christ et les petits enfants* de Lisieux avec toutes ses figures rassemblées autour du Christ plus grand que nature (il mesure 1,90 m) se présente comme un fronton. Dans son rêve néo-grec, le dorique Flandrin allait également réinventer la frise et l'installer à nouveau après les grandes mêlées romantiques dans le bonheur des yeux. Le décor de Saint-

30. Lecanu, 1863, p. 550.
31. Vitet, 1864, p. 407.
32. Du Camp, 1855, p. 196.

Vincent-de-Paul tient de la gageure. « Les nuances d'un sentiment unique, les dehors de la ferveur comme appropriés au caractère personnel, au rôle traditionnel ou historique, voilà les seuls moyens d'expression dont il fut possible de disposer »[33]. Si le résultat étonne encore, tant un regard attentif distingue de subtiles différences dans les attitudes et caractères de ces saints et saintes, il reste que l'ensemble séduit d'abord, comme le remarquait Vitet, par ses vertus murales, son adaptation à l'architecture, par cette noblesse de la répétition portée ici à hauteur de style, devenue vertueuse.

Cette sévère grandeur devait curieusement décourager. Les beautés raphaéliennes de Flandrin auraient dû émouvoir autant que les corps bronzés des océaniennes de Gauguin. Flandrin a été trahi par ceux mêmes de sa tribu. Abel Fabre dans ses *Pages d'art chrétien*, publiées entre 1910 et 1915, best-seller de la littérature d'art sacré jusqu'avant la seconde guerre mondiale, déplore par exemple l'austérité technique et spirituelle du peintre : « Ce magnifique travail (les frises de Saint-Vincent-de-Paul) pèche par son excès de conscience même. Le nombre des plis y est incalculable et chacun d'eux est inexorablement suivi depuis sa naissance jusqu'à son expiration. Aussi de ces belles draperies étudiées à l'extrême l'ennui est-il indéniable... Si nous sortons de la technique pour aborder la question de sentiment, il faut regretter la piété sévère, presque douloureuse, de l'artiste qui lui a fait concevoir cette vision céleste avec une austérité monacale. On voudrait plus d'allégresse chez tous ces bienheureux. Fra Angelico nous a habitués à une toute autre conception du ciel et de ses habitants. Ceux-ci, on le croirait, cheminent encore dans notre vallée de larmes »[34]. Même Alphonse Germain, lyonnais et historien émérite de la peinture lyonnaise, ne se laisse pas attendrir. Dans le *Correspondant*, organe du catholicisme libéral, il est particulièrement dur pour Flandrin qui « savant constructeur de formes et peintre de haute valeur, n'est parvenu que rarement à imprégner de piété ses figures. Et pourtant lui-même vivait pieusement. Mais pour enclore en une œuvre plastique des sentiments religieux, point ne suffit d'en avoir, il faut avant tout posséder le don d'exprimer des physionomies ou des attitudes révélatrices d'états d'âme. Hippolyte savait mieux bâtir un corps qu'écrire une de ces expressions »[35]. Ainsi Flandrin est-il très vite rejeté par ceux-là mêmes qui auraient dû le défendre. Il est vrai que Fabre et Germain reprenaient le jugement de Maurice Denis pour lequel « le plus célèbre des élèves d'Ingres n'est pas le plus séduisant ni le plus original » et qui ajoutait « que de plis, que de plis ! Qui dira l'ennui des belles draperies de Flandrin où ne transparaît aucun mouvement, aucune humanité ! »[36]. Comme si les ombres de Giotto et Masaccio avaient fui le berceau du nouveau Raphaël...

Le procès est passionnant, tant il est révélateur des contradictions qu'a pu susciter l'art de Flandrin. En 1850, Flandrin plaît par la démonstration que l'art grec, baptisé, rend inopérantes les tentations préraphaélites. A la fin du siècle au contraire, on ne le trouve pas assez byzantin et trop raphaélien. Pour Abel Fabre, « l'impression est plus profonde à Ravenne qu'à Paris... la variété tant recherché par Flandrin qui craignait la monotonie a été destructive de l'effet d'ensemble si remarquable à Ravenne »[37]. Beuron dévalue Flandrin ; son archaïsme est jugé trop timide. Les mêmes Néo-primitifs lui reprochent curieusement un manque de sensibilité qui, en 1850, par rapport aux Nazaréens et aux peintres spiritualistes, tels Delaroche, apparaissait comme un refus de la sensiblerie, un souci d'expression retenue et forte, une volonté de classicisme qui s'incarnait alors dans l'exemple et le nom de Le Sueur. Le malentendu s'installait, pour plusieurs décennies.

Un éclectisme noble

Tant que l'éclectisme passerait pour le péché du XIXe siècle, qu'il ne serait pas reconnu comme le grand effort de cette période, tant que les vitupérations de Viollet-le-Duc

33. Delaborde, 1864, p. 392.
34. Fabre, 1926, p. 559.
35. A. Germain, 1907, p. 249.
36. Denis, *Théories*, 1920, p. 109.
37. Fabre, 1926, p. 558.

seraient lues au premier degré, le souvenir de Flandrin, sans susciter du reste de trop violentes fureurs, devait s'embuer aussi sûrement que ses peintures murales. Tant que l'historiographie ne reconsidérerait pas la Renaissance religieuse du XIXᵉ siècle, il n'y avait pas de chances que l'on regardât avec une juste sympathie l'art religieux qui l'accompagne avec le même succès que le Baroque, en d'autres siècles, la Réforme tridentine. C'est aujourd'hui chose faite ou en cours. La proposition de l'honorable parlementaire qui, en 1974, demandait que l'on rendît tout entier Saint-Germain-des-Prés à « la beauté et l'éloquence de la pierre nue »[38] fait aussi partie de la légende dans sa face douloureuse. La suggestion est devenue aussi intéressante et aussi peu convaincante que les assertions de Le Corbusier « quand les cathédrales étaient blanches ». Il faut aujourd'hui admettre que Flandrin a été un des plus ambitieux, des plus inspirés acteurs de ce rêve éclectique qui est le grand œuvre du siècle. Beulé avait bien vu à Saint-Vincent-de-Paul l'intime correspondance entre la création de l'architecte et celle du peintre. Mieux que Picot, trop systématique dans les références archéologiques pour le Christ de l'abside et pas assez retenu dans sa frise, Flandrin sut trouver la peinture que méritait cette église qui « présentait à la fois l'ordonnance des basiliques de Rome, la charpente colorée des temples d'Athènes, les fonds or des sanctuaires de Byzance »[39].

Beulé, dans son éloge funèbre, avait fort bien analysé ce que pouvait être la propédeutique d'une éducation éclectique. Au pensionnaire de la Villa Médicis « les peintures des catacombes apprenaient à substituer l'éloquence du symbole à l'attrait des formes sensibles. Les mosaïques byzantines lui transmettaient les principes de l'art grec, dépouillé de ses séductions, rigide... Les fresques du Moyen Age... étaient à leur tour un perpétuel acte de foi où la piété naïve n'excluait point le charme... Enfin les chefs-d'œuvre de la Renaissance lui présentaient l'alliance la plus tardive des beautés plastiques de l'Antiquité avec la candeur du sentiment chrétien »[40]. La connaissance des ingrédients ne fait pas une recette et le bon éclectisme n'a rien d'une macédoine. Mais ce que des esprits aussi lucides et compréhensifs que Beulé ou Delaborde ont admirablement perçu, ce sont les choix primordiaux, les élections originelles d'un artiste dont l'œuvre vérifiera ou non pour la postérité la capacité d'une solution à nulle autre pareille. Les processions de Nîmes et de Saint-Vincent-de-Paul célèbrent la prise de possession d'un art qui vivifie le hiératisme, magnifie l'expression par la gestualité la plus retenue, subordonne la symbolique et les attributs au plus efficace des signifiants qu'est le visage de l'homme. Toute l'ambition éclectique de Flandrin, au long des années et des parois, se joue dans le décor de Saint-Germain-des-Prés, dans le contraste volontaire entre les solutions de la nef et celles du sanctuaire : plus de fond or, plus de compositions en frise, une volonté d'animation. Le *Passage de la mer rouge*, le *Sacrifice d'Abraham*, *Jonas rendu au jour par le monstre marin*, veulent prouver que Flandrin, à l'instar d'Ingres dans le *Martyre de saint Symphorien* (le tableau préféré de Flandrin), est capable de peindre l'action et le mouvement. Archaïsmes volontaires, comme dans la *Nativité* avec le type byzantin de la Vierge couchée et raphaélismes proclamés comme dans le *Buisson ardent* ou le *Passage de la mer* qui sont autant d'hommages aux Loges montrent Flandrin dans la plénitude de ses moyens, fort d'un éclectisme dominé, surpassé.

Flandrin a en somme mérité son mythe. « On dira qu'il appartint à cette noble race de peintre qui partant de Cimabue et Giotto vint aboutir à Lesueur... », résumait Mgr Plantier[41]. Le mythe de Le Sueur est en fait au XIXᵉ siècle celui du retour de Raphaël, d'un Raphaël doux comme dans l'atelier du Pérugin, fort comme devant la *Transfiguration*, d'un Raphaël qui serait à la fois saint et français [42]. Ce fut la tâche de Flandrin qui, au jugement de quelques bons esprits de son temps et vraisemblablement du nôtre, triompha dans ses travaux d'Hercule chrétien. « On dirait, remarquait Delaborde, que le génie même de l'art français, si soigneux de la vraisemblance en toutes choses, si naturellement exact et méthodique ne lui permet de s'aventurer dans les sphères idéales

38. Bas, 1974.
39. Beulé, 1864, p. 19.
40. Beulé, 1864, p. 10.
41. Plantier, 1865, p. 553.
42. Mérot, 1984.

qu'à la condition d'y transporter ses habitudes de prudence extrême et de spéculation positive. Seul, Eustache Le Sueur a laissé dans ses compositions religieuses une part principale à l'élément surnaturel, aux élans, à l'expression passionnée de la foi »[43]. Flandrin a mérité face à Ingres ce qui fut dans la légende des peintres la part de Le Sueur face au Poussin : il serait, il est celui dont la peinture pouvait à la fois « persuader l'esprit » et « attendrir le cœur ». Sa mort dans les années de la réforme de l'Ecole des Beaux Arts[44], en ces temps où Manet faisait vaciller les yeux, a été trop vite interprétée comme le rappel d'un prophète attardé d'une religion morte. La statue du commandeur a manqué aux grandes époques de la conquête réaliste. Ainsi dans la lente, imperturbable et éternelle procession de la peinture inspirée et entée dans le réel, Hippolyte, avec la fraternelle assistance de Paul, s'avance après Chassériau, derrière Puvis de Chavannes et tout près de Hodler, le vrai fils spirituel de Flandrin.

43. Delaborde, 1864, p. 363.
44. Fourcart (Brunot), 1984.

HIPPOLYTE FLANDRIN ET LYON

Elisabeth Hardouin-Fugier
Professeur à l'Université Jean-Moulin à Lyon

Legendre-Héral,
buste de J.B. Flandrin.
Sèvres,
collection particulière.

Les trois petits Flandrin

« *Vous avez un caractère sévère et élevé, cela tient à votre éducation d'enfance bien plus encore qu'à celle d'atelier* », écrit Victor Bodinier à son ami Hippolyte [1]. De quelle manière les sept premières années de sa vie, passées à la montagne, ont-elles marqué le talent d'Hippolyte ? S'il est assez aisé de répondre pour Paul, définitivement impressionné par la beauté du Bugey, l'œuvre si peu autobiographique d'Hippolyte ne donne guère d'indications, mis à part le *Dante* où les Envieux subissent leur châtiment dans les gorges de l'Albarine [2]. Des confidences d'adulte montrent un profond attachement à la région de Nantuy et d'Hauteville où les frères Flandrin s'échappent le plus souvent possible, profitant de l'hospitalité de leur nourrice ou de Florentin Servan à Lacoux.

Issu d'une lignée de fabricants et de négociants lyonnais, le grand-père des artistes, Jean Flandrin « bourgeois, rue des Bouchers » achète comme Bien National, en 1791, la maison dite du Bas Blanc, « *propriété ayant appartenu de tout temps aux Carmes* », aujourd'hui remplacée par la Salle Rameau [3]. Son fils Jean-Baptiste, père des artistes, modeste employé de mairie au lendemain du Siège tragique de 1793, se déclare inapte au commerce et se prétend rentier lorsqu'il épouse, le 24 Floréal an XI (1803) Jeanne-Marie Bibet, fille de Jean Bibet marchand et de Blanche Jacquemond, originaires du Bugey. Il est bien vrai que, comme l'affirment les biographes, la jeune orpheline ne possède que son trousseau dont la modeste évaluation (3.000 francs) fait pourtant l'objet d'un contrat de mariage [4]. Après la naissance d'Auguste (rue de l'Arbre Sec), le jeune ménage s'installe dans la belle maison avec cour, héritée de Jean Flandrin, située entre les anciens bâtiments conventuels et la Saône, à l'angle de la rue des Auges et de la rue de la Boucherie. Louis Flandrin [5] rapporte que Jean-Baptiste Flandrin, homme industrieux, y dispose de locaux divers, une forge et son atelier de peintre en miniatures. Le jeune ménage, qui vit assez pauvrement, perd quatre enfants. Hippolyte, qui rentre de nourrice vers 1816, assiste à la mort de Jules (1820).

Selon Joannès Blanchon, qui tient son renseignement du graveur qui l'a transcrit [6], le premier dessin connu d'Hippolyte est le croquis du voisin assis, un gros chat sur les genoux. Très vite, Paul et Hippolyte se distinguent comme d'étonnants dessinateurs de soldats. « *Les deux enfants furent invités à donner une preuve de leur talent, ce qu'ils firent sans montrer d'empressement mais aussi sans se faire prier* », écrit Dupasquier [7]. Les récits d'anciens combattants de la Campagne d'Égypte retirés en Bugey, l'attachement de Jean-Baptiste à l'Empire et les exploits de l'ancêtre Flandrin, soldat de Louis XV, ont pu frapper les jeunes imaginations. Duclaux, peintre animalier, conseille les adolescents qui entrent dans l'atelier libre du sculpteur Legendre-Héral (auteur d'un portrait de J.B. Flandrin), alors associé au peintre d'Histoire A. Magnin. Ce serait Foyatier qui aurait levé les derniers obstacles pour que la mère autorise les fils à suivre leur vocation, en dépit de la situation financière précaire de la famille.

Quand Hippolyte Flandrin écrit à Antoine Chenavard : « *Moi qui suis sorti de cette chère école* », est-il sincère ? A eux trois, les petits Flandrin ont connu à peu près tous les professeurs, y compris ceux de l'Ancien Régime comme Grognard : paysagistes et graveurs d'obédience hollandisante (Grobon), dessinateurs et archéologues (Rey, Artaud), peintres d'histoire et de genre (Richard et Révoil), tous dessinateurs scrupuleux. Si Hippolyte a pu décrocher le fameux Laurier d'Or, suprême récompense, au bout de dix-huit mois seulement de présence à l'École [8], c'est en grande partie aux leçons d'Auguste qu'il le doit. Depuis 1824, l'aîné « soigne le travail des deux jeunes frères... ses pères et mères (sont) peu favorisés par la fortune et presque continuellement malades » [9].

Parmi les élèves de Révoil, Hippolyte se situe après la génération peinte par Duclaux en 1824 dans la *Halte des artistes lyonnais à l'Ile Barbe* [10] ; ils connaissent alors leur heure de gloire dans le domaine de la peinture de genre grâce à la protection d'Auguste de Forbin et de la duchesse de Berry. Par la suite, Bonnefond rejoint Orsel à Rome, d'autres comme Thierriat, Reverchon ou Rey trouvent à enseigner ou à travailler dans la région lyonnaise. Les jeunes rapins lyonnais du XIXe siècle ont bien vite renoué avec la tradition du séjour d'études à Paris. Au début de l'Empire, l'architecte A.M. Chenavard devance les peintres ; parmi les premiers, Orsel, à la chute de l'Empire, gagne l'atelier de Guérin, avant que le gros du peloton lyonnais n'arrive dans celui d'Hersent autour des années vingt (Guindrand, Montessuy, Paul Chenavard). L'un de ceux-là, Guichard et aussi Foyatier orientent les Flandrin vers l'atelier d'Ingres où beaucoup de lyonnais les suivront.

Au début d'avril 1829, lorsque les deux frères, très émus, prennent le chemin de Paris — le récit de ce trajet pédestre ne manque dans aucune des biographies de l'académicien —, ils sont nantis d'une formation technique dont la solidité ne fait aucun doute. Il y manque surtout des perspectives artistiques, aspirations qu'Ingres comblera. Désormais, l'histoire des frères appartiendrait à la capitale, si l'arrivée de Louis Lacuria, à l'automne 1830, n'était venue renforcer la « *petite solitude* » (que les frères s'étaient constituée) « *au milieu de la corruption de la ville* ». La vie spirituelle de la petite communauté, entre 1830 et 1832, est connue rétrospectivement par la correspondance échangée [11] par les amis entre Rome et Paris, puis entre Paris et Lyon. Ces lettres, ainsi que leurs réponses publiées par Tisseur dans la *Revue du Lyonnais* en 1888, constituent le témoignage le plus sûr sur les sources spirituelles lyonnaises d'Hippolyte que ni Lagrange ni les autres biographes ne précisent. « *La Providence ne pouvait mieux placer le berceau d'un artiste chrétien que dans cette ville de Lyon, une des plus chrétiennes... de la France* » [12].

L'apport de Lacuria — une sorte de romantisme spirituel — se greffe sur la foi sincère qui semble avoir été celle de Jeanne Bibet. C'est une réflexion sur la spiritualité de l'art, en grande partie inspirée par son frère l'abbé Lacuria, que Louis propose aux Flandrin. La théologie esthétique de Lamennais trouve un terrain favorable à Lyon. Néo-platonicienne, elle enseigne que le Beau conduit à Dieu, et que « *l'art est un sublime apostolat* ». Les deux amis, à tort ou à raison, interprètent dans ce sens l'enseignement dispensé par Ingres ; l'atelier du Maître devient un sanctuaire. Lacuria envoie à Rome des conseils de lecture et encourage Hippolyte à entrer en relations avec le Père Lacordaire. Il n'y a pas de doute que le choix d'un thème dantesque a été marqué par ce petit milieu lyonnais, dont le souvenir est ravivé par l'arrivée de Janmot, Lavergne et Frénet, en décembre 1835.

La graine du mysticisme lyonnais a-t-elle levé pour Hippolyte Flandrin ? Il nous suffit d'avoir montré qu'elle a été semée.

1. 31/5/1837. *Correspondance de Victor Bodinier avec Hippolyte Flandrin*, Angers, Grassin, 1912.

2. Hardouin-Fugier E., Grafe E., *Répertoire des peintres lyonnais en Bugey*, Lacoux, Centre d'Art Contemporain, 1980.

3. 54 000 livres. Pointet. Lyon, Arch. Mun. Ilot 7, N° 432. Charléty S. *Documents relatifs à la vente des Biens Nationaux*, Lyon, Schender 1906, N° 3181, 14 locataires en 1836, valeur locative : 3 145 F. (Recensement 1836).

4. Maître Coste. Arch. de Maître Sylvestre que je remercie.

5. *Hippolyte Flandrin, sa vie, son œuvre* Paris, Renouard. 1902. Nous abrégeons ce titre en Louis Flandrin.

6. Nécrologie in *L'Echo de Fourvière*, 1864, p. 117 à 119.

7. « L'Art à Lyon en 1836, *Revue critique de la première exposition de la Société* » *des Amis des Arts*. Lyon, Palais des Arts, 1837.

8. Lyon, Ecole Nationale des Beaux-Arts Arch. Inscriptions 30/1/1826, Bosse ; 16/5/1826, Figure : 14/12/1826, Peinture. Sorti fin 1827-8. Dorra H. « Dante et Virgile », *Bulletin des Musées et Monuments Lyonnais*, 1976-1, p. 394.

9. Ce motif lui vaut l'exemption militaire. Lyon, Arch. Mun., dossiers biographiques.

10. Hardouin-Fugier E. « La halte des artistes lyonnais à l'Ile Barbe d'Antoine Duclaux ou l'Ecole lyonnaise en 1824 » in *Bulletin des Musées et Monuments Lyonnais*, 1981 I, p. 429 à 455 ; « Lyon Bagne de la peinture » in *Bulletin Baudelairien*, août 1983, p. 41 à 49.

11. Hardouin-Fugier E. « J.-L. Lacuria, élève d'Ingres, ami d'Hippolyte Flandrin » in *Bulletin du Musée Ingres*, déc. 1976, p. 9 à 20.

12. Nécrologie in *Le Correspondant*, 25/4/1864.

Le Prix de Rome et Lyon

A leur retour de Rome, Paul et Hippolyte Flandrin trouvent à Lyon une situation difficile. Leur père Jean-Baptiste, mort pendant leur absence, avait emprunté 6.000 francs à Auguste et 2.000 francs à Hippolyte [13]. Auguste, soutien financier de la famille entière, déploie une intense activité. « Pendant plusieurs années, il ne parut pas à Lyon un titre de romance qui ne sortit des crayons d'A. Flandrin » [14]. Il ouvre un atelier d'abord dans la maison paternelle, puis en juin 1838, alors qu'il est à Naples [15], dans deux pièces louées pour lui par Lamothe au numéro 1 de la place Sathonay [15], local resté célèbre auprès des rapins en raison des chahuts, des batailles contre l'atelier des Beaux-Arts et de quelques plaisanteries mémorables, notamment l'apposition de l'inscription *Bains à Domicile*, sans échafaudage, au 6e étage d'un immeuble. [16].

Le portrait d'A. Champagne montre la collaboration entre les frères : Hippolyte trace le visage, au crayon en trois quarts d'heure dans l'atelier d'Auguste en 1840 ; Auguste exécute le portrait à l'huile deux ans plus tard. Le livre de Louis Flandrin (p. 96-101), les lettres publiées par Delaborde [17] décrivent les rapports incessants qu'entretiennent les trois frères jusqu'à la mort d'Auguste : séjours communs en Bugey, passages de Paul et Hippolyte à Lyon, suggestions de lectures, corrections d'esquisses, court différend au sujet de l'élève d'Auguste, Louis Lamothe, qu'Hippolyte aimerait avoir sur ses chantiers, projet de voyage ajourné de Madame Flandrin accompagnée par Janmot. La mort brutale d'Auguste, le 30 août 1842 [18], est un déchirement pour tous. Les Flandrin ne suspendent évidemment pas leurs séjours à Lyon et, selon le mot de Saint-Pulgent, Hippolyte « *vient y faire le fils* », mais cette disparition marque la rupture des échanges constants entre Lyon et Paris, car les ateliers de Lacuria et de Fonville sont bien loin d'avoir les mêmes ouvertures sur Paris.

Parmi les œuvres d'Hippolyte, assez rares qui, dans les années quarante, ont un rapport avec Lyon, citons les doubles portraits de Paul et Hippolyte lithographiés chez Brunet en 1842, le croquis dénommé « Père Lacordaire » dans la famille de Janmot, signé par Hippolyte à Lyon (1845 ou 1848 ?)[19], la grande *Déposition de Croix* si l'on accepte d'y voir une évocation d'Auguste et le portrait de Jeanne Bibet qui demeure l'un des rares portraits à sujet lyonnais. Il faut mentionner ici l'œuvre d'Agassis [20] représentant Hippolyte et « son ombre portée », fusain exécuté d'après un daguerréotype en 1845 et rappeler, dans un autre ordre d'idées, la participation d'Auguste à l'exposition organisée par Janmot et Frénet dans leurs ateliers [21] qui a marqué la naissance d'une jeune école catholique telle que la souhaite Montalembert.

Des trois frères, Hippolyte est le premier, en 1839, à délaisser les expositions lyonnaises, sauf y exposer, peut-être, quelques œuvres ultérieures accrochées temporairement, donc hors catalogue. Poncet attribue cette abstention à un accueil critique défavorable [22] ; pourtant, Hippolyte a toujours sollicité des commandes de peinture monumentale à Lyon ; « *j'en aurais grand besoin* », écrit-il à Lacuria en 1844 [23]. La *Revue du Lyonnais*, en 1845, déplore cette absence. « Quelle exposition ne feraient pas à eux seuls nos compatriotes absents de la lice : Grobon, Bonnefond, Blanchard, H. Flandrin… » L'annonce du Prix de Rome de 1832 a été accueillie avec une joie modérée. *Le Courrier de Lyon*, *Le Journal du Commerce* ignorent l'événement. L'exposition du *Dante* est certes louée par Dupasquier qui en publie une lithographie, et veut prévenir le reproche qu'il sent poindre : « *Hippolyte Flandrin n'est pas la copie servile de M. Ingres* ». Boitel, dans la *Revue du Lyonnais* relate un « *immense succès… Ateliers ou salons, on s'en occupe partout* ». Des poètes s'en mêlent : Bonjour, dans la même revue, dédie au peintre sa paraphrase de Dante [24]. La presse quotidienne semble être restée plus discrète, même si le *Courrier de Lyon* du 6 novembre 1836 lui accorde la

13. Lyon Arch. Dép. Succession signalée 77 Q 17 ; mutation après décès signalée 29/5/1838, 11/3/1840, non trouvé ; testament déposé chez Maître Jogand fév. 1838, non trouvé. Règlement entre les héritiers Flandrin, M. Jogand, 3E 11266. Recherches de Claire Vapillon que je remercie.

14. Nécrologie, Le Ch. C (Casanova) in *Le Courrier de Lyon*, 2/9/1842.

15. Lyon, Arch. Mun., Recensement, 1840, 1er arr. Bibl. Mun. man. Charavay 375, 3/6/1838.

16. Pagnon I. *Lettres et fragments*, recueillis par Clair Tisseur, Paris, Félix Girard, 1869, p. 29.

17. *Lettres et pensées d'H. Flandrin*, Paris, Plon, 1865, p. 286 à 316.

18. Lyon Arch. Dép. Mutation après décès 52 Q 12, 28/2/1843. Auguste possède le 1/3 de la maison rue des Bouchers, évaluée à 54 000 F. Revenu 2 700 F ; valeurs mobilières 3 843 F. Procuration 15/9/1842 ; Acte de notoriété 14/9/1842, parmi les témoins, Jean-Marie-Elisabeth Rousset. M. Jogand, 3E 11268. Recherches de Sabine Maciol, que je remercie.

19. Deux crayons sur papier teinté 0,43 × 0,30, s.d. Coll. part.

20. 0,360 × 0,285 s.d.b.g. *1845*. Coll. part.

21. Hardouin-Fugier E. *L. Janmot*, Lyon PUL 1981, p. 43.

22. *Conseils à mes élèves*, Lyon Jevain 1895, p. 50-60.

23. *La Revue du Lyonnais* 1888 II, p. 248.

24. *Lettre sur l'Exposition lyonnaise*, Lyon Boitel 1836 ; *Feu sur tous*, id. 1838 ; *La Revue du Lyonnais*, 1836 I, p. 450 ; II, p. 151 à 155.

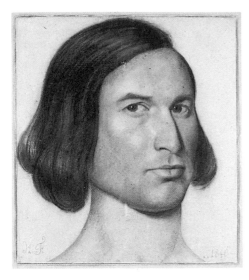

H. Flandrin,
portrait de l'acteur Campagne
exécuté dans l'atelier d'Auguste
à Lyon en 1840.
Lyon, collection particulière.

première place parmi les peintres d'histoire et, le 22 décembre, loue sans mesure *« ce talent si jeune d'âge et pourtant si vieux de science »*. S'il n'y a pas lieu, pour Hippolyte, d'être mécontent après l'acquisition du *Dante*, ce sont peut-être les réticences de la *Revue du Lyonnais* à l'égard du *Saint Clair* exposé à Paris [25], ou le silence de la presse lyonnaise de 1839, ou encore la tiédeur de l'accueil réservé à l'œuvre d'Auguste, bientôt suivis de critiques assez vives adressées aux paysages que Paul continue obstinément à envoyer aux Salons lyonnais [26] — à moins que ce ne soit, plus simplement, le manque de temps, qui ont définitivement détourné le lauréat de Rome des cimaises lyonnaises.

Dorénavant, les journalistes lyonnais mentionnent les peintures d'Hippolyte Flandrin à l'occasion d'articles consacrés aux artistes lyonnais de Paris. En mai 1845, la *Gazette de Lyon* (sous les initiales H.F.) met en parallèle Janmot, Lavergne et H. Flandrin. L'analyse de la *Mater Dolorosa* n'est qu'à moitié favorable. *« M. Flandrin a conquis une légitime réputation, plus solide que brillante… je serais très étonné qu'il devînt jamais un homme de génie, je le serais plus encore qu'il déclinât et ne conservât pas le rang très honorable qu'il possède. Cette année pourtant, sa Mater Dolorosa est certainement inférieure à quelques-unes de ses précédentes expositions »*.

L'académicien et Lyon

L'année 1853 marque un net tournant dans les rapports du peintre, ancien Prix de Rome, maintenant membre de l'Institut, avec sa ville natale. Clair Tisseur consacre, dans *la Revue du Lyonnais* [27], une analyse à Saint-Vincent-de-Paul. L'iconographie choque l'architecte, dont on connait les tendances libérales. Il s'indigne parce que les Rois et les Reines ont été promus à une dignité liturgique, et que Charlemagne figure sous les traits d'un saint qu'il n'a jamais été, il s'en faut de beaucoup ! Les guerriers le scandalisent : *« M. Flandrin a-t-il voulu sanctifier la force matérielle ? »*. En revanche, Tisseur loue et comprend en profondeur le sentiment religieux qui *« rayonne véritablement de chaque*

25. 1847 II, p. 304.

26. Hardouin-Fugier E. *Paysagistes lyonnais du XIXᵉ siècle*, Lyon, *Musée des Beaux-Arts*, 1984, P. Flandrin ; Jouvenet O. Nᵒ 48.

27. 1853 II, novembre, p. 483 à 485.

28. Paris, Arch. des Monuments Historiques, 1109. Vachez A. *Le château de Chatillon d'Azergues, sa chapelle, ses seigneurs,* Lyon, Vingtrinier 1869 ; 2e éd. Brun 1883.

29. 0,67 x / 0,285. S. HF dans les plis du dernier personnage de gauche et de droite. Relevé d'E. Grafe.

30. Hardouin-Fugier E. *Les Peintres de l'Ame,* Lyon, Musée des Beaux-Arts 1981, p. 116.

31. Louis Flandrin op. cit. p. 117.

attitude et de chaque visage ». Il situe judicieusement Flandrin par rapport à Ingres : « *Flandrin respire davantage le parfum religieux* » et par rapport à Orsel : « *Flandrin se reporte à l'époque de l'église pauvre et militante des catacombes* » ; et, par là, le peintre s'oppose à l'époque « *du trop implacable Innocent III* » qu'évoque Orsel.

La restauration de la chapelle romane de Chatillon d'Azergues confiée en 1847 à l'architecte Desjardins [28] exige des décors. Vers 1851, des artistes lyonnais se rassemblent autour de Denuelle : Fabisch, Lavergne père et fils, Beuchot. Flandrin exécute en atelier quatre figures de saints (Jean, Pierre, Paul, Barthélémy autour du Christ, toiles marouflées) [29]. Cependant, « *dans les armes à gauche de l'autel se trouve (à droite) un Indien attribuable à Flandrin* » (E. Grafe). C'est peut-être ce décor qui rapproche les Flandrin de Lavergne qui exécute là sa dernière peinture en août 1853, au moment où commence sa carrière de peintre-verrier à Paris. Lavergne reprochait à Hippolyte de n'être pas entré dans sa confrérie d'artistes chrétiens, fondée avec Lacordaire [30], pas plus, d'ailleurs, qu'à la Conférence de Saint-Vincent-de-Paul en dépit des conseils de Lacuria (1840). Ces différends semblent oubliés, Hippolyte devient, selon Julie Lavergne, l'un des hôtes de la rue d'Assas. Dix ans plus tard, Lavergne met sa plume acérée au service de Flandrin. Il réfute en une plaquette de 31 pages (Paris Morel 1864) l'article de la *Revue du Monde catholique* attaquant l'œuvre de Flandrin à Saint-Germain-des-Prés ;

« *Ainsi, l'artiste éminent qui depuis vingt ans s'est maintenu sans déchoir à la tête de la phalange des peintres chrétiens, recueillant les applaudissements unanimes de la presse catholique et contraignant la critique rationaliste et impie à s'incliner devant les frises de Saint-Vincent-de-Paul et à prendre plus ou moins gauchement l'encensoir devant l'œuvre immense et tout à fait chrétienne de Saint-Germain-des-Prés ; le jeune lauréat de Rome… soutenant par son exemple et ses succès l'espoir et le courage de tous ceux qui résistent aux entraînements de l'école sensualiste et antichrétienne, c'est celui-là qu'on a cru devoir choisir comme un type de l'ineptie et de l'ignorance des artistes prétendus religieux, pour le renvoyer à l'école et au catéchisme… * ».

Le banquet donné à Lyon le 29 août 1853 [31] permet aux Flandrin de faire le tour de leurs relations lyonnaises. En effet, ce sont des amitiés plus qu'une renommée qui valent à Hippolyte ses trois grandes commandes lyonnaises. Le succès critique, en effet, continue

11. Flandrin, décor peint de l'autel de l'église de Chatillon d'Azergues (Rhône).

H. Flandrin, projet pour l'Hôtel de Ville de Lyon. Collection particulière.

d'être mince. Le décor d'Ainay, seul exécuté (1855) a été salué par une courte et flatteuse allusion d'Eugène Jouve dans le *Courrier de Lyon* du 27 octobre 1855. Seul l'Abbé de Saint-Pulgent lui consacre une analyse dans la *Revue du Lyonnais* [32]. A l'occasion de ce chantier d'Ainay, se renouent amitiés et inimitiés. Pierre-Alexis Chamboduc de Saint-Pulgent (mort le 15 mai 1901), originaire du Forez, a été élève dans l'atelier de fleur de F. Lepage avant de gagner celui d'Hippolyte Flandrin à Paris. Son analyse perspicace se ressent de sa qualité d'ancien disciple. Martin-Daussigny, très intéressé par les techniques de l'encaustique, apprend sur le chantier la recette des peintures utilisées par les Flandrin (cire et huile), [33]. Frénet éveille par ses remarques agressives une méfiance durable ; il soupçonne Hippolyte « *d'horribles machinations* » à son égard [34]. C'est peu après ce décor et l'Exposition Universelle de 1855 que les paysages que Paul continue d'exposer à Lyon trouvent des défenseurs, encouragés sans doute par la qualité des tableaux qui ont des acquéreurs à Lyon mais aussi par la nécessité de faire face au réalisme qu'à Lyon on assimile totalement au matérialisme détesté. Le crédit d'Hippolyte est alors important à Lyon ; il écrit à Vaïsse pour soutenir la candidature de Michel Dumas au poste de Directeur des Beaux-Arts, vacant depuis la mort de Bonnefond (1860). Flandrin est à son tour sollicité par Soustras pour une loterie lyonnaise à laquelle il envoie l'esquisse du *Christ et les enfants* [35]. Il est en relations épistolaires courtoises avec Chenavard l'architecte [36] et avec Simon Saint-Jean, à qui il avoue ne pas pouvoir former Paul Saint-Jean dans son atelier.

L'architecte René Dardel a peut-être sympathisé avec Jean-Baptiste Flandrin, bonapartiste comme lui. En 1838, Auguste fait le portrait du futur architecte de la Bourse qui, vers 1858, sollicite Hippolyte pour le décor du grand plafond. Dardel écrit au Sénateur Vaïsse, le 18 janvier 1860 : « J'avais d'ailleurs espéré couronner cet ensemble par la peinture du grand plafond confié à Flandrin, le plus grand de tous les peintres » [37]. En juin 1860, Flandrin appuie la candidature de Lamothe auprès de l'architecte.

Hippolyte Flandrin se trouve à Lyon lors de la mort de sa mère [38]. Il recueille avec Paul son héritage provenant de la vente, en 1856, de la maison de la rue des Bouchers. C'est sans doute à ce moment qu'il obtient un décor pour l'Hôtel de Ville que restaure Desjardins, car le ton de la lettre à Bruneau en parle comme d'une affaire conclue [39]. Il accepte, à condition d'obtenir des délais. A cette époque, « *la partie des ouvrages les plus nécessaires à l'installation de l'administration venait à peine d'être achevée* ». [40]. H. Flandrin envoie un projet et décrit le programme : « *Lyon, appuyé sur le travail et la probité, appelle le bonheur, dont l'idée est exprimée par un vol de petits génies portant des flambeaux, des lumières, des couronnes, des palmes, destinés aux travaux utiles ainsi que des fleurs et des fruits symboles d'abondance. Devant eux fuit une troupe d'oiseaux sinistres qui représentent les ténèbres et la méchanceté. A droite du trône près du Travail croît l'olivier symbolique de paix, de l'autre côté le chêne emblème des vertus civiles. Sur le devant, le Rhône et la Saône et le lion servent à caractériser la figure principale* ». Simon Saint-Jean, mourant, n'achève qu'avec peine un grand tableau de fleurs pour le même édifice, tandis que la mort surprend Hippolyte Flandrin bien avant son premier coup de pinceau dans un monument si proche de sa maison natale.

Le peintre et ses compatriotes.

Les élèves d'Auguste Flandrin ont laissé peu de traces. Les uns, selon Tisseur, n'ont pas fait carrière (Cornier, Vérand) ; d'autres ont quitté Auguste pour devenir les aides d'Hippolyte à Paris [41]. Charles Serret (né à Aubenas), Auguste Sens, Benoît Chancel, Louis Gazet [42] ont été praticiens dans divers chantiers d'Hippolyte. Le sculpteur E. Cabuchet semble avoir passé d'un Flandrin à un autre [43]. Le seul qui ait dépassé le stade

32. 1856 I, p. 148 à 158. Voir Poncet, Lithographies d'Ainay.

33. Lyon Arch. Mun. dossiers biographiques, Bonnefond.

34. sd. in *La Revue du Lyonnais* 1888 II, p. 248.

35. Paris Arch. Nat. 46 AP 3, Aline Flandrin à Soustras, 9/2/1860.

36. Lyon, Bibl. Mun. PA 327 I, 25 à 31.

37. Lyon, Arch. Mun M¹ Bourse 1859-1867. Charvet L. *R. Dardel*, Lyon Glairon Mondet, 1873, p. 101. Flandrin à Dardel, 19/6/1860, Charavay 520, non autographe. On a trouvé une toile peut-être en rapport avec ce décor, mais entièrement repeinte. 1, 705 × 1, 100 s.b.d. *V. de Ademan 1888, H. Flandrin.*

38. Lyon, Arch. Mun. Décès 17/2/1858, 1er arr. N° 181. Arch. Dép. 79 Q 56 ; 52 Q 52 ; vente de la maison devant le Tribunal le 9/2/1856 ; le 1/3 de cette vente revient à J. Bibet, soient 38 386 francs. Recherches de Claire Vapillon.

39. Lanvin 1967, t. I, p. 241 ; le paiement proposé est peu vraisemblable. Flandrin à Bruneau, 25/11/1858, coll. part.

40. Desjardins à Vaïsse, 14/8/1860, Lyon Arch. Mun. M¹ Hôtel de Ville, restaurations 1858-1882, Hardouin-Fugier E. *Janmot*, op. cit. p. 96, 256, note 30.

41. Louis Flandrin op. cit. p. 165.

42. Paris Arch. Nat AJ ⁵² 255 ; Arch. du Louvre P. 30.

du technicien, est évidemment Louis Lamothe (1822-1869) dont la carrière est d'autant plus connue, malgré sa brièveté, qu'il est devenu le maître de Degas. Il a laissé quelques œuvres à Lyon. « Je n'ai pas d'atelier d'élèves », écrit H. Flandrin à Paul Chenavard [44]. Cependant, Flandrin en tant que membre de l'Institut, enseigne aux Beaux-Arts de Paris quand son tour arrive. On retrouve donc certains lyonnais, élèves de Flandrin, sur les registres d'inscription de l'Ecole. Tels sont Aubert, F.A. Bernard, futur Prix de Rome de paysage, Pierre-Désiré Guillemet, Auguste-Alexandre Hirsch [45], le plus connu, également élève de Gleyre, maître très apprécié par les Lyonnais et les Stéphanois ; Faverjon est aussi dans ce cas, tout comme François Merle, Ravel de Malleval qui fait à Lyon une carrière de graveur, Pierre Sallé, peintre de genre apprécié à Lyon ainsi que Bellet du Poizat et Saint-Pulgent déjà nommé. Ensuite vient le cas des étudiants qui ont bénéficié des conseils que donne H. Flandrin, gratuitement, tous les dimanches matin. Ce sont des obligés plus que des élèves (P. Borel, Chatigny). On sait encore que Flandrin recommande Vollon pour une acquisition par l'Etat lors de l'arrivée du jeune peintre à Paris [46]. Perrodin, né à Bourg, élève des Beaux-Arts de Lyon (1852) puis d'H. Flandrin (1854) est le plus célèbre parmi les faux lyonnais. A Paris, Flandrin n'oublie pas son vieux maître Legendre-Héral. Aidé par Bonassieux, il fait accorder un logement à l'Institut à sa veuve [47]. Flandrin n'a jamais été en concurrence avec Orsel rivé par sa lenteur aux murs de N.-D. de Lorette et entouré de fidèles disciples qui, à la mort de leur maître (1852) ne se sont pas tournés vers Flandrin. Bonnassieux, praticien de Légendre-Héral à Lyon, où il rencontre les Flandrin, collègue d'Hippolyte à Rome, ami de Michel Dumas et de Lacordaire, n'a pu que s'entendre avec son ami de jeunesse. Les relations de notre lyonnais avec Paul Chenavard sont empreintes d'une courtoisie un peu compassée, qu'expliquent des divergences d'options esthétiques et spirituelles [48]. C'est par les dessins de F. Giniez, rencontré à Rome, que Flandrin connaît l'art des Catacombes (Giniez quitte Paris v. 1855) [49]. D'heureux souvenirs romains datant de leur rencontre, des images de leurs randonnées en Bugey et de la visite des Flandrin dans l'atelier de Janmot en 1845 ont uni ces amis. Le soutien de l'académicien et celui de Delacroix ont été déterminants dans l'attribution à Janmot du décor de Saint-Augustin, en dépit d'un vote de la Commission absolument défavorable [50]. A la mort d'Hippolyte, Victor de Laprade écrit : « Vous aviez là un ami aimable et sûr ». Des amitiés littéraires ont lié Hippolyte Flandrin à quelques compatriotes tels qu'Henri Hignard, élève de l'abbé Noirot et professeur sorti de l'Ecole Normale ainsi que Victor de Laprade.

Les rapports d'Hippolyte Flandrin avec les graveurs lyonnais sont fréquents. A Rome, le peintre rend visite à Overbeck en compagnie de Vibert, qui devient professeur aux Beaux-Arts de Lyon et lui envoie ses élèves, parmi lesquels Auguste Lehman qui gravera le *Dante* après la mort du peintre. Le talent de Flandrin est une révélation pour Jean-Baptiste Poncet. E. Grafe raconte les déboires de Poncet dans l'affaire de la dédicace des gravures de Saint-Germain-des-Prés au Pape Pie IX. La déplorable affaire Soumy n'a pas laissée intacte la mémoire d'Hippolyte Flandrin, même si les versions diffèrent.

Du vivant de Flandrin, Poncet s'était déchargé d'une gravure de l'*Entrée du Christ à Jerusalem* (à Saint-Germain-des-Prés) sur Soumy, lors du retour prématuré de Rome de ce dernier, déjà malade. La gravure étant très loin d'être achevée à la mort de Soumy, prétend Poncet, Haro, éditeur des gravures, met immédiatement en branle la justice ; il fait reprendre et terminer la planche par Poncet qui l'expose sous son nom au Salon de 1865. Les amis du jeune défunt soutiennent que la gravure avait été pratiquement achevée par Soumy — et le tirage contresigné par Danguin qu'ils publient, est en effet probant — mais que, en l'absence d'une trace écrite de sa commande à Soumy par l'éditeur Haro, la veuve a été déboutée de tout droit à une indemnité. [51] A la décharge de Flandrin, il faut dire que la mort de Soumy (25 juillet 1863) a précédé la disparition de l'académicien de huit mois seulement.

43. Hardouin-Fugier. *Les Peintres de l'Ame*, op. cit. p. 104.

44. Lyon Bibl. Mun. Ms 5413, 16/11/1855.

45. Paris Arch. du Louvre P 30 ; Arch. Nat. AJ^{52} 262.

46. Paris Arch. Nat F^{21} 198 ; *Paysages lyonnais* op. cit. Vollon.

47. Bonnassieux P. « Le modèle de Giotto enfant » in *La Revue du Lyonnais*, 1886 II, p. 357.

48. Communication de MA. Grunewald que je remercie.

49. Paul Brac de la Perrière, *Journal*, 21/7/1845, coll. part.

50. Hardouin-Fugier. *Janmot*, op. cit. p. 104.

51. Auquier P., Astier JB. *La vie et l'œuvre de Soumy*, Marseille, Ruat 1910, p. 69-70. Paris, Bibl. de l'Institut d'Art et d'Archéologie, Fondation Doucet, man. carton 35.

L'artiste et sa légende

A Lyon, dès la disparition du peintre, les nécrologies lui ouvrent les portes du Panthéon local. On évite l'image du défenseur de l'Académie outragée par les récents décrets, telle que Beulé la propose : « *Le seul nom de Flandrin, Messieurs, confond vos calomniateurs et vous venge de l'ingratitude* ». C'est dans l'article du *Moniteur* (24 mars) que Théophile Gautier propose la comparaison avec Fra Angelico. « *Ce n'était pas assez pour lui de chercher le beau, il cherchait le saint et la forme humaine épurée sans cesse lui servait à rendre l'idée divine. Il avait dans sa nature quelque chose de cette timidité tendre, de cette délicatesse virginale et de cette immatérialité séraphique de Fra Beato Angelico... Il croyait sincèrement ce qu'il peignait* ». Joannès Blanchon reprend à son tour, dans l'*Echo de Fourvière* (p. 117 à 119) la phrase de Vinet (dans les *Débats.*) « Hippolyte Flandrin est le Fra Angelico du XIXe siècle », en développant le parallélisme entre l'art et la foi : « Le vaillant artiste lyonnais est loué par toutes les bouches pour sa foi autant que pour son génie ». Flandrin est « canonisé » en même temps qu'Orsel et que Saint-Jean (mort en 1860) : « vos noms resteront dans nos annales entourés d'une auréole ».

Louis Lacuria, dans le *Salut Public* du 4 mars 1864, donne une analyse beaucoup plus personnelle. L'amitié entre les deux artistes, après une éclipse momentanée, s'était resserrée Lacuria envisage d'aller à Paris le 29 juin 1862 ; Flandrin lui propose son propre appartement. [52] Lacuria conserve, intactes, les croyances artistiques de leur commune jeunesse, aussi écrit-il avec une entière sincérité : « *Comme artiste, H. Flandrin s'était mis au premier rang de la noble et trop peu nombreuse phalange des conservateurs, c'est-à-dire de ceux qui veulent le maintien des traditions consacrées par le goût de tous les siècles, de ceux qui veulent qu'avant tout l'art soit la manifestation du beau, beau moral aussi bien que beau physique qui font de l'art une religion, ce mot n'est pas exagéré puisque le beau est le terme complémentaire de la trinité avec le vrai et le bien* ».

Désormais, H. Flandrin devient l'incarnation du Néoplatonisme pour tous les écrivains idéalistes lyonnais qui s'expriment, entre autres circonstances, à l'occasion de la publication de l'ouvrage de Louis Flandrin, des travaux de Paul-Hippolyte Flandrin à Lyon ou de la mort de Paul Flandrin [53]. L'expression la plus frappante de ce phénomène se trouve dans la trilogie proposée par Monseigneur Dadolle dans un cycle de conférences publiées en 1886. Le savant professeur des Facultés Catholiques met en parallèle Ampère, Ozanam et Flandrin sous le titre Le Vrai, le Bien, le Beau, « *Hippolyte Flandrin n'est pas seulement une gloire lyonnaise, c'est une gloire catholique... il combine le spiritualisme chrétien avec la science de la nature et le sentiment des formes antiques* ».

L'iconographie et même la toponymie lyonnaises tracent un itinéraire, à Lyon, pour les fidèles de Flandrin, dont le départ se situe dans l'ancienne rue des Bouchers, rapidement appelée rue Hippolyte Flandrin [54].

Est-ce dès 1853, du vivant de l'artiste, que Chatigny a inclu H. Flandrin parmi les *Célébrités lyonnaise* ? L'esquisse de l'immense tableau qui lui vaut l'exemption du service militaire, Chenavard aidant [55], a été repérée, mais pas encore étudiée. La toile achevée est exposée en 1878 ; on y voit un portrait en pied de Flandrin, à l'extrême gauche, aux côtés de Jean-Jacques de Boissieu, de Berjon, de Grobon et de Legendre-Héral.

Ce ne sont pas les modèles qui manquent pour peindre le visage de Flandrin : photographies (par exemple, celle de l'album d'Armbruster) et autoportraits sont choisis par les artistes lyonnais dans la maturité de l'académicien. Peu avant l'exposition des *Célébrités lyonnaises* s'ouvre un concours pour la Fontaine des Jacobins. Après avoir

52. *La Revue du Lyonnais,* 1888 II, p. 443.

53. Par ex. *L'Echo de Fourvière,* 1902, p. 584 ; *Le Salut Public,* 23/4/1897 ; *L'Express,* 10/3/1902.

54. Par exemple Vachet A., *A travers les rues de Lyon,* Laffitte reprint 1982, p. 47.

55. Lyon Arch. Dép. Baudet P. à Sallès A., 1912. Man. Galle 143.

choisi le projet de Gaspard André, [56] la commission où figure Ed. Aynard, en approuve l'iconographie le 19 mars 1878. *« Les allégories ont été repoussées, il en a été de même des personnifications lyonnaises des Sciences, des Arts, des Lettres, de l'Industrie... il a paru plus convenable de suivre l'inspiration de l'auteur du projet et de consacrer ce monument aux artistes célèbres que Lyon a vu naître et dont la gloire a rayonné sur l'art français »*. Ce dernier argument est avancé par Aynard pour obtenir la fourniture du marbre par l'Etat (avril 1879). C'est encore une fois en compagnie de Philibert Delorme, d'Audran et de Coustou que se retrouve Flandrin, dont l'effigie est imposée aux sculpteurs qui participent au concours. Le 23 septembre 1878, ils sont ainsi classés : Degeorge, Bourgeois et Noël, Fourquet, Aubert. Des mentions sont accordées à Perrier, Pagny, Dufraine, Métra et Textor. Il existe donc une dizaine d'esquisses relatives à Hippolyte Flandrin dont bien peu sont connues aujourd'hui. Degeorge fait exécuter la statue en marbre (2 mètres 75) par son praticien Jules Comparat. Après de nombreux litiges, les quatre figures sont achevées au début de 1886.

Cette même année, l'*Inspiration chrétienne* de Puvis de Chavannes est marouflée dans le nouvel escalier du Musée Saint-Pierre. Edouard Aynard, analyste perspicace de la peinture mystique lyonnaise [57], évoque les liens qui unissent les religieux aux artistes. Dans le cloître, le visage d'un peintre, au second plan , rappelle les traits d'Hippolyte Flandrin que Puvis a connu.

C'est à Fourvière, enfin, qu'il faut monter, pour trouver une nouvelle fois la figure de Flandrin, accompagné par Jacquard, par Philibert Delorme, par Coustou et par Ampère qui, parmi d'autres témoins, assistent rétrospectivement à la consécration de la France à la Vierge par Louis XIII. Cette seconde grande mosaïque murale [58] dont le thème est une allusion anti-républicaine transparente qui ne surprend pas à Fourvière, est achevée en 1902 par Lameire : ainsi se retrouvent sur ce haut-lieu de la cité Sainte-Marie Perrin et Lameire, tous deux élèves de Denuelle l'ami de Flandrin.

Pour touchants que soient ces hommages posthumes, il est probable que Flandrin leur aurait préféré une véritable postérité artistique. Que son art ait un moment tenté quelques élèves de Janmot, est certain : Paul Borel et Matheus Fournereau ont été de ce nombre. La procession sur fond d'or de l'église de Couzon-au-Mont-d'Or en témoigne. A Perrodin, à cause de son court passage aux Beaux-Arts de Lyon (1852-1854), doit-il être considéré comme lyonnais ? L'enseignement que dispense, quinze années durant, Jean-Baptiste Poncet aux Beaux-Arts de Lyon intervient à un moment où le décor d'églises est rare dans la région lyonnaise plus encore qu'ailleurs, en raison du poids financier que fait peser sur le diocèse la construction de Fourvière. Le livre de Poncet *Conseils à mes élèves,* en dépit de son titre, ne révèle pas grand chose de ses méthodes, c'est surtout un assemblage de souvenirs et un plaidoyer *pro domo.* Si l'on se réfère aux résultats, on ne voit guère que les processions, elles aussi sur fond d'or, que Claudius Barriot a répandues sur quelques murailles, à Saint-Euphémie, à Saint-Pierre de Vaise et dans la crypte de Saint-Nizier, réalisations qui demeurent assez exceptionnelles dans son œuvre. A tout prendre, la présence indirecte d'Hippolyte Flandrin serait plus tangible, dans la région lyonnaise, à travers l'œuvre du peintre-verrier de Tours Lobin, *« élève du regrettable M. Flandrin »,* écrit-il à la Fabrique de l'Arbresle [59] pour emporter la commande.

Est-ce à juste titre que *Le Censeur* écrit en 1837 [60] : *« Ces hommes (Bonnefond et Flandrin) qui ont poussé sur notre sol de Lyon, n'y ont trouvé, presque tous, qu'un soleil ingrat et des affections inintelligentes. La mère nourrice en eût fait volontiers des commis de comptoir et c'est à peine si elle leur pardonne d'avoir eu foi en leur génie »* ?

56. Lyon Arch. Mun. M 1.

57. E. Aynard. *Les peintures décoratives de Puvis de Chavannes* Lyon, Mougin-Rusand 1884, p. 19.

58. Hardouin-Fugier E. *Miniguide de Fourvière,* Lyon SME 1983, p. 87.

59. Lyon Arch. Dép. 0,53, l'Arbresle, 1874.

60. « Exposition lyonnaise, première lettre » in *Le Censeur,* 2/I/1837.

PEINTURES D'HISTOIRE

1. *Cypsélos sauvé* (1831)

PEINTURE : T.H. 0,33 ; L. 0,41. Contresigné en bas, à gauche : *Ingres*.
— La présence de la signature d'Ingres sur cette esquisse s'explique par une pratique courante alors à l'École des Beaux-Arts, qui voulait que le professeur chargé de superviser un concours contresignât les œuvres qui étaient réalisées dans ce contexte précis. On doit comprendre que ce professeur contresignait les esquisses de *tous* les élèves présents, et non pas celles de ses élèves uniquement.

HISTORIQUE : Peint à l'École des Beaux-Arts de Paris lors d'un concours d'esquisses en avril 1831 ; primé à ce concours (jugement du 16 avril 1831) et devenu ainsi propriété de l'École.

EXPOSITIONS : New York - Richmond - Indianapolis - Phœnix - Palm Beach - San Antonio - New Orleans, 1984-1985, n° 26, repr. — Afin de pouvoir figurer dans la présente exposition, cette esquisse n'a été montrée qu'à New York, Richmond, Indianapolis et Baltimore.

BIBLIOGRAPHIE : Lanvin, 1967, t. I, p. 24-25 ; Grunchec, 1983, repr. p. 97.

La tradition veut que le corinthien Cypsélos, alors qu'il était un enfant nouveau-né, ait été caché dans un coffre par sa mère afin de le soustraire aux désirs meurtriers des Bacchiades. Les archives demeurent muettes quand à l'intitulé du sujet qui fut proposé aux concurrents, et l'on peut se demander s'il s'agit d'une illustration de cette légende ou s'il en existe une autre version. Dans cette esquisse en effet, Flandrin a représenté Cypsélos étendu sur un lit, et non dissimulé, tandis que des soldats en armes s'approchent de lui. On connaît un autre personnage nommé Cypsélos, fils cette fois d'Aepytos, roi d'Arcadie, élément qui pourrait permettre une lecture différente de cette esquisse en fonction d'un épisode que nous ignorerions.

Il s'agit d'une des premières esquisses connues d'Hippolyte Flandrin, peinte à l'époque de ses études à l'École des Beaux-Arts à Paris : rappelons qu'il y avait été immatriculé le 5 octobre 1829, présenté par Ingres. Le coloris général, volontairement assourdi et seulement contrasté par la vivacité des vêtements, évoque l'enseignement d'Ingres. Ainsi que l'a justement signalé Mme Lanvin, cette œuvre doit également sa composition à ce premier maître, inspirée par le tableau des *Ambassadeurs d'Agamemnon* qui avait valu au maître de Flandrin le Prix de Rome de peinture trente ans auparavant.

Ph. G.

PARIS, ÉCOLE NATIONALE SUPÉRIEURE DES BEAUX-ARTS

2. *Les bergers de Virgile* (1831 et 1836)

PEINTURE : T. sur B. H. 0,44 ; L. 0,61. S.b.d. : *Hte Flandrin*. Le tableau a été collé sur une planche de bois par Haro (marque au verso) où se lit une inscription ancienne : *premier tableau d'Hippolyte Flandrin*. L'étiquette avec le n° 807 sur le cadre est celle de l'exposition de 1874.

HISTORIQUE : Exécuté à Paris en 1831 (au moins dès avril, cf. *Œuvres en rapport*) et donné par Hippolyte avant son départ pour l'Italie à son ami et correspondant, le peintre Victor Bodinier d'Angers, son condisciple à l'atelier d'Ingres ; redemandé à Bodinier le 3 avril 1836 pour être modifié et agrandi à Rome aux fins de servir d'« esquisse » dans l'*Envoi de quatrième année* de pensionnaire à la Villa Médicis (une telle « *esquisse* » était obligatoire, indépendamment d'autres tableaux) ; le tableau semble fini en août 1836 (lettre de Paul Flandrin à Bodinier, 29 août 1836, Bodinier, 1912, p. 109) ; envoyé à Paris en mai ou juin 1837 comme travail de 4ᵉ année, puis rendu à Bodinier malgré les résistances amicales et gênées de ce dernier (Bodinier, 1912, p. 128). En 1912, chez Guillaume Bodinier, fils de Victor ; passé par héritage familial chez le possesseur actuel.

EXPOSITIONS : Rome puis Paris, École des Beaux-Arts, 1837, sans n° ; Paris, 1865, n° 8 (à M. Bodinier, d'Angers) ; Paris, 1874, n° 807 (à M. Bodinier).

BIBLIOGRAPHIE : Garnier, 1837, p. 15 ; Delécluze, 1837 ; *L'Artiste*, 1837, p. 115 ; Viardot, 1837 ; Poncet, 1864, p. 12 ; Saglio, 1864, p. 116-117 ; Delaborde, 1865, p. 87 (comme appartenant à la famille d'Hippolyte Flandrin, ce qui est erroné). 152, note 1 ; Fournel, 1884, p. 264 ; Larthe-Ménager, 1894, p. 11 ; Denis, 1902, p. 84 ; Flandrin, 1909, p. 67-68, 345 ; Bodinier, 1912, rep. en frontispice, p. 90-91, 94, 109, 112, 128 ; Vial, 1918, p. 348 (confusion avec la copie d'après Raphaël de l'École des Beaux-Arts) ; Lanvin, 1967, t. I, p. 26-33 (non retrouvé), Lanvin, 1973 (1977), p. 37-38, fig. 5 p. 38 (non retrouvé) ; par erreur le tableau de 1831 est qualifié de premier essai pour le concours du Prix de Rome, ce qui est impossible pour des raisons de chronologie) ; Dorra, 1979, p. 26, repr. fig. 3 (tableau non retrouvé) ; Le Normand, 1981, p. 104 (lettre de Cavelier à Ottin, de Paris, octobre 1837), 146 (lettre de Bonnassieux à Dumont, de Rome, juillet 1837).

ŒUVRES EN RAPPORT : Deux études de figures nues, peintes en 1831 et provenant anciennement de la famille Flandrin, viennent d'être données anonymement au musée de Troyes (mars 1984), l'une pour le berger, flûtiste (inv. 84-3-1), l'autre pour l'un des bergers qui écoutent à la droite (inv. 84-3-2). P. sur carton — H. 0,55 ; L. 0,28. Madame Lanvin les catalogue encore dans la collection de René Deveaux qui les déposa au musée en 1979. On notera la date d'avril 1831 (sur l'*Étude de berger qui écoute*), car elle contredit une assertion incontrôlable de Saglio selon laquelle Hippolyte aurait peint son tableau en 1831 pour se consoler ou consoler son maître de son échec au Prix de Rome ; or, la première épreuve est du 11 mai 1831 ! Huit dessins préparatoires sont recensés en 1967 dans le Fonds Flandrin (hérité de Paul Flandrin) par Madame Lanvin, dont un grand sur papier calque montrant l'état de 1831. Dans certains d'eux, Louis Lacuria aurait donné la pose en 1831, au dire d'inscriptions d'ailleurs postérieures et à demi exactes, car elles localisent les dessins en question à Rome, alors que tout le travail de 1831 fut fait à Paris. Un autre de ces dessins est une copie d'après l'Antique — Castor et Pollux ? — qui a servi ensuite à la pose des deux bergers (Lanvin, t. I, p. 32).
Le Fonds Flandrin comporte aussi des silhouettes en carton découpé, munies de point d'appui et utilisées par l'artiste comme maquette pour étudier l'emplacement et l'effet de ses figures de bergers dans l'espace, un procédé assez traditionnel qui rappelle celui des figurines de Poussin (Lanvin, même page).

Selon Dorra, Daumier en 1842 (lithographie titrée : *Les Bergers de Virgile*) se serait inspiré étroitement du tableau de Flandrin. Il s'agit d'une saine satire du goût antique. Mais Daumier, en 1842, aurait-il pu se souvenir, comme par hasard, d'un tableau peut-être entrevu à l'exposition de 1837 ? : les poses sont banalissimes (un joueur de flûte, un auditeur qui lui fait face), Daumier se borne à un simple duo, et la rencontre entre les thèmes peut venir tout aussi bien de la culture générale du temps. Dans le cas présent, Daumier illustre des vers et une musique de F. Bérat. Sur le plan formel, on voit mal le puissant Daumier avoir besoin de parodier Flandrin, ou alors la parodie serait plus littérale et par là-même plus mordante et plus captivante. Peut-être y aurait-il lieu d'invoquer pour culture Daumier un précédent beaucoup plus immédiat, celui de Caruelle d'Aligny qui exposait au Salon de 1841 un tableau titré *Les Bergers de Virgile*, tableau malheureusement non localisé. A un an de distance, Daumier aurait bien pu se souvenir d'une telle peinture ou de son titre, et moquer à travers Aligny les tenants d'un idéalisme qui le hérissait profondément… Dans la quête des rapprochements, soyons toujours prudents !

Comme nous l'apprend la correspondance du peintre avec Victor Bodinier, le tableau d'Hippolyte fut peint en deux fois : les traces de l'agrandissement substantiel pratiqué en 1836 sur la toile initiale de 1831 sont toujours visibles sur les quatre côtés. Paul Flandrin dit bien dans une lettre d'août 1836 : il aime mieux la nouvelle composition… « *comme elle est maintenant* » avec un fond de paysage charmant, puis une augmentation de trois à quatre figures… (Bodinier, 1912, p. 109).
Par la force des choses, cette *esquisse d'envoi*, exigée par les règlements pour la quatrième année, ne pouvait pas être trop petite, et comme Flandrin et Ingres, son maître et directeur de la Villa Médicis, trouvaient « *l'obligation de l'esquisse une absurdité* », Hippolyte se résolut, sur la propre suggestion d'Ingres, à adopter la solution la moins astreignante : reprendre et agrandir légèrement un travail antérieur. Il ne fut pas content du résultat, au demeurant (lettre à Bodinier, du 1er mai 1837, *cf.* Bodinier, 1912, p. 122).
De ce fait, encore toute marquée par les leçons parisiennes d'Ingres (l'étude de l'Antique, *cf. Œuvres en rapport*) — tel nu de dos au premier plan à gauche agit comme une petite « *Odalisque* » du maître ! (Lanvin, 1975, p. 58) — et plus idyllique et poétiquement virgilienne qu'italienne, cette peinture qui reste l'une des premières du maître, avant même son Prix de Rome, a parfois surpris, voire déçu les critiques. Mais son importance stylistique et la qualité de son charme néo-poussinesque (le paysage arcadique qui, curieusement, annonce aussi le premier Puvis de Chavannes d'Amiens, celui de la *Paix* et du *Repos* de 1863 : y eut-il à cet égard quelque influence secrète antérieure à la rétrospective de 1865 ?) ne sauraient être minorées, tout au contraire, et il était extrêmement heureux que la présente toile, perdue de vue depuis plusieurs années (elle échappa aux investigations de Madame Lanvin lors de la rédaction de sa thèse en 1967) ait pu être remise au jour pour la présente exposition : le tableau fut montré pour la dernière fois au public en 1874, à l'exposition des Alsaciens-Lorrains, et Saglio, en 1864, eut l'occasion de le revoir alors qu'il était « *à peu près oublié* », d'où le vif éloge qu'il en fit.
Le premier jugement porté sur le tableau, celui

de l'Académie des Beaux-Arts face aux Envois de 1837 (rapport de Garnier) est assez peu favorable : « *L'auteur ne paraît pas suffisamment pénétré de cette grâcieuse poésie des églogues où les travaux et les jeux des bergers sont décrits avec tant de charme. La composition présente peu d'intérêt, les différentes figures n'ont que de faibles intentions, leurs attitudes ne se lient pas toujours heureusement entre elles. La plus grande masse du paysage est trop ombragée et ne rappelle point les beaux sites d'Italie.* » — C'est quasiment la réponse du berger à la bergère ! Un tableau jugé d'une part trop peu « italien », considéré d'autre part comme trop formel, pas assez pratique (des attitudes concertées, des poses trop nobles et décoratives, mais pas d'actions, pas de jeux) ; en somme, trop de littérature, trop de style et d'harmonie et pas assez de réalisme ! L'Académie poursuivait-elle Ingres à travers Flandrin ? Mais si Delécluze reste à peu près indifférent (ce « *n'est qu'une esquisse peinte* » où le paysage est dans la manière des grandes maîtres), *L'Artiste* de 1837, une fois déplorés le « *terne* » de la couleur et le « *manque d'air* » du paysage, devient lyrique : « *les bergers sont groupés avec une rare intelligence et non pas échelonnés à des distances inégales*, » comme le faisait Flandrin en suivant trop son maître. Surtout, « *il y a dans cette spirituelle composition quelque chose d'harmonieux, quelque chose qui plaît, qui touche et qui émeut ! Cette demi-solitude, ce calme, ce silence, ces hommes et ces femmes écoutant les sons du chalumeau… Oh ! tout cela est beau comme les Géorgiques de Virgile !* » — « Récupération » littéraire typiquement XIXe siècle (dans le même genre, on citera l'éloge incroyablement enthousiaste de l'archéologue Saglio dans la *Gazette des Beaux-Arts* de 1864) mais nullement déplacée quant au fond : cette vision poétique et distinguée, à travers une harmonisation formelle très calculée, correspond certainement aux propres intentions de Flandrin ; sinon, pourquoi donner dans ce genre de charmants petits tableaux dont le titre est bien fait pour parler à des lettrés (des lettrés quelque peu autodidactes mais d'autant plus zélés dans le cas des Flandrin qui avaient fait peu d'études…), « *un de ces petits quadros rêvés par André Chénier* », comme l'écrivait excellemment le digne professeur et admiratif neveu de l'artiste, Louis Flandrin, en 1909 ?
Le mot de la fin revient au sculpteur Bonnassieux qui arrive à la Villa Médicis quand Flandrin va devoir la quitter et qui rapporte dans une lettre à son collègue Dumont en 1837 : « *une esquisse des Bergers de Virgile qui a le charme d'un tableau de Poussin* » (cité par Le Normand, 1979), auquel fait encore écho un autre sculpteur « romain » non moins enthousiaste et sensible : « *… l'esquisse de Flandrin est délicieuse. C'est une perle* » (lettre de Cavelier au sculpteur Ottin, également en 1837, *cf.* Le Normand, 1979).   J.F.

FRANCE, COLLECTION PARTICULIERE.

3. *Thésée reconnu par son père* (1832)

PEINTURE : T. H. 1,15 ; L. 1,46.

HISTORIQUE : tableau ayant remporté le Premier Grand Prix de Rome de peinture en 1832, et de ce fait resté la propriété des collections de l'École des Beaux-Arts. — Restauré en 1983.

EXPOSITIONS : Paris, 1865, n° 2 ; New York - Richmond - Indianapolis - Baltimore - Phœnix - Palm Beach - San Antonio - New Orleans, 1984-1985, n° 70, repr. — Afin de pouvoir figurer à la présente exposition, ce tableau a été montré que dans les musées de ces quatre premières villes.

BIBLIOGRAPHIE : D. (Delécluze), 1832, p. 3 ; F…, *Journal des amateurs…*, 1832, p. 242-243 ; *L'Artiste*, 1832, p. 97-99. Saglio, 1864, p. 110-112 ; Beulé, 1872, p. 96 ; Saunier, 1896, p. 28, repr. p. 20 ; Flandrin, 1902, p. 34-37 ; Audin et Vial, 1918, p. 343 ; Lanvin, 1967, t. I, p. 34-36 ; Pariset, 1975, p. 183 ; Lanvin, 1975 (1977), p. 58 ; Harding, 1980, p. 111, repr. p. 44 ; Grunchec, 1983, repr. en couleur p. 30, détail p. 60, pl. 10 p. 210, texte p. 85, 209 ; Thuillier, 1983, voir Grunchec, 1984, repr. en couleur p. 8, p. 81, détail p. 83.

ŒUVRES EN RAPPORT : Outre les œuvres mentionnées ci-dessous (cf. n°s 4 et 5), de nombreuses études dessinées existent chez les descendants de l'artiste (cf. également le catalogue de la vente posthume, sous le n° 286) : leur relative pâleur ne nous a pas permis de les reproduire en format réduit dans notre ouvrage consacré aux Prix de Rome de peinture.

Après avoir passé sa jeunesse à Trézène, Thésée a appris de sa mère le secret de sa naissance et découvert sous un rocher l'épée et la sandale qui doivent le faire reconnaître de son père Égée. Lorsqu'il parvient à Athènes au palais d'Égée, il trouve au pouvoir de la magicienne Médée. Cette dernière, comprenant le danger qui annonce la menace, persuade Égée d'empoisonner Thésée au cours d'un banquet donné en honneur du visiteur. Lorsqu'Égée aperçoit et reconnaît son épée, il renverse aussitôt le gobelet contenant le poison, faisant par là-même échouer le funeste plan de Médée qui, confondue, prend la fuite.
On sait, grâce au témoignage d'Émile Saglio (*op. cit.*), que Flandrin après avoir franchi avec succès les deux épreuves préliminaires du concours — une esquisse sur le sujet de *Philopoemen pris pour un esclave* puis une *Académie d'homme nu* (tableaux perdus) — aborda l'épreuve définitive dans des conditions particulièrement pénibles, puisqu'il était à cette époque pratiquement dépourvu de moyens financiers et que, comble de malchance, une épidémie de choléra sévissait alors à Paris. Exhorté par Ingres, il se remit néanmoins à l'ouvrage après une interruption d'un mois due à la maladie qui l'avait contraint à garder la chambre. Depuis plusieurs années, le Prix allait assez régulièrement à des élèves formés dans l'atelier de Gros, pour des compositions moins classicisantes que celles que devait présenter Hippolyte. Les critiques de l'époque, tout en se déclarant surpris d'un tel parti, ne purent empêcher de distinguer la composition de Flandrin parmi les meilleures des neufs concurrents (rappelons que l'un d'eux, Blanc, était mort du choléra avant la clôture du concours) : « *Si quelqu'un cette année doit aller gaspiller son temps à la Villa Médicis, c'est M. Flandrin. Seul peut-être il aurait l'espérance d'utiliser ses journées dans les*

galeries ; il verrait l'Italie avec les yeux d'un adepte, il nous reviendrait avec un poème comme l'*Odalisque ou le Virgile* », concluait le critique de l'*Artiste* (*op. cit.*, p. 99). Tous sensibles au souci de clarté manifesté par cette composition, par les remarquables qualités du modelé anatomique, tous furent unanimes pour lui reprocher les coloris volontairement atténués de sa palette, défaut qu'ils attribuaient à l'influence néfaste d'Ingres : « *il ne faut imiter personne, pas même son maître, quelque talent qu'il ait* », observait Delécluze (*op. cit.*, p. 2). Néanmoins, le tableau fit beaucoup d'impression, et l'on ne songerait plus guère à reprocher à Flandrin le caractère trop prosaïque de ses figures que fustigea le *Journal des artistes* : « *Thésée, l'ami et le compagnon d'Hercule, qui vient de signaler la puissance de son bras dans cent occasions périlleuses, a l'air d'un pleurard qui montre piteusement l'épée dont il n'a su se servir. La tête d'Égée est lourde, sans noblesse ; et celle de Médée, au lieu de représenter une reine, une enchanteresse courroucée de voir échouer ses maléfices semble appartenir à une servante qui rentre en menaçant dans sa cuisine. Du reste, tous ces gens-là n'ont pas une goutte de sang dans les veines, pas plus Thésée que les autres ; ceci est la faute du maître. Quant à l'agencement et aux choses de détails, les fautes sont nombreuses. Il y a des pieds trop petits, des torses trop courts, on ne devine pas le bras gauche d'Égée sous la draperie ; il y a un personnage assis, enveloppé d'un manteau blanc par-dessus sa tête, à la manière des Bédouins, et dont on ne peut trouver le corps. Deux jeunes gens apportent une corbeille de gâteaux, qu'ils soutiennent comme un fardeau pesant, tandis qu'un enfant de dix ans le porterait tout seul ; mais cela a donné l'occasion à M Flandrin* [sic] *de dessiner une jolie pose toute de réminiscence. (...) Nous dirons aussi que le plat de côtelettes employé pour cacher les parties naturelles de Thésée, debout devant la table, est une idée bien ridicule, un moyen d'agencement bien grotesque* ». (*op. cit.*, p. 243). Ph. G.

PARIS, ÉCOLE NATIONALE SUPÉRIEURE DES BEAUX-ARTS

4. Première pensée pour *Thésée reconnu par son père* et étude de détail pour le visage de *Médée*

DESSIN : Pierre noire et plume/papier calque : 0,196 × 0,244. Marque Hte Flandrin (Lugt 933), b.g.

HISTORIQUE : Peut-être dans la vente posthume de l'artiste, Paris, Hôtel Drouot, 15-17 mai 1865, partie du n° 286 (« Onze Feuilles d'Études pour le tableau *[Thésée]* : / Première pensée. / (...) »), les acquéreurs étant Poncet, Sarmodi et Mont, il n'est pas sûr qu'il s'agisse du présent dessin qui a pu rester aussi chez les Flandrin. — Fonds familial Flandrin.

ŒUVRES EN RAPPORT : Deux calques très voisins de la composition définitive mais réduite quand au nombre des personnages (*cf.* Grunchec, 1983, p. 290, repr. p. 209, pl. 1 et p. 210, pl. 11) : le premier dans les collections de l'École nationale supérieure des Beaux-Arts à Paris, le second resté dans la famille de l'artiste après la vente posthume de 1865 (partie du n° 286 : « Onze Feuilles d'Études pour ce tableau : / (...) / Dessin de la composition / (...) »).

Dans cette première pensée pour son *Thésée*, Flandrin n'a pas encore situé la scène dans le palais d'Égée dont on verra les colonnes dans l'œuvre finale, et n'a pas représenté la table du festin sur laquelle Thésée posera l'épée qui permettra à son père Égée de le reconnaître. A l'exception de l'indication de quelques draperies, les personnages sont encore étudiés nus.

Ph. G.

SÈVRES, COLLECTION PARTICULIÈRE

5. Etude pour la tête de *Médée*

PEINTURE : T.H. 0.19 ; L. 0,12. Monogrammé b.d. : *H.F.*

HISTORIQUE : Vente posthume de l'artiste, 15-17 mai 1865, n° 52 du catalogue (« Tête pour la Médée. /Tableau de Grand Prix. / Année 1832 »). Selon l'exemplaire annoté de la documentation de Mlle Marthe Flandrin, ce tableau aurait été vendu en réalité avec d'autres non catalogués et cités de catalogue p. 47, où l'on trouve entre autres une *tête* adjugée à M. Haro (300 frs), un « Tableau » adjugé 80 à Voulaire (qui rachetait pour la famille), *etc.* Sans doute racheté. Fonds familial Flandrin.

BIBLIOGRAPHIE : Lanvin, 1967, p. 36 ; Grunchec, 1983, p. 209, repr. p. 210, pl. 12.

ŒUVRES EN RAPPORT : Un projet dessiné pour la tête de Médée sur un dessin exposé ici (n° 4) donnant une première pensée de la composition. Une étude plus complète du buste et du visage de Médée également chez les héritiers de l'artiste (*cf.* Grunchec, 1983, p. 209, repr. p. 210, pl. 13).

Cette étude de visage de jeune fille, à l'ovale d'une pureté très ingresque, servira à Flandrin pour le personnage de Médée, doté dans l'œuvre définitive d'une expression sensiblement plus dure.

Ph. G.

PARIS, COLLECTION PARTICULIÈRE.

6. *Polytès, fils de Priam, observant les mouvements des Grecs vers Troie*
(1833-1834)

PEINTURE : T.H. 2,05 ; L. 1,48. S.D. au pied de la stèle, vers le milieu : HF (emmêlés). *Rome, 1834.*

HISTORIQUE : Préparé à Rome dès avant septembre 1833 (Delaborde, 1865, p. 212) ; peint à partir de novembre (Journal

inédit de l'artiste) ; achevé au début de 1834 puis expédié au milieu de l'année 1834 comme *Envoi de première année* de pensionnaire de l'Académie de France à Rome ; figure dans le catalogue de la vente posthume, Paris, 15-17 mai 1865, n° 47 (2 600 F — apparemment racheté par la famille puisque l'adjudication alla à Ed. Voulaire, un cousin éloigné de Mme Hippolyte Flandrin qui acheta beaucoup à la vente) ; vendu par le fils d'Hippolyte, le peintre Paul-Hippolyte, au musée de Saint-Étienne en 1895 pour 2 000 francs.

EXPOSITIONS : Rome puis Paris, École des Beaux-Arts, 1834, sans n° ; Paris, 1865, n° 3 (« appartient à la famille ») ; Paris, 1900, n° 285 ; Rome, 1904, sans n° ; Montauban, 1967, n° 235.

BIBLIOGRAPHIE : *Rapport de l'Académie des Beaux-Arts*, 1834, p. 17 ; *Journal* (inédit) de l'artiste ; Delécluze, 1834 ; *L'Artiste*, 1835, p. 117 ; Delaborde, 1865, p. 87, 212, 217, 225, 227 ; Vial, 1905, p. 23 ; Flandrin, 1909, p. 52-55, 345 ; Bodinier, 1912, p. 55 (lettre de Paul Flandrin à V. Bodinier, 9 janvier 1834 : concerne le *Polytès* et non le *Berger*, comme il est dit à tort à la note 2), 57, 59, 63 ; Lanvin, 1967, t. I, p. 52-57 ; Rosenblum, 1967, p. 587, repr. fig. 53 ; Lanvin, 1975 (1977), p. 58 ; Chavanne, 1981, n° 289.

ŒUVRES EN RAPPORT : Étude dessinée par Hippolyte d'après l'*Arès Ludovisi*, statue antique du Musée des Thermes à Rome, Fonds Flandrin, Paris, collection particulière (Lanvin, t. I, p. 56-57). — Autre étude dessinée d'après l'Antique (un Mercure ?) dans un bas relief représentant un combat de gladiateurs, Fonds familial Flandrin (Lanvin, t. I, p. 57 : « ce qui retient (ici) l'attention du peintre, est cette ligne sinueuse du dos extrêmement voûté, dont il fera prendre la pose au jeune modèle qui posera pour le tableau ». — Copie d'ensemble dessinée par Paul Flandrin et datée de Rome 1834, Fonds familial Flandrin (cliché Documentation des Peintures du Louvre — Fondation Getty, n° M.J. 84-31).

Premier travail expédié de Rome par Flandrin, — en tant que *figure d'étude* exigée par les règlements et non comme *tableau* qui requérait plusieurs personnages et concernait les *envois* des années suivantes (en doublé avec une *figure d'étude*) —, ce tableau est bien documenté par le *Journal* (inédit) et la correspondance d'Hippolyte avec ses frères Paul et Auguste (*cf.* Delaborde, Bodinier et L. Flandrin). Le sujet est tiré de *L'Iliade* (Chant II, vers 791 et suivants), dont Hippolyte cite les vers suivants dans sa lettre à Paul, le 4 septembre 1833, alors qu'il lui envoie « le croquis de la figure que je désire faire pour mon envoi, afin que tu aies la complaisance de le montrer à M. Ingres » : « Au moment où l'armée grecque s'ébranle pour recommencer l'attaque contre la ville [de Troie], *Polytès* [l'orthographe exacte serait Politès, observe L. Flandrin, 1909, p. 52], *le plus jeune fils de Priam, se fiant sur son agilité, osa, seul entre les Troyens, rester hors des murs. Assis sur le haut de la tombe du vieil Œsiclès, il observait les mouvements des Grecs* » (cité par Delaborde, 1865, p. 212 ; Flandrin, 1909, p. 52).

Comme le note justement Mme Lanvin (t. I, p. 52-53), « l'expression du jeune homme est passive et ne répond pas au caractère de témérité du jeune guerrier que le texte décrit. L'on sent ici le modèle ». Même infidélité avec la représentation très assourdie de l'armée grecque à gauche, dans le vallon : « dans l'Iliade, il est dit que les Grecs s'avancent pour débarquer, or, ici ils sont déjà à terre, et certains ont déjà combattu, puisqu'ils sont morts. De plus, sur la mer, le peintre n'a placé aucun vaisseau grec, et le regard du jeune guerrier n'est pas tourné vers l'horizon... »

L'ouvrage fut bien accueilli, notamment par le

propre directeur de l'Académie de France à Rome, Horace Vernet, pourtant si étranger au monde ingresque de Flandrin : « *Je vous avoue* » dixit Vernet, « *que je ne m'attendais pas à cela. C'est d'un caractère très original et d'un beau ton* » (lettre d'Hippolyte à Auguste, en date du 24 décembre 1833, *cf.* Delaborde, 1865, p. 217).

Voici en quels termes l'Académie jugea le tableau à la séance du 4 octobre 1834 : « *Il y a une harmonie dans la pensée, dans la pose, dans le dessin, dans l'ensemble naïf et noble de Polytès, dans l'accent de vérité de sa tête, dans son attitude et son expression générale. L'examen critique qu'on en a fait, y a révélé plus d'un mérite pratique dans plus d'une partie bien peinte et bien modelée, on y a toutefois observé que le ton général manque un peu de lumière et que le fond est d'un bleu trop égal...* ».

Delécluze approuva : « *Ce sujet simple est fort beau. La pensée s'y attache avec force et le jeune fils du roi, sans vêtement, est un excellent sujet d'étude* ».

Paul Flandrin qui venait de rejoindre son frère à Rome au début de janvier 1834, juge ainsi « *sa Figure d'envoi, qui est très avancée... Il a vraiment fait bien des progrès : c'est grand, large, gras* (sic !) *et, pour moi, d'une belle couleur et bien sûr aussi pour ceux qui ne seront pas jaloux...* » (Bodinier, 1912, p. 55).

Pour l'*Artiste*, c'est « *une très belle académie... à l'exception toutefois du cou et de l'emmanchement de l'épaule qui ne sont pas bien conformes à la nature* ». — Typique et révélateur aveu du refus que suscitent habituellement les exagérations ingresques ! Mais il est vrai aussi qu'en fait de belle courbure dorsale Flandrin fera bien mieux trois ans plus tard avec son *Jeune homme nu* du Louvre. Le critique de l'*Artiste*, cependant, comprend bien que le *Polytès* doit beaucoup à l'*Œdipe* d'Ingres. D'où son appréciation balancée qui s'efforce à l'impartialité, à une époque où justement toute l'Ecole d'Ingres est encore très souvent et vivement contestée : ce n'est pas une imitation servile comme le font tant d'autres, mais le travail manque un peu de personnalité, *etc.* Mais la grande affaire fut justement la propre réaction d'Ingres : *cf.* la passionnante lettre d'Auguste à Hippolyte du 15 août 1834, écrite peu après l'arrivée du *Polytès* à Paris (Flandrin 1909, p. 53-54). Ingres fut d'abord déçu : « *ce manque de force... L'on dirait que votre frère dort ou qu'il a sommeil... C'est charmant, c'est individuel, c'est bien la nature du modèle, mais la rondeur que je lui avais tant demandée ? »* Et de blâmer « *la coiffure qui n'est pas grecque, mais du Moyen Age* ». Trois jours après, le maître devait d'ailleurs se raviser et admettre qu'il avait été injuste, constatant à sa grande surprise que le *Polytès* de son protégé était finalement bien compris et même loué !

Si l'on fait la part d'une certaine incertitude juvénile — l'harmonie des lignes, la pureté des contours, les courbes du dos entre autres seront plus frappantes et mieux maîtrisées dans le *Jeune homme nu* du Louvre qui constitue sur le

plan formel une sorte d'essai-bis du *Polytès* —,
l'*Envoi* de 1834 est d'une heureuse hardiesse
dans sa grandeur même et son invention formelle : une figure uniquement vue de côté et se
découpant en profil capricieux avec un cou trop
allongé (voir la critique de l'*Artiste*), — et d'une
virtuose perfection technique dans le savant
modelé du nu, le dégradé des couleurs (bleu du
ciel, velouté du paysage) et le rendu matériel des
détails (la finesse du morceau de la stèle, les
sandales à lanières parfaitement rendues). Ce
qui reste encore un peu scolaire et comme
pédantesque, c'est le recours sans doute trop
insistant aux modèles antiques : l'*Arès Ludovisi*
du Musée des Thermes, pertinemment relevé
par Mme Lanvin (*op. cit.*, p. 57), cet *Arès* que
Flandrin prendra spécialement plaisir à revoir en
1863-1864, lors de son deuxième voyage à
Rome (*cf.* son *Journal de voyage* cité par
Lanvin) ; c'est aussi le recours à une construction trop bien méditée, fondée « *sur le carré
harmonique, dont la base limite sa surface au
niveau du pied gauche, et dont une diagonale
est nettement donnée par la position du corps* »
(Lanvin, *op. cit.*, p. 52). Il y a là contradiction
entre des intentions formelles très dogmatiques
et volontaires qui contrarient d'ailleurs le texte
homérique (Flandrin peint une simple académie
de nu calme, sans aucun signe d'apparat
monarchique et tout en lignes statiques et
savantes, alors que le héros « agile » de l'Iliade
et digne fils de roi n'est aucunement passif !) et
une recherche menée sur un modèle vivant :
quelque jeune romain dessiné d'après nature.
Flandrin lui-même avouera significativement à
son frère Paul qu'il avait tâtonné (« *ces lignes
sont faites sur nature, et après plusieurs essais,
ce sont celles [que je t'envoie] qui m'ont plu
davantage* », lettre du 4 septembre 1833, *cf.*
Delaborde, 1865, p. 212).   J.F. et Ch. L.

SAINT-ETIENNE, MUSÉE D'ART ET D'HISTOIRE

7
8

7. *Jeune berger assis* Figure d'étude (1834-1835)

PEINTURE : T. H. 1,747 ; L. 1,25.

HISTORIQUE : Peint à Rome en 1834, exposé à Rome en avril-mai 1835, puis expédié à Paris le 16 mai 1835 (Caffort) comme *Envoi de deuxième année* de pensionnaire de l'Académie de France à Rome, en tant que *figure d'étude*, le *Dante* (cf. ici n° 9) étant le *tableau d'Envoi*. Donné dès 1836 par Hippolyte à son ancien maître, le sculpteur Legendre-Héral qui avait voulu acheter l'œuvre (sans doute à l'exposition de Lyon). En échange, le sculpteur promit de faire le buste du père de Flandrin (Sèvres, collection particulière). Resté dans la famille de Legendre-Héral par voie d'héritage en 1909, chez Madame Wable, veuve du petit-fils de Legendre-Héral (Flandrin, 1909, p. 345). Acquis de Madame Chavagnac en 1937 par le musée de Lyon grâce à la Fondation Chazières pour 12 000 francs. N° d'inventaire 1937-56.

EXPOSITIONS : Rome, puis Paris, École des Beaux-Arts, 1835, sans n° ; Paris, 1836, n° 698 ; Lyon, 1836, n° 110 ; Paris, 1865, n° 10 (daté à tort de 1836 et qualifié erronément d'Envoi de 4ᵉ année !).

BIBLIOGRAPHIE : *Rapport de l'Académie des Beaux-Arts*, 1835, p. 15 ; *Le Journal des Artistes*, 1835, p. 148 ; Delécluze, 1835 ; *L'Artiste*, 1835, p. 59 ; Musset, 1836, p. 165 ; *Le Moniteur Universel*, 1836 ; Delécluze, 1836 ; Dupasquier, 1837, p. 33, 34, 35 ; Poncet, 1864, p. 12, 69 (1836), Delaborde, 1865, p. 88 (erreur de chronologie : le tableau n'a pas été achevé en 1836 !), p. 230 note 1 (cité à tort l'*Euripide*, alors que la mention de « ma figure » dans cette lettre du 9 mai 1835 concerne nécessairement le *Berger*), 239 note 2 (l'*Étude* citée dans la lettre de septembre 1835 est mise en rapport inexacte avec le *Berger*, alors qu'elle ne peut concerner à cette date que l'*Euripide* de Montauban), 254, 259, 263 ; Larthe-Ménager, 1894, p. 11 ; Flandrin, 1909, p. 60-61, 63, 66, 67, 345 ; Bodinier, 1912, p. 88 (par erreur, la *Figure d'envoi* citée dans la lettre du 9 janvier 1834 est identifiée avec le *Berger*, alors qu'il s'agit sans doute du *Polytès*), 71, 72, 73, 83, 85, 94, 96, 110 ; Lanvin, 1967, t. III, p. 79-84 (avec erreurs chronologiques ; le tableau est dit à tort Envoi de 4ᵉ année et daté erronément de 1835-1836) ; Dorra, 1976, p. 40, 402 ; Caffort, 1983, p. 84.

ŒUVRES EN RAPPORT : *Double étude de tête*, tableau d'Hippolyte Flandrin — T. H. 0,36 ; L. 0,47 (Lanvin, t. I, p. 83), fonds familial Flandrin. Selon Lanvin, la tête de droite, vue de face, peinte d'après un jeune modèle romain, a dû servir pour le *Berger*, sans en être pourtant une préparation littérale. Le visage, notamment dans la forme rectiligne du nez, très ressemblant, avec celui du *Berger* ; l'autre tête, à gauche et de profil, paraît se rapporter à l'*Euripide* du musée de Montauban.
Dessins d'Hippolyte : l'un à l'École des Beaux-Arts de Paris, INV. 899, qui étudie deux poses pour le berger assis, l'autre daté de 1834, dans le fonds familial Flandrin, représentant le jeune berger assis mais enveloppé dans une tunique. (Lanvin, 1967, t. I, p. 83 et 84).
Dessin de 1834 pour le *Berger* dans la vente posthume de 1865 (parmi les *Neuf études diverses* vendues sous le n° 291).
À noter qu'Eugène Roger (1807-1840) élève d'Ingres, camarade pensionnaire et ami d'Hippolyte à la Villa Médicis peignit comme *Envoi de première année* également parvenu en 1835 une *Figure d'étude* où se trouve à peu près le même modèle mais dans une autre pose (un jeune berger « nu, assis sur des ruines dans la campagne de Rome, observant son troupeau et rêvant tout à la fois » (cf. Delécluze, 1835 ; Caffort, 1983, p. 54).

La chronologie du *Berger* qui, avec le *Saint Clair*, devait enchanter Ingres (« ses yeux brillaient de joie » tandis qu'il voyait ce tableau pour la première fois à Rome en mai 1835, Delaborde, 1865, p. 230), a été mal établie jusqu'ici, à la fois par Delaborde et Lanvin qui font traîner l'exécution de ce tableau jusqu'en 1836 en interprétant mal une lettre d'Hippolyte à Auguste, de septembre 1835 (Delaborde, p. 230). Poncet également donne la mauvaise date de 1836, recopiant une liste d'œuvres dressée par Hippolyte lui-même (mais ce dernier

pouvait bien se tromper dans ses souvenirs ou Poncet lui-même errer... En juillet 1834, le *Berger* devait être déjà assez avancé, car Hippolyte dans une lettre à son fidèle ami, le peintre Louis Lacuria, donne son propre commentaire sur cette *Figure d'étude*, ce qui n'en a que plus de poids : « Ce n'est pas un sujet, cependant j'avais une idée avant de commencer, j'entrevoyais quelque chose de beau... Dans son expression, sa pose et le paysage qui sert de fond, je voulais exprimer un calme, une paix parfaite » (Flandrin, 1909, p. 61).
On notera l'effort de poésie, le réalisme un peu virgilien (Flandrin adorait Virgile ! cf. n° 2) auquel s'efforça ici Flandrin et, une fois n'est pas coutume, la plus grande importance donnée au paysage, genre peu pratiqué par lui (cf. quand même à titre d'exception le fond du *Polytès*) et plutôt réservé à son frère Paul. La partie de feuillage à droite est à cet égard d'un effet puissant et décoratif — entre Böcklin et le Douanier Rousseau ! — qui surprend (agréablement) chez Hippolyte. La couleur aussi est plus riche que d'habitude, tout comme les effets de clair-obscur et de modelé, plus insistants et plus saillants.
C'est bien ce que le Rapport de l'Académie des Beaux-Arts lu à la séance d'octobre 1835 : « Cette étude présente de belles parties rendues avec fermeté et d'un bon sentiment de couleur. Il y a un notable progrès depuis la figure de l'année dernière » [Polytès].
L'Artiste en 1835 est lui aussi sensible à cet état de choses : ... « M. Flandrin n'est pas systématiquement résolu à une gamme de couleur grise ». Delécluze est lui aussi heureusement séduit par la couleur et la force de l'exécution : « Cette fois, Monsieur Flandrin s'est fait homme, et a rendu avec bonheur ce qu'il sent »... Son *Berger* a une « physionomie belle, mâle et gracieuse tout à la fois ». — « Cette étude est un charmant tableau qui fait penser aux délicieux vers de la seconde églogue de Virgile, et qui rappelle le beau ciel d'Italie. Le « Berger » de M. Flandrin, ainsi que le paysage qui l'entoure, sont d'une couleur si chaude et si imposante que cette qualité nous donne l'occasion de faire observer que ce peintre d'histoire sait bien ce que c'est que la couleur du sujet » (*Journal des Débats*, 2 septembre 1835). Le critique de l'*Artiste* au Salon de 1836 n'est pas moins louangeur : Flandrin excelle dans le mérite de « créer des types dont la réalisation plaît singulièrement à l'esprit, indépendamment de l'expression et de la composition » : peinture de pure poésie en somme, et qui touche à cet *aura* de calme et de béatitude auquel songeait Flandrin dans sa lettre à Lacuria qui a presque des accents littéraires à la Gauguin. Pour Alfred de Musset, « Son « Berger » assis est une charmante étude qui annonce une intelligence heureuse de la nature avec un air d'Antiquité ». Le *Moniteur Universel* de mars 1836 félicite le jeune artiste d'avoir eu « le mérite de vaincre la difficulté d'un raccourci que beaucoup de peintres en réputation auraient prudemment évité »...

Un des comptes-rendus les plus attentifs — et favorables — est celui de Dupasquier à Lyon, à l'occasion de l'exposition de la Société des Amis des Arts : « C'est une bonne et remarquable étude que ce Berger romain devant lequel la foule s'arrête peu, mais que les véritables connaisseurs ne se lassent pas de regarder. Comme ce torse est bien modelé, comme ces bras sont fermes et charnus, comme ces contours sont corrects et fidèlement arrêtés, sans cependant tomber dans la sécheresse ! Un peu de mollesse, peut-être, est à reprocher dans les membres inférieurs mais comme les raccourcis y sont bien compris et bien rendus ! N'eût-il exposé que cette seule figure, M. Hippolyte Flandrin serait encore au premier rang des peintres qui ont adressé leurs ouvrages à la Société des Amis des Arts ». (Dupasquier, 1837, p. 35).

J.F. et Ch. L.

LYON, MUSÉE DES BEAUX-ARTS

8. *Étude d'homme nu assis* (pour l'*Euripide* de 1835 ou pour le *Jeune Berger* de 1834 ?)

DESSIN : Mine de plomb sur papier beige contrecollé sur carton. H. 0,252 ; L. 0,179. Marques de la Collection Édouard Gatteaux (Lugt 852) et de la succession d'Hippolyte Flandrin (Lugt 933), b. d. ; marque de l'École des Beaux-Arts (Lugt 830) et numéro de prise en charge (11990) au centre, vers le bas.

HISTORIQUE : collection du sculpteur et graveur Édouard Gatteaux (1788-1881), ami de l'artiste ; legs Gatteaux à l'École des Beaux-Arts, 1881-1883. Ce dessin a très certainement fait partie des « Croquis pour Euripide, 1833 [sic] », mentionnés par le catalogue de la vente posthume sous le numéro 291 (« Neuf Études diverses ») : grâce à l'exemplaire du catalogue de cette vente, en possession de Mlle Marthe Flandrin, à Paris, nous pouvons déterminer que Gatteaux se rendit propriétaire de ces croquis, qui étaient au nombre de trois, et ce pour une somme de 18 francs, les autres acquéreurs du reste du lot étant Berville, Petit et Voulaire. — N° d'inventaire : 889-1.

EXPOSITION : Paris, 1934, n° 54.

BIBLIOGRAPHIE : Müntz, s.d. [1889], p.187 (« Il est de profil, tourné vers la droite ; la jambe droite repliée et le poids du corps portant en partie sur le pied droit : il semble aiguiser une lance. ») ; Lanvin, 1967, t. 1, p. 62-63.

Il convient sans nul doute de rapprocher ce très beau dessin des *Études* envoyées de Rome par Hippolyte Flandrin. Mme Lanvin (*op. cit.*) y voit une première pensée pour l'*Euripide* (Envoi de 3ᵉ année, 1835 ; envoyé à Paris et commenté à l'Institut en 1836. Jadis au musée de Lyon et à présent au musée de Montauban), tandis que Müntz (*op. cit.*) considérait ce dessin comme une étude pour un personnage de guerrier. Nous hésitons cependant à nous rallier définitivement à l'avis de Mme Lanvin, en raison de certaines parentés avec le tableau du *Berger*, très proche du point de vue de la chronologie. L'École des Beaux-Arts conserve par ailleurs deux autres dessins — l'un indubitablement pour l'*Euripide* (Inv. 900 ; annoté en bas à droite : *Euripide 1833* [sic], le second (Inv. 899-2) pour le *Berger* — qui formaient à notre avis avec le présent dessin le lot des trois croquis acquis par Gatteaux mentionné ci-dessus (*cf.* Historique), dessins désignés par le catalogue de la vente posthume comme étant tous trois des projets pour l'*Euripide* : on peut dès lors se demander si l'annotation de notre dessin a influencé le rédacteur du catalogue et lui a suggéré cette datation ou si, au contraire, c'est Gatteaux lui-même qui en est l'auteur, reprenant une indication fausse fournie par le catalogue. *Ph. G.*

PARIS, ÉCOLE NATIONALE SUPÉRIEURE DES BEAUX-ARTS.

9. *Dante et Virgile aux Enfers,* ou « *Le Dante, conduit par Virgile, offre des consolations aux âmes des envieux* » (1834-1835)

PEINTURE : T. H. 2,95 ; HL. 2,45. S.D. b.g. : *H. Flandrin, Rome 1835.*

HISTORIQUE : Commencé à Rome en septembre 1834 et achevé en mars 1835 ; expédié à Paris en mai 1835 comme *Envoi de deuxième année* de pensionnaire à l'Académie de France à Rome, *la Figure d'étude étant le Berger* (cf. n°). Exposé au Salon de 1836 où il était à céder pour 1 500 francs minimum, Victor Bodinier étant chargé de la négociation. Au milieu de l'année 1836, Bodinier espérait vendre le tableau pour 3 000 francs à une princesse de Saxe « dont le mari aimait beaucoup Dante ». Elle avait été alertée par les compte-rendus favorables du Salon mais finalement elle se ravisa à cause des dimensions trop importantes de l'œuvre. — Envoyé à l'exposition des Amis des Arts à Lyon en octobre 1836, Flandrin espérant un achat par la Ville de Lyon. Acquis au prix de 3 500 francs par l'État (on mande « pour la Ville », comme Hippolyte l'écrit lui-même à tort en décembre 1836 à Bodinier) et envoyé au musée de Lyon en 1837. N° d'inventaire A 21.

EXPOSITIONS : Rome puis Paris, École des Beaux-Arts, 1835, sans n° ; Paris, 1836, n° 697 (« Le Dante, conduit par Virgile, offre des consolations aux âmes des envieux (Dante, *Purgatoire,* chapitre 3)* Appartient à l'artiste. »)

BIBLIOGRAPHIE : *Rapport de l'Académie des Beaux-Arts,* 1835, p. 15 ; Delécluze, 1835 ; *L'Artiste,* 1836, Barbier, 1836, p. 78 ; *Le Temps,* 1836 ; *Le Moniteur,* 1836 ; Musset, 1836, p. 144, 165 ; Delécluze, 1836 : *L'Artiste,* 1836, p. 89 ; Delécluze, 1837 ; *L'Artiste,* 1837, p. 33, 34, 36-39, repr. face p. 30 ; catalogue du musée, 1842, n° 85 ; Thierriat, 1847, n° 75, p. 25 ; Thierriat, 1851, n° 55, p. 34 ; Saglio, 1864, p. 114 ; Poncet, 1864, p. 12, 69 ; Delaborde, 1865, p. 37, 87-88, 227, 244-245, 250, 253, 254, 263 ; Rousseau, 1865, p. 143, repr. p. 137 ; Raymond, 1887, p. 184 ; catalogue du musée, 1887, n° 390, p. 61 ; Larthe-Ménager, 1894, p. 11 ; catalogue du musée, 1897, n° 513, p. 61 ; Flandrin, 1902... ; Flandrin, 1909, p. 61-63, 66, 70, 104, 345 ; Dissard, 1912, p. 24, repr. p. 190 ; Bodinier, 1912, p. 62-66, 70, 101 ; Focillon, 1912, repr. p. 51 ; Rosenthal, 1929, p. 26 ; Vergnet-Ruiz et Laclotte, 1962, p. 236 ; Lanvin, 1967, t. I, p. 64-78 ; Lanvin, 1975 (1977), p. 59-60 ; Dorra, 1976, p. 391-402, repr. en couverture et fig. 1 p. 393 ; Le Normand, 1979, p. 240 ; Caffort, 1983, p. 56.

ŒUVRES EN RAPPORT : Lithographie anonyme éditée par Brunet à Lyon en 1837 pour l'ouvrage de Du Pasquier (1837, face p. 30, travail grossier selon Delaborde, p. 87-88). Gravé par Auguste Lehmann en 1868 et édité chez Goupil le 1er avril 1870. Gravure sur bois par Ulysse Parent dans l'*Univers illustré* du 4 mars 1865, p. 137 (pour l'article de J. Rousseau, p. 143).
Dessin préparatoire d'ensemble au musée de Lyon, cf. ici-même n° . Autre dessin d'ensemble, sur calque (copie faite après coup), dans une collection particulière à Paris : acquis à l'Hôtel Drouot à Paris, le 18 mars 1974, n° 1. H. 0,26 ; L.0,21. Cliché de la Documentation de la Fondation Getty et du SED du Louvre, MJ 84-30.
Mme Lanvin (t. I, p. 74-78) recense dans le Fonds familial Flandrin deux esquisses dessinées d'ensemble (dans l'un d'eux, Dante presqu'accroupi, se penche fortement vers les aveugles)

et douze dessins de détail dont sept au moins exécutés et signés par Paul (à titre d'exemple, cf. le n° 204 exposé ici). Plusieurs de ces dessins sont datés de 1835.
Beaucoup d'attitudes varient ; tel modèle au visage jeune devient dans le tableau un vieillard barbu. Chaque figure a été étudiée systématiquement d'après un modèle isolé (souvent Hippolyte a posé lui-même pour indiquer tel geste), le tableau constituant en quelque sorte un assemblage de poses juxtaposées et arbitrairement reliées entre elles.
— Le dessin pour le 4e personnage des Envieux, assis, la tête sur les genoux et reproduit fragmentairement par Dorra, 1976, fig. 3, p. 399, d'après une photographie appartenant à la famille Flandrin, existe toujours dans le Fonds familial Flandrin : pour une reproduction complète, *cf.* le cliché MJ. 83-794 de la Documentation de la Fondation Getty et du Service d'Études des Peintures du Louvre.
Au Musée de Rotterdam, dessin signé d'Hippolyte et dédié au peintre stéphanois Faverjon, précisant les figures principaux, H. 0,30 ; L. 0,28. Acquis en 1923. Hoetink, 1968, n° 134, repr. — Lavis (peut-être bien une copie d'une autre reprise), H. 0,415, dans la collection Deis à Lyon en 1904 : repr. dans Vial, 1905, pl. 22.
Le n° 291 de la vente de 1865 « Études pour divers Tableaux faits à Rome » comporte des mentions trop vagues pour être identifiées avec le *Dante*).
Copie dessinée par le jeune Poncet, alors élève de Bonnefond à l'École des Beaux-Arts de Lyon et qui valut au futur collaborateur de Flandrin une aimable lettre d'encouragement de Flandrin lui-même (Poncet, 1864, p. 50-51). Copie peinte de la fin XIXe, B.H. 0,305 ; L. 0,24, dans une vente à Lyon, Hôtel des ventes du Tonkin, Étude Anaf, 14 octobre 1980, n° 92 (« Entourage de H. Flandrin »).

Le tableau de Flandrin — sa première peinture de très grande dimension et, en tant qu'*Envoi de 2e année,* une véritable (et grandiose) affirmation de son talent encore à peine éprouvé — atteste la connaissance directe du texte de la *Divine Comédie* de Dante (chapitre III du *Purgatoire* auquel renvoie la notice du livret du Salon) : dans le Deuxième Cercle consacré à l'Envie, là « *où le cœur des humains déformé par le mal, par le deuil, se reforme* » (traduction française versifiée d'A. de Mongis, 1857 — Flandrin en utilisa une autre). Dante, accompagné de Virgile, s'entient avec les Ames des Envieux, aveugles de l'âme et du corps (la cécité du corps répond à celle de l'esprit fermé à Dieu), « *martyrs couverts de manteaux gris qui de la pierre offraient le triste coloris* ». Tous les détails sont fidèlement observés par rapport au texte : le paysage de montagnes arides et désolées, les falaises de pierre, « *le rempart, le chemin qui lui sert de ceinture,* », étroite corniche circulaire sans rampe ni bordure (on voit bien sur le tableau, au fond à droite, la courbe extrême dudit chemin, ingénieux moyen de suggérer la profondeur de l'espace) sur laquelle cheminent Virgile et Dante ; Virgile, le conseiller et l'introducteur de Dante, se tient, comme le dit le texte, le plus au bord de l'abîme, un Virgile encore illuminé par le soleil parce qu'il vient du monde extérieur ; enfin, les Envieux, « *ces gens assis le long des hautes pierres* » : « *Un cilice couvrait leur dos et leur poitrine, chaque épaule pesait sur l'épaule voisine,* » puisque ces jaloux sont condamnés à se supporter mutuellement. Autre précision dantesque, tous ces aveugles redresse la tête, quand Dante l'interpelle puis écoute sa pitoyable réponse. Mais l'idéaliste Flandrin, par un typique « purisme » formel, n'a évidemment pas voulu montrer les aveugles aux yeux cruellement cousus avec du fil de laiton « *comme ceux du faucon lorsqu'il n'obéit plus* » (Du Pasquier en 1837 remarque la chose

et l'en absout...). Par compensation, son réalisme s'est complaisamment exprimé dans l'évocation des rochers inhospitaliers (est-ce l'influence de Paul Flandrin ?) et dans la pittoresque accumulation de figures pitoyablement résignées, savamment posées et drapées, dotées d'abondantes barbes et chevelures. La science du drapé pouvait certes trouver sa justification à la fois dans la lettre du poème (le « *cilice* », la couleur gris muraille de ces sortes de fantômes d'autant plus habillés de vagues draperies qu'il s'agit d'âmes sans vrais corps, habitant le monde des morts) et dans les exigences académiques de l'École qui vise à atteindre le « *Beau* » par le « *Vrai* » (habileté et correction du rendu des plis, dégradés jouant sur les volumes éclairés latéralement).
Telle quelle, l'œuvre se révèle comme un parfait hommage à l'enseignement d'Ingres (plus qu'à Ingres lui-même !) et comme la juste voie d'approche du suprême compromis esthétique auquel vise Flandrin. Ainsi que le dit très bien Henri Dorra dans son excellent article sur le tableau (1976, p. 392), « *la monumentalité de la forme combinée à un certain maniérisme du modelé et des lignes fait penser à ces maximes d'Ingres* : « *Nous ne procédons pas matériellement comme les sculpteurs, mais devons faire de la peinture sculpturale* ».
Réalisme dans la démarche académique et le procès de fabrication (études d'après le modèle nu puis drapé), idéalisme dans l'arrangement et la maîtrise finale, dans le jeu acéré des lignes principales (la courbure de Dante), enfin expressive et utile mélancolie qui à la fois apaise, épure selon une austérité classicisante et permet quand même le lyrisme affectif des Romantiques (cf. Dorra, 1976, p. 402), tels sont les fondements étroitement solidaires du jeune et audacieux travail de Flandrin. La jeunesse de l'artiste se sent juste encore un peu dans l'engoncement d'une rigidité scolaire (massive raideur peu éloquente de la figure de Virgile — la chose se remarque —, « vide » trop présent et bientôt lassant des parties rocheuses qui meublent, mais ne remplissent pas la toile). L'exemple d'Ingres joue aussi avec trop de pesante littéralité : les rochers, la disposition en écran des figures au premier plan ainsi que la trouée latérale qui fait balancement à droite, viennent clairement de l'*Œdipe* de 1808 ; tout de même que la convention, ici presque trop conventionnellement appliquée et d'un effet un tantinet plat et tristement monotone, de la forte dichotomie colorée entre les personnages du monde réel en tons soutenus, rouges souvent (Œdipe ou Ossian chez Ingres, Dante chez Flandrin) et les figures d'un monde imaginaire ou irréel en tons de grisaille neutre (chez Flandrin, les Envieux ou plutôt les Ames si difficilement percevables par Dante, chez Ingres, les spectres fantomatiques qui surgissent en rêve devant Ossian). Mais avouons-le, la transfiguration quasi-maniériste et par là-même supérieurement poétique qu'Ingres a su victorieusement imposer aux apparences réalistes, manque chez Flandrin de force et d'éclat, malgré un sens indéniable de la couleur

du beau clair-obscur qui fait jouer les formes : l'artiste a peut-être été dépassé ici par le gigantisme de son format. Ce qui reste en revanche fort bien vu et qui retint généralement les critiques, c'est la beauté humaine et la justesse psychologique qui imprègnent les figures habilement différenciées de Dante et de Virgile. Comme Flandrin lui-même s'en justifiait auprès de son ami Lacuria qui lui en avait fait reproche (réponse de Flandrin à Lacuria en date du 24 mars 1836, cf. Delaborde, 1865, p. 244-246 : un long plaidoyer très strict et tout à fait instructif, parce qu'il renseigne sans détour sur les intentions de l'artiste et ne permet ainsi aucune fantaisie d'interprétation postérieure), il n'avait pas voulu, contrairement à ce qu'aurait souhaité Lacuria, montrer l'Enfer « ni l'expression de cette peur qui partout domine chez le Dante », mais le Purgatoire, « et le sentiment qui anime le Dante n'est point la peur mais la pitié ; sentiment que j'ai cherché à rendre par l'action du Dante qui offre des consolations à ces âmes malheureuses ». D'où le long titre très explicite donné dès l'origine au tableau, et l'attitude, à la fois digne et toute de compassion respectueuse, qu'adopte Dante, légèrement penché en avant vers l'aveugle et fort attentif à ses dires. Le poète, « bien reconnaissable à son profil aquilin et à son masque sévère » (Louis Flandrin, 1909, p. 62) s'oppose alors admirablement à Virgile « toujours jeune et beau » : « Virgile, qui n'appartient plus à la terre, reste impassible. Dante, qui est descendu vivant chez les morts, conserve le frémissement des émotions humaines », dit encore excellemment Louis Flandrin (op. cit., p. 62).
Triomphe de l'école ingresque et du meilleur et plus mâle académisme, le Dante faillit pourtant être l'objet d'un malentendu entre Flandrin qui craignait la désapprobation de son maître (lettre d'Hippolyte à Auguste du 28 octobre 1834) et Ingres, peut-être prévenu contre son élève sur des soupçons, très injustes en fait, de « nazaréisme » et d'infidélité à la voie ingresque. Tout s'arrangera au mieux entre les deux artistes devant le tableau lui-même, à l'arrivée d'Ingres à Rome en janvier 1835, lors de sa nomination comme nouveau directeur de la Villa Médicis (cf. le récit de L. Flandrin, fondé sans doute sur des sources originales non spécifiées, 1909, p. 61). Ingres renouvela son admiration émue et enthousiaste à l'exposition des Envois à Rome en mai 1835 (Delaborde, 1865, p. 229-230), et c'est lui encore qui incita l'artiste à montrer son tableau au Salon de 1836 (Bodinier, 1912, p. 70).
L'importance sentimentale et biographique qui s'attache à cette œuvre, s'accroît si l'on fait état (cf. Dorra) des troubles oculaires dont l'artiste souffrit gravement une bonne partie de l'année 1834 et qui l'empêchèrent de commencer son tableau d'Envoi avant septembre. C'est peut-être à titre fort symbolique ou par un évident conditionnement indirect qu'Hippolyte choisit ainsi des sujets qui mettent en jeu des aveugles, car il renouvelle ce parti dans son Saint Clair de 1835-1836 et recourt encore dans le Jeune

Homme nu au bord de la mer, Envoi de 4e année, à la figure d'un personnage qui incline profondément la tête et refuse de voir le monde extérieur.
Il ne faut pas méconnaître non plus la vogue des sujets dantesques au XIXe siècle : d'Ingres luimême (Paolo et Francesca) à Scheffer et à Husson (le sculpteur d'un Homère et Dante, Envoi de Rome de 1834, Le Normand, 1979, p. 240), de Delacroix à Gustave Doré (bel et grandiose achat récent du musée de Bourg-en-Bresse), de Bouguereau (cf. son terrifiant Dante et Virgile aux Enfers (1850) de la collection des héritiers Bouguereau, Paris, 1984, n° 8, repr.) à Rodin (exposition au Musée Rodin en 1984), du

9

« nazaréen » Koch au « préraphaélite » Rossetti pour parler d'artistes particulièrement voués à de telles évocations littéraires (cf. à ce sujet le suggestif catalogue de l'exposition *Dante e l'arte romantica Nazareni - Paristi - Preraffaellite*, Torre dé Passeri (Pescara), 1981, malheureusement à peu près complètement oublieux des apports français et quasiment muet sur le thème du *Dante et Virgile aux Enfers*). Ici encore, Dorra (*op. cit.*, p. 397) a utilement insisté sur les liens entre Ozanam et Flandrin d'une part (ils se voient à Rome en 1833) et d'autre part sur l'impact de Dante auprès d'Ozanam, de Lacordaire, de Montalembert et de tant d'autres bons esprits de l'époque (Ozanam a justement l'idée de sa thèse sur Dante, à Rome en 1833). Dans l'ensemble, le tableau fut très remarqué et loué, à quelques menues critiques de détail près qui sont d'ailleurs dans la loi du genre : un Dante un peu trop vieilli, dixit *Le Temps* — des tons lourds et plombés selon Delécluze —, un Virgile trop charnel, trop corpulent pour l'*Artiste*, des jaloux qui, paradoxalement, dorment ! (Du Pasquier : « cette observation est sans réplique ».), — le bras maladroit de Virgile : « *on dirait que le manteau va tomber* », écrit Alfred de Musset, *etc.* Bon accueil qui fut d'ailleurs matérialisé par l'obtention d'une médaille de seconde classe du Salon. Le jugement de l'Académie (rapport lu à l'Institut en octobre 1835) fut, lui aussi, exceptionnellement favorable : « *Ce tableau a un bon aspect et une grande force de ton ; le groupe des Envieux est bien entendu ; les têtes ont l'expression convenable, et sont peintes d'une manière large. La figure de Dante est heureusement imitée, et avec goût, de celle de son confrère dans le Parnasse de Raphaël.* « *Monsieur Flandrin est bien entré dans l'esprit du site par l'aspect de son fond, et dans la disposition de ses figures. Peut-être que la teinte générale tire un peu trop sur le noir, et manque de transparence* ».

Certains jugements furent quasi prophétiques comme celui de l'*Artiste* (1835) qui conclue ainsi son long examen des mérites du *Dante et Virgile* : « *Le mérite de la composition de M. Flandrin doit appeler sur lui l'attention du gouvernement. Le plus grand nombre des peintres chargés aujourd'hui de la décoration des galeries et des églises ne pourrait pas lutter avec le jeune pensionnaire de Rome, et nous avons la certitude que M. Flandrin, par la nature de ses études et de ses inspirations, traiterait avec un bonheur particulier la peinture religieuse.* Le lyonnais Du Pasquier n'est pas moins prémonitoire : dès 1837, et après un long et intelligent examen du *Dante*, il salue en Flandrin qui fut ici « *traducteur fidèle du poète* », « *le plus bel ouvrage d'Ingres* » et « *l'un des premiers peintres de notre temps* »... Delécluze, quant à lui, est ravi : « *... M. Flandrin étudie les grands Maîtres sans les imiter* » : voilà enfin un artiste qui sait mettre « *vérité* » et « *bon goût* » dans « *le jet et l'exécution des draperies. Cette partie importante de l'art si horriblement maltraitée de nos jours a besoin d'être réhabilitée* ». Le critique de l'*Artiste* (1835) salue « *une conscience*

d'exécution bien rare à son âge » (Flandrin n'a alors que 26 ans), « *une volonté qui ne recule pas devant les obstacles mais qui, au contraire, les accepte franchement, et les multiplierait au besoin pour se donner le plaisir de les vaincre* ». — « *C'est là un thème qui n'admet ni la pantomine mélodramatique, ni le charlatanisme des couleurs criardes et heurtées. Un thème qui réclame impérieusement une peinture simple et serrée* ». L'opposition entre Dante et Virgile, « *entre les deux poètes dont l'un a vécu et se souvient et dont l'autre n'a pas encore achevé son pélerinage, est fine et profonde* ». Le *Moniteur* de mars 1836 trouve le mot si juste de « *mélancolie* » à propos du coloris généralement jugé terne et sévère : « *à un bon goût du dessin* », Flandrin a su joindre « *une couleur sage, solide et habilement fondue, dont le ton, assorti au sujet, est harmonieusement mélancolique* ». Du Pasquier fait même observation de « *mélancolie* » et rend justice à Flandrin sa couleur « *grise* ». Alexandre Barbier, dans son *Salon de 1836*, est ému par la belle figure de Dante dont « *l'intention bienveillante.... est rendue par un mouvement de toute la figure aussi juste que bien saisi. On devine que le poète a su trouver le mot qui console* »... Alfred de Musset reste un peu dédaigneux et balance le pour et le contre : si le Dante est bien (« *sa robe rouge largement peinte* », « *son mouvement [qui] exprime le sujet* »), il critique, comme on l'a vu plus haut, le bras de Virgile : « *En général tout ce tableau plaît. C'est de la bonne et saine peinture* ». Mais « *les Envieux ne sont pas assez des envieux : la première de ces figures est très belle* [donc, sous-entendu, trop belle pour un méchant Envieux !], *la seconde et la troisième, celle qui regarde le Dante, sont bien drapées. Mais la cinquième tête, correcte en elle-même, ne peut pas être celle d'un homme envoyé aux Enfers, pour le dernier et le plus dégradant des vices, celui de Zoïle et de Fréron* ». Sic ! Mais depuis Diderot, faut-il penser que les écrivains, parce que bons écrivains, sont forcément de bons critiques d'art ?

J.F. et Ch. L.

10. Esquisse d'ensemble pour le *Dante*.

DESSIN : Crayon H. 0,875 ; L. 0,680. Mis au carreau.

HISTORIQUE : Don du peintre Paul-Hippolyte (1856-1921), fils de l'artiste, en août 1917, avec 10 autres dessins d'Hippolyte (Lyon, Archives municipales, Série R2 : Musées). N° d'inventaire : B 1173.

BIBLIOGRAPHIE : Lanvin, 1967, t I, p. 74 (avec dimensions inexactes) ; Lanvin, 1975 [1977], p. 59-60, repr. fig. 5 p. 59 ; Dorra, 1976, repr. fig. 2, p. 398.

Les attitudes sont presque toutes arrêtées définitivement après de multiples hésitations comme le prouvent les nombreux repentirs de la position des têtes. Mais le personnage à l'extrême gauche n'existe pas encore, le pied du second est caché sous la draperie qui l'enveloppe (il

existe dans le Fonds Flandrin en collection privée à Paris, une belle étude de pied nu par Paul Flandrin, cf. Lanvin, 1975, repr. fig. 6, p. 60), le troisième, posé par un jeune, n'a pas encore sa tête de vieillard barbu, la cinquième figure qui deviendra cette admirable tête de femme n'est encore qu'un ovale informe. Quant au Dante certainement posé par Hippolyte dont on reconnaît la haute silhouette et le profil osseux, est-il donc comme Paul ? Nous voilà, une fois encore comme tant d'autres, devant l'énigme de la collaboration des deux frères. Toujours est-il que Dante a trouvé ici sa ligne définitive en cette admirable courbe tendue comme un arc, cernée de noir, et profilée par un grand manteau souple.

On a conservé assez peu de grands dessins d'Hippolyte quadrillés ainsi poussés, qui sont tous d'une admirable pureté graphique : cf. dans ce genre les « cartons » du décor de Saint-Séverin aux musées de Dunkerque (n°) et de Poitiers (n°). La vente posthume de 1865 n'en comporte d'ailleurs que pour de tels décors d'église. Mais il est à noter que la provenance du présent dessin — la collection du fils même de l'artiste — est la meilleure qui soit.

J.F. et Ch. L.

10 bis. Dessin de Paul Flandrin pour l'une des figures du *Dante et Virgile*
Voir n° 204

11. *Saint Clair, premier évêque de Nantes, guérissant les aveugles*
(1835-1836)

PEINTURE : T. H. 3,00 ; L. 1,40 ; Surface peinte arrondie dans le haut ; S.D.b.g. : *H. Flandrin Rome 1836*.

HISTORIQUE : Dès septembre 1834 (Bodinier, 1912, p. 67, lettre d'Hippolyte à Victor Bodinier), Hippolyte sait par Guillaume Bodinier (l'architecte Moll (cf. n° 12), grand ami des Bodinier, a songé à lui pour un tableau destiné à la cathédrale de Nantes (Flandrin a écrit par lapsus Angers). Peint à Rome entre novembre 1835 et fin mars 1836 et expédié à Paris en 1836 (il y arrive début août) comme *Envoi de troisième année* de travaux de pensionnaire de l'Académie de France à Rome, la « *figure* » d'accompagnement obligée étant l'*Euripide* (Musée de Montauban). Le faible prix de 1 000 francs que lui valut cette commande n'en laissa presqu'aucun bénéfice, vu les frais de toile et de couleurs (Bonnassieux, 1837, cité par Le Normand, 1979 ; Delaborde, 1865, p. 240).

Les récentes recherches de Mme Claude Cosneau menées à Nantes à l'occasion de l'exposition (communication écrite du 3 mai 1984) éclairent d'un jour nouveau l'histoire de la commande (cf. notamment les Archives de l'Evêché, carton 306). En, 1826, Mgr Joseph, évêque de Nantes, demande au Ministère de l'Intérieur un tableau représentant saint Clair guérissant les aveugles pour l'une des principales chapelles de sa cathédrale Saint-Pierre, la Chapelle Saint-Clair [ainsi baptisée après la Révolution], et ce, en remplacement du *Sacré-Cœur* de feu Géricault. En fait, dès 1824, l'Intérieur a confié la commande à Mauzaisse (lettre de l'architecte Ogée, mai 1826) et le sujet était même arrêté dès 1821 (lettre du vicaire général Bodinier en juillet 1826). Selon ce dernier (sans doute un parent des Bodinier, amis de Flandrin, ce qui expliquerait peut-être comment la commande en 1834 est prestement dirigée sur Flandrin par son ami Victor Bodinier), ledit tableau [de Mauzaisse] est presqu'achevé à cette date de 1826, mais, à Nantes, on préférerait à la place un *Saint Charles Borromée* (la suite donnée à cette demande n'est pas connue) !

L'affaire renaît en 1836-1837 pour une question de boiseries néo-gothiques destinées à l'ornementation de la chapelle et qui risquent de masquer un tombeau Renaissance. On apprend ainsi par les discussions en cours qu'un tableau a été commandé à Rome et qu'il a juste figuré au Salon de Paris en cette année 1837. La fabrique est ravie, car le curé se charge de tous les frais, boiseries et tableau ! C'est qu'un don anonyme, comme nous l'apprend une notice sans nom d'auteur publiée à Nantes en 1845 sur la Chapelle Saint-Clair, a été fait vers 1833 au curé de la cathédrale pour achever la décoration de la Chapelle Saint-Clair. Jusqu'alors il y avait un décor en plâtre avec l'ancien tableau [le Mauzaisse ?] En 1845 justement, tous les travaux de décor de cette chapelle sont achevés. Les boiseries ogivales en chêne du Nord, dessinées par l'architecte Liberge (qui avait proposé au choix de l'évêque et du chapitre un décor gothique et un Renaissance) sont du menuisier Baranger, les sculptures de Thomas Louis. Il y en a en outre neuf tableaux de saints par Jules Laure. Le vitrail enfin (venu plus tard ?) reprend le sujet de saint Clair guérissant les aveugles. Expédié à Nantes en mai 1837 (Bodinier, 1912, p. 124). Épargné dans l'incendie de 1972. Classé Monument historique en 1976.

EXPOSITIONS : Rome, puis Paris, École des Beaux-Arts, 1836, sans n° ; Paris, 1837, n° 701 ; Paris, 1855, n° 3075 (si l'on en croit les Archives de l'évêché de Nantes, carton 306, la Fabrique et les donateurs auraient refusé le prêt du tableau, la chapelle servant aux mariages et le tableau enchâssé dans la boiserie ; en fait, le tableau fut exposé à Paris si l'on en croit les avis de la critique).

BIBLIOGRAPHIE : Rapport de l'Académie des Beaux-Arts, 1836, p. 19 ; L'Artiste, 1836, p. 49 ; Delécluze, 1837 ; L'Artiste, 1837, p. 117 ; Notice... 1845 ; Gautier, 1855, p. 997 ; Planche, t. II, p. 71 ; Lacroix 1855, p. X ; La Rochenoire, 1855, p. 43-45 ; Perrier, 1855, p. 99-100 ; Gautier, 1856, p. 285 ; Saglio, 1864, p. 116, rep. pl. ; Poncet, 1864, p. 12-13, 69 ; Delaborde, 1865, p. 88, 239-240, 242, 246, 250 ; Blanc, 1876, p. 272, rep. p. 273 ; Fournel, 1884, p. 261 ; Gaborit, 1888, p. 74-75 ; Marionneau, 1887, p. 55 ; Larthe-Ménager 1891, p. 11 ; Flandrin, 1902, repr. pl. ; id. 1909, p. 64-65, 345, rep. pl. face ; Gaborit, 1892, p. 40-41 ; Bodinier, 1912, p. 67, 70, 73, 77, 80, 82, 90, 92, 93, 96, 97, 100, 104, 107, 108, 109, 110, 118, 119, 121, 124, 125, 126, 129 ; Lapauze, 1924, t. II, p. 241 ; Russon et Duret, 1933, p. 104-105 ; Lanvin, 1967, t. I, p. 83-99 ; Lacambre, 1969, p. 99, repr. fig. 4, p. 98 ; Dorra, 1977, p 341-342, repr. fig. 4, p. 341. Le Normand, 1979, p. 146 (lettre de Bonnassieux à Dumont, Rome, juillet 1837).

ŒUVRES EN RAPPORT : Esquisse peinte au musée d'Angers (cf. n° 12).
Copie réduite (T. H. 0,35 ; L. 0,40), vraisemblablement peinte par Paul Flandrin, vu la facture de l'œuvre. Fonds familial Flandrin (Lanvin, t. I, p. 97-98 : Paul ou Hippolyte lui-même ?). Cliché Documentation de de la Fondation Getty et du Service d'études des Peintures du Louvre, M° M.J. 84-122.
Esquisse ou copie, visible au fond du Double portrait de Nantes, cf. n° 201.

10

Dessins : Mme Lanvin (*op. cit.*, p. 98-99) en a recensé cinq dans le Fonds Flandrin (descendants de Paul Flandrin). A savoir une « première pensée » signée de Paul Flandrin (la collaboration entre les deux frères était, comme on le sait, étroite), montrant le miracle déjà effectué ; parmi les assistants se reconnaît Hippolyte ; — une recherche de détail du saint et de l'aveugle, inversée ; — une étude pour les deux aveugles agenouillés, avec une inscription : « dessiné par Hippolyte et Paul Flandrin Rome 1836 » — une étude, par Paul, de saint Clair posé par Hippolyte lui-même ; une étude pour l'aveugle au bandeau, exposée ici-même (n° 13).
Croquis d'ensemble, vendu 30 francs à Berville, à la vente posthume de 1865, n° 287.
Gravure par Auguste Hirsch, éditée chez Haro (Dépôt légal en 1857) ; « gravure photographique » de Disdéri (photographe) et Girard (graveur) : cette reproduction, contrairement à celle de Hirsch, est en sens inverse du tableau.

Ce tableau, capital dans l'œuvre de Flandrin car l'un de ses rares grands tableaux non peints sur mur et donc montrés aux Salons et dans les expositions, est aussi un de ses premiers et fort révélateurs essais de peintre d'histoire (et même son premier tableau religieux, donc dans le champ de sa principale spécialité). Voyons-y une tentative à la fois pleine de hardiesse juvénile (une œuvre de 3 m de haut) et de grande ambition artistique — face à l'exaltante leçon d'Ingres, le vénéré maître de Flandrin et l'auteur fameux de la *Remise des clés à saint Pierre*, tandis que jouait l'exemple non moins impressionnant des grands maîtres italiens du Moyen Age et de la Renaissance, de Giotto et de Masaccio à Raphaël, si souvent copiés sur place, en Italie même, par Flandrin (*cf.* la section Copies d'après les Maîtres). Henri Dorra, récemment, a insisté avec fruit sur l'héritage et les affinités giottesques présentes dans le *Saint Clair* (massivité et face à face de figures-blocs, geste du Christ issu de la *Résurrection de Lazare* à l'église San Francisco d'Assise, connue notamment à travers la gravure de Piroli que Flandrin possédait, etc...). Quant au *Saint Pierre* d'Ingres (1817), non moins proche à tant d'égards du *Saint Clair* (celui-ci en est quasi un plagiat dans le jeu ample des plis, le type des visages barbus, l'assemblage compact de têtes aussi nobles que peu différenciées), rappelons qu'il était alors à la Trinité-des-Monts à Rome, à tel point qu'Ingres avait chargé son cher élève Hippolyte Flandrin de lui en faire une « *petite esquisse* » (lettre à Auguste, 3 mai 1834 ; Delaborde, p. 219 ; on ne sait d'ailleurs si Hippolyte trouva finalement le temps de la peindre...).
Avec Mme Lanvin (t. I, p. 86) on notera la rigueur de la construction où les verticales insistantes du saint évêque et des éléments d'architecture visibles dressés derrière ses compagnons se croisent avec les horizontales du paysage de monuments antiques qui meublent l'espace du fond. Le ciel est tranché par ces édifices « *au quart précis de la hauteur générale, le point d'angle derrière le petit temple s'arrêtant juste sur l'axe médian de la composition* » (Lanvin, *op. cit*). Soit une mise au carreau assez typique des recettes enseignées à l'époque et qui explique la distribution échelonnée des différentes figures. « *De même, si l'on trace une courbe..., l'on s'aperçoit qu'elle relie toutes les mains si parlantes de la scène, depuis les mains qui prient, en passant par celles qui guérissent,*

qui implorent jusqu'à celles qui louent, en un geste d'extase. C'est un vrai jeu mimé qui ne peut être gratuit, et qui, chez un mystique comme Flandrin, a été voulu et profondément senti » (Lanvin, *op. cit.*).
Le jeu de la lumière n'est pas moins subtil, qui vient de la droite et « *frappe les dos et les profils gauches des disciples, tandis qu'elle atteint de plein front le visage et la tunique du Saint, d'un blanc lumineux* » (idem).
Il y a là une sorte de contradiction qui explique les recommandations de Flandrin à Victor Bodinier pour l'architecte Vinit chargé de placer les Envois à l'Ecole des Beaux-Arts : éclairer le tableau par la gauche, « *faire venir la lumière par le côté des ombres, c'est-à-dire dans le sens contraire à celui qui éclaire la scène représentée* » (Bodinier, 1911, p. 108 ; *cf.* aussi, p. 104) ; Flandrin observait bien qu'à Nantes, le problème serait moins aigu, le jour venant de très haut « *dans la chapelle pour laquelle il est fait* » (*op. cit.*, p. 108).
La couleur, plus fine et variée qu'on ne l'a dit, joue sur de belles oppositions d'or chaud et de gris bleu pâle, la chevelure argentée de l'aveugle du premier plan jouant comme un point d'orgue au centre de ce tableau presque trop sagement construit, trop volontairement calculé (Lanvin).
Hippolyte Flandrin, comme le rapporte son élève Poncet, fit toujours grand cas de cette œuvre qui lui valut d'abord une médaille de première classe au Salon de 1837, puis une première médaille à l'Exposition universelle de 1855 où Flandrin tint à le faire figurer comme seul grand tableau (religieux) de sa main, en l'absence du *Jésus et les petits enfants* de Lisieux, malheureusement indisponible (en raison de son mauvais état ? *cf.* l'*Historique* du n° 15).
Une lettre d'Hippolyte à Auguste Flandrin (29 septembre 1855), publiée par Delaborde (1865, p. 239-240), renseigne assez bien sur le sujet et les circonstances de la commande, sans doute l'une des premières échues au jeune peintre qui dut s'en ressentir tout ému et fier :
« *J'ai à faire un tableau pour la magnifique Cathédrale de Nantes. Le sujet est beau : C'est Saint Clair rendant la vue à des aveugles. La scène se passe à Nantes, dont Saint Clair était l'évêque au troisième siècle, et la toile a neuf pieds de haut. Ce sont MM. Bodinier qui ont arrangé ça.* [En fait, pas eux tout seuls mais aussi leur ami Moll]. *Ils m'ont proposé ce tableau, et j'ai accepté avec grand plaisir, pour faire au moins quelque chose qui ait un emploi. Quant au prix, il n'en faut pas parler. Je fais quinze figures grandes comme nature pour mille francs, à peu près le montant des frais, mais que veux-tu ? j'aime encore mieux çà que d'être obligé de louer un entrepôt.* » Hommage à l'amitié, très typique de Flandrin, le compagnon du saint visible à droite et de face a les traits peu harmonieux du fidèle Ambroise Thomas (*cf.* n° 89) : à deux reprises, dans sa Correspondance (20 janvier et 29 août 1836), Hippolyte revient complaisamment, en en faisant mystère à son ami, sur cet « emprunt ».

On notera que la scène se situe en fait sur un noble arrière-plan romain, comme l'observe le rédacteur de la notice de 1845 qui excuse Flandrin de cette liberté iconographique, saint Clair ayant pu opérer des miracles dès avant son envoi en Gaule...
Assez rapidement mené à bonne fin, juste en quelques mois (le tableau est dit « *fini* » par Hippolyte dans une lettre du 24 mars 1835, Delaborde, *op. cit*, p. 246) et ce, peut-être bien grâce à la collaboration de Paul, laquelle restera d'ailleurs une des constantes de la vie artistique d'Hippolyte (voir les *Œuvres en rapport*), le *Saint Clair* enchanta bien sûr Ingres : Hippolyte rapporte avec quelque charmante fierté à son ami Lacuria les propos passionnés comme à l'accoutumée d'Ingres : « *Non, mon ami, la peinture n'est pas perdue. Je n'aurai donc pas été inutile !* » (Delaborde, même page).
Les Bodinier furent, mais la chose était prévisible, d'autres inconditionnels (lettres de Guillaume Bodinier à Hippolyte, 25 avril 1836 ; de Victor Bodinier au même, 18 mai 1836 : le *Saint Clair* « *marquait un pas immense... depuis votre dernière exposition* » ; toutefois, en septembre 1836, à l'exposition des Envois, Victor Bodinier signale que « *l'on a été d'accord que, comme aspect général, votre tableau n'a pas assez de fuite dans ses plans* » (Bodinier, 1912, p. 110).
Du côté des critiques d'art en revanche, l'accueil fut moins bon : l'Ecole d'Ingres, la tendance grise et décorative, le manque d'air et de profondeur, l'absence d'originalité sont maintes fois relevées et dénoncées.
Ainsi le *Rapport de l'Académie* (séance du 8 octobre 1836) observe « *cette composition est simple et heureuse ; les têtes ont un bon caractère et une expression vraie* », mais « *on regrette que la lumière ne soit pas assez franche ; des demi-teintes grises et plombées absorbent la couleur locale de ce tableau, où la perspective aérienne ne se fait pas assez sentir* ».
De Flandrin, jeune homme jugé « *timide* », L'Artiste déclare dès 1836 que « *sa couleur, fausse, terne et sans ressort, le préserve jusqu'ici des extravagances de crudité qui paraissent entrer dans le système général du talent de M. Ingres* ». « *Son tableau d'Angers est un composé de têtes échelonnées à des distances inégales du spectateur* », ce qui est peu gratifiant ! La critique de l'*Artiste* en 1837 voit certes dans le *Saint Clair* « *une œuvre sévèrement pensée, d'un caractère grand et imposant* », ce qui était un peu plus justement observé —, « *mais à laquelle on doit reprocher en même temps son aspect froid et fastidieux* ». Et de se voir obliger « *de déplorer cet étrange système qui ne tient aucun compte des ressources immenses du coloris* » : ici, la composition manque à ses yeux « *d'élan et de verve* », la couleur « *de ressort et de prestige* ».
Le principal défaut de tous ces nouveaux amoureux du « style » qui se fondent sur le dessin et sur la copie des maîtres, c'est, note le lucide et exigeant Delécluze, qu'ont senti encore dans

leurs ouvrages « *l'imitation, la contrainte et parfois un peu d'affectation* », défauts particulièrement sensibles dans le *Saint Clair* : « *le principal personnage présente dans l'exécution quelque chose de maigre et de rétréci qui rappelle ce qu'il y a de moins recommandable dans le style dit gothique. Et les aveugles…* « *ressemblent trop aux boiteux des grands cartons de Raphaël.* » Le format enfin, c'est une observation qui sera souvent faite à propos du tableau, est trop resserré, ce qui prête « *une grandeur bâtarde aux figures* ». Par rapport au *Dante* où Flandrin suivait son tempérament de peintre, « *pourquoi s'est-il rejeté dans l'érudition ? C'est un pas rétrograde* ». Sic !

Vingt ans plus tard ou presque, entre deux des plus éminents commentateurs de l'exposition de 1855 : Gautier et Planche, c'est un véritable chassé-croisé fort stimulant de critiques à l'encontre du *Saint Clair* : pour Gautier qui est également favorable à ce tableau, « *Toutes les qualités sévères de dessin et de style qui distinguent les grands élèves de M. Ingres se trouvent dans ce tableau remarquable* » ; Flandrin a su tirer parti de l'étroitesse du champ « *par un arrangement ingénieux* », là où Planche s'indigne : « *pourquoi enfermer une composition si importante dans un panneau d'armoire ?* ». Le problème de la couleur est inversement abordé : « *Peut-être l'agrément de l'œil demanderait-il une localité moins triste* » ; un tableau sur la guérison des aveugles ne devrait pas être si sombre ! (Gautier) — « *La couleur de ce tableau n'a rien d'éclatant, mais ne manque pas d'harmonie. Étant donné le style de l'ouvrage, l'œil ne souhaite pas une gamme plus élevée* » (Planche). mais ce qui irrite surtout ce dernier critique, c'est « *l'uniformité des physionomies* » ; « *Je ne parle pas de l'origine des têtes qui ont le malheur d'être copiées, non sur la nature, mais sur les toiles et les fresques romaines* ».

Mais d'une façon générale, les critiques de 1855 et d'après, tels Lacroix (un tableau parfait à la lourdeur près de l'évêque), La Rochenoire, Ch. Perrier, Saglio surtout qui est quasi lyrique, tous se montrent rétrospectivement de plus en plus favorables à un tableau de jeune artiste qui a su tenir ses promesses de grand peintre styliste et digne, ferme et majestueux dans les tendances murales et monumentales qui s'annoncent ici avec quelque sympathique candeur.

A Charles Blanc, naguère réservé, de conclure en 1876 sur ce tableau qu'il juge « *le plus savant, le plus robuste, le mieux peint* » des ouvrages à l'huile d'Hippolyte : « *La foi tranquille du saint qui impose les mains aux aveugles sans les regarder* », observe-t-il avec beaucoup d'acuité dans un commentaire fort attentif, « *l'aveugle qui lève son bandeau et qui est stupéfait plutôt que ravi du miracle qui lui rend la vue, l'individualité curieuse des physionomies, deux charmantes têtes de femmes, l'une plus émue que surprise, l'autre caressée par un reflet de lumière… tout cela fait de ce tableau le chef-d'œuvre de Flandrin, celui qu'on pourrait placer hardiment au Louvre où la peinture*

contemporaine *s'arrête à Géricault* ». Vœu pieux et juste s'il en fut, car il faut constater que Flandrin religieux n'est toujours pas représenté au Louvre un siècle plus tard ! *J.F. et Ch. L.*

NANTES, CATHÉDRALE SAINT-PIERRE

12. Esquisse du tableau de *Saint Clair*

PEINTURE : T. sur B. H. 0,26 ; L. 0,15.

HISTORIQUE : Donné par Hippolyte Flandrin à l'architecte angevin Edouard Moll (1797-1876) qui l'offrit lui-même au musée d'Angers en 1869. Moll, très lié aux Bodinier et ancien élève de Debret, était architecte départemental du Maine-et-Loire et construisit l'Hospice général Sainte-Marie à Angers. Son nom revient souvent dans la correspondance des Bodinier et de Flandrin à propos du *Saint Clair* (*cf.* Bodinier, 1912, p. 67, 75, 91, 98 — lettre de V. Bodinier à Hippolyte, Paris, 18 mai 1836 : Bodinier prie Moll de prévenir son camarade de Nantes, sans doute l'architecte Liberge — 104, 118, 119, 121, 124, 125).

BIBLIOGRAPHIE : Jouin, 1870, n° 110 ; id. 1881, n° 56 ; Vergnet-Ruiz et Laclotte, 1962, p. 236 ; Lanvin, 1967, t. I, p. 97 ; Huchard, 1978, p. 35.

Le Saint, debout, drapé ici dans un manteau jaune clair et disposé à droite, est inversé par rapport au tableau définitif, quoique la disposition générale des personnages, qui ne sont pas encore tous présents, soit déjà trouvée. *J.F.*

ANGERS, MUSÉE DES BEAUX-ARTS

(pour des raisons matérielles le tableau n'a pu être présenté à l'exposition).

13. Étude pour la tête de *l'aveugle au bandeau*

DESSIN : mine de plomb sur papier blanc — H. 0,285 ; L. 0,22. Inscription (sans doute de la main de Paul Flandrin) h.d. : *Mariani* (nom du modèle) pour l'aveugle du *St Clair*, au revers : *Rome 3 janvier 1836.*

HISTORIQUE : Fonds familial Flandrin.

BIBLIOGRAPHIE : Lanvin, 1967, t. I, p. 99 (sans doute d'Hippolyte).

Très belle étude de tête largement modelée, et émouvante par la recherche de l'expression de confiance et d'abandon. La main droite qui, dans le tableau définitif, soulèvera le bandeau, est ici appuyée sur le pommeau du bâton d'aveugle : visiblement une pose de modèle (un Italien sans doute nommé Mariani), ce qui prouve contre Gustave Planche que toutes les têtes du *Saint Clair* ne furent pas copiées sur des peintures romaines ou antiques et que, au moins certaines d'entre elles, celle-ci ou celle du personnage de gauche inspirée par Ambroise Thomas (*cf.* la *Correspondance* d'Hippolyte citée supra dans la notice du *Saint Clair*) furent étudiées d'après nature selon l'habituel processus suivi par les artistes de l'époque. Malgré l'absence de paraphe, nous pensons que le dessin est bien d'Hippolyte, vu la qualité du modelé et la subtilité des lignes. *J.F. et Ch. L.*

PARIS, COLLECTION PARTICULIÈRE

HIPPOLYTE FLANDRIN

14. *Jeune homme nu assis sur un rocher.* Figure d'Étude
(1835-1836)

PEINTURE : T.H. 0,98 ; L. 1,24. S.b.g. : *Hippolyte Flandrin.*

HISTORIQUE : Peint à Rome en 1836 mais commencé dès septembre 1835, puis expédié à Paris en 1837 comme *Envoi de quatrième année* de pensionnaire de l'Académie de France à Rome ; acquis par Napoléon III sur la Liste civile, le 21 décembre 1857, pour 3 000 francs (Archives des Musées nationaux, registre des *Commandes et acquisitions 1853-1870.* Domaine privé de l'Empereur Napoléon III, 2 DD 20, p. 25, n° 295) et exposé au Musée du Luxembourg ; transféré à cette dernière date au Musée du Louvre (en même temps que Delacroix et Ingres...) — N° d'inventaire (Louvre) : MI. 171.

EXPOSITIONS : Rome puis Paris, École des Beaux-Arts, 1837, sans n° ; Paris, 1855, n° 3076 (« Figure d'étude ») ; Londres, 1862, n° 73 ; Paris, 1865, n° 9 ;
Munich, 1958, n° 40 ; Paris, 1960, n° 57 p. 95 repr. au catalogue p. 51 ; Montauban, 1967, n° 236, Londres, 1972, n° 85.

BIBLIOGRAPHIE : Garnier, 1837, p. 15 ; L'artiste, 1837, p. 115 Viardot, 1837 ; Délécluze, 1837 ; About, 1855, p. 143 ; Bertall, 1855, p. 6 ; Du Camp, 1855, p. 254 ; Perrier, 1855, p. 100 ; Lacroix, 1855 ; Gautier, 1855 ; Bente, 1864, p. 5 ; Poncet, 1864, p. 12, 69 ; Delaborde, 1865, p. 88 (1836) ; Thoré, 1893, p. 328 ; Flandrin, 1902, p. 62, 327 ; Flandrin, 1909, p. 68, 345 (1836) ; Brière, 1924, n° 283 ; Sterling et Adhémar, t. II, 1959, n° 846, repr. pL. 299 ; Hofmann 1960 — réédité en 1974 : p. 281, fig. 176, p. 135 (avec date erronée de 1855 qui est celle de l'exposition mais non du tableau lui-même) ; Lanvin, 1967, t. I, p. 100-106 bis (dit à tort : « Envoi de cinquième année ») ; Lacambre, 1969, p. 99, repr. fig. 5 p. 100 ; Becker, 1971, p. 112 ; repr. fig. 183, p. Catalogue sommaire, 1972, p. 160 ; Lacambre, 1972, p. 5,

n° 85 ; Boime, 1973, p. 207 ; Lanvin, 1975 (1977), p. 60-61 ; Reff, 1976, p. 40 ; Dorra, 1976, p. 399, repr. fig. 4 p. 400 ; Le Normand, 1979, p. 104 (lettre de Cavetier à Ottin, Paris, octobre 1837), 107 (lettre de Loubens à Ottin, Paris, février 1838) ; Laclotte et Cuzin, 1982, repr. en couleur p. 114.

ŒUVRES EN RAPPORT : Réplique réduite, sans paysage, au Musée Bonnat à Bayonne (T.H. 0,59 ; L. 0,78. N° d'inventaire : 1036). On voit ce tableau accroché au-dessus d'une porte sur une vieille photographie de l'appartement de Bonnat à Paris.
Copie dans une collection privée anglaise peinte (signalée à la Conservation du Louvre en 1962).
Deux dessins par Paul Flandrin — signés et localisés par lui comme exécutés à Rome, donc bien contemporains de l'œuvre d'Hippolyte et visiblement faits sur nature, montrent le jeune homme posant comme sur le tableau mais sous un autre angle — de trois quarts de face puis de dos — et ne présentant pas, comme l'observe bien Lanvin (T.I., p. 106), la belle et frappante courbure latérale qui fait toute l'originalité de l'étude d'Hippolyte.
Caricature de Bertall, 1855, publiée dans son *Journal pour rire* avec l'amusante légende : « Le quatre de Flandrin. Un homme a perdu la tête, il se met en quatre pour le retrouver. Espérons qu'il réussira. Une tête dessinée par Flandrin est chose de grande valeur. ».
Vignette parodique dans *Physiologie des Champs-Élysées*, Paris, 1842 (cf. Hofmann, 1960-1974, repr. fig. 177, p. 155).
Copies et interprétations postérieures : copie dessinée par Degas en 1855 (Carnet 2 de la Bibliothèque nationale de Paris, f. 61, cf. Reff, *op. cit.*) ; *Solitude* (*Einsamkeit*), peinture d'Hans Thoma, de 1899 ; *Madeleine repentante*, Salon de 1870, peinture d'Alphonse Cornet, Musée de Riom (Riom, 1981, n° 45 repr. : une Madeleine posant comme le *Jeune Homme* de Flandrin mais en sens inverse) ; *Caino*, photo de Von Glœden, 1912, coll. N. Malambri, Taormina (d'après la découpure non localisée d'un article de Marina Miraglia sur les photographies de Von Glœden ; il s'agit d'une photographie d'un jeune homme nu posant dans la pose du tableau de Flandrin) ; *La Nuit*, sculpture de Maillol (vers 1902 ; un exemplaire en bronze est exposé dans le jardin des Tuileries à Paris) ; gravure de reproduction de Danguin, commandée par l'État.
Repentance, statue du grec Castriotis, élève de Bourdelle ; *Nu*, pastel d'Axilette, Musée d'Angers.

Sans doute parce qu'il eut assez vite — dès 1857 — les honneurs du Musée du Luxembourg puis du Louvre, donc la plus haute consécration parisienne et muséale, sans oublier une efficace diffusion par la gravure grâce au travail de Danguin, le *Jeune homme nu au bord de la mer* est resté avec le *Dante* de Lyon le plus célèbre des Envois de Rome de Flandrin et peut-être même la plus populaire de ses œuvres, célébrité qui mérite en effet examen (cf. la rubrique *Œuvres en rapport*).
Généralement daté de 1836, le *Jeune homme nu* fut en fait commencé dès septembre 1835, ainsi que le prouve une lettre d'Hippolyte à Auguste publiée par Delaborde mais mal interprétée par lui comme par Mme Lanvin. Ce n'était cependant qu'une simple *figure d'étude* qui, dans les Envois de quatrième année parvenus à Paris en 1837, s'ajoutait à l'*Esquisse* originale des *Bergers de Virgile* (cf. n° 2) et à l'obligatoire copie d'après un tableau de maître due par chaque pensionnaire au cours de ses années de séjour romain (dans le cas présent, Flandrin exécuta une copie partielle de l'*École d'Athènes* : le groupe de Pythagore, vaste grisaille conservée à l'École des Beaux-Arts de Paris, mais actuellement roulée et en très mauvais état, peut-être même irrécupérable, selon une communication orale de M. Grunchec).
On sait que la distinction était bien faite dans ces travaux obligatoires des pensionnaires de Rome entre la « figure d'étude » et le « tableau », d'où l'ambiguïté de certains critiques défavorables

(ainsi Viardot) qui persistent à mettre sur le même plan — mais assez hypocritement dans les faits — une telle *figure d'étude* (ce qu'est le *Jeune homme nu*) et le *tableau*. A l'origine du motif, on doit avec Henri Dorra (1976, p. 399) placer la figure d'un des Envieux aveugles et sans espoir du *Dante et Virgile* de 1834-1835 (*cf.* n° 9), soit la quatrième figure en partant de la gauche, assise, la tête inclinée sur ses genoux repliés, dans « un désemparement qui fait écho à celui du jeune aveugle que Flandrin a sans doute voulu suggérer dans ce corps d'éphèbe » (Dorra).

Chose inattendue pour nous, l'importance de cette figure d'étude ne fut pas au départ unanimement perçue. Elle « rappelerait », dit par exemple Garnier dans le rapport de *l'Académie*, « ses heureux débuts, s'il [Flandrin] n'eût pas affecté de la resserrer, de manière à ne représenter qu'un modèle accroupi, comme certaines figures égyptiennes ; il eût mieux fait de lui donner plus de développement. Un ton de couleur livide qui domine ferait craindre que M. Flandrin ne s'éloignât de cette richesse et de cette harmonie de tons, qui lui ont mérité de si justes éloges pour son tableau du Dante ». Mais, comme l'estime J. Lacambre, les jugements de l'Académie sont encore à cette date fort critiques à l'encontre d'Ingres et de tout ce qui vient de son atelier et de son enseignement. Hors Académie, les appréciations sont souvent plus favorables, celles du critique de *l'Artiste* notamment : ... *Sa figure d'étude est peut-être ce qu'il a produit de mieux jusqu'à ce jour...* [Elle] *est fort belle et admirablement posée. La tête, les mains, les pieds, les muscles, les os, les plis des chairs, tout enfin est rendu avec une vérité de dessin et de couleur qui rappelle les grands maîtres et la nature. L'ombre portée du bras gauche sur le visage et sur le genou mérite les plus grands éloges ».* Selon Saglio qui, il est vrai, écrit en 1864 seulement et peut confondre le *Jeune homme nu* avec le *Saint Clair*, car la paraphrase d'Ingres sonne curieusement de façon presqu'identique pour les deux œuvres... Ingres, voyant l'étude de Flandrin, se serait jeté au cou de son élève et lui aurait dit, les larmes aux yeux : « *je vois que la grande peinture n'est pas morte en France* ». Pour un peu, on tomberait presque dans l'hagiographie ! Delécluze aussi, dans le *Journal des Débats*, est des plus louangeurs, notant pour le *Jeune homme nu* que « *la science du dessin et du modelé* [y] *est poussée à un haut degré de perfection* ». Viardot, en revanche, regrette amèrement et non sans injustice « *que M. Flandrin, seul soutien, seule gloire de l'École, n'eût donné à la fin de sa quatrième année d'études que des ouvrages qui semblent appartenir à la première* »...

Dans les milieux artistiques on fut également partagé : le sculpteur Cavelier (*cf.* Le Normand, 1979) écrit à chaud, en 1837 : « Quant à sa figure, elle est très belle d'exécution, mais il l'a mal posée ». Sic ! D'après Loubens, en 1838, le *Jeune homme nu* de Flandrin comme le *Caïn* de Jouffroy ont été jugés à Paris un peu « *académiques* », mais « avec de superbes qualités que,

pour moi, j'estime au plus haut degré, à cause de leur rareté aujourd'hui. Savoir, la conscience, la résignation, le dévouement au modelé ». (cité par Le Normand, 1979).

Au Salon de 1855, dans le cadre si éclatant de l'Exposition universelle (et comme il le sera de nouveau à l'Exposition universelle de Londres en 1862), le *Jeune homme nu* ne fut nullement négligé, bien au contraire. Edmond About, comme toujours, fut plutôt grinçant et habilement expéditif : la figure de Flandrin est en tous points comparable à l'*Œdipe* d'Ingres (présent à la même exposition). « La seule différence est que cette figure sent plus le modèle que l'antique, tandis que l'Œdipe d'Ingres fait plus songer à l'antique qu'au modèle » ; mais, enfin, loin de détrôner son maître [Ingres], cet élève, conclue-t-il, « ne lui ajoutera rien ». Si la méchante caricature de Bertall ne saurait en tant que telle tirer à conséquence, car la loi du genre oblige à une critique tous azimuts, l'avis de Charles Perrier est assez dur : « *Comme étude, c'est magnifique, mais on regrette de ne pas y trouver un tableau* ». Mais tout est racheté par une magnifique page de Théophile Gautier qui reste de la plus suggestive actualité. Décrivant ce « *très beau morceau* », Gautier en vient vite à se poser la question cruciale (et moderne à nos yeux du sujet (ou du non-sujet) : Triste, douloureux rêveur « *qui ne veut se laisser distraire par rien* », chevrier ayant perdu son troupeau ou naufragé seul sur une île déserte, que fait donc, que veut exprimer ce jeune homme ? ... *C'est ce que nous n'avons pu deviner. Mais le sujet importe si peu en Art ! Une pose nouvelle, une belle ligne conduite d'un bout du corps à l'autre, une flexion de torse, un arrangement de main, un tour de tête suffisent et sont, en peinture, les véritables idées* ». Et Gautier d'invoquer les plus belles figures des pendentifs de la Sixtine « *qui n'offrent aucun sens précis... mais existent, par leur fière et indépendante tournure, comme libres manifestations de la beauté, et racontent les rêves du peintre en dehors des entraves du sujet* ».

Pour répondre à Perrier, Gautier tranche : « *L'étude de M. Flandrin plaît autant et plus qu'un tableau. L'art s'y exprime lui-même, sans autre préoccupation* ». Seul un « parnassien » aussi résolu que Gautier pouvait être aussi sensible à l'extraordinaire solution de beauté pure, de latéralité rigoureuse à la façon d'une médaille ou d'un camée, de polychromie nette et forte et de lignes exagérément courbes — courbes d'une évidence hyper-ingresque et toute intellectuelle ! — que constitue le *Jeune homme* de Flandrin, sorte « *haut relief d'argile isolé dans l'espace et déjà tout empreint d'un certain surréalisme* » (Lanvin, t. I, p. 101). A bon droit, ce dernier auteur n'a pu que souligner la puissance de construction géométrique omni-présente dans ce tableau : le triangle équilatéral et « *le cercle dans lequel s'enroule pour ainsi dire tout le personnage, mais surtout cet arc de cercle parfait dans lequel s'inscrit le dos. Et le même problème se pose pour lui comme pour la fameuse courbe dorsale de

l'« *Odalisque* » d'Ingres. Déformations volontaires d'artistes, laissent libre cours à leur lyrisme plastique* ». Et Chantal Lanvin d'insister ici sur la significative présence de nombreux repentirs encore visibles sur le tracé des contours. Les mains surtout, qui plongent dans le vide, attirent le regard, selon un joli commentaire de Mme Lanvin qui mérite d'être cité ici : ce « *sont à elles seules un magnifique morceau de peinture. Elles sont là comme deux sœurs : dont l'une plus vigoureuse, protège l'autre abandonnée, douce, lumineuse, telle un beau coquillage suspendu dans l'espace au-dessus de l'horizon marin. Ce sont des mains qui parlent, elles sont l'œuvre d'un artiste authentique. On sait le vieil adage : l'on reconnaît les vrais artistes à la façon dont ils savent faire les mains* ». (Lanvin, 1967, t. I, p. 101).

De telles qualités plastiques, créatrices des plus sûres émotions, qu'elles soient esthétiques ou liées à un contenu figuratif, la perfection du métier (dont les Modernes vont nostalgiquement rêver), l'évidence impalpable de ce motif superbement isolé et doué, à la façon d'un véritable archétype, d'un infaillible et obsédant pouvoir sur nos souvenirs, suffisent à expliquer l'extrême retentissement de l'œuvre, de Bertall à Maillol, de Derain à Brancusi par Maillol interposé (*cf.* la *Nuit* de ce dernier), d'Alphonse Cornet (*La Madeleine*, Clermont-Ferrand) à Degas (*Carnets* à la Bibliothèque nationale de Paris, de Hans Thoma à Max Beckmann (à cette occasion, Thoma fut taxé de plagiat par le critique Avenarius vers 1899) et dont témoignent encore à leur façon tels amusements très contemporains et assez limités comme ceux de Nicolet (dans le goût du photo-montage travestisseur) ou telles pages amphi-gouriques et embarrassées d'Alvard et Mathey dans le catalogue d'*Antagonismes* en 1960 (amusantes à relire par leur vieillissement même et leurs étonnantes et presque naïves prétentions..., cf. la Préface dudit catalogue : *Parti-pris Humains trop humains. Congrès pour la liberté de la culture* sic !, où le *Jeune homme nu* de Flandrin est cité et mis en question !), sans oublier enfin une indéniable résonance « surréaliste » (*cf.* W. Becker). Ne méconnaissons pas non plus la force « culturelle » et forcément flatteuse que peut porter en soi le motif du *Jeune homme nu accroupi*, si l'on invoque avec Werner Hofmann une ascendance michelangelesque (putti ou figures bibliques de la Sixtine, tel Manassès), et la *Résurrection* de Piero della Francesca à Borgo San Sepolchro. — Forme innée sinon « archétypique », forme tirée de la nature, copiée de la seule réalité ou forme « culturelle », glorieusement héritée ou réinventée à partir de souvenirs du passé, qu'il soit d'Égypte ou de la Renaissance italienne, c'est un débat exemplaire — et heureusement insoluble ! — que suscite la parfaite *Figure d'étude* de Flandrin, presque trop parfaite et assurément trop modeste en son titre qui n'explique rien et qui laisse donc place à tout !   J.F.

PARIS, MUSÉE DU LOUVRE

15. *Jésus-Christ et les petits enfants*
(1836-1838)

PEINTURE : T.H. 3,26 ; L. 4,40. S.D.b.g. *Hippte Flandrin Rome MDCCCXXXVII* (1837).

HISTORIQUE : Préparé à Rome dès juin 1836 (Delaborde, 1865, P. 250-251 ; Flandrin, 1909, p. 68). Retardé par la fièvre qui le frappa longuement à partir d'août 1836, Hippolyte ne put commencer son tableau en janvier 1837, comme il l'avait d'abord escompté mais en juin seulement (Delaborde, p. 267, 269) ; en décembre 1837, il pense avoir fini son tableau pour la mi-avril 1838 (Delaborde, p. 275), ce qui l'oblige à prolonger son séjour romain jusqu'en juin, donc au-delà du quinquennat réglementaire, pour achever ce qui représentait son *Envoi de cinquième* (et dernière) *année* de pensionnaire à la Villa Médicis. Selon Delaborde (p. 89, 267), le tableau dut être retouché et achevé à Paris en 1838 ; expose à Paris dans les Envois de Rome, en octobre 1838 ; acquis par l'État (Ministère de l'Intérieur) pour 3 000 francs en décembre 1838 pour envoi en province (Archives nationales F. 216, décision effective en date du 31 janvier 1839 sur proposition du 11 novembre 1838). — Flandrin aurait préféré un musée ou une église de Paris, même à un prix inférieur, voire l'église Saint-Louis à Lyon, si l'on en croit un projet de Pétrus dont Hippolyte parle en décembre 1838 à son frère Auguste (Delaborde, p. 292).
Quoiqu'il en soit, la destination du tableau resta logtemps incertaine, et Flandrin se plaignit longtemps et vivement des procédés du ministère (cf. par exemple, Delaborde, p. 313) : d'abord Fécamp puis Lyon (Delaborde, p. 293-294), après un stage au Musée du Luxembourg à Paris (Delaborde, p. 299).

Finalement, en mai 1839, Hippolyte peut signaler à son frère Auguste, non sans résignation amère, que c'est Lisieux qui a été choisie, car la ville qui a déjà deux tableaux et trois plâtres pour son musée « serait disposée à voter des fonds pour la construction d'une salle propre à recevoir ces objets » (Delaborde, p. 303). Exposé temporairement au Luxembourg après le Salon qui finit en mai (Delaborde, p. 308 : lettre d'Hippolyte à sa mère, 31 août 1839).
— Dans cet envoi à Lisieux, le fameux Guizot, député de cette ville, avait joué un rôle décisif (lettre du ministre à Guizot, du 12 juin 1839, *cf.* Deville, 1924 et Archives nationales, F. 216, arrêté d'attribution du 12 juin 1839 et arrêté de paiement du 13), l'artiste n'ayant accepté qu'à la condition que son tableau restât un an exposé au Luxembourg (mêmes lettres). Expédié à Lisieux en 1840 (registre d'entrée du musée, *cf.* Deville). Mais il faut remarquer avec Deville que le musée actuel de Lisieux ne fut construit qu'en 1857 et qu'on ignore où, fut exposée la toile jusqu'à cette date. En mars 1855, Flandrin écrivit à la Ville pour faire figurer son tableau à l'Exposition universelle, tout en se plaignant du mauvais sort qui lui avait été réservé jusqu'ici (un local sans air et sans lumière !) et du mauvais état de conservation qui s'en était ensuivi ; et l'artiste de suggérer qu'on place son tableau dans une église de Lisieux, lorsque l'œuvre reviendra restaurée par ses soins (lettre dans les archives du musée, citée par Delville). Delaborde (p. 38) fait écho à cette mauvaise hospitalité de Lisieux. Poncet (1864, p. 13) prétend, quant à lui, que la Ville refusa de prêter son tableau à Flandrin, ce que semble démentir la lettre publiée par Deville, même si le *Christ et les enfants* ne figura point en définitive à l'Exposition de 1855. —
En 1864, restauré à Paris par Haro aux frais de Mme Flandrin (selon une lettre d'emprunt du comité de l'exposition de 1865, adressée à la Ville de Lisieux, *cf.* Deville). — Décroché en 1965-1966, à l'occasion de travaux de réorganisation du musée et (mal) roulé peu après..., d'où s'ensuivirent de graves dom-

mages ; restauré en 1984 pour l'exposition grâce à une subvention spéciale de l'Etat et au vote par la Ville d'un crédit exceptionnel.

EXPOSITIONS : Rome puis Paris, Ecole des Beaux-Arts, 1838, sans nᵒ ; Paris, 1839, nᵒ 734 ; Paris 1865, nᵒ 12 ; Paris, 1889, nᵒ 343.

BIBLIOGRAPHIE : Langlois, 1838, p. 26 ; Barbier, 1839, p. 146 ; Thoré, 1839, p. 377 ; Janin, 1839, p. 243 ; Délécluze, 1839 ; Delaborde, 1865, p. 881 ; Poncet, 1864, p. 12-13, 69 ; Saglio, 1864, p. 117 ; Saint-Pulgent, 1864, p. 516 ; Delaborde, 1865, p. 38, 43-45, 89, 250, 251, 269, 271, 275, 291, 294, 299, 303, 308, 313 ; Lescure, 1865, p. 528 ; Marionneau, 1887, p. 55 ; Fourcaud, 1889, p. 185 ; Larthe-Ménager, 1894, p. 11 ; Flandrin, 1902, p. 62-65, repr., pl. Flandrin, 1909, p. 68-70, repr. ; Deville, 1924 ; Deville, 1925, nᵒ 45, p. 15 ; Ternois, 1962, p. 10 ; Vergnet-Ruiz et Laclotte, 1962, p. 236 ; Lanvin, 1967, t. I, p. 107-131 ; Dorra, 1977, p. 342, repr. fig. 6 (d'après la copie de Lyon et non d'après l'original). Le Normand, 1979, p. 112 (lettre de Drouet d'Arcq à Ottin, Paris, octobre 1838), 116 (lettre de Cavelier à Ottin, Paris, novembre 1838), 152 (lettre de Bonnassieux à Dumont, Rome, mai 1838).

ŒUVRES EN RAPPORT : Esquisse peinte, cf. *infra* nᵒ 17. Autre esquisse peinte dans une vente à Londres, chez Sotheby, 20 juin 1979, nᵒ 260 (sous le titre : le Christ prêchant à la multitude !). H. 0,425 ; L. 0,57. Elle figurait en 1975 chez le marchand Lishawa à Londres. *Cf.* la publicité du *Burlington Magazine* de novembre 1975, pl. II. — Autre esquisse (ou copie ?) au fond du *Double Portrait* de Nantes, cf. nᵒ 201.
— Dessins : carton d'ensemble au musée de Lyon (très froissé, peu montrable) ; croquis préliminaire d'ensemble (première recherche), Fonds Flandrin, Paris, collection particulière (Lan-

16

17

vin, t. I., p. 126) ; nombreuses études de détail dans le Fonds Flandrin, Paris, collections particulières : Lanvin (t. I, p. 127-131, en décrit 13 dont 4 au moins par Paul). Une est exposée ici, cf. n° 16. A la vente posthume de 1865, sous le n° 288, treize feuilles d'études (une d'ensemble, douze diverses), adjugées à Gironde, Berville et Mourat pour 175 francs.
— Copie peinte par Paul Flandrin H. 0,435 ; L. 0,595. S. Don de Mme veuve Paul-Hippolyte Flandrin en 1928 au musée de Lyon.

Le sujet est tiré de l'Evangile selon saint Marc (X, 13-14) : ... « Laissez venir à moi les petits enfants », dit Jésus, « car le Royaume du Ciel est fait pour ceux qui leur ressemblent ». (Texte cité dans la notice du Salon de 1839). Dès juin 1836, Hippolyte écrit à son fidèle ami Thomas (cf. n° 89) « Je me suis arrêté à un sujet que j'ai toujours aimé, et que M. Ingres a fort approuvé ». Et de continuer avec respect : « Le grand sens des paroles du Christ et le sentiment qui domine tout cela sont des choses magnifiques à exprimer, mais aussi c'est une entreprise effrayante ». Fort de l'approbation redoutée de son maître et directeur de la Villa Médicis, Ingres, et voulant frapper un grand coup puisque c'était son ultime Envoi et que, les Envois étant alors en quelque sorte gradués, il fallait ce que fût le plus difficile et le plus significatif (de

fait, c'est le plus grand tableau sur châssis qu'ait peint l'artiste), Flandrin, malgré toutes sortes d'épreuves de santé qui le retardèrent, tint à exécuter le *Christ et les Enfants* dans le plus grand secret, son frère Paul étant seul au courant et collaborant d'ailleurs avec lui comme à l'accoutumée (cf. *Œuvres en rapport*, Dessins). Delaborde raconte ainsi avec quelque complaisance (p. 251) qu'Hippolyte fit poser Papety — c'était donc en 1837 — les yeux bandés, pour que son camarade ne sâche rien du tableau ; le choix même de Papety qui avait de très belles mains et qui posa pour le personnage du Christ, est bien révélateur de la méthode « objective » et très disciplinée de Flandrin. On notera aussi l'influence de Raphaël : en novembre 1836, il écrit à V. Bodinier qu'il cherche spécialement les gravures des *Actes des apôtres* (en vue du *Christ et les Enfants* ?), cf. Bodinier, 1912, p. 113.
L'œuvre fut accueillie avec ferveur et sérieux, à la hauteur même des ambitions du peintre qui apparaît ici comme une sorte de Poussin moderne, plus ingresque, plus noble et plus cultivé que jamais, et les quelques opinions de rejet n'en sont que plus révélatrices de la grande

volonté de style à laquelle visait l'artiste. Le sculpteur Bonnassieux, de Rome en 1838, juge le tableau « beau, noble et digne de Flandrin » Drouet d'Arcq, dans une lettre à Ottin en 1838, se fait l'écho des réactions enthousiastes du milieu artistique parisien : « *C'est très beau. Il y a une jeune fille à droite qui est dessinée et peinte magnifiquement. Au reste le succès a été digne de l'œuvre. Applaudi pendant le rapport à l'Institut, applaudi par tous et partout. C'est juste et c'est encourageant. Après ce tableau je ne te parle pas des autres qu'il éclipse entièrement...* » (cités par Le Normand, 1979).
Pour le parisien Cavelier aussi qui écrit à Ottin en 1838, c'est « *très beau* », mais il a devant lui une impression de déjà vu et il juge assez sainement que le tableau est « *produit par une inspiration de différents maîtres qu'il est bon de connaître, mais qu'il ne faut pas trop copier. Enfin, il manque peut-être un peu trop d'originalité* » (cité par Le Normand, 1979).
L'Académie, par Langlois interposé, salua « *dans ce bel ouvrage une sage composition, un style grave et d'un grand caractère... la plus heureuse réunion de moyens propres à développer toutes les ressources de l'art...* », mais en critiqua la couleur et releva certaines fautes d'intelligence comme le fait d'obstruer le devant de la scène par deux femmes à genoux, presque couvertes du même manteau qui leur enveloppe trop le visage, « *ce qui prive cette touchante scène de l'expression de la foi vive, de l'amour et du respect de ces mères qui présentent leurs enfants* ». Thoré, au contraire en critique fort peu compréhensif (ce n'était pas son genre de peinture ! — il aimait trop le Paysage de Th. Rousseau s'attarde longuement et injustement dans l'*Artiste*, sa critique pratique l'inversion systématique des qualités) en défauts, des austérités en incapacités : ainsi, la stylisation, la purification formelle, la simplicité, la lisibilité monumentale et décorative de Flandrin deviennent lourdeur et gaucherie ; les emprunts à Raphaël qu'il relève bien (tel enfant debout près du Christ, la grande jeune femme à gauche) sont indignes de leur modèle ; « *Toutes les figures... sont plaquées les unes contre les autres, et se détachent à peine du paysage ou du ciel. Le paysage est gris, le ciel est gris. Les chairs sont ternes et grises. L'aspect général d'une monotonie désolante... La plupart de ces manteaux, d'une couleur douteuse, ont l'air d'être pendus sur un pieu. Ils ne laissent point transparaître la charpente et la saillie des corps... Les deux femmes prosternées au pied du Christ sont... sacrifiées sous des draperies sans souplesse : on dirait qu'elles portent une carapace sur le dos* », etc.
Pour Thoré en somme, il n'est qu'une peinture : c'est la peinture sur chevalet, aux riches effets de matière et de pâte, à l'encontre même de toute peinture murale, décorative et monumentale. Et de finir sur la leit-motiv (très et trop souvent répété à cette époque) de la non-originalité de Flandrin et des autres élèves d'Ingres qui ont été tous absorbés, étouffés par la personnalité d'Ingres. On aimera mieux la jolie formule de Jules

Janin (très favorable au tableau) dans l'*Artiste* : « M. Flandrin est le *Jules Romain* de cet autre *Raphaël* [Ingres], *toute distance gardée* ».

L'un des témoignages les plus impressionnants du retentissement de cette œuvre (qui valut d'ailleurs à Flandrin achat officiel, de sa toile puis, commande de décors d'églises à Paris), est la réaction du peintre Ary Scheffer, plein d'humilité et de nostalgie devant la grande leçon décorative, sévère et monumentale issue d'Ingres : venu voir l'un des premiers le *Jésus et les enfants* dans l'atelier de Flandrin à Paris, Scheffer se serait écrié, rapporte Delaborde : « *Ah... que ne m'est-il donné de suivre, avec la même certitude que vous, la voie où vous marchez ! Que n'ai-je reçu, comme vous, les leçons de M. Ingres... Vous pouvez exprimer à souhait ce que vous sentez ; vous savez vous, et je ne sais pas. Mes tableaux n'arrivent qu'à laisser entrevoir des intentions et n'affirment rien, c'est ce que le vôtre me prouve bien par le contraste.* » Quel plus bel (et plus lucide) hommage à *l'efficacité flandrinienne*, à ce sens de l'organisation par masses où il y a beaucoup de Masaccio intelligemment médité !

Récemment, — et c'est un aveu de la durable modernité (retrouvée) de Flandrin — Henri Dorra a voulu tirer parti de tels italianismes (les deux femmes au pied du Christ sont à considérer selon lui, et non sans raison, comme de pures citations « *giottesques* » de la *Résurrection de Lazare* d'Assise) pour rapprocher Flandrin du milieu « nazaréen » allemand. Mais la langue « flandrinienne » est autrement plus puissante que celle des Schnorr ou Cornelius : si Overbeck a fait en 1808 une *Résurrection de Lazare* (Musée de Lübeck), d'une ordonnance « christocentrique » assez comparable à celle du *Jésus* de Flandrin (mais de formes si maigres, si courbes et si sèches qu'elles interdisent en fait toute filiation avec la massivité verticale et répétitive chère à Flandrin), Mme Lanvin a bien raison de faire intervenir plutôt l'exemple de Poussin, notamment ses *Aveugles de Jéricho* du Louvre où les figures s'assemblent et se rythment sur un rigoureux plan frontal élargi comme ici ; de même, la suggestion « classicisante » du paysage d'architectures à l'antique, intemporel et dignifiant, donc bien à l'unisson du sujet sacré, et si présent ici, à l'arrière-plan de la composition, ne vient pas moins de Poussin et de son vocabulaire rhétorique. De Poussin encore et de la grande tradition, voire d'un Géricault, le sens de la couleur et du relief, si étrangers ici encore aux tendances allemandes d'un style aigre et mince.

Quant aux principes de construction qui sont à l'origine de ce grandiose et éloquent assemblage de figures qu'est le tableau, Mme Lanvin a fait d'utiles remarques sur la présence d'un axe vertical médian — de la falaise de Sion en haut à la robe de la première femme agenouillée — autour duquel s'organisent en cercle les motifs essentiels de la toile (têtes des femmes, têtes des enfants, mains du Christ, tête de saint Jean). On relèvera encore avec elle la scansion des taches claires, le balancement des zones de couleur

sombre, la convergence des regards vers le Christ, la qualité des plis qui modulent la surface des nombreuses tuniques et accentuent le rythme général de l'ensemble, autant de moyens supérieurement maîtrisés vers une fin tout à la fois morale et historique (un *beau* sujet) autant qu'esthétique (une solution *belle*).

J.F. et Ch. L.

LISIEUX, MUSÉE MUNICIPAL

16. Étude de têtes pour les deux femmes agenouillées du *Jésus et les petits enfants*

DESSIN : Crayon et mine de plomb. H. 0,289 ; L. 0,217. Marque : *Hte Flandrin* (Lugt 933), b.d.

HISTORIQUE : Fonds familial Flandrin.

BIBLIOGRAPHIE : Lanvin, 1967, t. I, p. 130.

Six recherches pour ces visages inclinés en arrière dont les lourds chignons retenus et voilés justifient les plis en poche travaillés sur nature pour être bien sentis et justement rendus   Ch. L.

PARIS, COLLECTION PARTICULIÈRE

17. Esquisse du *Jésus et les petits enfants*

PEINTURE : P. sur B. H. 0,16 ; L. 0,24. S.b.g. : *Hte Flandrin*, en caractères romains de couleur rouge.

HISTORIQUE : Fonds familial Flandrin.

EXPOSITIONS : Lyon puis Paris, 1925, n° 39 (à Mme Paul-Hippolyte Flandrin, belle-fille de l'artiste) ; Lyon, 1937, n° 114 (à Marthe Flandrin, petite-fille de Paul Flandrin).

BIBLIOGRAPHIE : Lanvin, 1967, t. I, p. 126.

Jolie esquisse d'ensemble où l'artiste s'attache rapidement, et avec une belle énergie, à noter l'essentiel des figures dans leurs valeurs avec la recherche des lumières les plus fortes. Cependant le Christ est encore dans la demi-teinte, et sa tunique est bleue alors qu'elle deviendra lumineuse et blanche.   Ch. L.

PARIS, COLLECTION PARTICULIÈRE

18. *La Piétà*
(vers 1842)

PEINTURE : T.H. 1,725 ; L. 2,585.

HISTORIQUE : Selon Mme Lanvin, peint vers 1842 à l'occasion de la mort d'Auguste, le frère d'Hippolyte. Resté dans la famille directe de l'artiste ; don de Mme veuve Paul-Hippolyte Flandrin, belle-fille de l'artiste, 1922 (le don intervient un an après la mort du peintre Paul-Hippolyte Flandrin). — N° d'inventaire : B 1279 a.

BIBLIOGRAPHIE : Jullian, 1937, p. 68 ; Vergnet-Ruiz et Laclotte, 1962, p. 236 ; Clavel, 1962, p. 19 ; Lanvin, 1967, t. I, p. 218-221 ; Dorra, 1977, p. 344, repr. fig. 17, p. 346 ; Hardouin-Fugier, 1981, p. 99, 158 ; D'Argencourt, 1984, p. 142, repr. fig. 11 G.

ŒUVRES EN RAPPORT : Une *Vierge aux pieds du Christ mort*, tableau du marchand Haro, est exposée en 1865 (Paris, 1865,

n° 65). Sans doute la « toute petite esquisse... qu'on pourrait presque prendre pour un Delacroix », que cite Fournel en 1884 (p. 266). Est-ce une esquisse pour le tableau de Lyon ? Son titre semble en effet exclure un rapprochement avec la *Mater dolorosa* de 1845. A signaler aussi une *Vierge de Calvaire* par H. Flandrin, H. 0,53 ; L. 0,43, dans la Collection de Melle de Catheu (Paris, Trocadéro, 1934, n° 334).
Dessin à la sanguine, connu par une ancienne photo : première recherche du groupe. (Lanvin, t.I, p. 220).
Études au fusain (2 recherches sur la même feuille) au musée de Lyon, don de Paul-Hippolyte, fils de l'artiste, 1917.
Autre étude, cf. *infra*, n°

La *Piétà* de Lyon est l'un des plus surprenants tableaux d'Hippolyte : son modernisme inné suffirait à en faire une œuvre à part et certes inoubliable : pratiquement, le sommet de son art religieux mais un sommet révélé à une date infiniment tardive, puisque ce tableau n'entra dans un musée qu'en 1922 et fut enfin cité en 1937 dans le catalogue de l'exposition *Puvis de Chavannes et la peinture lyonnaise*. Jamais les bibliographes (ni même Flandrin dans sa propre liste d'œuvres publiée par Poncet !) n'en ont parlé, alors que c'est une de ses plus vastes toiles, et nous doutons qu'il ait pu être « célèbre » dès avant 1850, comme l'écrit trop vite Louise d'Argencourt à propos de l'*Égalité de Bouguereau* peinte en 1848. La provenance — le fils même de l'artiste — est pourtant imparable et d'ailleurs confortée par d'excellents dessins préparatoires très explicites (cf. *Œuvres en rapport*). La technique même dérange par ce traitement très esquissé, tout en frottis minces, à la terre de Cassel dont Hippolyte faisait fréquent usage dans ses travaux préliminaires de décor sur mur. S'agirait-il d'une œuvre laissée dans un certain état d'inachèvement (la Vierge, le drap suspendu au montant de la croix), même si le corps du Christ — la tête surtout, morceau le plus étudié du tableau, où l'on relève un beau repentir — paraît assez poussé ?

Selon Mme Lanvin (t. I, p. 218), Hippolyte aurait peint cette douloureuse *Piétà* en 1842, d'après des croquis faits pendant la maladie d'Auguste [le frère de Flandrin, mort d'une fièvre cérébrale le 1er septembre 1842], et sous l'empire des tristes sentiments qu'il ressentit à la disparition de ce cher frère auquel il écrivit de si nombreuses lettres de Rome... Le visage du Christ serait celui d'Auguste, si l'on en juge par « *ce profil au nez droit sous un front haut, cette arcade sourcillère très dessinée et arquée* »... qui ressemble si bien à ceux d'Auguste. Cette éventuelle date de 1842, même si elle ne peut s'appuyer que sur des hypothèses, est bien plus admissible que la chronologie proposée dans le catalogue de 1937 : une œuvre de jeunesse, « *témoignage d'une sensibilité qu'on pourrait qualifier de romantique et que le peintre a réfrénée par la suite dans ses compositions murales* ». Comment insérer un tableau aussi fort dans les premières œuvres de Flandrin au vocabulaire tout à fait raphaëlisant et traditionnel ?

En tous cas, peindre un Christ mort sous les traits d'un frère et symboliser la douleur familiale née du décès d'un être cher à travers la douleur, plus large et symbolique du genre humain, qui est celle de Marie mère de Dieu pleurant son fils

Jésus-Christ, est une admirable idée, mais il faut convenir qu'elle a bénéficié de puissants moyens plastiques qui l'ont magnifiquement servie : l'isolement tragique de Marie, *« tel un menhir, vrai morceau de granit »*, comme le dit si bien Mme Lanvin, et que l'artiste n'avait justement pas trouvé de suite, le jeu simple de la construction où la *« verticale noire »* de la Vierge *« croise l'horizontale blanche du mort »* (Lanvin), le paysage du fond au crépuscule saisissant et dénué de toute allusion précise le détail du drap curieusement suspendu à la croix qui est à peine indiquée. Les dessins préparatoires, certains avec plusieurs personnages, montrent un projet d'abord beaucoup plus traditionnel et anecdotique, et la progressive décantation du motif qui finit en idée (ou en icône !) est en vérité assez extraordinaire, au point de justifier à l'arrivée la belle intuition de Bernard Clavel qui sut, en 1963, invoquer devant ce tableau encore peu remarqué le nom si bienfaisant et très « légitimiste » de Gauguin : *« La Piétà du Musée Saint-Pierre eût sans doute touché Gauguin par ses tons sourds, son mystère et le synthétisme de ses lignes »*. Est-ce ce

18

19

qui incita Mme Lanvin à tenter un suggestif rapprochement avec l'*Éveil du printemps* de Gauguin (l'insistante horizontale d'un grand corps nu sur un fond d'horizon étrange…) ? Récemment, Henri Dorra puis Elisabeth Hardouin-Fugier ont voulu voir dans ce tableau quelque peu exceptionnel le résultat d'une influence de Janmot par le biais du *Christ au tombeau* de ce dernier, de 1840, à l'église de Pugetville (Hardouin-Fugier, 1981, fig. 11, catalogue des peintures n° 10). Flandrin aurait pu voir en effet ce tableau au Salon de 1841. Il s'agit en fait d'une ressemblance superficielle, due à une communauté de thèmes : le corps du Christ mort pleuré par une ou plusieurs femmes, d'époque et de source ; le fameux *Christ mort* de Sebastiano del Piombo à Viterbe, si célébré et copié par Ingres et donc si connu dans le cercle de ses élèves (Flandrin d'ailleurs visita Viterbe en 1835). Mais on voit mal le déjà célèbre Flandrin avoir besoin de s'inspirer non pas d'un grand maître de la Tradition italienne, comme il le faisait habituellement (Raphaël, Sebastiano ou même Giotto, Masaccio, *etc.*), mais d'un « moderne » qui n'est pas Ingres — ce serait un cas unique chez Flandrin ! —, un « moderne » plus jeune et moins confirmé que lui (Janmot était né en 1814, cinq ans après Hippolyte), au demeurant fort conventionnel dans l'habile agencement de ses mièvres figures de l'église de Puget : rien de l'éloquente et hiératique simplicité de la Vierge de Lyon ! Les deux toiles sont d'ailleurs inversées l'une par rapport à l'autre, différence nullement négligeable qui ne retient pas Dorra !

Le Christ, surtout, qui est durement vu de profil chez Janmot, n'a pu donner celui, apparemment si proche, de Flandrin dans la mesure où les dessins préparatoires de ce dernier étudient au départ un Christ à la tête inclinée et tournée vers le spectateur ! Les variations mêmes du Christ et de la Vierge — elle ne fut pas tout de suite imaginée seule et comme une masse intransigeante au centre du tableau, douloureusement distante et perpendiculaire au Christ, d'autant plus près de lui par la douleur et la piété qu'elle ne l'embrasse plus et montre davantage de noble compassion — prouvent que Flandrin a suivi un cheminement tout à fait personnel et indépendant. S'il y avait eu emprunt (littéral) chez Janmot, pourquoi ces recherches à la fois si différentes et si proches de la réalisation actuelle ? Dialoguant avec lui-même, Flandrin vient d'abord de Flandrin ! Il faudrait tout de même se défaire de l'idée qu'un peintre ne puisse inventer ses propres solutions… C'est d'ailleurs pourquoi la thèse de Dorra sur le prétendu « Nazaréisme » de Flandrin est aussi peu convaincante dans le cas de la *Piétà* qu'elle l'était à propos des compositions de Lisieux ou de Saint-Séverin. Ici encore, le fort relief, la puissante plastique, la dramaturgie formelle dont parle cette *Piétà*, n'ont rien à voir avec le graphisme anti-naturel et forcé, maniériste, des Allemands « nazaréens ». Il s'agit de deux mondes irréconciliables, qui ne tirent ni les mêmes effets ni les mêmes fruits des modèles italiens communément invoqués à bon droit par les uns et les autres.   *J.F.*

19. Trois études pour *la Piétà*

DESSIN : Mine de plomb sur papier calque. H. 0,365 ; L. 0,24. Marque Hte Flandrin (Lugt 933) b.d.

HISTORIQUE : Fonds familial Flandrin.

EXPOSITION : Lyon puis Paris, 1925, n° 131 (« Piétà. Trois esquisses dans un cadre à Mme Paul-Hippolyte Flandrin ») ?

BIBLIOGRAPHIE : Lanvin, 1967, t. I, p. 220.

PARIS, COLLECTION PARTICULIÈRE

20. *Mater dolorosa*
(1845)

PEINTURE : T., cintrée dans le haut. H. 2,60 ; L. 1,35 ; S.D.b.g. : *Hipte Flandrin 1845.*

HISTORIQUE : Commandé en 1844 par le Prince de Berghes pour décorer l'autel de la chapelle mortuaire de son épouse dans l'église de Saint-Martory (Haute-Garonne) et achevé en vue du Salon de 1845 ; classé Monument historique en 1906.

EXPOSITIONS : Paris, 1845, n° 598 avec le sous-titre : « *O vous tous qui passez sur ce chemin, considérez et voyez s'il est une douleur semblable à la mienne (Jérémie)* : Paris, 1865, n° 20.

BIBLIOGRAPHIE : Fromentin, 1845, réédition de 1984, p. 884 ; Thoré, 1845, édit. de 1868, p. 147 ; *Moniteur des Arts*, 1845, rep. pl. (litho) ; Delaborde, 1865, p. 90, 352 ; Gauthier, 1845 ; Delécluze, 1845 ; Saglio, 1864, p. 249 ; Poncet, 1864, p. 18, 70 (1864) ; Janet, 1866 ; Flandrin, 1909, p. 346 ; Lanvin, 1967, t. I, p. 222-224 bis ; Hardouin-Fugier, 1981, p. 158.

ŒUVRES EN RAPPORT : Esquisse peinte, voir *infra* n° Étude dessinée de la Vierge (représentée assise), voir *infra* n° Dessin à la mine de plomb sur papier bistre, H. 0,275 ; L. 0,19. Fonds Flandrin, hérité de Paul Flandrin, Paris, collection particulière. Selon une tradition familiale ce dessin, qui est assez poussé, aurait été donné par l'artiste à sa mère qui l'aurait gardé au-dessus de son lit jusqu'à sa mort. Peut-être le dessin exposé à Paris en 1884 (n° 255) comme appartenant à Paul-Hippolyte Flandrin (cliché Documentation de la Fondation Getty et du Service d'étude des Peintures du Louvre, n° MJ 83-759). — Lithographies d'Auguste Hirsch (éditée à Paris et à Lyon ; dépôt légal en 1856) et de Laurens (sans doute Jules Laurens ; litho publiée dans le *Moniteur des arts* de 1845). — Gravure de L. Ceroni pour la Société de St-Luc (pl. 48).

A l'église de Saint-Martory, près de Saint-Gaudens, en sus du tableau de Flandrin encadré dans une sombre boiserie d'autel néo-gothique (un charmant ensemble d'époque qui mériterait d'être intégralement classé…), se trouve une plaque votive en marbre noir qui rappelle le souvenir de la défunte pour laquelle fut commandée la *Mater Dolorosa* de Flandrin : « En cette sépulture, monument de douleur, de vénération et d'amour repose Josèphe-Pauline-Claire-Mathilde de Marin, princesse de Berghes-Saint-Winock, fondatrice des écoles chrétiennes de cette ville. Elle naquit le XXIII mars MDCCCVI (1806). Elle mourut le XX mai MDCCCXLI (1841), jour de l'Ascension de N.S. ».

Il doit s'agir de l'épouse de Louis-Ghislain de Berghes-Saint-Winock, Prince de Berghes (1793-1879), frère de Charles-Louis-Joseph, duc de Berghes-Saint-Winock par lettre de 1829, Pair de France, Brigadier des Chevau-Légers de la Garde du Roi (1791-1864), lequel épousa Victorine de Broglie (*cf.* Jougla de Morenas, réédition de 1975, t. II, p. 82).

Un joli bas-relief de Husson, signé et daté 1845, surmonte cette plaque et représente ladite princesse entourée d'enfants en âge scolaire aux pieds d'une allégorie de la Religion assise sur son trône. Husson fut collègue de Flandrin à la Villa Médicis à Rome (il y est pensionnaire de 1831 à 1835).

On est assez bien renseigné sur la commande grâce à une lettre d'Hippolyte à sa mère, en date du 13 décembre 1844 : « Je travaille maintenant à un tableau qui représente la Vierge au pied de la croix, offrant aux chrétiens, comme sujet de méditation, les instruments de la passion du sauveur. C'est pour un monsieur qui s'appelle le prince de Berghes » (Delaborde, 1865, p. 358). S'il faut en croire Poncet, disciple et collaborateur assez étroitement lié à Flandrin, donc relativement crédible, le tableau aurait fait grande impression au Salon de 1845 sur l'épouse de Louis-Philippe : « la reine Marie-Amélie qui venait de perdre son fils le Duc d'Orléans d'une façon si inattendue et si cruelle éclata en sanglots devant cette image idéale de la douleur ».

Image idéale en effet, car Flandrin épure et stylise à souhait — et l'étroitesse du tableau rend presque démesuré son format en hauteur — une vieille iconographie classique d'origine raphaëlesque, comme l'a brillamment montré J.P. Cuzin dans l'exposition *Raphaël et l'art français* (1983, p. 112, au n° 91) en faisant intervenir la *Piétà* gravée de Marcantonio Raimondi (Adam, repr. p. 417). Mais l'artiste du XVIe siècle s'est intéressé à un complexe et savant assemblage de plis dans le drapé, et les bras de sa Vierge sont en simple offrande-oraison. La belle originalité de Flandrin est d'avoir fait porter par la Vierge d'une façon très concrètement démonstrative, en véritable dévotion vécue, les signes de la Passion : la couronne d'épines et un clou (un seul !), ingénieuse solution puisque, mis à part la croix, d'ailleurs vide, qui est derrière, rien ne rappellerait autrement la présence du Christ mort. Mais l'invention du peintre — et son mérite — réside plus encore dans une impeccable appropriation des moyens plastiques : le paysage crépusculaire si heureusement profond et intensément tragique, l'éloquente trouvaille du linceul qui pend d'un bras de la croix, la parfaite solitude de la Vierge, seule tache de couleur dans cette harmonie sombre, le visage de Marie qui fait rigoureusement face au spectateur avec « *une expression de douleur et de miséricorde vraiment touchante, dans une physionomie que l'on croirait sculptée* », « *la tunique [qui] forme de sévères plis verticaux transformant cette femme en pilier de douleur au pied du pilier du sacrifice* », comme le disait si bien l'abbé Senges, curé de Saint-Martory, dans une correspondance avec Mme Lanvin en 1966. Il suffit de comparer cette intransigeante vision de Flandrin à la doucereuse *Vierge* de Janmot tenant une couronne d'épines (comme

une cymbale !), dessin de 1859 (Lyon, 1981, n° 104, repr.) pour établir la supériorité peu contestable de Flandrin sur les autres peintres sacrés de son temps. Voilà bien aussi pourquoi on ne peut guère trouver d'influence de Janmot (sa *Déploration* de 1840 à l'église de Pugetville) sur la *Mater dolorosa* de Flandrin, comme le voudrait Hardouin-Fugier (1981, p. 158).

En vérité, la *Piétà* de Saint-Martory est une extraordinaire réussite monumentale qui frappe par la perfection du modelé, l'austérité de l'ordonnance et l'audacieuse élongation, volontairement exagérée, des proportions : une peinture aux qualités murales tout en ayant les avantages — en couleur, en matière, en souplesse — de la peinture de chevalet. On regrette alors que cet essai victorieux de la maturité soit presque resté un *unicum* (du moins en sujets religieux, car le *Saint Clair* et le *Jésus et les enfants* sont encore des peintures des années trente, donc de la jeunesse romaine de l'artiste). Dans la belle et intelligente langue qui est la sienne, Théophile Gautier ne pouvait manquer de remarquer et de célébrer à son arrivée au Salon un tableau aussi digne et impressionnant : … « *jamais plus haute agonie de l'âme ne fut plus notablement exprimée. Il n'y a là ni contorsions mélodramatiques, ni attitudes théâtrales, et cependant l'impression est produite* ». Delécluze parle des « *qualités solides* » qui distinguent l'artiste, ce qui est un peu court, tandis que Thoré se borne à citer le tableau dans une simple liste énumérative de tableaux à sujet religieux alors présentés au Salon. Enfin, le très littéraire Fromentin, dans un de ses premiers essais de critique d'art (publié en 1845 dans une revue littéraire de l'Ouest), comment ainsi l'œuvre : « *Figure grêle et mesquine par plus d'un point, entachée même de quelques réminiscences des maîtres primitifs, mais où le sentiment éclate avec une puissance indicible, on sent, à regarder cette navrante image de toutes les douleurs maternelles, que l'auteur, au moment où il la peignit, avait lui-même cette poitrine cette* « *plaie profonde qui fait les hommes éloquents* »... » Et le peintre-écrivain d'enchaîner sur l'habituel parallèle de deux Écoles, celle des Maîtres de la Renaissance (et à leur suite Poussin, Lesueur), incarnée au XIXe siècle par le Gleyre de la *Mission des Apôtres* (de Montargis) et celle d'Ingres et au-delà de Raphaël (l'Angelico, Giotto, les Byzantins) à laquelle, selon lui, Fromentin souscrit ici : le jugement est pour le moins paradoxal !

Claudio Jannet, en 1866, ne fait que paraphraser Gautier et note en finale : « *Ce beau tableau est enfoui dans une chapelle mortuaire près de Toulouse, où il est oublié* ». C'était injuste, car il venait d'être montré à la rétrospective de 1865, et l'estampe grâce à Hirsch et à Laurens en a permis une certaine diffusion. Il reste que le tableau, un des plus authentiques chefs-d'œuvre, mérite d'être remis à sa vraie place, celle d'une plus belles réussites de la peinture sacrée au XIXe siècle.   *J.F. et Ch. L.*

SAINT-MARTORY, ÉGLISE PAROISSIALE

21. Étude pour la *Vierge* du tableau de Saint-Martory

DESSIN : Crayon sur papier, H. 0,305 ; L. 0,225 — Inscription b.g. : *H. Flandrin.*

HISTORIQUE : Acquis par le possesseur actuel à une date assez récente mais non précisée.

EXPOSITION : Lyon, 1981, n° 99, repr.

BIBLIOGRAPHIE : Grafe, 1981, p. 207-208, n° 99.

Première étude — inconnue de la thèse de Mme Lanvin — où la Vierge, assise et les yeux révulsés, témoigne d'un sentimentalisme un peu trop démonstratif et chargé de pathos qui contraste avec le sobre et monumental expressionnisme de la peinture définitive.   *J.F.*

LYON, COLLECTION PARTICULIÈRE

22. Esquisse peinte de la *Vierge de Saint-Martory*

PEINTURE : T.H. 0,33 ; L. 0,24 S.b.g. : *Hte Flandrin.*

HISTORIQUE : Acquis par l'actuel possesseur à la Galerie Fischer-Kiener, Paris en 1981.

EXPOSITION : Paris, 1983, n° 91, repr. fig. 304 p. 112 et idem p. 417.

Joli travail d'esquisse en pâte légère (plis minces des vêtements, visage à peine indiqué) mais travail d'intérêt limité sur le plan de l'intelligence des formes : manquent encore les indispensables signes de la Passion offerts par la Vierge à la dévotion du spectateur ; l'échelle est trop inclinée, ce qui est bien narratif, et le parti du verticalisme insistant et si expressif du tableau final avec son heureuse terminaison cintrée n'a pas été trouvé de suite.   *J.F.*

BOULOGNE-BILLANCOURT, COLLECTION PARTICULIÈRE

23. *La République* (1848)

PEINTURE : Toile. H. 0,735 ; L. 0,550. S.D.b. (sur le piédestal) : *H. Flandrin 1848.*

HISTORIQUE : L'esquisse, présentée au Concours pour la Figure symbolique de la République Française, est retenue comme la meilleure lors du jugement le 17 mai 1848. Par arrêté du 12 juin 1848, Flandrin est chargé par le Ministre de l'Intérieur d'exécuter son esquisse en grand format moyennant la somme de 500 francs (Paris, Archives nationales, F²¹26). Resté dans la famille de l'artiste (à Paul-Hippolyte, fils du peintre, en 1902 puis chez les descendants de Paul Flandrin) après avoir figuré à la vente posthume de 1865 (n° 46 : adjugé à Ed. Voulaire pour 1 720 francs. Ce Voulaire étant un cousin éloigné de Mme Hippolyte Flandrin, il est possible qu'il y ait eu ainsi rachat par la famille).

BIBLIOGRAPHIE : Flandrin, 1902, p. 193, 329 ; Boime, 1971, p. 69, 81, repr. fig. 1.

ŒUVRE EN RAPPORT : D'après un document d'archives une autre esquisse (avec variante dans le bras levé) fut également présentée au Concours. Non retrouvé.

Par voie d'affiches et de journaux (*Le Moniteur Universel*, 18 mars 1848), le Directeur des Beaux-Arts, Joseph Garraud, en appelle aux artistes pour un triple concours : une esquisse peinte et une esquisse sculptée de la Figure symbolique de la République française, une médaille commémorative de la Révolution de 1848 et de l'établissement de la République. En avril viendra se greffer un quatrième concours, celui d'un dessin pour l'en-tête des actes officiels.

Le concours devait avoir lieu en deux temps : une esquisse puis le tableau définitif de grandes dimensions. L'œuvre finalement retenue serait copiée pour orner les salles d'assemblées publiques et les mairies. Les esquisses devaient avoir des dimensions réglementaires, ne pas être signées (la signature sur la toile de Flandrin a donc été très certainement mise après le concours). Les esquisses étant anonymes, on leur attribuait un numéro par ordre de réception qui servait à les désigner (n° 441 pour celle de Flandrin).

Avant le premier jugement, les œuvres des quatre concours (450 esquisses peintes, 19 retrouvées) sont exposées à l'École des Beaux-Arts le 28 avril. Les critiques sont muettes ou se déchaînent, fustigent ces « figures bouffonnes » et constatent que le public rit, que les vrais artistes rougissent. Arsène Houssaye, dans l'*Artiste* du 30 avril 1848, dénonce l'exposition, « chaos incommensurable », la « médiocrité creuse et ambitieuse » des œuvres. Seuls Hippolyte Flandrin et Picou (qui expose une Charité) trouve quelque grâce à ses yeux. Champfleury (*Histoire de la caricature moderne*, Paris, 1865, p. 168) ironise : « Quelle exhibition ! C'étaient des Républiques roses, vertes, jaunes ; des Républiques entourées des attributs de 89 : chaînes brisées, triangle égalitaire, tables de la loi ; des Républiques en robes de soie, en robes de chambre, en habits à ramage, en garde national. » Pour Champfleury, un seul artiste avait compris l'idée du concours, Daumier. Outre ses qualités picturales, la *République* de Daumier (Musée du Louvre) est une belle image, originale, de la République qui tranchait avec les autres allégories, figures empêtrées dans un bric à brac d'objets symboliques empruntés aux manuels d'iconologie (nous reviendrons sur l'iconographie de la République de 1848 dans l'étude que nous préparons sur ce concours).

La commission chargée de juger le concours ne fut guère plus satisfaite que les critiques. Le 17 mai se réunit, sous la présidence de Charles Blanc, Directeur des Beaux-Arts, le jury composé de Jeanron, nommé par le Ministre (les autres membres nommés, Flocon, Lamartine, Félix Pyat, Étienne Arago, Thoré n'ont pas siégés), et d'Ingres, Delaroche, Delacroix, Decamps, Léon Cogniet, Schnetz, Robert Fleury, Meissonnier, élus par les peintres. Le jury désigne, pour exécuter le grand tableau, 20 artistes (par ordre de suffrages : H. Flandrin, Picou, Papety, Fossey, Cornu, Cambon, Massy, Auguste Hesse, Daumier, Raymond Balze, Landelle, Gobert, Marc, Jalabert, Holfeld, Gérôme,

23

Gariot, Steinheil) et 5 supplémentaires en cas de défection (Diaz, Ziegler, Signol, Adrien Guignet et Jean-Baptiste Guignet). Le jugement définitif a lieu le 23 octobre. Flandrin, alors que son esquisse était jugée comme la meilleure le 17 mai, renonce à exécuter la commande : « *Citoyen Directeur, j'ai eu l'honneur d'être reçu sous le numéro 441 au concours de la figure de la République. Je me disposais à l'exécution de cet ouvrage ; mais des circonstances indépendantes de ma volonté* [les travaux à Saint-Paul de Nîmes ?] *virent s'y opposer et je viens vous en prévenir afin que vous puissiez, si vous le jugez à propos, donner ma place à l'un des artistes que le jury a nommé comme supplémentaire.* » (Archives Nationales, F²¹26). Ce sera Diaz qui le remplacera. Seul Daumier ne réalisera pas le grand tableau (ne sont actuellement localisés que ceux de Cambon, Gérôme, Alexandre Hesse, Papety, qui sont respectivement au Musée de Montauban, à la Mairie des Lilas, au Musée de Lisieux et au Dépôt des œuvres d'art de la Ville de Paris). La commission ne donne pas le prix et refuse d'ouvrir un autre concours. C'est l'échec. Les autres concours, sans soulever l'enthousiasme, donnent de meilleurs résultats : Soitoux reçoit le prix pour la figure sculptée, Oudiné pour la médaille commémorative.

Avec celle de Picou, l'esquisse de Flandrin retint l'attention des critiques. Les mots de « *simplicité* », « *noblesse* », « *tranquillité* » reviennent constamment pour caractériser l'allégorie de Flandrin. Du point de vue iconographique, *La République* de Flandrin n'apporte pas grande nouveauté : le serpent écrasé, les faisceaux avaient été utilisés lors de la 1ʳᵉ République, la figure ailée sur le globe est l'héritière des Victoires romaines. Mais Flandrin a su insister et sur les trois couleurs nationales (la robe blanche, les liens rouges des faisceaux, le cordon bleu retenant le glaive sont très exactement les couleurs employées pour le drapeau tricolore) et sur la trinité républicaine. Les mots *Liberté* et *Égalité* sont inscrits sur le drapeau. La figure de la République prend appui sur un piédestal où se détache le mot de *Fraternité*. C'est sciemment que Flandrin donne la primauté à cette notion, ce qui est bien conforme à l'esprit de la Deuxième République. La Première République insistait sur l'idée de Liberté. En mars 1848, on rêve de fraternité, de concorde et de solidarité, grande illusion qui allait prendre fin en juin avec la misère, la révolte et le sang versé.   *M.-C. C.*

PARIS, COLLECTION PARTICULIÈRE

24. *A et B, La Justice, la Force, esquisses pour les camaïeux du berceau du Prince Impérial* (1856)

DESSIN : Carton. Ovale inscrit dans un rectangle H. 0,12 ; L. 0,197 (chacun)
La Justice est signée en bas à gauche : *H. Flandrin*.
— A. la Justice.
— B. la Force.

HISTORIQUE : Sans doute donné par l'artiste au peintre Ch. Timbal (1821-1880) ; selon une étiquette apposée au verso d'un des tableaux, don de Mme Timbal à Paul Flandrin ou à son fils Louis ; Fonds familial Flandrin.
— A noter que Timbal fut le parrain de Louis Flandrin (1864-1939), ce qui explique sans doute le don fait à la famille de Paul Flandrin.

EXPOSITION : Lyon puis Paris, 1925, n° 38 (à Louis Flandrin).

BIBLIOGRAPHIE : Lagrange, 1864, p. 765 (à Timbal : *la Force, la Justice*).

ŒUVRES EN RAPPORT : A l'exposition de 1865 (n° 42) figurent quatre camaïeux exécutés pour le berceau du Prince Impérial, représentant *la Justice, la Vérité, la Force, la Vigilance* (à Baltard — non retrouvées par Mme Lanvin, cf. t. I, p. 235). Sans doute les modèles définitifs ayant servi à l'exécution des émaux de Sèvres et connus par des photographies anciennes (provenant du Fonds Flandrin et insérées dans les illustrations de la thèse de Mme Lanvin qui en traite t. I, p. 235-238). A la vente de 1865 (n° 290), figurent « quatre figures allégoriques » pour le Berceau du Prince Impérial (technique non précisée). Adjugées à Cabuchet, sculpteur et ami de Flandrin, sans doute des esquisses peintes.
Divers dessins se rencontrent dans le Fonds Flandrin (étude à la mine de plomb pour *la Vigilance*, cf. Lanvin, t. I, p. 236 ; étude à la plume pour la même allégorie, cliché Documentation, des Peintures du Louvre - Fondation Getty, n° M.J. 84-21, *etc.*).

Bien que signalées et commentées par Lagrange (lui seul d'ailleurs parmi tous les auteurs qui ont écrit sur Flandrin) et exposées en 1925, ces deux petites esquisses d'une jolie aigreur de dessin n'avaient pu être repérées par Mme Lanvin lors de la rédaction de sa thèse, et leur origine : un cadeau personnel à Timbal, artiste ami et admirateur de Flandrin, est à souligner (Flandrin et Timbal s'écrivaient ; Timbal achète à la vente posthume ; Timbal fait partie du comité d'organisation de l'exposition de 1865 et de la commission formée par l'érection du monument Flandrin à Saint-Germain-des-Prés ; Paul dessine Timbal en 1851, *etc.*). Comme Lagrange n'en cite que deux (*la Justice, la Force*) chez Timbal en 1864, on doit penser que Flandrin n'en donna point d'autres à son ami. Elles sont fort intéressantes en l'absence de toutes autres esquisses connues, notamment celles qui appartinrent jadis à Baltard et qui ne sont pas retrouvables de nos jours. Comparées aux photographies citées plus haut, elles sont moins poussées et sont assurément les premières en date. C'est un parfait exemple de ce style néo-pompéien, aux effets très décoratifs, versant dans la stylisation pure et l'aplat, qui triomphe vers le milieu du siècle avec Hamon, Gustave Boulanger, Gérôme, Timbal, Gleyre, Ulmann, Froment et bien d'autres : on voit ainsi que Flandrin, le peintre d'église chrétien qu'on voudrait trop vite enfermer dans une seule formule italo-byzantine, sut lui aussi s'adonner dans le genre « grec » avec beaucoup d'aisance et de plaisir.

La participation même de Flandrin à la réalisation du fameux berceau du Prince impérial (conservé au Musée Carnavalet à Paris comme don de l'Impératrice Eugénie en 1904) a été malheureusement omise dans le catalogue de l'exposition *L'Art en France sous le Second Empire* (Paris, 1979, n° 58, p. 138-139) où le berceau fut exposé et excellemment étudié par Mme Samoyault-Verlet : c'est que le texte de sa notice, qui constitue par ailleurs la plus récente mise au point sur cette œuvre d'art très célébrée en son temps et incroyablement fastueuse, a été intempestivement tronqué malgré son auteur (lettre de Mme Samoyault-Verlet, 3 novembre 1983). Rappelons ainsi que ce berceau fut réalisé en un laps de temps extraordinairement restreint (3 mois à peine !) mais peut-être les artistes choisis avaient-ils été pressentis dès avant le 14 décembre 1855, date de la décision financière par le préfet Haussmann et l'architecte de la ville, et grand ami de Flandrin, Victor Baltard (le Monument Flandrin à Saint-Germain-des-Prés, de 1866, sera son œuvre). La conception générale, d'un symbolisme impérial très médité, dans l'excellent goût néo-classique et éclectique qui est celui de l'époque, est donc de Baltard, l'aiglon en argent étant de Jacquemart, la grande figure de la Ville de Paris et les deux génies qui l'accompagnent, de Simart, neveu par alliance de Baltard (la fonte et la ciselure sont dues aux frères Pannière), les guirlandes de bronze doré qui parent la nacelle, et toute l'orfèvrerie, de Froment-Meurice. A Flandrin revient l'invention des médaillons en émaux de Sèvres bleu marine et blanc-gris à la façon des émaux de Limoges, appliqués sur les parois de la nacelle d'acajou clair et enchâssés dans des moulures de fonte à décor d'acanthes et de rosaces : 2 000 francs pour les cartons, 2 080 pour l'exécution des émaux à la Manufacture de Sèvres (c'est d'ailleurs la partie la moins chère du berceau, loin derrière l'orfèvrerie ou les dentelles du lit qui reviennent chacune à plus de 60 000 francs sur un total de 161 751 francs...). Les Archives de Sèvres (Carton Pb 13 : Année 1856) renseignent de façon précise sur la fabrication de ces émaux, sous la rubrique Pièces émaillées entrées au magasin de vente le 31 mars 1856 : f° 17, 4 plaques pour le berceau offert à l'Impératrice par la Ville de Paris, pièces en cuivre, décorées par Gobert et cuites par Philip — 520 F par plaques. Dans le Registre Vg6 (Peinture, dorure, appréciations des travaux depuis 1835...) est citée au nom de Gobert une plaque en cuivre émaillé. Peinture de figure... ; prix demandé : 350 F ; dans le Registre Vj62 (1856 ; Travaux des ateliers de peinture, dorure et brunissage) : M. Gobert figuriste... Décembre [1856] : 4 plaques en cuivre émaillées — peinture de figure (de février) : 350 F — En tout : 1 400 F).
De fort petites dimensions, à peu près celles des peintures, mais très éclatants de ton et très fignolés, chargés de modelé et de petits accents de lumière blanche, les émaux ne rappellent guère dans leur brillante transcription technique imitée des émaux du XVIᵉ siècle le travail en

modernes aplats décoratifs et en tons atténués de Flandrin (les plaques du Berceau mesurent effectivement : H. 0,10 ; L. 0,18).

Le programme choisi — par Baltard sans doute — est approximativement celui des quatre vertus cardinales (à cela près que la Vigilance remplace la Tempérance), Force et Prudence se faisant face sur le côté gauche, Justice et Vigilance se répondant sur l'autre face. C'est sans doute à de tels émaux de Sèvres, presque trop présents à cause de leur perfection technique, que le berceau, comme l'observe Mme Samoyault-Verlet, dut de figurer à l'Exposition Universelle de 1867, dans le Pavillon des Manufactures impériales. On notera dans le panneau de la Justice l'amusant détail presque complaisant d'un petit amour apeuré déjà caché derrière le genou de la figure allégorique pour se protéger du terrible dragon, symbole des puissances mauvaises. Ce détail disparaît cependant sur la plaque de Sèvres. Quant à la Force, c'est une allégorie fort bien pensée : ladite vertu (et la Vertu en général, le Bien ?) appuyée sur un bouclier, symbole de protection, est plus forte que le plus puissant des animaux, couché à ses pieds (dans l'émail, les détails décoratifs du bouclier visibles sur les esquisses ont été effacés) ! La Force elle-même est parée d'une peau de lion, défiant ainsi toute la race léonine, tandis que, de sa main droite, elle tient la branche d'un chêne qui est bien, comme chacun sait, le plus robuste des arbres de nos forêts...

L'un des plus intéressants commentaires de l'époque à citer est celui de Ch. P. Magne dans l'*Illustration* du 29 mars 1856 (XXVII, janvier-juin 1856, p. 199-200), « Le Berceau offert au Prince impérial par la Ville de Paris ») : « *Un troisième membre de l'Institut* [après Baltard et Simart] *a dessiné les quatre magnifiques émaux en grisaille exécutés par la manufacture de Sèvres, appliqués, deux par chaque face, sur les flancs de la coque, dans un encadrement de lauriers et représentant la Force, la Justice, la Prudence et la Vigilance. Nous eussions mieux aimé — et S.M. l'Impératrice aussi — la Charité, la Clémence ou... mais nous n'avons pas à corriger quoi que ce soit ici* ».   J.F.

PARIS, COLLECTION PARTICULIÈRE

LA CHAPELLE SAINT-JEAN A SAINT-SEVERIN (1839-1841)

Georges Brunel

Conservateur, Chef du Service des objets d'art des églises de la Ville de Paris

Moins célèbre que les décors de St-Vincent-de-Paul et de St-Germain-des-Prés, la Chapelle St-Jean à St-Séverin est l'œuvre qui a fondé la réputation d'Hippolyte Flandrin comme peintre religieux. Il venait de rentrer de Rome et n'avait que trente ans quand il obtint cette commande, son coup d'essai dans le genre de la peinture monumentale. La maîtrise démontrée en cette occurrence est remarquable, que l'on se place sous l'angle de la technique ou du style. Aux prises avec un procédé nouveau, la peinture à la cire sur pierre, Flandrin a rapidement vaincu les difficultés et su tirer parti des avantages que comporte cette méthode. Dans le Paris des années 1840, où la peinture religieuse était en plein essor, les formules qu'il a proposées à St-Séverin apparaissent comme originales et neuves. Nous voudrions ici, après avoir retracé les circonstances de la commande et suivi l'élaboration de l'œuvre, définir ce qui la distingue dans la production contemporaine. La Chapelle St-Jean ayant connu de nombreuses vicissitudes, nous essaierons ensuite de présenter les problèmes de conservation qui se sont posés et se posent encore.

Quant aux dates, il n'y a pas d'hésitation. Hippolyte Flandrin annonce pour la première fois son projet de décorer une chapelle à St-Séverin au début de 1839 [1] ; quelques mois plus tard, il est question de « sa » chapelle, d'où l'on peut conclure qu'entre temps il a obtenu une commande ferme [2]. A la fin de 1839, il dessine les cartons [3]. Dans le cours de l'année 1840, il est au travail sur le mur lui-même, et il en vient à bout en moins d'un an si nous en croyons la date que porte l'œuvre : 1840. La chapelle fut inaugurée en avril 1841 [4]. La chronologie est donc sûre. Les documents publiés par Louis Flandrin permettent de répondre avec certitude à une autre question : comment Hippolyte Flandrin obtint-il cette première commande de décor religieux ? Il la dut à l'entremise d'Edouard Gatteaux, lequel se servait volontiers de son influence auprès de Rambuteau et du conseil municipal de Paris pour favoriser les élèves de son ami Ingres [5]. Notons d'ailleurs que, depuis le début de la Restauration, le préfet de la Seine avait pour principe de confier des travaux dans les églises aux jeunes artistes ayant remporté le premier Grand Prix de Rome et qui rentraient en France après leur cinq années de séjour à la Villa Médicis. Avaient déjà bénéficié de cet usage Pallière, Picot, Vinchon, Abel de Pujol, Guillemot, Cogniet, Coutan, pour ne citer que quelques noms de peintres. Le choix d'Hippolyte Flandrin continue cette tradition.

Il est moins aisé de dire comment le sujet de la chapelle a été arrêté. Une indication nous est fournie par un passage de Gustave Planche : « Les sujets commandés par la ville sont proposés par les paroisses [...] les programmes [sont] discutés en conseil de fabrique avant d'être distribués par les bureaux de la préfecture » [6]. La consultation des archives de la paroisse aurait donc pu apporter des renseignements précieux, mais elles semblent perdues et il ne nous a pas été possible de les voir. Quant au parti décoratif adopté, qui consiste à diviser chaque mur en deux registres, il est justifié et presque imposé par l'architecture étroite et haute de la chapelle St-Jean. La même solution sera répétée dans le décor des autres chapelles du bas-côté sud de St-Séverin, confiées successivement à Murat (1844), Signol (1845), Schnetz et Heim (1849) et Biennourry et Alexandre Hesse (1850). Le même système se retrouve à St-Merry, dans les chapelles commandées en 1842 à Lehmann et en 1843 à Chassériau et Amaury-Duval. Rien ne dit qu'Hippolyte Flandrin soit l'inventeur de cette disposition ; nous pouvons seulement noter qu'il est le premier à la pratiquer.

Flandrin a dû mener à bien son premier travail de peinture murale en tenant compte de contraintes assez lourdes : un sujet imposé, à traiter nécessairement en quatre épisodes, des surfaces d'une forme incommode à couvrir. Il ne paraît pas qu'il ait beaucoup hésité sur les lignes générales de ses compositions. Les deux esquisses peintes exposées en 1980 dans une galerie de New York sont, selon

1. Delaborde, 1865, p. 297 : lettre d'Hippolyte à Auguste Flandrin, 13 février 1839.

2. ibid., p. 307 : lettre d'Hippolyte Flandrin à sa mère, 23 juillet 1839. Notons que d'après l'inventaire Chaix, Paris, Ed. rel., t. II, 1881, p. 82, la commande serait de 1840.

3. ibid., p. 313 : lettre d'Hippolyte à Auguste Flandrin, 23 décembre 1839.

4. ibid., p. 323 : lettre d'Hippolyte Flandrin à sa mère, 1er avril 1841. Le compartiment qui représente la Cène est signé et daté en bas, à gauche : H. Flandrin MDCCCXL.

5. Flandrin, 1902, p. 73, n.° 1 : lettre d'Hippolyte Flandrin à sa mère, 25 février 1843.

6. Planche, 1856, p. 46 et p. 48.

Vue actuelle du décor de la chapelle, prise avant la restauration de 1983-1984.

toutes les apparences, les petits modèles que l'artiste devait soumettre à l'administration avant d'avoir confirmation de sa commande [7]. On y relève peu de variantes : le geste du bras gauche de Jésus dans la *Vocation,* la position de saint Jean dans le *Martyre,* le plat et le calice dans la *Cène.* Plusieurs dessins permettent de suivre les travaux préparatoires. La *Cène* et le *Martyre* sont les deux compartiments qui paraissent avoir donné le plus de mal à l'artiste. A cet égard, le musée de Rouen conserve un dessin particulièrement intéressant, car on y voit les essais qu'Hippolyte Flandrin a faits avant de fixer l'attitude du groupe central de la *Cène* [8]. Théophile Gautier jugeait le geste de saint Jean « sublime d'amour et de douleur, d'une nouveauté et d'une hardiesse superbes » [9] ; la trouvaille est le résultat d'un patient effort. Louis Flandrin a raconté avec quelle méthode Hippolyte, son oncle, aidé de Paul, recherchait la disposition de ses figures : « C'était lui-même qui posait le premier pour les plus importants de ses personnages et les plus difficiles de leurs gestes. Paul, dans un croquis rapide, saisissait et fixait avec amour sur le papier les lignes de la figure projetée » [10]. Le dessin conservé au musée de Poitiers nous montre la composition arrivée à son état définitif et mise aux carreaux [11]. Cette *Cène* a été le plus célèbre des compartiments de la Chapelle St-Jean ; Delaborde nous apprend qu'Hippolyte Flandrin la reproduisit autour de 1860 en « un dessin très achevé » destiné à être gravé [12] ; peu après il donnait une nouvelle version de la même *Cène* sur les murs de St-Germain-des-Prés. Le musée de Dunkerque conserve de son côté un dessin achevé pour le *Saint Jean à Patmos* [13].

Les années 1835-1845 sont une période florissante pour la peinture religieuse à Paris. De toutes parts les artistes sont au travail dans les églises. Evoquons seulement les plus importants chantiers : la coupole, le transept et la Chapelle de la Vierge à St-Thomas-d'Aquin, dont Blondel reçoit la commande par tranches successives entre 1831 et 1850 ; la Madeleine, où Ziegler, Couder, Schnetz, Pujol, Bouchot, Cogniet et Signol se sont partagé, en 1835, la commande d'abord confiée à Delaroche ; St-Merry où la Ville charge entre 1840 et 1843 Lépaulle, Lehmann, Chassériau et Amaury-Duval des chapelles du déambulatoire. L'entreprise la plus considérable de l'époque est N.-D.-de-Lorette ; l'église a été ouverte au culte en 1836, avant que la totalité du décor peint ne fût achevée. Les peintures, commandées entre 1828 et 1835, avaient été réparties entre les héritiers de l'école davidienne, Granger, Drolling, Vinchon, Caminade, Langlois, Coutan, quelques indépendants proches du romantisme, Alfred Johannot, Eugène Devéria, Champmartin, et la nouvelle école des catholiques archaïsants, Orsel, Périn et Adolphe Roger. A elle seule, N.-D.-de-Lorette présente un abrégé des principales tendances de la peinture parisienne autour de 1835. Il convient de relever ici l'impression défavorable que produisit la nouvelle église sur Hippolyte Flandrin, lorsqu'il la visita à son retour de Rome : « Nous avons été voir l'église N.-D.-de-Lorette, qui nous a beaucoup déplu, malgré quelques peintures passables » [14].

Cette abondante production s'accompagnait de recherches en matière de technique. Avant 1830, l'Administration avait essayé de ressusciter l'usage de la fresque et fait décorer trois chapelles à St-Sulpice selon ce procédé ; sauf Mottez, les peintres n'ont pas manifesté beaucoup d'empressement à continuer dans la voie ainsi tracée. Une nouvelle méthode de peinture murale, la cire, eut davantage de succès. On se servit d'abord de cire à chaud, pour préparer les murs avant d'y peindre à l'huile ; puis on l'utilisa comme substitut de l'huile, à froid, additionnée d'essence. Plus apte que la fresque à résister à l'humidité, la cire avait sur l'huile l'avantage de produire une surface mate. Elle convenait donc aux peintres désireux de retrouver les tons amortis des maîtres primitifs [15]. Cette technique plut à Hippolyte Flandrin et il décida de s'en servir pour exécuter sa chapelle de St-Séverin : « Ça a mille difficultés et longueurs, mais ça ne brille pas, c'est là sa plus éminente qualité », écrivit-il à son frère pour lui expliquer ce choix [16].

Avec les travaux de St-Séverin, Flandrin fait donc son entrée dans un milieu extrêmement actif et riche de tendances variées. Un article publié par Théophile Gautier en 1841 nous permet de voir comment ont été jugés les débuts du jeune artiste dans le domaine de la peinture murale. Gautier examine en détail la Chapelle St-Jean, alors dans toute sa nouveauté [17]. Eloges et critiques se balancent. Il loue chez Flandrin la pureté du dessin et la science des attitudes et des groupements. On a déjà cité les termes admiratifs dont il qualifie le geste de saint Jean dans la *Cène.* Voici comment il parle du *Martyre :* « La femme qui tient un enfant par la main et un autre dans son bras est d'une grande beauté et d'une grande noblesse ; le saint a bien le caractère de sénilité convenable, et le groupe du proconsul et des licteurs, quoique rappelant un peu certaines portions du *Saint Symphorien* de M. Ingres, a une tournure et un

7. Exp. New York, 1980, n°s 76 et 77, repr.

8. *Cf.* n° 8, *Œuvres en rapport*

9. Gautier, 1841, p. 805.

10. Flandrin, 1902, pp. 82-83.

11. *Cf.* n° 8.

12. Delaborde, 1865, p. 90 ; le dessin appartenait alors à Timbal. Un dessin à la mine de plomb, signé et daté *H^te Flandrin 1859* a été deux fois exposé à New York, (exp. New York, 1976, n° 77 et New York, 1980, n° 78). Un dessin à la mine de plomb sur calque, plus petit que le précédent, signé en bas à gauche *H^te Flandrin* est conservé dans une collection parisienne. Ces deux dessins ne présentent presque aucune variante par rapport à la peinture de St-Séverin, sauf le calice qui a disparu de la table.

13. Kuhnmünch, 1981, p. 391, repr. fig. 4.

14. Flandrin, 1902, p. 288 : lettre d'Hippolyte Flandrin à sa mère, 8 septembre 1838.

H. Flandrin, esquisses pour le décor de Saint-Séverin.
Cleveland, collection Butkin.

aspect tout-à fait dignes des maîtres ». En revanche, Gautier blâme fortement le coloris de Flandrin à cause de sa pâleur : « ... nous ne demandons pas à des dessinateurs, exclusivement préoccupés de la ligne, la fauve ardeur de Titien ni la pourpre éblouissante de Rubens ; pourtant il ne faut pas que les terrains, les chairs, les draperies, ne soient teintés que de saumon pâle, de gris violâtre et de jaune hasardeux ; en ce cas il vaudrait mieux faire tout simplement une grisaille qui permettrait à l'œil de jouir, sans être contrarié par des teintes d'une fausseté pénible, des beautés d'ordonnance, de dessin et de style ». Reconnaissant que l'artiste se devait de ne pas rompre l'unité du monument par une peinture aux tons éclatants, il lui reproche d'être allé trop loin dans ce sens et annonce, avec quelque imprudence, que « dans cent ou cent cinquante années d'ici, les peintures de M. Flandrin ne seront plus visibles et s'évanouiront comme une légère aquarelle ». Le délai est écoulé et les faits ont, par chance, démenti cette prédiction.

Le jugement de Gautier dénote évidemment de la sympathie pour les peintres non classiques. Les deux artistes du passé qu'il cite en référence, Titien et Rubens, sont justement les maîtres dont se réclamaient les romantiques et que les sectateurs de la stricte doctrine académique tenaient en suspicion. En face de ces deux noms apparaît celui d'Ingres. En 1841, celui-ci achevait le temps de son directorat à la Villa Médicis. Après avoir été longtemps suspect aux classiques, il pouvait en passer désormais pour le chef

15. Nous ne faisons que résumer ici les recherches exposées par Mme Claire Buisson dans son mémoire soutenu le 21 décembre 1983 devant l'Institut français de restauration des œuvres d'art.

16. Flandrin, 1902, p. 81, n.° 3, lettre d'Hippolyte à Auguste Flandrin, 21 novembre 1839.

17. Gautier, 1841, pp. 803-806.

de file. Tout le monde savait bien qu'Hippolyte Flandrin était l'un des plus fervents disciples d'Ingres et l'un des plus aimés du maître. Derrière l'élève, la critique atteint donc le chef d'école. Pour mieux faire porter le trait, Gautier souligne la parenté de composition que l'on peut relever entre le *Martyre de saint Jean* et le *Saint Symphorien* d'Ingres, qui datait de 1834. Il aurait pu d'ailleurs indiquer bien d'autres réminiscences : dans la *Vocation,* la pose du Christ et surtout le tour ample et solennel du vêtement rappellent la *Remise des clefs à saint Pierre,* peinte par Ingres en 1820. Accentuant les partis de son maître, Hippolyte Flandrin réduit à très peu de choses les indications de paysage et de décor : une ligne de collines, la mer et une barque échouée sur le sable ; il simplifie aussi le drapé et le rend plus sculptural en ne conservant que quelques grands plis. Le même goût austère marque la *Cène :* un mur de fond et un carrelage au dessin géométrique forment tout le décor ; sur la table n'apparaissent que les objets symboliques, le calice et le pain ; rien ne rappelle que l'on est à la fin d'un repas, reproche que Gautier ne manque pas de faire à Flandrin : « Il a peut-être métaphoriquement raison, car il ne s'agit que d'un repas mystique, mais il a tort sous le rapport pittoresque ». Chose curieuse, la même observation se rencontrera bien des années plus tard sous la plume d'un critique catholique, l'abbé Hurel, à propos de la *Cène* de St-Germain-des-Prés : « ...il semble singulier que ce pain et ce calice soient seuls restés » [18]. Flandrin aurait-il un goût exagéré pour la peinture symbolique et abstraite ? De telles critiques le donnent à entendre.

Les pages écrites par Henri Delaborde dans deux articles de la *Revue des Deux Mondes,* en 1859 et en 1864, et dans son livre sur Hippolyte Flandrin de 1865 constituent la meilleure défense du peintre que l'on puisse citer. Alors qu'un critique comme Planche s'en tient encore en 1856 à une appréciation superficielle : « ... l'élégance du dessin fait de cette chapelle un ensemble intéressant » [19], Delaborde profite du recul que lui donnent une vingtaine d'années pour indiquer la place de la chapelle St-Jean parmi les courants contemporains et le fait avec beaucoup de discernement. Il observe que plusieurs des artistes passés par l'atelier d'Ingres ou formés à Rome sous son influence ont été tentés de prendre pour modèles les peintres italiens du XIVe et du XVe siècle. Ils ont cru que l'expression du sentiment religieux devait nécessairement emprunter les formes dont Giotto ou Fra Angelico l'avaient revêtu. Cette confusion, encouragée par les écrits d'un historien comme Rio et par l'exemple des nazaréens allemands, est toujours restée étrangère à Flandrin. Dans les premiers temps de son pensionnat à Rome, il avait rendu visite à Overbeck ; on ne peut pas dire que cette rencontre l'ait jeté dans l'enthousiasme : « Je trouve cela beau et bien pensé, mais pour le rendre Overbeck emploie des moyens qui ne sont pas à lui. Il se sert tout à fait de l'enveloppe des vieux maîtres ; il observe la nature, mais, de son aveu, il ne l'a presque jamais sous les yeux quand il travaille » [20].

Les solides préceptes puisés dans l'enseignement d'Ingres, imiter la nature et copier Raphaël, ont préservé Hippolyte Flandrin de toute espèce de maniérisme. Si l'on compare la Chapelle St-Jean aux trois chapelles peintes dans les mêmes années par trois autres disciples d'Ingres à St-Merry, la différence éclate. A la séduction chatoyante et langoureuse de Chassériau, à la suavité délicate d'Amaury-Duval, aux élégantes douceurs de Lehmann, Flandrin s'oppose avec une calme autorité, sans éclat, mais sans affectation. Comme l'écrit encore Delaborde, « ...il évitait avec une égale habileté la contrefaçon archaïque et le désaccord qu'eût créé un style trop ouvertement moderne ou bien une imitation trop fidèle de la réalité » [21]. Les qualités qui ont fait d'Hippolyte Flandrin l'un des plus grands peintres religieux du XIXe siècle sont déjà présentes dans la Chapelle St-Jean, et mieux qu'à l'état de promesses.

La chapelle peinte par Hippolyte Flandrin à St-Séverin ne nous est pas parvenue sans avoir notablement souffert des dommages du temps. La victime en a surtout été le mur de gauche et le compartiment de la *Cène.* En 1859, Flandrin eut lui-même à restaurer son œuvre ; un arrêté préfectoral le chargea, moyennant 1 500 francs, de « faire exécuter sous sa direction, une reproduction sur toile du sujet de la *Cène,* qu'il a peint sur le mur en 1840, et qui se trouve aujourd'hui complètement endommagé » [22]. A la mort de l'artiste, cette copie n'était pas achevée et son frère Paul fut chargé de la terminer [23]. La copie sur toile de la *Cène,* qui mesurait deux mètres sur deux, soit les dimensions de l'original, fut envoyée en 1872 à l'église de Chevilly-Larue [24] ; on ne l'y retrouve malheureusement plus. Elle était destinée à être marouflée sur le mur à la place de la peinture primitive au cas où la dégradation de celle-ci serait irrémédiable. Avant d'en venir à cette solution extrême, une restauration prudente fut tentée. L'administration en confia le soin à Paul Flandrin [25]. La méthode employée semble avoir été efficace ;

18. Hurel, 1868, p. 362.

19. Planche, 1856, p. 62.

20. Delaborde, 1865, p. 205 : lettre d'Hippolyte Flandrin à Lacuria, 25 mai 1833.

21. Delaborde, 1859, p. 882.

22. Archives de la direction des affaires culturelles de la Ville de Paris, *St-Séverin,* arrêté du 11 juin 1859.

23. *ibid.,* arrêté du 12 mai 1864.

24. Inventaire Chaix, *Seine,* t. II, 1880, p. 180 et *Paris, Ed. rel.,* t. II, 1881, p. 88.

25. Archives de la direction des affaires culturelles de la Ville de Paris, *St-Séverin,* arrêté du 10 août 1864.

elle consistait à ouvrir les joints de pierre aux endroits où le salpêtre désagrégeait le ciment et la peinture, et à les mastiquer au blanc de céruse. Sans doute par respect pour l'œuvre de son frère, Paul Flandrin limita son intervention aux fonds et à l'architecture ; en 1881, Charles Maillot proposa d'appliquer la même solution aux parties de figures [26]. La commission des Beaux-Arts approuva le projet de Maillot et recommanda en outre d'assécher la paroi par des perforations pratiquées à intervalles réguliers [27].

Ce traitement ne suffit pas à empêcher de nouvelles détériorations ; en 1902, l'architecte du secteur constata de nouveau l'apparition de salpêtre. Un devis de restauration, se montant à 2 000 francs, fut établi par les frères Brisson ; l'opération aurait consisté à creuser les joints de plâtre qui s'étaient salpêtrés, à refixer le reste de la peinture et à la nettoyer [28]. Faute de crédits, le devis resta sans exécution. Un nouveau devis fut établi en 1911 par le restaurateur Boutreux ; celui-ci proposait de « faire la même application de tubes en terre poreux qui a été faite à l'église St-Merry pour empêcher le salpêtre de remonter dans les murs » [29]. Nous ne savons pas quelle suite fut donnée à ce projet, mais, en 1926, Léon Rosenthal signalait à la commission du vieux Paris l'état inquiétant de la chapelle St-Jean et principalement de la *Cène* : « Par un hasard malheureux, tandis que les autres chapelles ont relativement peu souffert, le mur qui porte la *Cène*, envahi par l'humidité, ne soutient plus la peinture qui disparaît par larges plaques [...] le mal, pour le présent, n'est pas encore irréparable ; seuls des accessoires, des draperies, ont disparu, aucune tête n'a été atteinte ». Rosenthal proposait, en dernier recours, de détacher la peinture du mur et concluait : « Il n'est pas admissible qu'on laisse disparaître, sans tenter de la sauver, une page qui a honoré l'art religieux du XIXe siècle » [30]. La commission alerta la direction des beaux-arts de la Ville et une nouvelle restauration fut entreprise. On la confia à Alfred Belhomme, dont le devis s'élevait à 9 000 francs [31]. Cette « remise en état » concernait les deux murs ; elle comportait le « nettoyage et rebouchage des parties détruites par l'humidité ; reconstitution et restauration de ces fresques ainsi que de toute la décoration ornementale de la chapelle ». Au préalable, on avait demandé à la « Compagnie générale d'assèchement et d'aération (procédé Knapen) » de tenter une fois encore d'assainir le mur. Les travaux, exécutés durant l'hiver 1928-1929, sont les derniers que la Chapelle St-Jean a connus jusqu'à nos jours.

Force est de constater qu'en dépit de tous ces efforts, le délabrement des peintures de Flandrin, et particulièrement de la *Cène*, a continué. Faut-il l'imputer à la technique employée ? Nous avons vu que Flandrin avait délibérément choisi de se servir de la cire [32]. Dans un article de la *Grande Encyclopédie*, Victor Champier a critiqué le procédé : « Flandrin, au lieu de peindre à la détrempe pour obtenir les pâleurs de la fresque qu'il recherchait, a préféré la peinture à la cire dont le ton mat et blond laisse à tous les pleins de l'architecture leur signification. Or l'enduit dont il se servit à St-Séverin étant de mauvaise qualité a compromis, en maints endroits, cette noble composition qui s'écaille et s'efface » [33]. Il suffit de comparer l'état des deux murs pour avoir des doutes sur la justesse de ces remarques. En fait, même dans la *Cène*, les parties peintes directement sur la pierre se révèlent extrêmement solides ; ce sont les joints qui ne résistent pas à l'humidité, et l'on doit constater que les rebouchages successifs n'ont pas servi à grand chose. La difficulté, comme pour presque toutes les décorations murales, est le traitement de la paroi ; tenter de faire tenir de la peinture, quelle que soit la technique utilisée, sur un mur humide revient à vouloir résoudre la quadrature du cercle.

La Chapelle St-Jean a été éclipsée par les grands ensembles décoratifs auxquels Flandrin a consacré le reste de sa vie. Peu visible à cause de la mauvaise lumière, dégradée par le temps, elle nous est parvenue, sinon en ruines, du moins dans un état assez inquiétant. Une nouvelle restauration tente actuellement de remédier au mal. Peut-on espérer que ce sera la dernière ? On ne l'ose pas, après avoir passé en revue les tentatives précédentes et constaté leur faible résultat. Il faut pourtant tout essayer pour sauver cette œuvre et la rendre de nouveau lisible , car c'est une étape très importante dans la carrière de Flandrin. Il y démontre une maturité singulière chez un homme de trente ans. Dédaignant les recettes trop bien connues du classicisme davidien, insensible aux tentations de l'archaïsme et de l'abstraction, fidèle aux enseignements de son maître Ingres, mais sans servitude, Hippolyte Flandrin manifeste, dès son premier décor monumental, toutes les qualités de mesure, de gravité et de distinction qui font le prix de ses œuvres les plus connues

26. *ibid.*, rapport de Charles Maillot sur l'état des peintures de St Séverin, 20 août 1881.

27. *ibid*, rapport de la sous-commission de peinture au préfet de la Seine, 7 mars 1882 ; un arrêté du 7 avril suivant ordonne l'exécution des travaux.

28. *ibid.*, note au directeur des beaux-arts de la Ville de Paris, 26 juillet 1902 ; devis des frères Brisson, 1er août 1902.

29. *ibid.*, lettre de F. Boutreux au directeur des beaux-arts de la Ville de Paris, 31 août 1911.

30. *Commission municipale du vieux Paris, procès-verbaux,* année 1926 (Paris, 1930), p. 121.

31. Archives de la direction des affaires culturelles de la Ville de Paris, *St-Séverin*, devis d'Alfred Belhomme, approuvé par le directeur des beaux-arts et le préfet, 5 novembre 1928.

32. *Revue du Lyonnais*, 5e série, t. VI, juillet-décembre 1888 : 28 décembre 1839, lettre d'Hippolyte Flandrin à Lacuria : « Je me suis décidé à peindre à la cire » (p. 252).

33. Victor Champier, « Hippolyte Flandrin », *La grande Encyclopédie*, Paris, s. d., t. XVII, pp. 573-575.

25

27

26

25. ***La Cène,* carton pour Saint-Séverin**
(1839-1841)

DESSIN : Crayon noir et rehauts de blanc avec mise au carreau. Marque *Hte Flandrin* (Lugt 933), b.d.

HISTORIQUE : Dessiné en 1839 (cf. Delaborde, 1865, p. 313 : Lettre d'Hippolyte à Auguste, du 1er novembre 1839 : « Mes cartons (pour Saint-Séverin) m'occupent beaucoup, ainsi que toutes les études qui en dépendent ». Passé dans la vente posthume de l'artiste en 1865, n° 81 (« Dessin de l'ensemble de la composition » : adjugé 1 430 francs à Haro). Réapparu dans une vente publique à Paris, Hôtel Drouot, 14 décembre 1973 (Me Audap n° 8) et acquis là par le musée — N° d'inventaire : 1974-17-2.

EXPOSITION : Paris, 1865, n° 73 (2° : La Cène).

BIBLIOGRAPHIE : Lanvin, 1967, t. II, p. 35 (non retrouvé et décrit à tort comme dessin poussé, exécuté en vue de la gravure) ; Rérolle, 1976, p. 292.

ŒUVRES EN RAPPORT : Esquisse peinte sur carton. S.D. b.d. 1840. Connue par une photographie ancienne mais non retrouvée par Lanvin (1967, t. II, p. 34). Exposition : Paris, 1865, n° 63 (2° : « La Cène », dimensions non indiquées). Réapparue dans une vente à Paris, Hôtel Drouot, 1975. Acquise par le collectionneur Butkin, de Cleveland, via la Shepherd Gallery de New York : ibidem, 1980, n° 77, repr. p. 231.
Dessins d'ensemble :
Répétition provenant de l'album de Mlle Hittorff et acquise chez Prouté à Paris, Boulogne, collection particulière.
Autre réplique, H. 0,27 ; L. 0,34. s.d 1859, dans la collection Cummings à Détroit.(New York, 1976, n° 77, repr. ; id., 1980, n° 78, repr.)
A l'exposition de 1865 (n° 71) figure sans autres précisions une « Première pensée » de la Cène et un « autre dessin de l'ensemble » (partie du n° 84, neuf feuilles d'étude pour Saint-Séverin). Le lot fut adjugé 222 F à Marjolin (le gendre de Scheffer qui devait posséder plusieurs dessins de Flandrin au musée de Rouen, cf. nos 126 et 128).
Il existe encore un dessin d'ensemble de la Cène (avec reprises de Jésus et de Saint-Jean dans la marge) dans la Donation Baderou au musée de Rouen (975-4-2363bis).
Les dessins de détail sont trop nombreux pour être recensés ici. Lanvin n'en signale d'ailleurs que deux. Sur l'une de ces feuilles relatives à Saint-Jean, par Paul, on reconnaît les traits d'Hippolyte (Lanvin, *op. cit.* p. 22, 34). Il en sera de même dans la *Vocation de Saint-Jean* (cf. n° 27).

Carton préparatoire au quart de l'exécution comme c'était l'usage et presque sans variantes La *Cène* (1840-1841) est à la cimaise, sur la paroi gauche de la chapelle décorée par Flandrin. Elle est surmontée de *Saint Jean à Pathmos* (cf. n° 26). *J.F.*

POITIERS, SAINTE-CROIX. MUSEE

26. ***Saint Jean l'Evangéliste dans l'île de Pathmos***
(1839-1841)

DESSIN : Crayon noir et rehauts de blanc avec mise au carreau. H. 1,00 ; L. 0,84. Marque *Hte Flandrin* (Lugt 933), b.d.

HISTORIQUE : Cf. le n° précédent puis vente posthume de l'artiste, Paris, 1865, n° 80 (« *Dessin de l'ensemble de la composition* », dimensions non indiquées ; adjugé 880 F à M. Armand). Acquis par Maurice Boulot-Lamotte dans une vente à Paris, Hôtel Drouot, 19 février 1947 ; passé chez un de ses descendants, Mme L'Héritier ; acquis de cette dernière collection en 1980. N° d'inventaire : D.80-26,

EXPOSITION : Paris, 1865, n° 63 (1er, « Saint Jean dans l'île de Pathmos ») Dunkerque, 1983, n° 43, repr.

ŒUVRES EN RAPPORT : Esquisse peinte, associée à la Cène, cf. n° (rubrique Œuvres en rapport).

Dessins : un croquis et une étude de la tête du saint, à la vente de 1865 (partie du n° 84 ; adjugés Marjolin) et depuis 1897 du musée de Rouen (don de Mme veuve Marjolin, cf. nos 126 et 128).

Beau dessin — juste un peu passé — pour le compartiment supérieur du décor, d'où l'organisation pyramidale et réduite à deux figures, de façon à ce que la composition puisse rester lisible d'en bas. D'un geste autoritaire, l'ange signifie à l'apôtre et évangéliste Jean l'injonction d'écrire l'Apocalypse. « *Flandrin donne le meilleur de lui-même dans cette esquisse et montre sa parfaite assimilation de l'art de Raphaël et d'Ingres. La composition très abstraite, l'opposition des personnages de vus de face et de profil, la position des bras de l'ange savamment calculée, le décor dépouillé, la rigueur ingresque du graphisme suggèrent la présence divine et accentuent encore le désarroi du saint dont le regard implore vainement* [sic !] *Dieu* ». (Kuhnmünch, 1983). *J. F.*

DUNKERQUE, MUSEE DES BEAUX-ARTS

27. ***La Vocation de saint Jean l'Evangéliste***
(1839-1841)

PEINTURE : Carton. Format en arc brisé à la partie supérieure. H.0, 322 ; L. 0,243. S.b.d. : *Hip. Flandrin*.

HISTORIQUE : Acquis par le possesseur actuel après 1974, date à laquelle cette esquisse se trouvait à la Galerie Marcus à Paris. Antérieurement, le tableau figurait peut-être dans la Collection Thureau-Dangin, cf. Œuvres en rapport.

EXPOSITIONS : New York, 1980, n° 75, repr.

ŒUVRES EN RAPPORT : Une toile signée d'H. Flandrin, format ogival, environ 40 sur 25 cm avec le cadre, se trouvait dans la collection Thureau-Dangin au château de Marmousse-Garnay (Eure-et-Loir) avant 1972 (cf. *Art et Curiosité*, décembre 1972, p. 80 : tableau volé !). Peut-être notre n° 27 ?
Autre esquisse peinte d'ensemble associé au *Martyre de saint Jean*, S D b d 1840. Non retrouvée par Mme Lanvin en 1967 (t. II, p. 32). Actuellement dans la collection Butkin à Cleveland (cf. New York, 1976, n° 76, repr. ; passé à Paris, Hôtel Drouot, en 1975, puis chez Sotheby à New York en... (n° 211, repr.). Carton. H. 0,60 ; L. 0,23. L'esquisse Butkin semble la toute première, le geste du Christ aux bras tendus diffère de celui qu'on voit sur le présente esquisse, conforme à la réalisation définitive. Etude de détail (tête de saint Jean), cf. n° suivant.
Dessin d'ensemble : carton mis au carreau, exposition de 1865, n° 73 (3e « Jésus et les Apôtres ») ; vente de 1865, n° 83 (« dessin de l'ensemble de la composition » : adjugé 960 francs à M. Normand). Non retrouvé (Lanvin, 1967, t. II, p. 32).
Sept dessins de détail dont cinq très esquissés, sont recensés par Mme Lanvin dans le Fonds familial Flandrin (*op. cit.*, p. 32). En outre, à la vente de 1865 (partie du lot n° 84, adjugé à Marjolin 222 francs) figura un croquis pour la *Vocation*. On ne le retrouve pas au musée de Rouen qui possède presque la plupart des dessins de Flandrin achetés par le Dr. Marjolin à la vente de 1865 ; cf. à ce sujet le n° 126 et le n° 128.

Cette esquisse était restée inconnue de Mme Lanvin. Elle présente un geste du Christ plus impérieux — et plus juste ! — que celui de l'esquisse Butkin où le Christ semble implorer de ses bras tendus les futurs disciples. Mme Lanvin (t. II, p. 22 et 32) indique à juste titre que Hippolyte à prêté les traits de son propre visage au Christ comme il l'avait déjà fait pour saint Jean dans la *Cène*. *J.F.*

COLLECTION PARTICULIERE, EN DEPOT A ALBUQUERQUE, THE ART MUSEUM, UNIVERSITY OF NEWMEXICO (E.U.)

---

28. **Etude pour la tête de saint Jean dans *La Vocation de saint Jean***

PEINTURE : P. sur T. H. 0,24 ; L. 0,20. S., b.d. : *Hte Flandrin*. — Annoté sur le châssis : *Tête de St* [la suite illisible].

HISTORIQUE : Collection du sculpteur et graveur en médaille Édouard Gatteaux (1788-1881), ami de l'artiste ; legs Gatteaux à l'École des Beaux-Arts, 1881-1883. Le catalogue annoté de la vente posthume en possession de Mlle Marthe Flandrin, à Paris, montre que Gatteaux s'était rendu à cette occasion propriétaire, pour la somme de 100 francs, d'une étude répertoriée sous le numéro 69, *Tête de saint Jean pour la même décoration* [Saint-Séverin]./ *Année 1840* » : il s'agit selon toute vraisemblance de la présente étude. Récemment retrouvé dans les réserves et sorti à l'occasion de la présente exposition. Rappelons que Gatteaux, grand ami et grand admirateur d'Ingres, fut toujours très favorable à Flandrin. Il était d'ailleurs apparenté à la femme d'Hippolyte, née Ancelot (cf. n° 96). Hippolyte peignit un portrait de Gatteaux en 1861, brûlé en 1871 et dont une copie peinte par Paul Flandrin existe au Musée du Château de Versailles (Lanvin, 1967, t. III, p. 228-232). Gatteaux fut un actif acquéreur à la vente Flandrin de 1865 (nos 69, 77, 85, 102, 283, 291, plus un *Hercule* non catalogué). La plupart de ces œuvres se retrouvent à l'Ecole des Beaux-Arts : cf. ici les nos 8, 30, 31, 39, 50, 115, 118.

BIBLIOGRAPHIE : Müntz, s.d. [1889], p. 190 (Tête de jeune fille, vue de profil tournée à droite) ; Müntz, 1890, p. 290 (« Tête de jeune fille, vue de profil, tournée à droite ») ; Audin et Vial, 1918, t. 1, p. 344 (« *Tête de jeune fille*, étude peinte »).

ŒUVRES EN RAPPORT : Une réplique (?) de forme ovale (0,270 × 0,215, a été acquise dans une vente à Paris, Hôtel Drouot, le 23 novembre 1973 (Salle 5, n° 112 au cat.) pour le Musée Ingres de Montauban (N° d'inventaire : MI 974-3-1).

Les indications d'Eugène Müntz, reprises par Audin et Vial, nous ont dans un premier temps fait rechercher dans les décorations de Flandrin un visage féminin correspondant à la présente étude et, de fait, le visage de sainte Attre à Saint-Paul-de-Nîmes aurait parfaitement pu être préparé par cette petite peinture. Toutefois, le catalogue de la vente de 1865 identifie (à la suite d'une lecture de l'inscription portée sur le châssis ?) cette œuvre comme étant une *Tête de saint Jean* pour la décoration de Saint-Séverin, tradition qu'il est possible de retenir puisqu'apparaît dans la *Vocation de saint Jean* une figure absolument similaire à notre étude. *Ph. G.*

PARIS, ECOLE NATIONALE SUPERIEURE DES BEAUX-ARTS.

28

PEINTURES MURALES

CHATEAU
DE DAMPIERRE
(1841)

Château de Dampierre,
Salle des fêtes.
Décor au-dessus des Tribunes
peint par H. Flandrin.
(photo ancienne)

29. ***Femme admirant un collier,
motif du décor de Dampierre***
(1841)

DESSIN : Sanguine et pierre noire. H. 0,652 ; L. 0,382. Cachet
Hte Flandrin (Lugt 933), b.g.

HISTORIQUE : Collection de l'éditeur Hetzel, (1814-1887)
acquis de sa descendante, Madame Laffont, en 1979. — Sans
doute l'un des « Vingt-six Dessins de figures allégoriques »
(« Travaux exécutés au Château de Dampierre ») de la vente de
1865, n° 283 (1 916 francs en tout : les acheteurs furent
Cabuchet, Gruyer, Vindé, Cottin, Goupil, Voulaire, Bourgeois,
Gatteaux, Charlet, Laforce, Gibout. Ceux achetés par Gatteaux
sont à l'École des Beaux-Arts ; *cf.* les n°ˢ exposés ici.

EXPOSITION : Pontoise, 1980, n° 17, repr. au catalogue.

BIBLIOGRAPHIE : Lanvin, 1967, t. I, p. 206 (considéré à tort
comme une lithographie) ; Julia, 1980, notice du n° 17.

ŒUVRES EN RAPPORT : Dessin sur papier calque dans le
Fonds familial Flandrin et appartenant au même ensemble que
les deux dessins exposés ici sous les n°ˢ 32-33.

Ce dessin d'une parfaite pureté qui rappelle
étonnamment les partis flexibles et simplificateurs, presqu'abstraits, d'un Amaury-Duval ou
d'un Lehmann, n'était connu de Mme Lanvin
(t. I, p. 206) que par une ancienne photographie (Archives Flandrin ; Recueil Flandrin au
Cabinet des Estampes de la Bibliothèque nationale à Paris) qu'elle prit à tort pour la reproduction d'une lithographie du type de celles de
Bargue exécuté pour un manuel d'enseignement
du dessin (n°ˢ 2, 15, 25 d'après des figures de
Flandrin à Dampierre, *cf.* le Recueil de Flandrin
au Cabinet des Estampes).
Le présent dessin constitue sans doute une
reprise postérieure faite à partir du calque correspondant du Fonds Flandrin, plutôt qu'une
étude préparatoire. A Dampierre, cette figure au
collier, en tunique blanche, fait pendant à une
autre femme de profil, inverse, en tunique bleue
et blanche, qui tient un miroir. Il s'agit de figures
assises (22 en tout), hautes de 80 cm environ,
encadrant deux par deux en se faisant face les
médaillons sculptés par Simart, et ce, aux voussures du plafond au-dessus des tribunes. La
femme au collier se situe auprès du premier
médaillon côté jardin. Le décor de Flandrin
comprend encore 12 figures d'Amours. Toutes
ces figures sont peintes à l'huile et à la cire, selon
une technique assez fréquemment utilisée au
XIX° siècle dans les peintures murales.
« *Les fonds verts sur lesquels elles sont peintes
sont actuellement* [à la date de 1967] *très
écaillés. Nous pensons que l'on a dû procéder à
des repeints plus foncés, car apparaît en des-*

*sous un beau vert antique, doux et tout à fait
dans l'harmonie des tons pompéins choisis par
Hippolyte. Les figures sont belles et pudiques
dans leur demi-nudité... Elles jouent avec grâce
et harmonie. Leurs mouvements sont souples et
rythmés... Leurs visages, vus de près (en montant dans les tribunes) révèlent un modelé très
fluide et une belle technique, absolument indis-
cernable vue d'en bas* (Lanvin, t. I, p. 203).
D'où l'admiration des différents commentateurs
qui, avec une feinte et littéraire surprise, insistent
sur la perfection de l'art de Flandrin, nouveau
Lesueur qui passe avec aisance de la *Vie de saint
Bruno* au *Cabinet de l'Amour* de l'Hôtel Lambert (Cl. Jannet, 1866 ; L. Flandrin, 1909),
autrement dit des décors de Saint-Séverin et
Saint-Germain à la grâce chaste des amours et
des figures féminines de Dampierre ! Les circonstances de la commande sont assez bien
connues, puisque liée aux fameuses peintures
d'Ingres (même technique à la cire) pour la
grande salle de fêtes du premier étage au
château de Dampierre, *L'Age d'or* et *L'Age de
fer*, commandées par le Duc de Luynes en 1839
et incomplètement réalisées de 1842 à 1849. De
la même campagne de grand mécénat artistique
et de redécoration néo-grecque du château,
sous l'égide de l'architecte Duban, relevaient les
travaux de Simart qu'on retrouvera associé à
Hippolyte Flandrin dans la réalisation du Berceau du Prince Impérial (statue chryséléphantine
et médaillons des voussures), de Paul Flandrin
(paysages), de Gleyre et d'Hippolyte Flandrin
dans des hexagones sous les tribunes de cette
même pièce et destinés à servir de faire-valoir et
d'accompagnement aux compositions d'Ingres.
Hippolyte Flandrin lui-même se mit très vite à la
besogne en 1841, comme en témoignent ses
lettres (Delaborde, 1865, p. 323-326). Sur Flandrin et Dampierre, *cf.* aussi *L'Artiste*, 1839,
t. IV, p. 172 ; Jannet, 1866 ; Flandrin, 1909 ;
Lanvin, t. I, p. 202-209. Le 1ᵉʳ avril 1841,
Hippolyte ainsi écrit à sa mère qu'il a fait tous les
cartons de ses travaux sur Dampierre ; il est très
pressé par ce travail : « J'ai été obligé de quitter
Paris pour Dampierre nous sommes, Paul, Louis
[Louis Lamothe, *cf.* n° 51] et moi, donnant à
tous les diables la peinture à la cire, dans
laquelle nous labourons depuis six heures du
matin jusqu'à six heures du soir. » Le 15 avril, il
signale à Ernest Vinet [*cf.* son portrait par Paul
Flandrin, exposé ici même sous le n° 200] que
« le travail, le mauvais air que nous respirons
dans une salle où travaillent 30 à 40 peintres
[sans doutes s'agit-il de peintre-décorateurs],

tout cela m'a détraqué, et j'ai fini par des coliques atroces… Il nous reste encore à peu près la moitié de notre travail à faire ». En juillet, « bientôt ce sera fini », bien qu'il lui soit éreintant de « continuer les peintures au plafond ». Un an après, Hippolyte signale à Auguste que le duc, de retour de son voyage en Haute-Egypte, a visité son château : « Il a été très content de ce que nous y avons fait. Les paysages de Paul sont là d'un excellent effet. M. Ingres, malheureusement, n'a encore rien fait… » Un beau profil dessiné du duc de Luynes par Hippolyte Flandrin atteste les bonnes relations de l'artiste et de son commanditaire (dessin connu par une photo ancienne dans le Recueil Flandrin au Cabinet des Estampes de la Bibliothèque nationale à Paris). *J.F.*

PONTOISE, MUSEE TAVET

30. *Figure décorative* (étude pour la décoration du château de Dampierre)

DESSIN : Sanguine sur papier gris-bleuté contrecollé sur papier bleu foncé. H. 0,675 ; L. 0,475 (environ). Marques *Hte Flandrin* (Lugt 933) et de l'Ecole des Beaux-Arts (Lugt 829), b.g.

HISTORIQUE : Collection du sculpteur et graveur Edouard Gatteaux (1788-1881), ami de l'artiste ; legs Gatteaux à l'Ecole des Beaux-Arts, 1881-1883. Ce dessin ainsi que le suivant, faisaient très certainement partie des « Vingt-six dessins de Figures allégoriques » pour la décoration de Dampierre qui figurent sous le numéro 283 du catalogue de la vente posthume : le nom de Gatteaux et le montant de ses enchères, 87 francs, apparaissent en effet parmi les onze acquéreurs notés sur l'exemplaire du catalogue appartenant à Mlle Marthe Flandrin. L'absence de marque de la collection Gatteaux s'explique peut-être par le fait que ce dessin devait être encadré. Sur Gatteaux, *cf.* le n° 28. — N° d'inventaire : 1778.

ŒUVRES EN RAPPORT : Un calque de cette étude, piqué pour le transfert, dans le fonds de la famille de l'artiste. Flandrin y a apporté quelques modifications par rapport au présent dessin, en particulier dans la coiffure du personnage — les cheveux sont relevés en chignon sur le calque — et sans la draperie passant sur le bras gauche du modèle, abandonnée pour le calque.

PARIS, ECOLE NATIONALE SUPERIEURE DES BEAUX-ARTS

31. *Figure décorative* (étude pour le château de Dampierre)

DESSIN : Sanguine sur papier gris-bleuté contrecollé sur papier bleu foncé. H. 0,675 ; L. 0,465 (environ). Marques *Hte Flandrin* (Lugt 933) et de l'Ecole des Beaux-Arts (Lugt 829), b.d.

HISTORIQUE : *cf.* le n° précédent. — N° d'inventaire : 1777.

ŒUVRES EN RAPPORT : Un calque de cette étude, piqué pour le transfert, dans le fonds de la famille de l'artiste. Signalons quelques modifications de détails, comme l'abandon pour le calque des motifs végétaux qui ornent ici la coiffure.

Ces deux superbes études, inédites, s'inscrivent tout naturellement dans la tradition de certains nus féminins d'Ingres dont les anatomies délibérément déformées sont empreintes d'une puissante sensualité. S'y ajoutent, pour la connais-

sance des décorations de Dampierre, un dessin technique similaire, appartenant au musée de Pontoise (*cf.* le n° 29) ainsi qu'un ensemble de calques, signalé par Mme Lanvin chez les héritiers de l'artiste, d'après les dessins originaux de Flandrin (*cf.* deux exemples exposés ici aux n°s 32 et 33).). *Ph.G.*

PARIS, ECOLE NATIONALE SUPERIEURE DES BEAUX-ARTS.

32. *Femme se coiffant* (pour le décor de Dampierre)

DESSIN : Mine de plomb sur calque jauni. H. 0,64 ; L. 0,38. Contours piquetés en vue du report sur le mur.

HISTORIQUE : Fonds Flandrin transmis par héritage familial aux descendants de Paul Flandrin.

BIBLIOGRAPHIE : Lanvin, 1967, t. I, p. 205.

Ce dessin fait partie d'un ensemble de treize figures féminines dessinés sur calque et directement préparatoires aux décorations de Dampierre.
« *Sur de grands calques jaunis, salis, passés, piqués ou froissés* », écrivait Mme Lanvin en 1967, alors que les dessins étaient encore dans un atelier de la famille Flandrin à Sèvres, « *entassés dans de poussiéreux cartons, nous avons pu admirer ces treize merveilleux dessins au trait eux-mêmes déjà synthèses de plusieurs croquis…*
« *Ces attitudes variées correspondent exactement traits pour traits, mesures pour mesures aux figures peintes sur le plafond de Dampierre décrites précédemment. Elles ont donc servi pour la mise en place du travail, ce qui est prouvé d'ailleurs par le piquetage à l'épingle des contours de certaines d'entre elles.*
« *Nous retrouvons donc dans ces admirables dessins de femmes la pureté linéaire de certains dessins d'Ingres. Un trait enveloppant, mesuré, jugé digne de l'antique.* »
Il s'agit d'une des huit figures accompagnant les 4 cartouches sur les côtés des tribunes : femmes regardant le spectateur ou se parant de colliers comme ici et plus vivantes, vêtues de tuniques aux tons plus vifs, violet et orange, peut-être parce que moins éclairées que les autres figures.
J.F. et Ch.I.

PARIS, COLLECTION PARTICULIERE

33. *Putto ailé tenant une palme* (pour le décor de Dampierre)

DESSIN : Mine de plomb sur papier calque. H. 0,497 ; L. 0,347. Contours piquetés en vue du report sur le mur.

HISTORIQUE : *cf.* le n° précédent.

BIBLIOGRAPHIE : *cf.* le n° précédent.

Le décor de Dampierre peint par Hippolyte Flandrin comporte entre autres 4 amours ailés, placés dans des écoinçons vert antique du même fond que celui des figures féminines citées plus haut. Chacun d'eux tient un attribut : branche de pommier, épi de blé avec coquelicots et bleuets, arc et flèches, palme, ainsi que huit petits amours sur fond pourpre, nantis de flèches et de carquois.

PARIS, COLLECTION PARTICULIERE

29

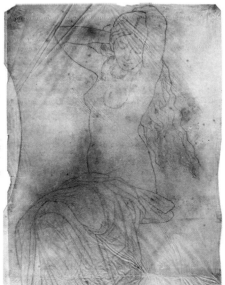

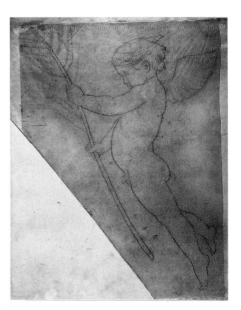

PEINTURES MURALES

LE DÉCOR
DE SAINT-PAUL
A NÎMES
(1846-1849)

Bruno Foucart
Professeur à l'Université de Paris-IV
et à l'Ecole nationale supérieure des Beaux-Arts.

et Christiane Lassalle
Conservateur du Musée du Vieux Nîmes

Hors Saint-Étienne-du-Mont, le destin de Flandrin, en pleine période néo-gothique, allait être de ne travailler que dans des édifices relevant, comme l'on disait alors, du Romano-byzantin, qu'ils fussent anciens ou modernes. Saint-Paul de Nîmes dont la construction s'achevait, apparaissait comme la première grande église néo-romane construite en France. Elle était appelée à faire figure de modèle dans cette famille contestée d'édifices se référant à un style « intermédiaire », de préférence à la grande période classique et française qu'était pour Viollet-le-Duc et l'équipe des *Annales Archéologiques* le XIIIe siècle gothique.

La nouvelle église Saint-Paul à Nîmes [1] avait fait en 1835 l'objet d'un concours national. Le 9 mars 1836, Charles Questel est déclaré vainqueur avec un projet « byzantin ». Le gros œuvre est achevé en 1845, date à laquelle se pose nécessairement la question du décor intérieur. Dès le concours, Questel avait présenté des coupes et élévations intérieures montrant un décor peint, partiel et uniquement décoratif dans la nef, total et comportant des figures dans le chœur. La coupe longitudinale de l'église contresignée par le maire le 12 mai 1836, donc peu après le résultat du concours (Musée de Nîmes, n° 34 de la présente exposition) montre la première pensée de Questel. Il avait lui-même placé des figures, impossibles du reste à identifier et, dix ans plus tard, Flandrin devra sans doute compter avec les dispositions imaginées par l'architecte, même s'il ne les reprend que très partiellement. L'important était dans le parti originel d'un décor mural d'ensemble, nécessaire selon Questel à son architecture. Rohault de Fleury dans son rapport au Conseil des bâtiments civils du 25 juin 1836 (Archives Nationales F 21 1851) estimait du reste que le choix comme modèle d'une « architecture de la décadence » exigeait qu'on y prodigue « les ornements d'architecture, de sculpture et de peinture ».

Le programme décoratif qui inclut tout le mobilier de l'église est examiné par la municipalité le 22 août 1845 [2]. Il s'élève à 219 103,26 francs, dont 50 000 frs pour les peintures et 33 897 frs pour les vitraux. Le projet composé de « quatre feuilles de dessins » est examiné par le Conseil des bâtiments civils le 29 septembre 1845. Le rapporteur Caristie se félicite que le Conseil municipal ait reconnu « qu'en raison de la forme architecturale et du style de l'édifice, l'église ne pouvait être décorée de tableaux et qu'il était absolument nécessaire de l'orner de peintures sur mur ». Il insiste sur « le choix de l'artiste », souhaite que « l'harmonie la plus grande existe entre ces peintures et l'architecture qu'elle doit décorer », qu'elles soient donc « exécutées d'après les indications de l'architecte qui aura à fixer la grandeur et le nombre de figures que devront contenir les vitraux et les peintures sur mur ». Le Conseil confirme le choix premier de la peinture murale et le souci de l'unité, le maître d'œuvre du décor devant être l'architecte. Il revenait en conséquence à Questel de proposer « des mains habiles » en lesquelles il ait toute confiance. Hippolyte Flandrin pour les peintures « d'art », Denuelle pour la partie décorative, Maréchal et Gugnon de Metz pour les vitraux furent ses élus, choix parfaitement modernistes et de toute sécurité. Les décisions furent certainement prises par Questel, même si le maire les approuvait. Une recommandation d'un nîmois, Mourier en faveur de son gendre « Théophile Fragonard [sûrement le fils d'Alexandre-Evariste et le petit-fils de Jean-Honoré] qui a illustré la vie de la Vierge, la vie de Jésus-

1. Sur la construction et la stylistique de l'église, nous renvoyons à notre étude à paraître dans le *Bulletin de la Société de l'histoire de l'art français*, 1984.

2. Les éléments de cette notice ont été rassemblés à partir du dossier conservé aux Archives municipales de Nîmes (M II 200). On a consulté aux Archives Nationales le fonds du Conseil des Bâtiments civils (F^{21} 1851 et F^{21} 2542 (9)).

Décor du chœur avec le cul-de-jour peint par H. Flandrin. Partie ornementale par Denuelle. Architecture et aménagement d'ensemble par Questel.

Christ et les Saints-Évangiles et a fait une édition spéciale du manuscrit byzantin pour Monsieur de Bastard », resta sans suite. La municipalité suivait son architecte.

Contacté par le maire, Flandrin propose le 14 avril 1846 un modèle de contrat dont l'essentiel sera repris dans le « Traité pour l'exécution des peintures murales » signé le 25 août 1846 par le maire, l'architecte et le peintre (Archives municipales). L'article 2 du traité précise que « les peintures seront exécutées à la cire sur des enduits spécialement préparés » ; l'article 3 spécifie que « les figures », d'environ deux mètres de hauteur, seront au nombre de trente-deux au moins, dont cinq pour le cul-de-four de l'abside, « y compris le grand Christ », six « sur chacun des murs latéraux du chœur », sept « dans les deux petites absides », huit « sur les murs latéraux des deux chapelles ». L'article six indique que « Monsieur Flandrin prendra pour règle générale de ses travaux et de leur étendue, du nombre, des dimensions des figures et de leur caractère, les projets et dessins généraux qui lui seront fournis par Monsieur Questel, architecte de l'église. Il aura également à se concerter pour concourir aux rapports harmonieux des différents travaux d'art qui doivent décorer le monument avec Monsieur Maréchal de Metz, chargé de l'exécution des peintures d'ornement ». L'article 5 prévoit en outre « un certain nombre de têtes de saints et d'anges destinés à remplir divers médaillons qui orneront les arcs doubleaux, archivoltes ou toute autre partie de la décoration ». Le règlement sera de 35 000 frs payables pour moitié en 1848, le solde à la réception des travaux. Ceux-ci commencés en 1847 devront être terminés à la fin de 1848.

Cet exceptionnel document (très peu de tels contrats ont été conservés) pour le XIXe siècle est révélateur de ce qui était la grande originalité du décor : le parti de la peinture à l'encaustique, le souci de la convenance avec l'édifice. L'exclusion du tableau qui multiplie les points de vue et rompt l'harmonie architecturale était un des thèmes favoris des tenants du renouveau de l'art religieux. La peinture à la cire, préférée à la mystérieuse et difficile pratique de la fresque, permettait de concilier les avantages de la peinture à l'huile avec les exigences de la peinture murale. La Mairie de Nîmes suit ici les expériences menées à Paris. La collaboration avec l'architecte est d'autre part magnifiée. Il semble bien qu'il y ait eu entre les deux artistes une réelle collaboration et accord sur les décisions. Le parti iconographique n'est toutefois pas précisé, à l'exception du « grand Christ » prévu dans le projet de contrat dû à Flandrin lui-même. Le nombre des figures changera. Sept avaient été prévues pour les absides des chapelles ; Flandrin n'en peindra que cinq, trois pour le *Ravissement de Saint Paul*, deux pour le *Couronnement de la Vierge*. En revanche, il augmentera le nombre des figures peintes sur les murs latéraux des chapelles, passant de huit à vingt-deux. Les théories de vierges (dix) et de martyrs (douze) auraient été bien pauvres avec quatre figures seulement ! Les processions des chapelles latérales n'avaient donc pas encore été imaginées lors de la signature du contrat. L'absence d'indications iconographiques montre que la municipalité et le clergé s'en remettent à l'architecte et au peintre. Les discussions vraisemblables n'ont en tout cas pas laissé de traces.

Le travail de Flandrin se révèlera plus long que prévu. Les événements de la Révolution de 1848 compliqueront la réalisation, la ville devant faire face à des difficultés de trésorerie, mais surtout Flandrin accepte entre-temps, en juillet 1848, la décoration murale de Saint-Vincent-de-Paul à Paris et se trouvera dans une difficile situation de partage. Le mode de règlement est modifié à la demande de l'artiste le 1er août 1847 (Archives municipales). Il recule l'échéance de ses travaux et demande le quart de la somme en février 1848 quand les cartons seront terminés, le deuxième quart à moitié d'exécution en août 1848 et le solde à la fin des travaux. Après la Révolution de 1848, lorsque le nouveau maire l'avertit que la ville n'est pas en état de faire face au paiement

H. Flandrin,
décor de l'absidiole de gauche.

H. Flandrin,
décor de l'absidiole de droite.

convenu, Flandrin propose de recevoir deux mille francs par mois à partir du 1er mai. Il vient à Nîmes une première fois du 16 au 26 octobre 1847 avec son frère Paul et son aide Chancel. Le *Courrier du Gard* du 19 octobre 1847 signale sa présence et celle de Denuelle : « Ils ont déjà commencé leur œuvre à Saint-Paul et espèrent l'avoir terminé avant la fin de 1848. On attend aussi Monsieur Maréchal de Metz ». Louis Flandrin a publié des extraits de lettres d'Hippolyte à son épouse où il dit sa déception devant la mauvaise préparation des enduits [3]. Très vite, il retourne à Paris où il met au point ses compositions. Le maire s'inquiète, d'autant qu'il a appris la commande de Saint-Vincent-de-Paul et rappelle à l'ordre le peintre en mars et septembre 1848 : « Je vous prie, Monsieur, de ne pas différer de vous rendre à Nîmes et de donner aux peintures la marche désirable ». Le 21 mars 1848, Flandrin avait assuré le maire de son bon vouloir : « J'ai passé cet hiver à faire composition de cartons…Dans un mois ou deux au plus tard j'irai en continuer l'exécution sur place » (Archives municipales).

Sept mois plus tard, à défaut de deux, Flandrin assumant ses engagements part avec famille et équipe pour Nîmes où il s'installe du 22 octobre au 4 mai 1849. « Il est aidé par son frère Paul qui après avoir obtenu le prix de Rome a pris un rang honorable parmi les premiers peintres de notre époque. En outre, il a amené avec lui un de ses bons élèves (Louis Lamothe) ainsi que M. Balze (il s'agit de Paul) qui vient de passer son année à Rome à copier pour la France les admirables Stanze de Raphaël » signale à ses concitoyens le peintre nîmois Jules Salles qui allait devenir le biographe de la nouvelle église (*Courrier du Gard*, 9 janvier 1849). La correspondance de Flandrin permet de restituer l'atmosphère de travail acharné de ces six mois. « Nous nous enfermons entre nos quatre murs aussitôt qu'il fait jour, et nous n'en sortons pas aussitôt qu'il fait nuit. Les journées sont trop courtes. Nous travaillons à la lumière (de la lampe)… je t'assure que ç'aura été un fameux coup de collier », écrit Flandrin à Ambroise Thomas [4]. Cependant que la gent Flandrin se consacre au décor de Saint-Paul, les échos de l'extérieur n'arrivent que très assourdis, mais Hippolyte suit avec intérêt les événements politiques, la proclamation de la nouvelle Constitution en novembre 1849 et l'élection de Louis-Napoléon devant Cavaignac et Ledru-Rollin : l'esprit de 1848, les contemporains l'ont relevé, ne sera pas sans avoir soufflé sur les compositions de Nîmes. Le 22 avril 1849, Flandrin peut annoncer à Baltard : « Je finis ». Il va enfin revenir à Paris et se consacrer entièrement au grand œuvre de Saint-Vincent-de-Paul. Si Flandrin a exécuté le décor de Nîmes avant celui de Saint-Vincent, il est certain qu'il a pensé en même temps aux deux commandes et expérimenté dans l'une les solutions de l'autre. Mais il ne serait pas juste de croire que Nîmes a été le simple banc d'essai de Paris. En fait, Flandrin, poussé par la

3. Lettre du 16 octobre 1847. Citée dans Louis Flandrin, *Hippolyte Flandrin, sa vie et son œuvre*, 1902, p. 171.

4. Lettre du 5 janvier 1849. Cf. H. Delaborde, *Lettres et Pensées d'Hippolyte Flandrin*, 1865, p. 373. Les lettres 15 à 22 publiées par Delaborde viennent de Nîmes.

responsabilité parisienne, a voulu que Nîmes soit une grande réussite. Les deux commandes sont devenues complémentaires.

Le programme du traité prévoyait le décor du chœur et des deux chapelles latérales. Dans le cul-de-four de l'abside centrale Flandrin a représenté le « grand Christ » assis entre saint Pierre à sa droite et saint Paul à sa gauche debout, flanqués eux-mêmes de l'alpha et de l'oméga. Aux pieds du trône se prosternent à la droite du Christ (soit la place privilégiée) un esclave et à sa gauche un roi. Au milieu de l'abside, au-dessus des stalles et immédiatement sous les baies, court une inscription : « Quam dilecta tabernacula tua Domine. Virtutum concupiscit et deficit anima mea in atria Domini ». Sur les côtés du chœur, en haut et au-dessus des grandes arcades sont représentés, assis deux par deux de part et d'autre d'une baie, au nord les pères de l'Église d'Orient, Basile et Grégoire de Nazianze, Jean-Chrysostome et Athanase, au sud les pères de l'Église d'Orient, Basile et Grégoire de Nazianze, Jean-Chrysostome et Athanase, au sud les pères de l'Église latine, Ambroise et Augustin, Jérôme et Léon le Grand. De part et d'autre des grandes arcades du chœur, les Evangélistes sont figurés debout au-dessus de leurs symboles avec au nord Luc et Mathieu, au sud Marc et Jean. Des archanges volent dans les écoinçons. L'inscription « Sanctus, Sanctus, Sanctus » renvoie à l'Apocalypse.

Dans le cul-de-four de la chapelle latérale nord Flandrin a peint le *Couronnement de la Vierge*. Sur la paroi du mur nord, face à l'arcade du chœur, s'avance une procession de dix vierges. On lit au-dessous : « Afferentur regi virgines post eam. Adducuntur in templum regis » (Psaume XXXXV, 15-16). Au-dessus des vierges, deux anges, ailes dressées, tiennent l'un un lys et deux couronnes, « Fructus spiritus castitas », l'autre un cierge et deux couronnes, « Fructus spiritus charitas ». Dans le cul-de-four de la chapelle sud est peint le *Ravissement de saint Paul* (Seconde Epître aux Corinthiens, XII, 2-5). Saint Paul est « ravi jusqu'au troisième ciel » entre deux anges à genoux, tenant l'un un livre, l'autre une épée. Sur le mur latéral sud s'avance une procession de douze martyrs que surmontent deux anges tenant l'un un glaive et une couronne : « Exuit vincens », l'autre un joug et une palme : « Dirupit vincula mea ». Sous la théorie des martyrs se lit une inscription tirée de l'Apocalypse (VII, 14) : « Hi sunt cui venerunt de tribulatione magna et laverunt stolas suas in sanguine agni ».

Pour que la lecture du programme iconographique soit complète, il faut évidemment intégrer les vitraux de Maréchal et Gugnon. Dans l'abside centrale ils sont voués aux saints avec Trophime, Denis, Jean-Baptiste, Saturnin, Martin, dans les chapelles latérales ils illustrent la famille et l'histoire de la Vierge, les compagnons et la vie de saint Paul. Jules Salles avait été particulièrement sensible à l'ambition et à l'équilibre du programme iconographique. « Nous ne savons si l'idée de faire du Christ le principal personnage appartient à l'architecte ou au peintre. En tout cas, nous ne saurions trop les louer de n'avoir point adopté l'usage reçu dans presque toutes nos églises modernes qui consiste à réserver la place la plus importante au Saint, patron de la paroisse. Il nous semble que dans un temple chrétien, l'idée du Seigneur doit dominer tout » [5]. Dans cette ville de présence protestante un programme aussi christocentrique et paulinien, même s'il faisait place à Marie, avait vocation œcuménique.

Le rôle donné aux « figures » (de préférence aux scènes réservées aux vitraux) chargées à elles seules d'exprimer des notions aussi complexes que le rapport entre la révélation et la tradition, l'unité des églises, le rôle de la Vierge, l'infusion de la grâce, les attitudes de la vie militante est révélateur du génie rhétorique de Flandrin dont les personnages ont pour charge de dire le plus avec le minimum de gestes. Le Christ accueillant l'esclave comme le roi parlait au cœur de ceux qui venaient de vivre les espoirs de 1848. Lorsque le maire Eyssette remet les clefs de l'église à l'évêque de Nîmes le 14 novembre 1849, il salue le « Roi de gloire » (le maire ne semble pas reconnaître le Christ dans la figure divine) qui

5. Jules Salles, *Notice sur l'église Saint-Paul de Nîmes*, 1849, p. 31.

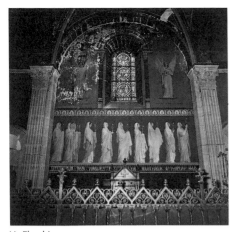

H. Flandrin,
frise des Martyrs,
mur de droite du chœur.

H. Flandrin,
frise des Vierges,
mur de gauche du chœur.

« confond à ses pieds, dans une égalité sublime, le prince et l'esclave ; le dieu vers lequel les peuples tournent leur regard au moment des grandes défaillances sociales » *(Courrier du Gard*, 20 novembre 1849). Flandrin avait inventé un nouveau Christ de Majesté intégrant le rêve du Christ social et humanitaire.

On aurait aimé pouvoir suivre l'élaboration par Flandrin de sa composition. En l'absence, sans doute temporaire, d'esquisses repérées, les indications données par l'album « Cécile » qui conserve quelques dessins pour Nîmes sont essentielles. Ainsi pour le *Ravissement de saint Paul* trois dessins permettent de voir comment Flandrin a d'abord pensé à une composition à cinq figures, Paul entouré de deux personnes étant soutenu par deux anges, puis fait disparaître les deux personnages et trouve enfin la solution des anges à genoux et séparés du saint. Leurs ailes dressées, leur mouvement respectueux d'écart suffisent à communiquer visuellement le ravissement du saint, le mystère qui possède « cet homme en qui la puissance de Dieu éclate d'une manière si évidente » [6]. On se rappelle que le traité d'août 1846 prévoyait sept figures pour les absides latérales. Si la composition du *Couronnement* pouvait se suffire du Christ et de la Vierge, le dessin du *Ravissement* de l'album « Cécile » avec ses cinq figures doit correspondre au tout premier état de la pensée de Flandrin.

La procession des vierges et des martyrs est certainement l'invention et l'apport personnels de Flandrin, d'autant que Questel dans la coupe datée de 1836 n'avait pas prévu de décor peint à cet emplacement. Le passage des huit figures du traité au vingt-deux définitives est, comme on l'a dit, un autre signe de cette initiative. Les quelques études de l'album « Cécile » montrent comment Flandrin est arrivé progressivement et difficilement à mettre en place ses processions. Un dessin (qui peut correspondre également à une pensée pour Saint-Vincent-de-Paul) plante entre neuf vierges un palmier qui sera heureusement supprimé. Toutes ne tiennent pas de vases alors que toutes en seront munies dans la version finale, comme si Flandrin voulait éviter d'inutiles variations. Une des études de l'album « Cécile » présente une vierge les yeux tournés vers les spectateurs, alors que sur le mur toutes les compagnes regardent vers l'autel de Marie. Le souci de la diversité dans l'unité a permis un seul et expressif mouvement : la progressive élévation des yeux au fur et à mesure que les vierges se rapprochent de l'autel. D'une vierge à l'autre les vases sont présentés de plus en plus haut, les mains se couvrent et se découvrent. C'est par des moyens aussi limités que Flandrin parvient à donner une telle tension à une scène aussi retenue.

6. *Id., ibid.*, p. 37.

La grande question, immédiatement posée par la critique, de Jules Salles dans sa monographie à Saint-René Taillandier dans la livraison de mai 1849 de la *Revue des Deux-Mondes* ou A. de Pont-Martin dans l'*Opinion publique* du 11 octobre 1849, est celle du préraphaélisme. Tous soulignent la correspondance entre l'architecture néo-romane et le décor néo-byzantin. Le fond or de l'abside centrale, qui contraste avec les fonds bleu des absides latérales, la disproportion de la taille du Christ avec celle des saints et surtout du roi et de l'esclave apparaissaient comme des références volontaires à des schèmes byzantins. Comment ne pas penser aux Pères de l'Eglise gémellés de Santa Maria in Trastevere à Rome, comment surtout ne pas invoquer les processions des martyrs de San Apollinare Nuovo de Ravenne que Flandrin du reste n'a pas visité ? L'important est que ces primitivismes n'aient pas été compris comme des citations littérales et que les yeux contemporains aient été tout autant sensibles à la modernité de Flandrin. C'est cette double et juste perception qu'il faut essayer de retrouver.

Jules Salles, après avoir indiqué que Flandrin et Questel voulaient que la peinture concourût « à donner au monument le cachet caractéristique de ces époques de foi imprimé aux monuments des Xe et XIe siècles », ajoute que Flandrin « s'il a emprunté au XIIe siècle la pensée intime de ses compositions a su éviter l'archaïsme, joindre la grâce du Moyen Age à la science de la Renaissance » [7]. Ce glissement d'un siècle à l'autre, du Xe au XIIe, est révélateur de la compréhension des contemporains qui ne superposaient pas les créations de Flandrin avec celles des hautes époques.

Pontmartin a la même réaction. « Qu'il a fallu de tact et de goût pour faire la part de l'ornementation byzantine sans tomber dans l'archaïsme, sans oublier que les progrès matériels de la peinture font justement taxer de puérilité et d'afféterie ces essais de naïveté rétrospective » [8]. Les références de Flandrin s'adressent en effet aussi bien à Fra Angelico, comme dans le *Couronnement* directement inspiré de celui du Couvent Saint-Marc de Florence (Flandrin copie des œuvres de Fra Angelico à Florence en 1835 et 1837), qu'à Raphaël puisque le saint Paul du *Ravissement* est une version moderne du Christ de la *Transfiguration*. Le fait que les martyrs de la chapelle Sud soient également tous des portraits (on reconnaît selon Louis Flandrin de l'Ouest à l'Est Denuelle et Lamothe, Paul et Hippolyte, l'inspecteur des travaux Durand, le sculpteur Colin, Paul Balze, l'architecte Feuchère, l'ébéniste Bernard, l'entrepreneur Arnavielle, l'hôte et ami Roussel et enfin Questel) confirme que pour Flandrin, et selon la meilleure leçon d'Ingres, l'idéal devait toujours s'incarner par des études sur le modèle. Si l'on admet que les choix architecturaux de Questel revenaient à redonner vie à la tradition classique et romaine à travers la méditation d'une architecture nationale, l'archaïsme de Flandrin était le moyen de rendre à nouveau sève à une peinture religieuse qui serait inspirée et savante, qui concilierait la tradition et la modernité, Angelico et Raphaël.

Quelques dessins de l'album « Cécile » semblent montrer qu'il fut question un moment de confier à Flandrin le décor du reste de l'église. On connaît ainsi une très sommaire esquisse pour la coupole du transept ; une autre semble concerner les chapelles des bras du transept. Sur un calque de l'album « Cécile » figurant le *Mariage de la Vierge* et la *Résurrection du Christ*, Flandrin avait ébauché un projet non daté de contrat : « Pour remplir convenablement les places et exprimer les sujets demandés, il faudrait au moins quarante figures. Ce qui en prenant pour base les conditions de mon traité avec la Ville, c'est-à-dire mille francs par figure, porterait la somme totale à quarante mille francs ». Ce projet resta à l'état de rêve. De même, Flandrin ne réalisa pas le chemin de croix, comme Questel l'aurait désiré. Dans une lettre du 27 avril 1852 (Archives municipales), ce dernier évoque la possibilité « de faire dessiner par M. Flandrin quatorze compositions qui seraient ensuite gravées sur marbre ou sur pierre », comme cela avait été fait pour le motif central du dallage devant l'autel. Le pouvoir de l'art de Flandrin appelait une présence toujours plus forte.

7. *Id., ibid.*, pp. 28 et 30.

8. Cité dans L. Flandrin, *op. cit.*, p. 178.

34

34. Projet de l'architecte Questel (1807-1888) de Saint-Paul de Nîmes : coupe longitudinale (1836)

DESSIN AQUARELLE : H. 0,645 ; L. 0,86. S.D.b.d. : *Nîmes le 12 mai 1836. C. Questel architecte.* Inscriptions, b.d. : *Vu par le Préfet du Gard S.A. de Jessaint. Vu par Nous Maire de Nîmes / à Nîmes le 12 mai 1836. Ferdinand Girard.* [les signatures sont peu déchiffrables] ; autre inscription, h.g. : *Epigraphe / Le Seigneur lui dit : quand vous avez eu la volonté d'élever une maison en mon nom, vous avez bien fait. Ancien Testament. Les Paralipomènes. Liv. 2. Chap. 6. Vers. 8.*

HISTORIQUE : Don de l'auteur, l'architecte Charles-Auguste Questel, 1879 avec 12 autres de ses dessins aquarellés, tous relatifs à Saint-Paul de Nîmes.
Il y a quelques années, une partie de ces dessins furent retrouvés par M. et Mme Lassalle, conservateurs des musées de Nîmes, au Musée du Vieux Nîmes, une autre dans les combles du Musée des Beaux-Arts où ils servaient malheureusement de cartons de séparation dans des casiers de tableaux de réserve ! De fait, beaucoup ont souffert et demandent à être restaurés. La restauration de cet ensemble de grande qualité a été commen-

cée en vue de la présente exposition qui n'en présente ici qu'un petit choix significatif ; une étude exhaustive du fonds, due à Bruno Foucart et Christiane Lassalle, est en cours de publication. — N° d'inventaire : I P 946-2.

BIBLIOGRAPHIE : Catalogue du musée, 1940, partie du n° 34 p. 42 (13 dessins encadrés de Questel) ; Foucart et Lassalle, 1984, à paraître.

Pièce essentielle et inédite à verser au dossier de l'histoire de Saint-Paul de Nîmes, comme le prouvent d'ailleurs les signatures et inscriptions lisibles en bas à droite, c'est ce dessin qui fut retenu en 1836 par le Conseil Municipal parmi onze autres. Il a l'extrême intérêt de nous montrer une décoration peinte imaginée par Questel (il en était donc prévu une de toute façon) bien avant l'intervention de Denuelle et de Flandrin et certes dans un esprit beaucoup plus discret et parcimonieux : pas de frises latérales par exemple au niveau de l'autel principal !

J.F.

NIMES, MUSEE DES BEAUX-ARTS

35 a, b, c, d.

36

35. **Décoration de l'église Saint-Paul de Nîmes. Ensemble de quatre dessins aquarellés de Questel et de Denuelle**

(1849)

A. *Coupe longitudinale de l'église.*
P.H. 1,01 ; L. 1,14. S.b.d. : *Ch. Questel architecte.* Inscriptions. : h. : *Eglise St Paul à Nismes ; -* b. : *Echelle de 0,015 p. M.* suivi d'un étalonnage, plus à droite. — N° d'inventaire : IP 942-1-1.

B. *Coupe transversale sur le chœur et les absidioles latérales.*
P.H. 0,80 ; L. 1,01. S.b. au milieu : *Adre [Alexandre] Denuelle peintre.* Inscription sous le dessin · *Eglise St Paul de Nîmes.* N° d'inventaire : IP 921-1-1.

C. *Coupe longitudinale du chœur.*
P.H. 0,87 ; L. 0,88. S.b.d : *Adre Denuelle peintre ;* h.g. au départ du cul-de-four central : *Hte Flandrin. P^it A. Denuelle ornavit monumentum.* Inscription sous le dessin : *Eglise St Paul de Nîmes. Coupe longitudinale du chœur. Echelle de 0,04 P.M.* — N° d'inventaire : IP 921-1-2.

D. *Vue d'ensemble de la nef et du chœur.*
P.H. 1,16 ; L. 0,81. — N° d'inventaire : IP 942-1-5.

HISTORIQUE : *Cf.* le n° précédent.

EXPOSITIONS : Paris, 1852, n° 1704 (Denuelle : « Décoration du Chœur de l'église Saint-Paul de Nîmes : 1er Coupe longitudinale, échelle de 0,04 centimètres pour mètre. 2e Coupe transversale (même échelle) » ; même exposition, n° 1746 ? (Questel : « Eglise Saint-Paul à Nîmes, commencée en 1838 et dédiée le 14 novembre 1849. Plans, coupes, élévations, détails et vue perspective (13 dessins) » ; Paris, 1855, n° 4911 ? (Denuelle : « Décoration du Chœur de l'Eglise Saint-Paul de Nîmes (Gard) ; trois dessins *même numéro* : 1er Coupe transversale du Chœur ; 2e Coupe longitudinale ; 3e Détails de l'exécution » ;.) ; Paris, 1865, n° 76 ? (« Coupe longitudinale du Chœur, aquarelle, 1849 ») et n° 77 (« Coupe transversale du Chœur, aquarelle, 1849 ») avec le commentaire : « Ces deux aquarelles ont été faites par M. Denuelle, d'après les peintures murales d'Hippolyte Flandrin ».

BIBLIOGRAPHIE . *Cf* le n° précédent.

Vu l'étroite collaboration interdisciplinaire de l'architecte qui supervise tout et du peintre décorateur, il est difficile de distinguer ici de façon rigoureuse la part de Questel et celle de Denuelle (Alexandre Denuelle, 1818-1879), mis à part les deux dessins expressément signés de ce dernier (vues du chœur) dans lesquels, au demeurant, l'accent est visiblement mis sur la partie décorative, riche et colorée à souhait. D'une façon globale, le travail de décoration de l'église est tel qu'on peut y supposer une participation de Denuelle relativement large et originale, dans l'esprit même de ce qu'il avait déjà opéré à Saint-Germain-des-Prés, de concert avec Baltard et Flandrin, *cf.* n° 52. Pour le reste, on peut supposer que les vues plus généralement architecturales sont de Questel ou tout au moins de son agence. Quelqu'en soit l'auteur, il s'agit de toute façon de vues faites après coup (ce qu'admet nettement le livret de 1865), puisque les peintures de Flandrin y sont scrupuleusement reproduites jusque dans le détail. Sur la *Vue transversale du Chœur,* on peut même relever le nom de Flandrin, au bas d'une des peintures reproduites, fait bien observé par Denuelle pour souligner la participation du peintre, car il semble évidemment exclu, comme le montre *a contrario* son premier

dessin de 1836 où il avait prévu une décoration toute différente, que Questel soit allé jusqu'à régenter de près les projets décoratifs de Flandrin.

Un certain nombre de ces dessins de Saint-Paul de Nîmes semblent pouvoir s'identifier pour des raisons de sujet et d'échelle (il y a coïncidence précise sur ce dernier point) avec ceux que Denuelle et Questel présentèrent comme tels aux Salons de 1852 et de 1855. On remarquera à cet égard que Denuelle en expose effectivement quelques-uns sous son nom, parallèlement à Questel, preuve qu'en les donnant tous en 1879 comme travaux de sa propre main, Questel pêchait quelque peu par « mandarinisme », réalité fréquente, comme on le sait, dans le domaine de l'architecture…

On peut se demander si Questel ne s'est pas représenté lui-même sur le dessin qui représente la nef et le chœur (n° 35 D), dessin d'ailleurs plus « architecturiste » que les autres. Rappelons ici que Questel figure bien sûr comme les Flandrin eux-mêmes dans une des frises du chœur et que Paul Flandrin a dessiné Questel de profil (dessin, s.d. Nîmes, 18 janvier 1849 ; Galerie Fischer-Kiener, Paris, 1977, n° 17, repr.). *J.F.*

NIMES, MUSÉE DES BEAUX-ARTS

36. *Hippolyte peignant le Christ à Saint-Paul de Nîmes.*

DESSINS : Mine de plomb, plume et aquarelle. H.0,335; L. 0,255. S.D.b.g. : *H.F. 24 x^re 1848.*

HISTORIQUE : Fonds familial Flandrin.

BIBLIOGRAPHIE : Lanvin, 1967, t. II, p. 80.

ŒUVRES EN RAPPORT : Deux calques du présent dessin existent dans le Fonds familial Flandrin, dont un dédié par l'artiste : « à sa bonne mère - 1 Sep^bre 1849 - Souvenir de Nismes », ce qui atteste le vif succès familial que dut rencontrer la présente composition, délibérément répétée par Hippolyte en plusieurs exemplaires.

Vision charmante et non dénuée d'un certain humour, dans laquelle Flandrin se montre dans son accoutrement de peintre d'église, en cape et capuchon (le travail dans le froid des églises était fort pénible… et harassant) tout en accomplissant un rite secret d'une extrême délicatesse qu'a rapporté Delaborde (1865, p. 42-43) :
« … *en décorant l'église Saint-Paul à Nîmes, il inscrivait dans l'épaisseur d'un pli de la draperie du Christ et à la hauteur du cœur, les noms de son père, de sa mère, de sa sœur et de ses frères, de sa femme et de ses enfants, de tous ceux qu'il avait perdus ou que Dieu lui avait laissés, de tous ceux qu'il aimait. Etait-ce donc pour afficher sa foi, pour en publier les tendresses ? A la distance où la figure est placée, ces inscriptions sont absolument invisibles, et d'ailleurs Flandrin n'avait confié le fait qu'à une seule personne* [son frère Paul, sans doute], *en*

lui recommandant le secret. Non, un pareil ex-voto *ne prétendait qu'au regard de Dieu, et n'avait, sous la main qui le traçait, que le caractère sacré d'une prière.* »   J.F. et Ch.L.

37

37. Etude de la tête du *Christ*

DESSIN : Mine de plomb et estampe sur papier ocre préparé. H. 0,248 ; L. 0,178. Marque *Hte Flandrin* (Lugt 933), b.g.

HISTORIQUE : Fonds familial Flandrin.

BIBLIOGRAPHIE : Lanvin, 1967, t. II, p. 80.

ŒUVRES EN RAPPORT : Lithographie par Flandrin lui-même du Christ de Nîmes, en 1851 (Paris, 1865, n° 78).

Magnifique étude qui se suffit à elle-même dans ce puissant et paradoxal modelé plat aux hachures fondues, à situer en quelque sorte entre Carrière et Seurat ! Noter à cet égard le superbe détail des yeux estompés et vagues et d'autant plus suggestifs qu'ils sont à peine indiqués, infiniment présents par et dans leur indéfinition même !
Le Christ est d'une beauté « gothique » qui ne doit certes rien aux Pantocrators romano-byzantins ou paléo-chrétiens d'Italie : une heureuse filiation franco-médiévale (Christs de Reims, de Paris ou d'Amiens) à souligner, même si elle n'a plus rien de spécifiquement original à cette époque !   J.F.

38. Etude pour la figure de *saint Basile*

DESSIN : Mine de plomb/papier beige contrecollé sur carton : 0,204 × 0,142. Marque : Hte Flandrin (Lugt 933) en b.d. ; marque de la collection Edouard Gatteaux (Lugt 852) en bas à gauche ; marque de l'Ecole des Beaux-Art (L. 830) et numéro de prise en charge (11990) b.d. Annoté en bas, vers le centre, à la mine de plomb : *2e côté gauche.*

HISTORIQUE : Collection du sculpteur et graveur Edouard Gatteaux (1788-1881), ami de l'artiste ; legs Gatteaux à l'Ecole des Beaux-Arts, 1881-1883. Ce dessin, ainsi d'ailleurs que celui de saint Jean Chrysostome (n° 39), faisait très certainement partie des cinq dessins mentionnés par le catalogue de la vente posthume de Flandrin sous le numéro 279 du catalogue : « Cinq autres Etudes pour ces Figures [des Docteurs] » ; le nom de Gatteaux apparaît en effet parmi ceux des collectionneurs qui se partagèrent ce lot, ainsi qu'il possible de le déterminer grâce à un exemplaire annoté du catalogue en possession de Mlle Marthe Flandrin, à Paris. Sur Gatteaux, *Cf.* n° 28. — N° d'inventaire : 903.

BIBLIOGRAPHIE : E. Müntz, s.d. [1889], p. 187 (« Un prophète assis de face, la tête nimbée, un rouleau dans la main gauche. Etude au crayon. ») ; Audin et Vial, 1918, t. I, p. 344 (« *Prophète*, étude au crayon ».) ; Lanvin, 1967, t. II, p. 34.

Comme l'indique succinctement l'annotation portée sur le dessin, il s'agit d'une étude de personnage de saint Basile pour la série des quatre Pères de l'Eglise d'Orient (Grégoire, Basile, Jean Chrysostome et Athanase), série qui effectivement se trouve sur le *côté gauche* de l'église et où Basile est représenté le *second* (en regardant de gauche à droite) après saint Grégoire.

On remarquera quelques variantes entre cette étude et la figure définitive. L'avant-bras droit du saint est nu dans le dessin, le drapé du vêtement est différent, le saint porte en outre dans l'œuvre définitive une étole qui n'apparaît pas ici. *Ph. G.*

PARIS, ECOLE NATIONALE SUPERIEURE DES BEAUX-ARTS.

39. **Etude pour la figure de *saint Jean Chrysostome***

DESSIN : Mine de plomb papier beige contrecollé sur carton : 0,199 × 0,127. Marque Hte Flandrin (L. 933), b.d., marque de la collection Edouard Gatteaux (Lugt 852) en bas, à gauche ; marque de l'Ecole des Beaux-Arts (Lugt 830) et numéro de prise en charge (11990), b.d. vers le bas. — N° d'inventaire : 904.

HISTORIQUE : *Cf.* le n° précédent et le n° 28.

BIBLIOGRAPHIE : Lanvin, 1967, t. II, p. 84.

Ce dessin est très semblable à celui du *Saint Basile* (n° précédent), avec quelques différences similaires par rapport à l'œuvre définitive. Seule l'étude du visage est ici nettement plus expressive, ainsi que le fait justement remarquer Mme Lanvin dans sa thèse. *Ph. G.*

PARIS, ECOLE NATIONALE SUPERIEURE DES BEAUX-ARTS.

40. ***Cortège de saintes* (pour Nîmes ou pour Saint-Vincent-de-Paul ?)**

DESSIN . Carton. H. 0,12 ; L. 0,33.

HISTORIQUE : Fonds familial Flandrin.

ŒUVRES EN RAPPORT : Dessin analogue dans l'*Album* exposé sous le n° 135, et classé là avec des dessins relatifs à Nîmes.

Petite étude inédite d'un savoureux charme pictural et d'un grand intérêt thématique : la file de saintes à droite, porteuses de fleurs et relevant progressivement la tête renvoie évidemment au décor de Nîmes, mais le palmier central (motif tiré des mosaïques italo-byzantines de Ravenne, omis à Nîmes mais présent à Saint-Vincent) et les saintes de gauche parlent plutôt en faveur de Saint-Vincent de Paul (avec de substantielles variantes). S'agit-il alors d'une première pensée pour Nîmes qui a pu resservir ensuite partiellement pour l'église parisienne ? Après tout, la campagne de Nîmes fut immédiatement suivie par celle de Saint-Vincent-de-Paul et, de ce fait, les idées de la première ont bien pu interférer avec les recherches de la seconde. On notera l'intéressante utilisation de deux fonds différents pour l'idée-force de Flandrin qu'est la frise de figures sacrées. Le palmier en acquiert du coup une fonction ornementale plus évidente. Or, à Nîmes comme à Saint-Vincent-de-Paul, les fonds sont unis (bleu sombre à Nîmes, doré à Paris). *J.F.*

PARIS, COLLECTION PARTICULIERE

38

39

40

PEINTURES MURALES

LES PEINTURES MURALES DE L'EGLISE SAINT-VINCENT-DE-PAUL A PARIS (1848-1853)

Daniel Imbert

Conservateur du Service des objets d'art
des églises de la Ville de Paris.

L'histoire est peu avare de ces retournements de fortune qui plongent dans l'ombre des œuvres célébrées en leur temps. Les peintures murales qu'Hippolyte Flandrin exécuta au XIXᵉ siècle dans la nef de l'église Saint-Vincent-de-Paul, accueillies à leur époque avec la même faveur que l'ensemble architectural auquel elles s'intègrent avec intelligence, méconnues aujourd'hui dans une église peu visitée, n'ont pas échappé au courant de désintérêt pour l'art mural du siècle dernier, peinture d'histoire où leurs auteurs plaçaient l'essentiel de leurs ambitions.

Peintes sur un fond couleur d'or qui donne à la pierre l'aspect d'une mosaïque précieuse, elles montrent à l'entrée, sous le grand orgue, saint Pierre et saint Paul évangélisant le monde romain et les peuples d'Orient. Le long des murs de la nef, en deux longues frises parallèles, s'avancent les saints : à droite, les confesseurs, les évêques, les docteurs de l'église, puis les saints martyrs que précèdent les apôtres ; à gauche, selon une composition identique, se suivent en groupes isolés les saints époux, les pénitents et deux groupes de saintes femmes que devancent les saintes vierges et les vierges martyres ; en tête des cortèges, deux anges, peints de chaque côté sur les montants de l'arc triomphal, introduisent les *chœurs* dans le sanctuaire.

Il est peu contestable que l'ensemble unit avec rigueur l'évidence du programme et l'habileté de la composition. Sa clarté est pourtant le fruit d'influences, de recherches et d'hésitations mal connues, que ces pages ont pour objet d'évoquer, après avoir retracé l'histoire complexe d'une commande où le nom de Flandrin n'intervient que tardivement. Suivront quelques mots sur l'accueil que les contemporains réservèrent aux peintures.

La patience obstinée de l'architecte Hittorff, les tergiversations de l'administration parisienne, certainement effrayée devant l'ampleur et le coût de la commande, les valse-hésitations de deux artistes (Ary Scheffer et Ingres) sont les principaux fils conducteurs des dix années qui précèdent la désignation conjointe, le 1ᵉʳ juillet 1848 [1] de Flandrin et de Picot, chargé, lui, de peindre dans le chœur de l'église, la coupole du sanctuaire et la frise au-dessous.

En juin 1838 [2], l'architecte en chef, Lepère, et son adjoint, Hittorff [3], remettent au préfet de la Seine, le comte de Rambuteau, un long mémoire qui lui soumet leurs idées « *sur l'application la plus convenable à faire de la peinture historique et de la sculpture statuaire pour le complément décoratif de l'église* » [4]. Ils demandent qu'on leur reconnaisse la responsabilité de l'entreprise jusqu'à son complet achèvement. Le texte, on ne s'en étonnera pas, défend la théorie de l'architecture polychrome qui doit, dans la pensée des architectes, faire de l'église Saint-Vincent-de-Paul la rivale moderne des plus grands monuments de l'histoire architecturale. Nous ne retiendrons que deux idées qui expliquent certains partis du décor tel qu'il fut exécuté.

Les peintures de la nef et du chœur devaient être faites sur des fonds d'or pour « donner à la pierre l'aspect d'une matière précieuse » et respecter les formes architecturales (même si elles ont été exécutées sur un fond ocre, l'esprit reste le même). On utiliserait la peinture à la cire qui, « procurant les moyens d'atteindre la vigueur de l'huile et la fraîcheur de la fresque, réunit toutes les qualités de l'une et de l'autre ». D'autre part, pour garantir l'unité de style, la commande ne devait être confiée « qu'à un seul artiste, tout au plus deux, l'un qui serait chargé d'exécuter (dans la nef) les treize sujets de la vie de saint Vincent de Paul ; l'autre qui peindrait la grande voûte et les sept sacrements de la frise en dessous ».

Ce n'est pourtant qu'en 1841, sans doute vers la fin de l'année, que le Conseil municipal accepte dans son principe l'exécution des peintures dans les parties du monument indiquées par les architectes [5]. Cette décision formelle s'accompagne encore d'hésitations : les esquisses que le comte de Rambuteau propose au peintre Ary Scheffer d'exécuter, ne concernent que le seul décor du sanctuaire.

1. Archives de Paris, versement 10624/72/1, liasse 76, hippolyte Flandrin.

2. Bibliothèque Doucet, *Architectes*, carton 31 ; Hittorff précise cette date dans une lettre qu'il adresse au directeur de *L'Artiste* le 6 octobre 1841.

3. Bibliothèque historique de la Ville de Paris, *Construction de la nouvelle église Saint-Vincent-de-Paul,* registre n° 3, fol. 90 r°, C.P. 3636 : Hittorff ne fut nommé architecte en chef de l'église qu'à la mort de Lepère en 1844.

4. *L'Artiste,* janv. 1842, « Mémoire présenté par MM. Lepère et Hittorff, architectes, à M. le préfet de la Seine ».

5. Bibliothèque Doucet, *Architectes,* carton 31 : Hittorff annonce la réunion prochaine du conseil municipal dans une lettre au directeur de *L'Artiste* le 29 oct. 1841.

H. Flandrin,
frise de la nef
en direction
du chœur,
(côté droit).

Frise de la nef
en direction
du chœur,
(côté gauche).

6. Bibliothèque historique de la Ville de Paris, registre cité, fol. 75 et 76 r° : Hittorff au préfet, 26 févr. 1844.

7. Bibliothèque historique de la Ville de Paris, registre cité, fol. 100 v° : Hittorff à M. Moreau, conseiller municipal, 30 avril 1845 ; fol. 101 r° : Hittorff à M. Sanson Davilliers, conseiller municipal, id..

8. Le Moniteur, 8 juin 1845.

9. cf. Flandrin, 1902, p. 205 : l'auteur fait état d'une commande du décor passée à Delaroche dès 1838 ; Delaborde, p. 92 d'un refus du même peintre après le désistement d'Ingres.

10. Bibliothèque historique de la Ville de Paris, registre cité, fol. 102 v° et 103 r° : Hittorff à César Daly, 1er août 1845.

11. Archives de Paris, lettre a.s. Ingres à Rambuteau, 10 mars 1847, D4AZ 1132.

12. Archives de Paris, lettre a.s. Ary Scheffer à Rambuteau, 15 mai 1847, D4AZ 537² : avant l'offre faite à Flandrin, Ary Scheffer refuse la commande. La même lettre indique également que la première proposition faite au peintre date du 16 mai 1842.

13. Delaborde, 1865, pp. 361-362 : Flandrin à sa mère, 26 décembre 1847 (datée à tort par Delaborde, 1846).

14. Voir (13) notamment.

15. Bibliothèque historique de la Ville de Paris, registre cité, fol. 115 v° : Hittorff à Dussauce, 27 déc. 1847.

16. Delaborde, 1865, pp. 92-93.

Quelques mois avant la consécration de l'église (21 octobre 1844), Hittorff transmet au comte de Rambuteau la lettre qu'il vient de recevoir du peintre [6]. L'artiste se limite à la description de son projet ; il demande cinq années pour l'exécuter et fixe son prix à 125 000 F. Tout semble indiquer qu'Ary Scheffer se soit dérobé ; deux années s'étaient déjà écoulées avant cette maigre réponse ; de plus, il ne pouvait ignorer l'usage administratif qui voulait que le peintre fournisse au préalable les esquisses de sa composition. Hittorff soulignait de son côté la longueur du délai demandé.

En 1845, le Conseil municipal examine de nouveau le problème et retient alors l'ensemble des propositions contenues dans le mémoire de 1838, dont Hittorff au préalable a remis un exemplaire à deux conseillers municipaux pour « aider à ce que (les peintures) soient confiées à un seul artiste »[7]. Le 8 juin, sur rapport d'Arago, l'ensemble de la décoration de la nef et du sanctuaire est proposé à Ingres qui accepte ; le prix est de 200 000 F [8]. Outre celui d'Ingres, les noms de Delaroche [9], Ary Scheffer et Horace Vernet ont été proposés au choix des conseillers [10].

En 1847, Ingres demande à être déchargé de la commande [11] ; peut-être feint-il le quiproquo, lorsqu'il écrit à Rambuteau : « ... je dus bien exposer que je ne présenterai jamais d'esquisses mais bien un programme où je ferais connaître la nature de mes compositions ; je manquais alors de prudence en n'allant pas moi-même, Monsieur le Préfet, m'en expliquer avec vous ». Refusant tardivement la règle commune (le soin de sa gloire, dit-il, le regarde seul), il renonce, tout en se déclarant « satisfait de (sa) composition en tout point coordonnée ».

A la fin de 1847, l'administration propose la commande à Flandrin, alors chargé des décors du chœur dans l'église Saint-Germain-des-Prés [12]. Flandrin, à son tour, par égards pour son maître Ingres, décline l'offre [13].

La période qui s'ouvre alors et s'achève le 1er juillet 1848 par la commande, cette fois définitive, des grandes peintures murales de Saint-Vincent-de-Paul comporte plus d'interrogations que de certitudes. Il semble que la Révolution de février 1848 et le changement de responsables à la tête de la municipalité parisienne aient encore compliqué la situation.

Pour Delaborde, biographe souvent hésitant de Flandrin [14], Armand Marrast, nouveau maire de Paris, retire à Picot, à qui elle avait finalement échu [15], la commande de l'ensemble des décors pour la confier à Flandrin. Celui-ci met « pour condition à son consentement que la moitié de la tâche serait immédiatement rendue au peintre qu'on avait prétendu évincer et qu'on laisserait à M. Picot la liberté de choisir entre la décoration du chœur et la décoration de la nef » [16]. Nous lisons une version des faits presque inverse mais tout aussi « hagiographique » dans une notice sans doute rédigée par un descendant de Picot [17] : « la mairie de Paris, ignorant que l'administration précédente avait distribué ce travail, en chargea Hippolyte Flandrin... M. Armand Marrast... informé des faits... reconnut les droits antérieurs et entiers de Picot mais on lui demanda... s'il voulait consentir à partager le travail avec Flandrin »...

Il est invraisemblable qu'en dépit des changements entraînés par la Révolution, le nom de Picot, membre de l'Institut, se soit trouvé ainsi « oublié », d'autant qu'après les événements de février le haut fonctionnaire responsable de la division administrative chargée des Beaux-Arts, M. Varcollier, était resté en place. Picot est en fin de carrière, ce qui a pu effrayer. Il semble également avoir tardé à remettre ses

ses esquisses [18]. Entre temps, la nouvelle municipalité avait modifié le processus de l'approbation des projets en créant une commission chargée de les examiner [19]. D'autre part, Flandrin venait de démontrer sa maîtrise à l'église Saint-Germain-des-Prés. Il comptait à la mairie quelques solides amis, en tout premier rang Victor Baltard, son condisciple à Rome, inspecteur des Beaux-Arts, nommé, en 1848, architecte responsables des édifices consacrés au culte, et qui partageait ses convictions libérales. Mais la décision de diviser la commande présentait surtout l'avantage de voir s'achever plus rapidement le décor principal d'une église consacrée depuis presque quatre ans.

Dès leur désignation officielle, Hittorff presse les artistes de s'entendre sur les grandes lignes du programme [20]. Un document inédit [21] nous révèle le premier projet pour l'ensemble du décor du chœur et de la nef : « le cintre de l'hémicycle occupé par le trône et la figure de Dieu ; à sa gauche la Vierge, le Précurseur, les évangélistes, les prophètes, les vieillards, les chœurs des anges ; à genoux aux pieds du Christ la figure du saint avec un groupe de petits enfants (ce programme fut simplifié par la suite). Pour la nef : les saints et les saintes illustres du christianisme rangés par catégories comme apôtres, docteurs, martyrs, etc... » Le sujet prévu pour le mur situé sous la tribune d'orgue, esquissé au crayon noir, montre au centre la figure de l'Espérance entre la Foi à gauche et la Charité à droite. A ses pieds, un esclave tend ses mains enchaînées, alors qu'un vieillard infirme agenouillé prie. Deux groupes équilibrent de part et d'autre une composition très homogène. Ce projet, Flandrin en indique le sens au bas d'un calque [22] où la plume précise les lignes générales de l'esquisse : « frise sur les portes d'entrée : la Foi, l'Espérance et la Charité mères de toutes les vertus chrétiennes, appellent les populations et, en leur enseignant à croire, à espérer et à aimer, leur ouvrent le chemin du ciel. » Le programme, daté de juin 1848, est donc antérieur à la commande même du décor. (Il n'est pas impossible qu'une source alors récente — 1842, le programme décoratif de la Chapelle Saint-Ferdinand à Paris exécuté par Ingres — ait pu en partie l'inspirer. A cet égard, la comparaison entre les deux figures de l'Espérance, traitées successivement par Ingres et par Flandrin — même geste d'orant, même mouvement de draperie — est enrichissante). On est fondé alors à penser que le peintre sut imposer à Hittorff (qui, en 1838, avait prévu un projet très différent) et à Picot les grandes lignes d'un ensemble dont l'unité de pensée ne pouvait que séduire l'architecte : il est clair que la composition, nettement divisée en trois parties, épouse strictement le rythme des grandes divisions symboliques de l'architecture (seuil, nef, sanctuaire) et qu'il en va de même de ses thèmes dont les variations postérieures n'ont pas altéré le sens profond. D'un enseignement révélé jaillit le peuple des saints que Dieu, dans son séjour, accueille pour l'éternité.

L'idée des frises de la nef — ces processions déroulées sur les murs en chœurs successifs — trouve son origine dans les litanies des saints [23]. Les textes inspirent l'ordre des chœurs que Flandrin respecte ; l'image illustre fidèlement la lettre. Mais, si l'origine du programme est claire, la raison de son choix reste obscure. La simple compréhension de l'architecture ne suffit pas. Tout au plus montre-t-elle l'habileté de l'artiste. Ses biographes le disent [24] : le peintre n'était ni un intellectuel ni un théoricien ; sa peinture relève davantage de la confidence. Ses espoirs et ses doutes, nés de la Révolution de 1848 et de ses soubresauts, semblent se conjuguer en filigrane dans le décor de Saint-Vincent-de-Paul.

L'espoir d'abord : on a remarqué [25] que le thème de l'abside de l'église Saint-Paul de Nîmes (« Egalité

17. Archives de la famille Bertrand. Nous remercions vivement M. Sylvain Bellanger de nous avoir signalé l'existence de ce document.

18. Bibliothèque historique de la Ville de Paris, registre cité, fol. 117 v° - 118 r°, Hittorff à Picot, 3 juillet 1848.

19. Bibliothèque historique de la Ville de Paris, registre cité, fol. 116 v°, Hittorff à Varcollier, 28 avril 1848.

20. Voir (18).

21. N° 135 de la présente exposition.

22. Ibid.

23. Annales archéologiques, t. 14, 1854 : Claudius Lavergne, « Peintures de M. H. Flandrin à Saint-Vincent-de-Paul », p. 38.

24. Delaborde, 1865, p. 103.

25. Catalogue de l'exposition Les peintres de l'âme, Lyon, 1981, p. 149.

Frise de la nef
en direction
du chœur,
(côté gauche).

26. Flandrin, p. 214.

27. *Ibid.*, p. 192.

28. Album cité, coll. privée.

29. Sans pouvoir fixer de date, on peut remarquer que ce compartiment fut exécuté en dernier (voir dans le texte la partie consacrée à la réalisation du décor).

30. *Revue du Lyonnais,* 5° série, V, janv.-juin 1888, p. 348 : Flandrin à Louis Lacuria, Rome, 25 mai 1833.

31. *L'Institut catholique,* t. 8, 1845 : Louis Lacuria, « De l'Art », trois articles que l'auteur envoie à Flandrin (*Revue du Lyonnais,* 5° série, VI, p. 259).

32. *Ibid.*

33. Voir (30).

des hommes devant Dieu ») semble à l'unisson des événements qui secouaient la France. Le peintre y est au travail d'octobre 1848 à mai 1849, alors que le programme de l'église parisienne est déjà largement ébauché. On trouve plus d'un écho d'un programme à l'autre : l'idée de « chœurs » apparaît — on l'a souvent remarqué — dans l'édifice gardois. Une esquisse [25 bis] laisse même entendre que Flandrin aurait pu un instant choisir de limiter la procession des Vierges sages à quelques figures et de consacrer la suite du compartiment, dont les dimensions ne changeront pas, à un groupe de saintes femmes et de saints époux, qu'il utilisera, presque inchangés mais répartis différemment à Saint-Vincent-de-Paul (sainte Julitte et saint Cyr, saint Adrien et sainte Natalie, saint Vincent Madelquera et sainte Valdetrude). La correspondance de l'artiste fournit de multiples exemples de son attachement à la République, pourvu qu'elle reste modérée, et de sa générosité : les idéaux républicains s'imposaient à lui dans leur sincérité évangélique. Dans l'église parisienne, les deux derniers chœurs de la nef, du côté droit, regroupant les saints confesseurs, rapprochent « grands » et « petits », mêlant intentionnellement rois, empereurs et pauvre gens, moines et laïcs. [26]

Le doute ensuite : Louis Flandrin, évoquant la correspondance de son oncle dans cette période troublée, le cerne justement : « On (y) voit grandir, dit-il, au fur et à mesure des événements, le sentiment de lassitude » [27]. A l'homme inquiet répond l'artiste, dont la vision militante qu'expriment les frises de Saint-Vincent-de-Paul va, pour ainsi dire, cicatriser la plaie. C'est, nous semble-t-il, une des raisons qui peuvent avoir amené le peintre à modifier l'iconographie du compartiment d'entrée où, après de multiples recherches [28] et tardivement [29], il choisit de représenter, selon le même principe de composition, saint Pierre et saint Paul évangélisant les peuples de l'Occident et de l'Orient plutôt que les vertus d'enseignement. L'idée reste la même, mais le choix d'une scène plus historique que dogmatique affirme haut la mission que l'Eglise doit continuer d'assumer dans la société contemporaine.

Tout le programme que Flandrin compose sur les murs de Saint-Vincent-de-Paul est nourri d'un militantisme néo-catholique, du combat engagé pour réveiller et justifier la foi auprès d'un public moderne qui se détachait de l'Eglise. L'intérêt qu'il porte aux écrits de Lamennais lorsqu'il se trouve à la Villa Médicis est connu [30], comme l'est son amitié pour Louis Lacuria, lyonnais comme lui, ancien condisciple dans l'atelier d'Ingres et auteur d'une théorie de l'art chrétien bien dans le style de l'époque [31] où l'influence d'Ozanam se fait directement sentir. Des phrases écrites en 1845 [32] : « la contemplation des saints inspire aux hommes le sentiment du Beau… ils reviennent avec l'expression du bonheur, ils sont justifiés et consolés… ils se sont trouvés comme les apôtres devant Jésus transfiguré, ils ont entrevu tous les charmes ineffables de la beauté éternelle » n'ont, semble-t-il, pas besoin d'être abusivement sollicitées pour être rapprochées du programme choisi par Flandrin pour ses peintures de Saint-Vincent-de-Paul.

De ces influences certaines, il ne faudrait pas déduire qu'il existe une théorie esthétique du dogme qui épouserait les contours de *l'art chrétien*. On cite volontiers ce jugement que Flandrin porte sur l'œuvre du nazaréen allemand Overbeck : « Il ne tient pas à faire de la peinture, mais à rendre ses idées, à les écrire. Je crois qu'il a tort car, s'il veut se servir de la peinture pour écrire ses idées, plus le moyen sera vrai et parfait, mieux elles seront rendues » [33]. Chez Flandrin, la forme demeure indépendante d'un dogmatisme chrétien.

Au XIXᵉ siècle, pour un peintre formé à l'Ecole des Beaux-Arts, pour un Prix de Rome de surcroît, la création est affaire de raison : à travers chaque forme, l'artiste entend signifier l'esprit. Mais chez un homme dont l'ambition d'être un peintre chrétien est si affirmée, le choix d'un modèle grec pour le décor qu'il réalise peut surprendre. En effet, par l'homogénéité de son développement, par son style inspiré de l'art de la sculpture, les peintures de Flandrin à Saint-Vincent-de-Paul évoquent irrésistiblement « la procession des Panathénées ». La lumineuse formule de Théophile Gautier [34], comparant les frises de l'église à des « Panathénées chrétiennes », est riche d'un sens commun, dans son évocation des longs défilés qui, sur les murs du Parthénon, unissaient le monde des Dieux au monde des Hommes, ceux-ci se préparant à célébrer un culte et ceux-là à le recevoir. Certes Flandrin connaissait l'art de Phidias (une série de dessins conservés au Musée de Besançon montre qu'il a copié certaines parties des frises du Parthénon). Mais il a copié de même Giotto et certainement connu les mosaïques byzantines de Saint-Apollinaire-le-Neuf à Ravenne, dont le programme et la disposition évoquent ses décors mais dans un style « dur » très différent.

Ce que Flandrin a retenu de l'art de Phidias au Parthénon, c'est ce que sa formation et l'Ecole lui avaient appris à juger « beau », mais surtout ce qui le servait dans son propos : l'ingénieux dispositif d'ensemble qui permet au programme sculpté de donner à l'architecture un sens complet, un type de décor et une division de l'espace dont aucun peintre à son époque n'a utilisé les possibilités : *la frise*. Le rythme s'y inspire de la gymnastique musicale ; l'unité d'action suppose une certaine uniformité des mouvements et un haut degré d'abstraction [35] pour créer un sens plus symbolique que narratif. Voilà ce que Flandrin a tenté de réaliser à Saint-Vincent-de-Paul, et certains « chœurs » (les évêques du côté droit, les vierges martyres et les saintes pénitentes du côté gauche) témoignent de sa réussite.

Pourtant, chez ce peintre féru d'abstraction jusqu'à la monotonie et qui voulait passionnément que l'on comprenne en même temps la précision de son message, le choix pour chaque figure de saint des attributs qui permettraient de l'identifier ne fut certainement pas aisé. Vouloir permettre de reconnaître chaque figure, jusqu'aux plus obscures, c'était courir le risque d'encombrer la composition de détails nuisant à sa force symbolique. On sait qu'un jésuite, le Père Cahier, guida le peintre pendant l'exécution des choix iconographiques [36] : l'ecclésiastique jugeait indispensable le respect d'une vérité historique fondée sur la tradition dans la représentation des saints [37]. Mais le travail de Flandrin, qui se laisse aisément comparer à celui d'Ingres pour les cartons des vitraux de la Chapelle Saint-Ferdinand, montre que le peintre soumet cette tradition à ce qu'il juge indispensable : le rythme de la composition, le purisme du mouvement et du dessin des figures. Il stylise les détails iconographiques. Pour le cinquième chœur, à gauche, un dessin préparatoire de sainte Affre montre, conformément à la tradition, la sainte brûlée vive attachée à un tronc d'arbre. L'exécution définitive ne retient que les quelques flammes qui lèchent le bas de sa tunique. Les discussions avec le Père Cahier furent sans doute plus vives que ne le laisse supposer Delaborde. Le jésuite, longtemps après l'achèvement des peintures murales, conteste encore certains choix faits par Flandrin : ainsi de saint Isidore (chœur des saints époux à gauche) que le peintre représente tenant une gerbe de blé maintenue par la faucille, choix où le Père ne lit qu'une désignation très vague « à laquelle il faut préférer la caractéristique populaire quand on le peut sans inconvénient et pour saint Isidore il y en avait d'autres tout à fait reçues » [38].

34. Théophile Gautier, *Les beaux-arts en Europe*, Paris, 1855.

35. Jean Charbonneaux, *La sculpture grecque classique*, Paris, 1964.

36. *Cf.* Flandrin, 1909, p. 234.

37. P. Ch. Cahier, *Caractéristiques des saints dans l'art populaire*, Paris, 1867.

38. *Ibid.*, t. 2, p. 448.

Frise de la nef
en direction
du chœur,
(côté droit).

La liberté dont Flandrin use à l'égard des modèles qu'il se donne, montre bien qu'il cherche sans cesse à concilier, comme dans d'autres de ses décors, les deux valeurs dominantes de son art : la foi chrétienne et l'« ingrisme ». Il pensa lui-même avoir réussi leur synthèse à Saint-Vincent-de-Paul, puisqu'il lithographia l'ensemble de ses compositions, ce qu'il ne devait faire pour aucun autre de ses décors. Retenu à Nîmes d'octobre 1848 à mai 1849, [39] puis immobilisé à Lyon par les journées révolutionnaires et une épidémie de choléra, Flandrin ne commence qu'au début d'août les peintures de Saint-Vincent-de-Paul. En quatre ans, il mène à bien sa commande, aidé de son frère Paul et de trois de ses élèves, Benoît Chancel, Louis Lamothe et Jean-Marie Faverjon, sans que l'on sache, le plus souvent, à quels moments [40].

A la fin de 1850, le côté droit de la nef — côté chœur — par lequel l'équipe a commencé, n'est, semble-t-il, pas encore achevé. De nombreux dessins préparatoires [41] permettent de suivre la lente mise au point des compositions. Ces dessins sont malheureusement non datés, à l'exception de deux pour les compartiments des évêques et des docteurs (8 novembre 1849), encore éloignés de la forme définitive et où la liste même des noms est hésitante et l'ordre de succession des figures imprécis. En octobre, le préfet de la Seine, Berger, visite le chantier de Saint-Vincent-de-Paul : Flandrin pense achever ses peintures sous deux ans.

Le mur gauche de la nef, commencé en 1851, toujours côté chœur, est achevé à la fin de l'été 1852. Le 16 septembre, le peintre note dans un agenda : « Je commence à une heure et demie le grand sujet », la mission de l'Eglise. De nombreux dessins montrent que Flandrin hésita longtemps sur la composition ; certains regroupent, dans la partie centrale de la composition, les trois Vertus (1er projet) et les figures de saint Pierre et saint Paul (composition finale). Ces longues hésitations soulignent l'importance que Flandrin donnait à son sujet.

Le 29 juillet 1853, l'ensemble des peintures murales que Picot et Flandrin viennent d'achever, sont dévoilées et livrées à l'appréciation du public [42].

Le procédé technique d'une peinture exécutée à la cire s'est rapidement montré moins résistant que ne l'avait assuré Hittorff. En 1870, la municipalité parisienne demande le nettoyage de l'ensemble du décor de la nef [43] ; la préparation du mur se révélant défectueuse, en 1877, le peintre Charles Maillot, après un examen minutieux de chaque figure, conclut à la nécessité d'une restauration de l'ensemble [44]. Les peintures de Flandrin seront encore restaurées en 1933-1934 [45], puis, récemment, en 1971-1972 [46]. Une critique du style de Flandrin qui s'attacherait aux détails ne doit pas ignorer que certaines parties sont franchement repeintes (saint Etienne, compartiment des martyrs, côté droit, pour seul exemple).

Les contemporains réservèrent un accueil favorable au travail considérable que Flandrin venait d'achever. Remarquons que si le travail de Picot est parfois pris en considération, le plus souvent, la critique s'attache aux seules peintures de la nef. Les nuances des discours sont révélatrices : elles semblent dissocier la synthèse que recherchait le peintre.

Chaque article s'attache à retracer le programme, à en louer la cohésion et le style. Si de patientes

39. Voir (25).

40. Tous les renseignements concernant l'exécution du décor sont tirés de la monographie déjà citée de Louis Flandrin, 1re édition en 1902, 2e en 1909.

41. Album cité, coll. privée.

42. L'Ami de la religion, n° 5556, 23 juillet 1853.

43. Archives de la Direction des affaires culturelles de la Ville de Paris, Saint-Vincent-de-Paul.

44. Ibid.

45. Ibid. ; le restaurateur : Bernard de Montaut, ancien élève de Flandrin, puis son fils.

46. Ibid. ; restaurateur : M. Ledeur.

descriptions ne découragent pas la plume, inconsciemment elles traduisent la crainte qu'une telle accumulation de figures ne lasse l'attention (« la décoration de Saint-Vincent-de-Paul n'est pas faite pour cette foule frivole qui regarde en passant et juge en courant », E. Loudun) [47].

Certains concentrent leurs compliments sur le « peintre chrétien » : l'accent essentiel est mis sur le sujet (« nous lui devons le bonheur que nous avons éprouvé en voyant apparaître, revêtus d'une forme noble et gracieuse, les plus beaux souvenirs que nous ait laissé la lecture de la vie des saints », Cl. Lavergne) [48]. Le goût « archéologique » suscite alors quelques réserves de détail sur le style (« la pureté, l'élégance chaste et sérieuse des figures de M. Flandrin me feront toujours oublier quelque absence de fermeté dans l'exécution de ses peintures ») [49]. Un seul critique (L. Vitet) rapproche, semble-t-il, le décor des mosaïques de Saint-Apollinaire à Ravenne, louant chez son contemporain le même parti à la fois simple et grandiose. Mais la manière de Flandrin ne le trouble pas : il la juge même en progrès (« ses contours sont plus simples, ses mouvements plus libres sans que sa peinture ait rien perdu de son austère solidité ») [50].

A l'inverse des « archéologues », Théophile Gautier n'évoque le programme que pour en louer le style (« l'eau sainte a ruisselé sur la belle forme antique ») [51]. La dette du peintre envers la statuaire grecque et ses résonances dans l'art moderne (Raphaël, Ingres) semble parfois l'éblouir. Il compare les saintes pénitentes « aux femmes d'un gynécée d'Athènes et de Corinthe » et certaines figures « à des marbres inconnus de Phidias » ; les apôtres sont « aussi grands de style que les philosophes de l'Ecole d'Athènes » et le saint Georges lui semble « beau comme l'Alexandre dans le plafond d'Homère ». Les peintures de Flandrin ne sont alors que le prétexte à un jeu savant de rapprochements formels.

Saint-Vincent-de-Paul semble également avoir servi d'exemple majeur pour encourager la réalisation de décors peints dans les monuments religieux (« la triste nudité de nos églises englués de badigeon aura bientôt disparu », Th. Gautier) [52]. Il est un modèle pour la manière dont ces décors doivent être conçus (« Saint-Germain-des-Prés et Saint-Vincent-de-Paul prouvent tous les avantages d'une volonté unique dans la décoration des églises », G. Planche) [53]. Enfin, son art mural rassure ceux qui désespéraient de la peinture française : alors que les Salons voient le triomphe d'une peinture dont seuls la mode et l'argent assurent la gloire, « l'art dans sa dignité se trouve sur les murs de quelques églises et monuments » (L. Vitet) [54]. On y lit « la seule expression de la pensée au moyen d'une juste et intelligente reproduction de la forme et de la couleur » [55].

Toutes les références dont Flandrin entourait son art et qui, en son temps, assurèrent sa notoriété, nous laissent aujourd'hui hésitants. Déjà, en 1927, un auteur [56] trouvait son style « d'un ascétisme maussade (qui) gâte ses peintures où l'étude du modèle vivant, soigneusement drapé, va jusqu'à la fatigue ». De nos jours pourtant, alors que les idéologues ont souvent peur de leur ombre, il semble qu'il soit temps d'apprécier de nouveau à sa juste valeur le courage rare de Flandrin — ce courage, même Ingres ne l'eut pas — qui, à Saint-Vincent-de-Paul, osa confier au mur ses plus sincères convictions.

47. *Revue de l'art chrétien*, vol. 2, 1858 : Eugène Loudun, -Décoration de l'église Saint-Vincent-de-Paul par MM. Picot et Flandrin ».

48. Voir (23).

49. *Ibid.*

50. *Revue des deux mondes*, XXIIIᵉ année, 1853, 1ᵉʳ déc. : L. Vitet, « Les peintures de Saint-Vincent-de-Paul et de l'Hôtel de Ville ».

51. *Le Moniteur*, 17 octobre 1856.

52. *Ibid.*

53. *Revue des deux mondes*, XXVIᵉ année, 1856, 1ᵉʳ nov. : Gustave Planche, « La peinture murale dans les églises de Paris ».

54. Voir (50).

55. *Ibid.*

56. Abel Fabre, *Manuel d'art chrétien*, Paris, 1928.

Frise au-dessus du porche d'entrée.

Liste descriptive :

Nef : frise de droite (du chœur de l'église vers l'entrée)

Les Apôtres
Saint Pierre, saint Paul, saint Matthieu, saint Jacques le mineur, saint Jean, saint Simon, saint Barthélémy, saint Thomas, saint Thadée, saint André, saint Jacques le majeur, saint Philippe.

Les Martyrs
Saint Etienne, saint Laurent, saint Denis, saint Polycarpe, saint Pothin, saint Cyr, saint Saturnin, saint Clément pape, saint Georges, saint Longin, saint Exupère, saint Maurice, saint Victor, saint Sebastien, saint Christophe.

Les Docteurs
Saint Irénée, saint Cyrille, saint Athanase, saint Grégoire de Nazianze, saint Basile, saint Jérôme, saint Ambroise, saint Augustin, saint Hilarion, saint Jean Chrysostome, saint Grégoire, saint Léon, saint Thomas d'Aquin, saint Bonaventure.

Les Evêques
Saint Nicolas, saint Patrice, saint Martin, saint Rémi, saint Médard, saint Yves, saint Honoré, saint Eloi, saint Louis de Toulouse, saint Norbert, saint Charles Borromée, saint François de Sales.

Les Confesseurs (1)
Saint Joseph, saint Antoine, saint Benoît, Saint Cloud, saint Léonard, saint Hubert, saint Fiacre, saint Charlemagne, saint Gilles, saint Lazare, saint Etienne de Hongrie, saint Henri.

Les Confesseurs (2)
Saint Martin, saint Bruno, saint Bernard, saint Dominique, saint François d'Assise, saint Ferdinand d'Espagne, saint Louis, saint Pierre Nolasque, saint Antoine de Padoue, saint Vincent Ferrier, saint Roch, saint Casimir roi, saint Ignace, saint François de Paule, saint François Xavier, saint François Régis.

Nef : frise de gauche (du chœur de l'église vers l'entrée)

Les Vierges martyres
Sainte Thècle, saint Apolline, sainte Agnès, sainte Barbe, sainte Agathe, sainte Catherine, sainte Marguerite, sainte Cécile, sainte Lucie, sainte Blandine, sainte Dorothée, sainte Ursule.

Les Vierges
Sainte Marthe, sainte Geneviève, sainte Scholastique, sainte Pulchérie, sainte Claire, sainte Catherine de Sienne, sainte Catherine de Bologne, Sainte Aure, sainte Thérèse, sainte Rose de Lima, sainte Gertrude, sainte Zite.

Les Saintes Femmes (1)
Sainte Anne, sainte Elisabeth, saint Jean-Baptiste, sainte Crescence et saint Vite, sainte Juliette et saint Cyr, sainte Félicité et ses sept enfants (saint Felix, saint Sylvain, saint Philippe, saint Vital, saint Janvier, saint Martial, saint Alexandre), sainte Hélène, sainte Paule, sainte Eustochie, sainte Monique.

Les Saintes Femmes (2)
Sainte Clothide et saint Cloud, sainte Bathilde, sainte Adélaïde, sainte Marguerite d'Ecosse, sainte Elisabeth du Portugal, sainte Elisabeth de Hongrie, sainte Catherine de Suède, sainte Brigitte, sainte Françoise romaine, sainte Jeanne de Valois, sainte Françoise de Chantal.

Les Pénitentes
Sainte Madeleine, sainte Marie l'égyptienne, sainte Pélagie, sainte Thaïès, sainte Marie, sainte Aglaé, sainte Affre, sainte Marine, sainte Théodore, sainte Marguerite de Cortone.

Les Couples
Saint Eustache et sainte Théopiste avec leurs enfants (saint Théopistus et saint Agapius), saint Adrien et sainte Nathalie, saint Vincent Madelquera et sainte Valdetrude avec leurs quatre enfants, saint Arnulfe avec Saint Cloud et saint Ansegise, sainte Marie le Cabeza, sainte Basilissa, saint Julien, saint Isidore, sainte Berthe, saint Chunibert, sainte Delphine, saint Elzéar.

41. *Les Trois vertus Théologales* ou première pensée pour la frise du mur d'entrée à l'église Saint-Vincent-de-Paul à Paris

PEINTURE : T. sur B.H. 0,18 ; L. 0,54. S.b.g. : *Hte Flandrin*. Étiquette imprimée (de vente) au verso avec le n° 142 et inscription un peu effacée sur une autre étiquette : *Haro* avec le n° 1390.

HISTORIQUE : En 1865, déjà dans la collection du restaurateur de tableaux et fournisseur des artistes, Étienne Haro (1827-1897) qui était aussi expert et marchand de tableaux réputé (il s'occupa activement d'Ingres et de Delacroix, ainsi que de Flandrin, bien sûr, dont il édita un album lithographique consacré au décor de Saint-Vincent-de-Paul et fut un des principaux acheteurs à la vente de 1865) ; Vente Haro, Paris, 2-3 avril 1897, n° 142 (« première pensée pour une frise de l'église Saint-Vincent-de-Paul à Paris, 185 F) ; acquis par le possesseur actuel à une date assez récente mais non précisée après être passé par la Galerie Lemaire à Paris.

EXPOSITION : Paris, 1865, n° 64 (Les trois Vertus théologales. Premier projet du fond de la nef de Saint-Vincent-de-Paul — appartient à M. Haro).

BIBLIOGRAPHIE : Lanvin, 1967, t. II, p. 106 (non retrouvé).

ŒUVRES EN RAPPORT : Un carnet d'Hippolyte (1850-1856) dans le Fonds familial Flandrin contient diverses premières pensées pour les Vertus théologales instruisant l'humanité, sujet relatif au décor de Saint-Vincent-de-Paul : 1er dessin où les vertus sont à droite, l'humanité à gauche ; 2e dessin où les Vertus se donnent la main, l'Espérance reliant la Foi à la Charité (Lanvin, 1976, t. I, p. 244). — Cf. aussi l'*Album* exposé ici (n° 135).

Très attachante esquisse inédite renseignant sur une première recherche du décor du fond de la nef de Saint-Vincent-de-Paul : le thème de la Mission de l'Eglise n'est pas encore trouvé et il n'y a pas d'articulation prévue avec la double procession de saints qui font cortège dans la nef vers le grand Christ de la voûte absidiale. Au cours d'une phase suivante (cf. le dessin n° 40) on verra coexister le thème (centripète) des Vertus et celui (centrifuge) de la Mission de l'Eglise incarnée dans les figures des apôtres Pierre et Paul. L'esquisse se recommande aussi par une jolie fraîcheur d'exécution et de mise en place, le sens des masses sculpturales, le rythme des silhouettes en clair et une heureuse polychromie à la fois allègre, vive et simple, d'une pertinente lisibilité.   *J.F*

LONDRES, COLLECTION PRIVÉE.

42. Esquisse pour la frise au-dessous du grand orgue à Saint-Vincent-de-Paul

DESSIN : Plume et crayon sur papier. H. 0,22 ; L. 0,55. Marque *Hte Flandrin* (Lugt 933), b.g. Au verso, inscription sur le montage stipulant que le dessin appartient à M. et Mme Charié-Marsaines et doit être rapporté 17 rue du Cherche-Midi, ce qui fait allusion à l'exposition citée plus bas de 1884. Le dessin provient de l'*Album* exposé ici sous le n° 135. Il en a été sorti pour l'exposition de 1884, comme le prouve une inscription sur une des pages de cet album.

HISTORIQUE : Resté dans la famille directe de l'artiste (en 1884, chez M. et Mme Charié-Marsaines, — M. Charié-Marsaines étant l'époux de Cécile Flandrin la fille d'Hippolyte) puis passé chez les descendants de Paul Flandrin, les 3 enfants des Charié-Marsaines étant morts en bas-âge et la descendance directe d'Hippolyte s'étant éteinte.

EXPOSITION : Paris, 1884, n° 263 (à M. Maxime Charié-Marsaines).

Feuille inédite correspondant à l'esquisse peinte de la Vente Haro (voir le n° précédent) et d'un joli maniement ingresque de la plume qui détoure et cisèle avec tact les formes un peu massées de la petite peinture. Certains détails comme les enfants du groupe de la Charité ou la suppliante aux bras tendus à gauche ravissent par une charmante pureté de forme et d'idée. Cette très belle étude linéaire correspond en tous points à l'esquisse Haro exposée également ici (n° 41). La légende au crayon écrite par Flandrin lui-même, est tout à fait intéressante, car elle précise les premières intentions du peintre qui sut par la suite condenser ses idées dans le seul thème de la *Mission des Apotres* : « frise sur les Portes d'entrée. La foi, l'espérance et la charité, mère de toutes les vertus chrétiennes appellent les populations et leur enseignent à Croire, à Espérer et à Aimer / Leur ouvrent les portes du ciel ».   *J.F.*

VERSAILLES, COLLECTION PARTICULIERE

43

43. Première pensée pour la *Mission de l'Eglise*

DESSIN : Plume et mine de plomb sur papier calque. H. 0,175 ; L. 0,228. Marque *Hte Flandrin* (Lugt 933), b.d.

HISTORIQUE : Fonds familial Flandrin.

Etape intermédiaire entre l'esquisse Haro à laquelle se joint le calque précédent (n° 42) et la composition définitive.

SEVRES, COLLECTION PARTICULIERE

41
42

S·VRSVLA CORDVLA · S·DOROTHEA S·BLANDINA SLVCIA · S·CECILIA · S·MARGARETA S·CATHARINA S·AGATHA S·BARBARA · S·AGNES S·APPOLLONIA S·THECLA

45

44. *Cortège des Saints Apôtres* (côté droit)

DESSIN : Mine de plomb et aquarelle. H. 0,785 ; L. 0,325. S.b.gb. *H.F.*

HISTORIQUE : Probablement acquis par l'arrière-grand-père de l'actuel possesseur, qui était le contemporain de Flandrin et bon collectionneur d'œuvres de l'époque (Troyon, Robert-Fleury, Decamps,*etc.*), ce dessin allant de pair avec le suivant (*Saintes Martyres*). De ce fait, on ne saurait prouver que la présente feuille est le n° 165 de la vente de 1865 (« *Saints Apôtres*. Dessin de l'ensemble ». Dimensions non indiquées. Adjugé 205 F à un M. Thomas), car, en ce cas, l'acquéreur aurait dû être le même que celui des *Saintes Martyres,* ce qui n'est pas.

Il s'agit, comme dans le dessin suivant, des chœurs de saints placés en tête du cortège, donc en haut de la nef. Très belle aquarelle inédite, fort poussée, qui a peut-être même été exécutée après coup par Flandrin, et en vue de la reproduction (la lithographie de l'album original de Flandrin sur Saint-Vincent-de-Paul édité en 1855 par Haro). Vu son aspect très achevé, on peut bien la considérer en tout cas comme une œuvre autonome ayant sa propre fin. La qualité du dessin permet d'apprécier la variété individuelle des attitudes et des visages comme la noblesse des expressions, toutes réalités hors d'atteinte dans la réalité à cause de l'éloignement des frises, ce que déplorait déjà Louis Vitet en 1853 *« Ce n'est qu'en montant dans les tribunes… qu'on pénètre complètement dans la pensée du peintre »*… J.F.

PARIS, COLLECTION PARTICULIERE.

45. *Cortège des Saintes Martyres* (côté gauche)

DESSIN : Mine de plomb et aquarelle. H. 0,815 ; L. 0,32 ; S ; b.g. : *Hippolyte Flandrin.*

HISTORIQUE : Voir le n° précédent.

Le dessin d'ensemble correspondant (n° 206 de la vente de 1865) fut adjugé 360 fr à Mme Boucher, ce qui rend difficile qu'il ait pu être mis alors, ou plus tard, en pendant avec le dessin des *Saints Apôtres,* comme le sont depuis fort longtemps, vu l'ancienneté de la collection, les deux magnifiques aquarelles inédites exposées ici.
Les *Saintes Martyres* étant symétriques — à gauche — du cortège des *Saints Apôtres* placés — à droite — en tête de la frise de la nef, il est normal que les deux aquarelles correspondants aillent de pair dans la même collection et on peut présumer qu'elles ont été acquises en même temps et répondent à la même finalité (mise au net postérieure pour reproduction ?)

PARIS, COLLECTION PARTICULIERE

46. *Famille en prière* (détail des *Saints Ménages*)

DESSIN : Mine de plomb - H. 0,30 ; L. 0,15 - Marque *Hte Flandrin* (lugt 933), b.g.

HISTORIQUE : Acquis chez De Bayser à Paris en 1981 avec les n°s 47 et 64. — N° d'inventaire : PP 3611.

EXPOSITION : Paris, 1981, n° 20 (n° commun à deux dessins exposés ici)

Dessin préparatoire pour un des groupes des *Saints Ménages* (saint Eustache, sainte Théopiste avec leurs enfants, saint Théopistus, saint Agape), dans la première travée de la nef de Saint-Vincent-de-Paul à gauche en partant de l'entrée. Dans la peinture murale, saint Eustache est habillé en centurion, ce qui n'est pas sur le présent dessin. J. F.

PARIS, MUSEE DU PETIT PALAIS.

S·PETRVS   S·PAVLVS   S·MATHAEVS   S·IACOBVS S·JOANNES MAIOR   S·SIMON S·BARTHOLOMAEVS S·THOMAS   S·THADAEVS S·ANDREAS S·IACOBVS S·PHILIPPVS MINOR

44

47. *Femmes avec leurs enfants* (détail des *Saintes Femmes*)

DESSIN · Mine de plomb — H. 0,280 ; L. 0,215   Marque *Hte Flandrin* (Lugt 933) b. au milieu.

HISTORIQUE : Voir le n° précédent. — N° d'inventaire : PPD 3610

EXPOSITION : Voir le n° précédent.

Dessin préparatoire pour un des groupes des *Saintes Femmes* (sainte Juliette et le jeune saint Cyr à droite, saint Félicité à gauche avec l'es- quisse de deux de ses enfants dans la peinture murale sont représentés ses septs jeunes fils : les saints Félix, Sylvain, Philippe, Vital, Janvier, Martial et Alexandre), dans la quatrième travée de la nef de Saint-Vincent-de-Paul à gauche en partant de l'entrée. Un carnet du Fonds familial Flandrin prouve qu'Hippolyte leur a parfois prêté les traits de ses propres enfants, Auguste notamment pour le jeune Alexandre en tête du groupe des enfants de Sainte Félicité (*cf.* Lanvin, 1967, t. I, p. 245).   *J. F.*

PARIS, MUSEE DU PETIT PALAIS.

47

46

48

49

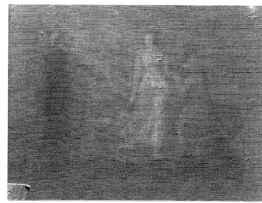

118 *Hippolyte Flandrin*

48. *Sainte Pélagie*

PEINTURE : T.H. 0,73 ; L. 0,60. Au verso, très petite esquisse assez informe d'une scène à plusieurs personnages (une *Danse de Salomé ?*).

HISTORIQUE : Entré au musée en 1896 avec la collection du peintre Jean Gigoux léguée en 1894. — A noter que Gigoux aimait beaucoup les dessins de Flandrin (8 dans son legs à Besançon, *cf.* Legrand, 1982, n°s 73-80) et figure parmi les acheteurs de la vente de 1865 (n°s 95, 98, 110, 149, 153).

BIBLIOGRAPHIE : Vergnet-Ruiz et Laclotte, 1962, p. 236 (« Sainte ») ; Lanvin, 1967, t.II, p. 179-183.

ŒUVRES EN RAPPORT : Réplique peinte (avec variante d'une colonne corynthienne, à droite) connue par une ancienne photo conservée dans les Archives Flandrin (Lanvin, *op.cit.*). Dimensions non connues. S.b.d. : H.F. — Est-ce ce dernier tableau ou celui de Besançon qui correspond à la *Sainte Pélagie* (H. 0,82 ; L. 0,65) qui figura à la vente de 1865, n°44 (3 125 francs, acquis par Delille) ? Le laconisme du catalogue de la vente ne permet pas de répondre à cette question. Mais il faut signaler que repasse en vente en mai 1868 à Paris, Hôtel Drouot (vente Marmontel, 11-14 mai 1868, n°34. T.H. 0,80 ; L.0,64. Indiqué au catalogue comme provenant de la Vente Flandrin) une *Sainte Pélagie* qui fait sans doute 725 frs ?). Est-ce celle de Gigoux ? Et la réplique avec la colonne, celle de la collection James de Rothschild, datée 1853 et présentée à l'exposition rétrospective de 1865, n° 30 ? — Etude dessinée passée à la vente de 1865 (n° 235, adjugée vendue aux Editions Joubert pour 400 fr.) et connue par une ancienne photo conservée dans les Archives Flandrin (Lanvin, 1967, t.II, p.181). Marque *Hte Flandrin* (Lugt 933) b.g.

Une des plus heureuses figures des frises de Saint-Vincent-de-Paul tirée du chœur des Saintes pénitentes à la 2e travée de la nef à gauche, à partir de l'entrée : on comprend bien que l'artiste ait pris plaisir à l'isoler pour en faire une (ou plusieurs) répliques à part, comme c'est peut-être le cas de l'attachante peinture de Besançon, encore que cette dernière ne soit pas signée et garde un aspect peu abouti (sommaire détail du pied par exemple, masqués au pieds de la sainte). Il peut s'agir aussi d'une réplique non finie, car les esquisses de Flandrin sont généralement plus petites de proportion. J.J. Arnoux (1853) décrit ainsi cette sainte des premiers temps du Christianisme : « Belle comme une statue grecque dans les plis de sa robe blanche, voici Pélagie, la comédienne d'Antioche qui renonça un jour aux triomphes du théâtre, aux succès du monde, aux énivrements de cette vie de plaisirs et de fête dont sa beauté, son talent et ses richesses la faisaient reine. A la voix du saint évêque Nonnus, elle abandonna tout, vendit ses parures pour en distribuer le produit aux pauvres, laissa pour jamais la lyre et le masque tragique et s'en fut vivre en ermite sur le mont des Oliviers, près de Jérusalem ». La participation de Lamothe à l'exécution de la figure de Sainte Pélagie (« conçue et exécutée » par Lamothe), telle que l'a récemment soulignée Mme Aubrun (1983, p.17) à l'aide d'une citation de M. Denis (1901-1902), ne doit pas être exagérée. L'idée magistrale vient évidemment de Flandrin, comme le prouvent d'ailleurs maints dessins et répliques signés. La lettre capitale d'Hippolyte à Lamothe du 7 septembre 1854 relative au chantier de Saint-Vincent-de-Paul (Delaborde, 1865, p. 394-396) insiste clairement sur la soumission de l'élève au maître et indique les limites étroites dans lesquelles Lamothe est tenu d'agir. Au demeurant, la faiblesse artistique de ses travaux originaux, à Saint-Gaudens par exemple (1858) dénonce chez Lamothe un talent fort secondaire et nullement inventif. *J.F.*

BESANÇON, MUSEE DES BEAUX-ARTS.

49. *Sainte Marthe*

DESSIN : Mine de plomb et aquarelle. H. 0,323 ; L. 0,122. Inscription en haut : *S. Martha* — Autre inscription d'une main postérieure b.g. : « *St Vincent de Paul* ».

HISTORIQUE : Acquis dans le commerce parisien à une date assez récente mais non précisée.

ŒUVRES EN RAPPORT : Etude pour le visage de sainte Marthe. Dessin non retrouvé mais connu par une photographie ancienne. (Lanvin, 1967, t. II, p. 169).

Une des figures du chœur des *Saintes Vierges* dans la 5e travée de la nef à gauche en partant de l'entrée. Très délicate aquarelle qui constitue sans doute une reprise postérieure faite pour le plaisir de l'objet plutôt qu'une étude préliminaire. A comparer sur ce point avec les grandes aquarelles des deux premiers chœurs en tête de la nef (n°s 44 et 45). *J.F.*

PARIS, COLLECTION PARTICULIERE

50. **Etude pour la figure de *saint Fiacre***

DESSIN : Sanguine sur papier beige. H. 0,294 ; L. 0,119. Marque de la collection Edouard Gatteaux (Lugt 852), b.d. ; marque de l'Ecole des Beaux-Arts (Lugt 830) et numéro de prise en charge (11990) vers le bas, à droite.

HISTORIQUE : Collection du sculpteur et graveur Edouard Gatteaux (1788-1881), ami de l'artiste ; legs Gatteaux à l'Ecole des Beaux-Arts, 1881-1883. L'absence de marque de l'atelier Flandrin sur ce dessin peut laisser supposer que Gatteaux en était devenu propriétaire du vivant de Flandrin. Sur Gatteaux, *cf.* n° 28. N° d'inventaire : 902.

BIBLIOGRAPHIE : Müntz, s.d. [1889], p. 186 (« Un trappiste, la bêche à la main, les yeux levés au ciel, et une couronne à ses pieds, tourné vers la gauche. Etude à la sanguine. ») ; Audin et vial, 1918, p. 344 ; Lanvin, 1967, t. II, p. 153-154.

ŒUVRES EN RAPPORT : Un dessin représentant *Saint Fiacre*, également pour Saint-Vincent-de-Paul, a figuré à la vente posthume de l'artiste sous le numéro 190 du catalogue. Un catalogue annoté de cette vente, appartenant à Mlle Marthe Flandrin, indique que cette œuvre fut acquise par un certain M. Desnon pour la somme de 50 francs.

Il s'agit d'une étude pour le sixième Chœur de l'église Saint-Vincent-de-Paul à Paris, regroupant les Saints Confesseurs. Le personnage représenté est saint Fiacre, le septième en partant de la gauche dans la composition définitive (entre saint Hubert et saint Charlemagne), qui abandonna la couronne d'Ecosse pour se consacrer aux humbles tâches de la terre, ce qui lui valut d'être choisi par les jardiniers comme leur saint patron.

On constate de sensibles différences entre cette feuille d'étude et la représentation finale, peut-être moins heureuse. Le visage du saint, nettement plus incliné en direction du ciel dans notre dessin, acquiert par là-même une expressivité plus grande que renforce encore l'attitude des mains, la droite s'appuyant fermement sur le manche de la bêche tandis que la gauche exprime avec beaucoup de force et de sobriété le renoncement au pouvoir terrestre. Concédons toutefois que, dans l'œuvre définitive, la position de la couronne — non plus posée sur le sol mais comme renversée — sera encore plus significative que telle qu'elle apparaît sur le présent dessin. *Ph.G.*

PARIS, ECOLE NATIONALE SUPERIEURE DES BEAUX-ARTS (INV. 902).

50

PEINTURES MURALES

CONSERVATOIRE DES ARTS ET METIERS A PARIS (1854)

51.   a, b.   **L'*Agriculture* et l'*Industrie*, études pour le décor du Conservatoire des Arts et Métiers à Paris**
(1854).

DESSIN : Mine de plomb. H. 0,336 ; L. 0,26 (chacun). Marque : *Hte Flandrin* (Lugt 933), b. au milieu.

HISTORIQUE : Acquis par Mme Cabanel au Marché aux Puces de Saint-Ouen ; chez le possesseur actuel depuis mai 1968.

EXPOSITIONS : Paris, 1865, n° 81 ? (sans certitude, car les « études » exposées là, qui ne devaient pas être des « esquisses peintes » puisque la distinction est faite à ce sujet en tête du catalogue peuvent tout aussi bien se rapporter à d'autres dessins).

ŒUVRES EN RAPPORT : Deux petits croquis à la plume dans la lettre d'H. Flandrin à Lamothe, le Havre, septembre 1854), reproduite en fac-similé dans Delaborde, 1865, entre les pages 404 et 405 (l'Agriculture à gauche et l'Industrie lui répondant à droite).
Dessin à la mine de plomb pour l'*Industrie* à l'Université de Princeton (E.U.), *cf.* le catalogue de l'exposition *19th and 20th century, from the Art Museum*, Princeton, 1972 n° 44, repr., dessin pour l'*Agriculture* dans la collection A.S. à Paris, et faisant visiblement pendant à celui de Princeton : dessins assez poussés. Par ailleurs, à l'exposition de 1865 étaient exposées sous le n° 81 et sans plus de précisions des « Études pour deux figures allégoriques : *l'Agriculture et l'Industrie* ; et sous le n° 95, un « Fragment de la composition des Arts et Métiers » appartenant à M. Rostan, sans doute une esquisse ou une réplique peinte, partielle, de ce décor ; on ne la retrouve pas dans la donation Rostan faite au musée d'Aix-en-Provence en 1903. A la vente de 1865, enfin, sous les n°s 284 et 285 figurent divers dessins pour le décor des Arts et Métiers (adjugés à Haro pour 100 puis 38 fr.).

Les deux études exposées ici — et apparemment inédites — semblent devoir être placées au début des recherches préparatoires pour le décor des Arts et Métiers, car elles présentent de sensibles variantes par rapport aux autres dessins connus, notamment ceux de la lettre de Flandrin à Lamothe, en septembre 1854 qu'on peut considérer comme définitifs en raison de la date et du contenu de cette lettre.
C'est un beau travail de graphisme tout à la fois sûr et ferme dans les contours (notez la reprise du bras de l'Industrie) et doucement précis dans le modelé aux hachures claires et subtilement variées. La frontalité volontaire mais sans excès est typique du genre décoratif choisi, et le langage allégorique qui rappelle celui des allégories de la République au Concours de 1848, général et intemporel comme il convient.
Le décor lui-même est toujours en place, en dépit des assurances négatives fournies à Mme Lanvin en 1966 par la Direction du Conserva-

toire des Arts et Métiers. (Lanvin, t. I, p. 233) : pour une fois, le pire n'a pas encore eu lieu ! Il est vrai que ce décor attire peu l'attention et n'a guère intéressé les commentateurs. Flandrin, 1909, p. 347 le cite pour mémoire dans une simple liste. Poncet, 1864, p. 27 parle juste de figures « de grande dimension », *etc.* Seul, Lagrange (1864, p. 765), décidément un esprit curieux au jugement personnel, mais dont le témoignage n'a pas été exploité par Mme Lanvin, l'a décrit à son emplacement exact, c'est-à-dire dans deux grands oculi aveugles logés à très grande hauteur dans le mur qui sépare le chœur de la nef de la vieille église de Saint-Martin-des-Champs à Paris, convertie au XIXe siècle en salle de musée du Conservatoire des Arts et Métiers. Comme dans les croquis de la lettre de 1854 à Lamothe, l'Agriculture est à gauche, l'Industrie à droite ; l'une et l'autre figures (dûment indiquées par des inscriptions en capitales (le XIXe est toujours pédagogique et friand de cartels...) en blanc sur fond bleu pâle, sont aujourd'hui couvertes de poussière, à peine lisibles et, de surcroît, à moitié masquées par une des poutres transversales de la charpente. Telle quelles cependant, ces deux grandes figures rhétoriques s'inscrivent assez heureusement dans l'architecture gothique de l'église mais font surtout partie intégrante d'un très beau décor polychrome à dominante brun sombre, qui mériterait d'être sauvé et qui rappelle beaucoup la manière de Denuelle, avec qui Flandrin collabora si souvent, notamment à Nîmes et à Saint-Germain-des-Prés. De tels travaux décoratifs ont dû être lancés par Vaudoyer, l'architecte restaurateur de Saint-Martin-des-Champs et grand constructeur du Conservatoire des Arts et Métiers à partir de 1839. A cet égard, la participation picturale de Flandrin doit être rapprochée de celle — non moins brillante et très comparable par le style et les idées — de Gérôme qui décora en 1852 la bibliothèque des Arts et Métiers, ex-réfectoire (gothique) de l'abbaye. Las, les belles *Allégories* implacablement classicisantes et « puristes » de Gérôme (connues par des photos et une esquisse à Montpellier) n'ont pu résister à un scandaleux lavage, dit « rénovateur », des murs de la bibliothèque opéré en 1965... et trop tard dénoncé dans un éditorial accablant — et méconnu — de la *Revue de l'Art* de 1972 (n° 15) ! Faut-il penser que l'ancienne chappelle ne fut épargnée qu'à cause de la dépense et de l'encombrement d'un local bienheureusement occupé par le fardier de Cugnot, l'*Obéissante* de Bollée et les avions de Blériot ? Ou bien per-

Décor de l'ancienne église Saint-Martin-des-Champs, (arc triomphal du chœur). Musée national des Techniques, au Conservatoire des Arts et Métiers.

sonne n'aura-t-il pensé — et ce fut tant mieux —
aux Flandrins si haut perchés !

Vu le manque de toute documentation graphique actuelle, ce sont encore les lettres d'Hippolyte à Lamothe publiées par Delaborde (1865,
p. 404-405) qui nous renseignent le mieux sur le
décor de Flandrin, peintures murales (sans
doute à la cire) dont il faisait préparer le fond et
dessiner l'esquisse en grand sur le mur par son
élève Louis Lamothe. Le 8 septembre 1854, il lui
écrivait d'abandonner le portrait de *M. Rostan*
(Lamothe aussi y collaborait, *cf.* le tableau
exposé ici-même, n° 103) et de prendre le
croquis de l'*Agriculture...* pour le mettre au
carreau « *afin que nous ayons un commencement d'exécution, car je me suis engagé envers
M. Vaudoyer, vous le savez* ». Dans une autre
lettre (celle reproduite en fac-similé par Delaborde et expédiée du Havre le 13 septembre
1854), il continue ainsi : « *Oui, c'est ainsi que
vous devez placer les figures* [l'Agriculture à
gauche, l'Industrie à droite]. *Mettez-les donc
sur le mur et cassez-les très sobrement l'Industrie, l'autre non parce que si quelque changement était nécessaire,* [de fait, le croquis de la
lettre montre une Agriculture inversée par rapport à celle du présent dessin ; Flandrin montrait
donc de l'hésitation dans le choix de son parti
définitif] *nous aurions trop de peine. Veillez à la
valeur des fonds mais comme il faudra probablement deux couches il y aura toujours un peu
de remède... Nous commencerons à peindre à
mon arrivée et j'espère que ça pourra aller vite.
En effet, il faudrait donner à ces peintures un
calme éclatant ! Nous y viserons !* »   J.F.

BOULOGNE-BILLANCOURT, COLLECTION PARTICULIERE

PEINTURES MURALES

SAINT-GERMAIN-DES-PRES (1839-1863)

Bruno Horaist

Docteur en 3ᵉ cycle
à l'Université de Paris-Nanterre

Les murs de Saint-Germain-des-Prés offrent à notre regard les décors d'Hippolyte Flandrin qui, sans conteste, sont les plus célèbres, les plus complets et aussi les plus ambitieux que cet artiste ait réalisés. La grande originalité des décors de Saint-Germain-des-Prés est en effet l'unité de main et de conception. Alors que l'Administration avait pour habitude de fragmenter les commandes afin de mieux répartir la manne et de multiplier les élus, l'idée de confier l'ensemble de la décoration de l'édifice à Hippolyte Flandrin s'est rapidement imposée à l'esprit des autorités. Cette exception doit sans doute trouver son origine dans l'amitié qui liait Hippolyte Flandrin à Edouard Gatteaux et à Victor Baltard. Le premier était à la fois membre du Conseil Municipal, ami et condisciple d'Ingres. Comment ce sculpteur et graveur en médailles que fut Gatteaux, hautement apprécié de Rambuteau, n'aurait-il pas pu obtenir que les travaux menés dans les églises de la Ville de Paris soient confiés à des élèves du maître qu'il estimait tant ? Sans doute est-ce lui qui a proposé le nom de Flandrin bien qu'on ne puisse le certifier. En tout cas, Hippolyte semble lui avoir gardé une reconnaissance fidèle.

Quant à Victor Baltard, il interviendra certainement dans la décision de choisir Flandrin pour la décoration de la Chapelle des Apôtres et de la nef dès son arrivée sur le chantier de Saint-Germain-des-Prés en 1843. Baltard connaissait bien Flandrin. Ensemble, ils avaient été pensionnaires de la Villa Médicis. En 1843, grâce, semble-t-il, à Gatteaux, il est chargé en tant qu'Inspecteur des Beaux-Arts de continuer après Godde la restauration de l'illustre abbaye bénédictine. Il ne pouvait que maintenir Flandrin, l'entente entre les deux hommes est d'ailleurs maintes fois attestée. Mais les raisons de l'amitié ne suffisent pas à expliquer cette unité qui est la caractéristique principale de Saint-Germain-des-Prés. Il serait, en effet, injuste de réduire à un simple concours de circonstances l'estime dont jouissait Hippolyte Flandrin. Depuis le succès qu'avaient remporté ses peintures à Saint-Séverin (1839-1841), son talent n'était pas inconnu à Paris et ne pouvait qu'encourager Baltard et les autorités départementales de la Seine à confier à Flandrin la totalité du programme de Saint-Germain-des-Prés. Cependant, les quatre campagnes : le sanctuaire (1842-1846), le chœur ou la Chapelle des apôtres (1846-1848), la nef (1856-1863) et les transepts (1864) firent l'objet de quatre commandes distinctes, séparées chronologiquement, chacune appelant et justifiant en quelque sorte la suivante.

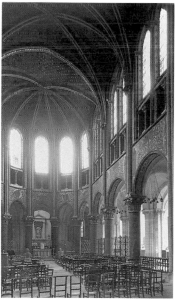

Vue du chœur,
(après 1960).

Vue du chœur
avec une partie
du décor de la nef
à gauche,
(photo ancienne).

Conception et mise en œuvre

Il revenait de toute évidence à Flandrin de choisir les sujets et de fixer les programmes. Mais la vérité est sans doute plus complexe et il faut se garder de trop simplifier. D'une part, Flandrin, semble-t-il, ne concevait pas seul ses sujets. D'autre part, les programmes ainsi fixés par Flandrin et par ceux auprès de qui il prenait conseil, devaient être soumis à l'approbation de l'Administration. Hélas ! l'absence d'archives ne nous permet pas de connaître précisément les éventuelles discussions et hésitations que Flandrin eut avec ses proches lors de l'élaboration des programmes. Sa correspondance publiée ne nous renseigne pas davantage. Jamais, par exemple, le R.P. Cahier, s.j. (1807-1882) que Flandrin rencontra par l'intermédiaire de sa femme aux environs de 1843, n'est cité à propos des peintures de Saint-Germain-des-Prés. Heureusement, ce jésuite est plus disert que Flandrin. Il déclare, sans ambages, être l'inventeur du programme de la nef de Saint-Germain-des-Prés, comme il le fut de celui des frises de Saint-Vincent-de-Paul. C'est donc le R.P. Cahier qui a choisi les sujets à représenter dans la nef en en précisant même, pour certains, l'iconographie à adopter *(La Nativité)*. Mais l'idée de cycle ne vient pas de lui. Elle viendrait de son collaborateur et confrère, le R.P. Arthur Martin, s.j. (1807-1856). Celui-ci

Décor du sanctuaire

inaugura le genre dans les années 1840 en dotant de vitraux l'église Notre-Dame de Bonsecours à Rouen, tandis qu'il étudiait avec le R.P. Cahier ceux de la cathédrale de Bourges.

Ingres, de son côté, a prodigué ses conseils à son élève lors de la mise en œuvre de la Chapelle des Apôtres. Flandrin l'aurait-il consulté pour la nef ? La question reste posée.

Par ailleurs, Victor Baltard, délégué par l'Administration a dû être chargé de conseiller, sûrement d'approuver Flandrin dans le choix des sujets. C'est une certitude pour la Chapelle des Apôtres. Enfin restent à citer les différents collaborateurs avec lesquels Flandrin a travaillé. Nommons en premier lieu le décorateur Alexandre Denuelle qui devait encadrer les œuvres de Flandrin de peintures ornementales en veillant à l'harmonie de l'ensemble. On peut imaginer Flandrin et Denuelle discutant et prenant mutuellement conseil l'un de l'autre. Les autres collaborateurs sont ceux avec lesquels Flandrin travaille plus directement : son frère Paul et ses élèves. Il est difficile de préciser avec exactitude la part prise par Paul son frère ou ses élèves et amis : Louis Lamothe et Joseph Pagnon pour le sanctuaire et la Chapelle des apôtres ; Jean-Baptiste Poncet et Camille-Auguste Gastine pour la nef. Paul est sans doute à mettre à part. Ne faisait-il qu'exécuter les désirs de son frère ou celui-ci lui laissait-il une certaine liberté ? La réponse ne peut être que ponctuelle. Nous savons que Paul est l'auteur de la dernière travée du côté droit de la nef. Il peignit également chacun des visages du Christ, sous les traits de son frère dans la *Crucifixion* (nef). l'*Entrée à Jérusalem* et la *Montée au Calvaire* (sanctuaire). Dans l'*Entrée à Jérusalem*, Paul exécuta aussi l'ânesse et l'ânon ainsi que l'ânesse de *Balaam* et l'âne et le bœuf dans la *Nativité*. On lui attribue aussi l'Adam dans *Adam et Eve chassés du Paradis*. Il est difficile par contre de connaître le travail fait par Paul dans les paysages que l'on aurait tendance à lui attribuer. Il semble que Paul n'en soit pas systématiquement l'auteur. Hippolyte aurait pu en exécuter lui-même d'après des esquisses de son frère. Quant à ses élèves, dans l'état actuel de nos connaissances, il est quasiment impossible de déterminer avec exactitude la part qui leur revient.

Ayant ainsi évoqué les différents noms qui sont à l'origine de ces programmes tant dans leur conception que dans leur réalisation, essayons de suivre, maintemant les hésitations de Flandrin et de ses collaborateurs, puis le parti enfin adopté, pour chacune des œuvres des quatre cycles.

Décor du chœur

Lecture des cycles

Le sanctuaire

Deux grands tableaux surmontés de figures isolées qui s'inscrivent, pour certaines, dans des niches pré-existantes. Tel est ici le parti auquel s'est rangé Flandrin pour décorer ces deux parois qui, autrefois, encadraient le maître-autel. L'iconographie des figures des parties supérieures est prise d'une part parmi les Vertus théologales et cardinales et d'autre part parmi des personnages ayant trait à l'histoire de l'abbaye. Les deux sujets principaux sont tirés de l'Evangile :
sur la paroi de gauche : *L'Entrée à Jérusalem,* sur celle de droite : *La Montée au Calvaire.* Par chance, nous avons pu retrouver, pour l'ensemble de la paroi de gauche, une esquisse de Denuelle (Paris, Bibliothèque de l'Ecole nationale supérieure des Beaux-Arts) et deux autres esquisses d'Hippolyte Flandrin (chez les héritiers de Paul Flandrin). Dans cette même collection, il existe une autre esquisse où figure seulement l'*Entrée à Jérusalem.* L'intérêt de ces esquisses réside dans leurs différences. Celles-ci sont souvent minimes. Ainsi Flandrin hésite-t-il à représenter le Christ, les mains baissées ou l'une d'entre elles levée dans un geste de bénédiction. Recherche aussi de la couleur du ciel : Flandrin passe successivement du ciel bleu à un ciel doré avec des nuages bleus pour peindre enfin un ciel totalement doré en fausse mosaïque, solution qu'il a jugée avec raison plus monumentale. Hésitation aussi dans le choix de la quatrième figure qui suit les Vertus théologales, au-dessus du sujet principal. Avant d'opter pour la *Patience,* Flandrin se demande s'il ne représenterait pas l'*Obéissance* ou la *Mansuétude.* Enfin, il a songé, pendant un temps, à couronner l'ensemble de la paroi de deux figures du Tétramorphe.
Quant à la paroi de droite, en l'absence d'esquisse préparatoire, la genèse de son décor nous échappe. Seul un petit croquis nous laisse supposer que Flandrin pensait s'inspirer, pour la *Montée au Calvaire* du tableau de Raphaël, le *Portement de Croix,* (Madrid, Prado), dont la composition en hauteur ne convenait pas pour orner un espace en largeur. La version définitive reste comme l'ensemble de ce cycle sous l'influence d'Ingres, de style très romain du XVIe siècle, dans la lignée de Raphaël. On retrouve en effet, dans la *Montée au Calvaire,* un des bourreaux du *Martyre de saint Symphorien* conservé à la cathédrale d'Autun.

La Chapelle des apôtres

Cette partie de l'église formait jadis une chapelle isolée du reste de l'édifice, séparée du maître-autel par une paroi. Hippolyte Flandrin conçoit donc tout naturellement un cycle indépendant de celui du

sanctuaire. La séparation est traduite de façon évidente par le changement de style. Du XVIe siècle romain du sanctuaire, nous passons, ici, au XIIIe siècle byzantin que Flandrin découvrit à Saint-Marc de Venise en 1837, avec ses deux cortèges d'apôtres s'avançant vers les figures du tétramorphe qui flanquent l'hétimasie. A la tête de ces deux théories d'apôtres dont la conception revient à Baltard, on reconnaît d'un côté Pierre, de l'autre Paul. Cette option n'a pas été prise d'emblée par Flandrin comme en témoigne l'esquisse de Denuelle citée ci-dessus qui figure Pierre et Paul sur les deux écoinçons de la même arcade. On voit aussi un ange peint au-dessus du vitrail, ornement que Flandrin supprimera. Enfin, citons Ingres et Gatteaux à propos de la couleur des apôtres. Ils les concevaient bleus et rouges, selon la tradition classique. Flandrin se décide pour le blanc, et Ingres de l'en féliciter.

La nef

Elle a été exécutée huit ans plus tard ; dans l'intervalle, Flandrin réalise les décors de Saint-Martin d'Ainay à Lyon (1855), de Saint-Paul de Nîmes (1848-1849) et de Saint-Vincent-de-Paul à Paris (1849-1853).

Le thème des compartiments qui, deux par deux, se suivent tout au long de la nef, peut s'analyser, à la suite de l'abbé de Saint-Pulgent, comme l'histoire de la Révélation depuis la Création jusqu'à la Prédication des Apôtres. C'est, à travers l'Ancien et le Nouveau Testament, la figuration du salut du monde. Pour plus de clarté et de commodité, Flandrin coupe la hauteur de la muraille au-dessus des grandes arcades, en deux registres. Dans la partie inférieure, il hésite à ne remplir l'espace que par un seul tableau et dans cet esprit, à grouper les scènes de l'Ancien Testament sur le côté gauche, au nord, du côté de l'ombre et celles du Nouveau Testament en vis-à-vis du côté de la lumière. En définitive, il n'adopte pas ce parti. Il déroule un cycle de vingt grands tableaux, divisant l'espace de chaque travée en deux. L'épisode représenté à gauche renvoie au Nouveau Testament et guide la lecture tandis que celui de droite est choisi parmi ce que l'on considère dans l'Ancien Testament comme préfiguration du Nouveau.

Ainsi Hippolyte subordonne l'Ancien Testament au Nouveau en donnant la priorité à l'Evangile, pris de l'*Annonciation* à l'*Ascension*. Dans la partie supérieure, d'après un Mémoire de Travaux signé par Baltard et Denuelle, il avait prévu d'y faire alterner les Pères de l'Eglise avec d'autres figures. En définitive, Flandrin dispose, dans des arcades simulées, un cortège de figures isolées ou groupées appartenant toutes à l'Ancien Testament. Adam et Eve s'y trouvent en tête et saint Jean-Baptiste qui appartient déjà au Nouveau Testament clôt le cortège. Toutes ces figures trouvent leur prolongement

Décor de la nef
en allant vers le chœur,
(mur de gauche).

dans les vitraux de la Chapelle des apôtres. Dessinés par Flandrin, exécutés par Gérente, ces vitraux représentent le Christ, au centre, flanqué à sa gauche de la Vierge et de saint Denis et, à sa droite, de saint Jean-Baptiste et de sainte Geneviève. Au-dessus des vitraux de la nef qu'encadrent les personnages de l'Ancien Testament, nous ne retrouvons pas les grandes figures d'anges épousant le cintre des vitraux selon la description du Mémoire évoqué précédemment, mais une simple inscription tirée des Écritures sert de lien avec les grands tableaux. Le parti définitif adopté, il y eut des variations à l'intérieur même de l'élaboration de chacun des sujets. C'est une certitude au moins pour les deux tableaux de la première travée du côté gauche de la nef : *L'Annonciation* et *Le Buisson Ardent*. Grâce à une esquisse appartenant aux héritiers de Paul Flandrin, on note que Dieu le Père, comme chez Raphaël dans les loges du Vatican, apparaît dans le buisson ardent lui-même. De plus, cette travée ne semble pas avoir été prévue, d'après cette même esquisse, pour commencer le cycle inférieur. On y note l'ébauche d'une travée à gauche. Mentionnons aussi les hésitations de Flandrin pour trouver le titre correspondant le mieux au premier tableau de la seconde travée du côté droit en partant de l'orgue : *La Remise des clefs à saint Pierre, La Mission des apôtres* ou *La Réunion des hommes dans une même toi dans le don des langues donné aux apôtres*.

Il est plus aisé de repérer les artistes dont s'est inspiré Flandrin : Cimabue et Giotto dont il ne cessait de parler dans sa correspondance. Hippolyte se souvient dans la nef de Saint-Germain-des-Prés de la coloration générale du cycle de Giotto à Assise. Le XIIIe siècle byzantin, en revanche, inspire un tableau qui tranche par rapport aux autres et qui est directement dicté par le R.P. Cahier : *La Nativité*. Mis à part cette exception, c'est surtout du XVIe siècle romain avec Raphaël et les loges du Vatican dont Hippolyte s'inspire à Saint-Germain-des-Prés. On retrouve l'influence de Raphaël, principalement dans le côté gauche de la nef : *Le Buisson Ardent ; Adam et Ève chassés du Paradis ; Le Passage de la Mer Rouge ; Melchisedech offrant du pain et du vin, bénit Abraham*, mais aussi dans le côté droit : *Joseph vendu par ses frères*. Raphaël, restait pour Hippolyte Flandrin l'intermédiaire privilégié à travers lequel il découvrait les richesses iconographiques des périodes paléo-chrétiennes. Par exemple, si le Moïse du *Passage de la Mer Rouge* reprend le Moïse frappant le rocher des catacombes de Sainte-Agnès à Rome, le modèle d'Hippolyte reste l'œuvre de Raphaël au Vatican. Citons d'autres artistes du XVIe siècle italien, particulièrement appréciés au XIXe siècle comme Le Sodoma à qui Hippolyte Flandrin emprunta son *Sacrifice d'Abraham* du Baptistère de Pise. Le XVIIe français se laisse à peine deviner dans l'*Institution de l'Eucharistie* où la cruche reproduit fidèlement celle de la *Cène* de Philippe de Champaigne du Louvre. On sait d'autre part d'après un dessin préparatoire qu'Hippolyte Flandrin songeait à s'inspirer pour *Le*

Baptême du Christ du tableau de Poussin actuellement à la National Gallery de Washington. Ingres est l'artiste contemporain dont Hippolyte s'inspire le plus. On retrouve en effet dans la *Mission des Apôtres*, la *Remise des clefs à saint Pierre* d'Ingres conservée au Musée Ingres à Montauban (dépôt du Louvre).

Les transepts

Rappelons que seul le transept nord avait été commandé à Hippolyte Flandrin. Il ne fut exécuté qu'après sa mort, en 1864 par un de ses élèves : Sébastien Cornu. On ne saurait préciser ce que Flandrin prévoyait de représenter soit, selon les documents retrouvés, des scènes se rapportant au Christ Juge au Nord et au Christ triomphant au Sud, soit la vie de saint Germain d'un côté et l'exaltation de la Croix de l'autre. Quelque soit le projet qui devait être retenu, il s'agissait d'un quatrième programme indépendant des précédents et formant un cycle à lui seul. Parmi les très rares études préparatoires relatives à ce cycle, on trouve un croquis reprenant les mains en croix de Jacob telles qu'on peut les voir dans le haut vitrail de la *Nouvelle Alliance* à la Cathédrale de Bourges.

L'accueil de la critique

Si certains trouvaient si peu de peintures murales correspondant à leur goût au point qu'on peu se demander s'ils en accepteraient le genre (M. du Camp, Ed. et J. de Goncourt et dans une certaine mesure G. Planche), on s'intéressait en général vivement au renouveau de la peinture monumentale et en particulier à l'œuvre d'Hippolyte Flandrin. Il fut apprécié la plupart du temps, que ce soit par sa famille (L. Flandrin), par ses élèves (J.B. Poncet), ses amis (Bodinier, Lacuria) ou par les partisans du régime (Th. Gauthier). Ceux-ci aimaient à retrouver dans le cycle de Saint-Germain-des-Prés comme l'écho, au cœur du XIXe siècle, de celui de la basilique d'Assise et des sculptures des porches et vitraux des nefs des cathédrales.

Mais leurs éloges sont parfois excessifs (L. Lagrange, M. de Montrond) : apprécier ne veut pas forcément dire comprendre. Ils pèchent par excès. Le cas est frappant à propos des frises de Saint-Vincent-de-Paul. Le R.P. Cahier et Flandrin se sont divertis ensemble et en petit comité des idées follement sublimes et des intentions transcendantes que certains critiques y découvraient. En effet, tout dévoués au vrai symbolisme traditionnel, nous savons qu'ils nourrissaient le plus profond dédain et la plus vive antipathie pour ce mysticisme de fantaisie dont on prétendait leur faire honneur. Dans ces frises, il ne

Décor de la nef
en allant du chœur vers l'entrée,
(mur de droite).

s'agissait pas du triomphe de la foi, comme certains l'ont dit (A.J. Hurel), mais juste de l'expression, selon les propres mots du R.P. Cahier, d'un bon villageois chrétien. A Saint-Germain-des-Prés, les peintures de la nef notamment sont moins simples à décrypter, bien que quelques-uns y dénoncent un mysticisme de fantaisie (abbé A. Lecanu). Plus significatives, nous semble-t-il, sont les critiques qui estiment ces peintures laborieuses et ennuyeuses (A.J. Hurel).

Certains regrettent l'alternance Ancien/Nouveau Testament finalement adoptée (F. Boissard, A. Galimard). L'œuvre de Flandrin à Saint-Germain-des-Prés apparaît donc, à en lire attentivement les critiques, moins facile d'accès qu'à Saint-Vincent-de-Paul. Peu nombreux, en effet, sont ceux qui d'emblée saisissent le symbolisme christologique établi par le R.P. Cahier, rappelant ainsi le vocable de la Sainte-Croix que cette basilique bénédictine avait reçu jadis.

Le R.P. Cahier et Flandrin ont voulu à Saint-Germain-des-Prés aller au-delà du simple bon sens chrétien adopté à Saint Vincent de Paul. Mais l'apport, trop littéraire peut-être, des recherches du R.P. Cahier en matière d'archéologie médiévale, l'idée de cycle suggérée par le R.P. Martin, sans doute pas assez explicitée, font des peintures de Saint-Germain-des-Prés, l'œuvre majeure de Flandrin mais aussi la plus difficile à saisir. Pour bien la comprendre, il ne faut oublier ni le milieu dans lequel évoluait Flandrin ni ceux avec qui il concevait ses programmes et auprès de qui il prenait conseil. Certains ont analysé trop rapidement son œuvre comme celle du meilleur élève d'Ingres se souvenant avec bonheur de Giotto et de Raphaël.

Il manque alors un élément indispensable pour avoir une bonne compréhension de l'œuvre de Flandrin : l'influence du petit comité auquel il appartenait et dont faisaient partie le R.P. Cahier, le R.P. Martin et dans une moindre mesure Cl. Lavergne et le R.P. M. Tournesac, s.j. (1805-1875), architecte de la Compagnie. La masse des dessins préparatoires conservés qui présentent si peu de variantes par rapport aux compositions réalisées laisse supposer que celles-ci étaient définies d'une façon très précise par ce comité. Ce fait a pourtant échappé à beaucoup de critiques. Pas un seul par exemple ne souffle mot du R.P. Cahier. C'est pourtant le pivot autour duquel on peut apprécier et comprendre sans s'égarer l'œuvre d'Hippolyte Flandrin à Saint-Germain-des-Prés et plus largement Flandrin comme peintre religieux.

Rapidement évoqué, le programme iconographique de ces peintures mi-mystiques mi-historiques formant un ensemble d'une apologie mixte d'une qualité jamais médiocre et même souvent très belle, a l'ambition d'une véritable somme théologique. Le renouveau de la peinture religieuse au XIXe siècle a trouvé en Flandrin et à Saint-Germain-des-Prés un interprète et un lieu d'élection.

Liste descriptive

Le sanctuaire, côté gauche :

L'entrée à Jérusalem (*Lapides clamabunt*, Luc XIX, 40) surmontée des trois vertus théologales : la *Foi*, l'*Espérance*, la *Charité* auxquelles fait suite la *Patience*.

Au-dessus : *saint Germain* (évêque de Paris, consécrateur de l'abbaye le 23 décembre 558) figure au centre et

à gauche : *Doctrovée* (1er abbé de l'abbaye) et

à droite : *Childebert 1er* (fondateur de l'abbaye) et sa femme *Ultrogothe*.

Le sanctuaire, côté droit :

La Montée au calvaire (*Flete superete Filios,* Lc XXIII, 28) surmontée des quatre vertus cardinales : la *Force*, la *Tempérance*, la *Justice* et la *Prudence*.

Au-dessus : *saint Vincent* (1er saint Patron de l'abbaye) au centre et

à gauche : le *roi Robert* (sous le règne duquel fut réédifiée l'abbaye au XIe siècle après le sac des Normands) et *saint Benoît* (fondateur de l'ordre bénédictin) et

à droite : le *pape Alexandre III* qui consacra le nouveau chœur du XIIe siècle le 23 avril 1163 et l'*abbé Morard* sous l'abbatiat (990-1014) duquel fut reconstruite l'abbaye dès le XIe siècle.

La Chapelle des apôtres :

Les cinq médaillons du fond figurent au centre : l'*Agneau* couché sur le tabernacle emmatique, et de gauche à droite : le *Taureau* (saint Luc), l'*Aigle* (saint Jean), l'*Ange* (saint Matthieu), le *Lion* (saint Marc).

De ces médaillons partent de chaque côté le double cortège d'apôtres conduits à gauche par *saint Pierre*, suivi des saints *André, Jean, Jacques le Mineur, Barthélémy* et *Simon* conduits à droite par *saint Paul* suivi des saints *Jacques le Majeur, Thomas, Philippe, Matthieu, Thaddée*.

Au-dessus des médaillons, se trouvent les cinq vitraux représentant de gauche à droite : *saint Denis* (Ier évêque de Paris), la *Vierge*, le *Christ, saint Jean-Baptiste* et *sainte Geneviève* (patronne de Paris).

Dans les quatre voûtains de la croisée du transept, les quatre archanges sont peints dans des médaillons (*Michel, Gabriel, Raphaël* et *Uriel*).

La nef :

Côté gauche (de l'orgue à l'autel) :
— Ire travée :
  Annonciation.
  Moïse se prosterne devant le Buisson ardent.
Au-dessus :
  Adam et Eve, Abel, Enoch.
— 2e travée :
  Naissance de l'Enfant Jésus.

  Adam et Eve réprimandés par Dieu.
Au-dessus :
  Noé, Abraham, Isaac, Melchisédec.
— 3e travée :
  Adoration des Mages.
  Prophétie de Balaam.
Au-dessus : *Jacob, Joseph, Moïse, Job.*
— 4e travée :
  Baptême de Notre-Seigneur. Le Passage de la Mer Rouge.
Au-dessus : *Aaron, Josué, Marie* (sœur de Moïse), *Jahel et Debora.*
— 5e travée :
  Institution de l'Eucharistie. Melchisédech offrant du pain et du vin, bénit Abraham.
Au-dessus : *Judith, Gédéon, Samson.*

Côté droit (de l'orgue jusqu'à l'autel) :
— Ire travée :
  Ascension de Notre-Seigneur. Préliminaires du Jugement dernier.
Au-dessus : *Amos, Malachie, Nahum, Siméon, saint Jean-Baptiste, Zacharie.*
— 2e travée :
  Mission des apôtres. Dispersion des peuples au pied de la Tour de Babel.
Au-dessus : *Habacuc, Sophonie, Osée, Joël.*
— 3e travée :
  Résurrection de Jésus-Christ. Jonas rendu au jour par le monstre marin.
Au-dessus : *Ezéchiel, Daniel, Elie, Elisée.*
— 4e travée :
  Mort de Jésus-Christ sur le calvaire. Isaac au moment d'être immolé par son père.
Au-dessus : *Isaïe, Ezéchias, Jérémie, Baruch.*
— 5e travée :
  Trahison de Judas. Joseph vendu par ses frères.
Au-dessus : *Samuel, David, Salomon.*

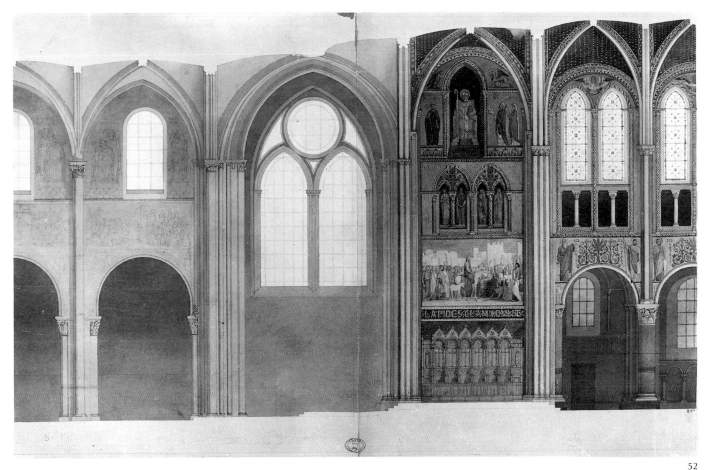

52. **Projet aquarellé de Dénuelle pour la décoration de la *Nef, du sanctuaire et du chœur de Saint-Germain-des-Prés***

(esquisse d'ensemble, vers 1842)

DESSIN : Aquarelle sur esquisse à la mine de plomb (?). Papier beige. H. 0,586 ; L. 0,910. Marque de l'École des Beaux-Arts (Lugt 803), b., vers le centre.

HISTORIQUE : Don Taine (gendre de l'artiste) à l'École des Beaux-Arts, 1882. — N° d'inventaire : 3 408.

EXPOSITION : Paris, 1980, n° 556, repr.

BIBLIOGRAPHIE : Horaist, 1981, p. 213-214, repr. p. 214, fig. 1 ; p. 223, note 32.

Alexandre Denuelle avait reçu une formation de peintre-décorateur dans les ateliers de Paul Delaroche et de Bin, ainsi que dans celui de l'architecte Félix Duban. Il devait au cours de sa carrière collaborer avec Hippolyte Flandrin pour les décorations du château du duc de Luynes à Dampierre, de l'église Saint-Germain-des-Prés à Paris, de l'église Saint-Paul à Nîmes et enfin de la cathédrale de Strasbourg.

Le présent dessin, pour lequel M. B. Horaist suggère une datation prenant place dans les années 1840-1842, montre un état de la décoration imaginée par Flandrin pour une travée et demie de la chapelle des apôtres avant que l'artiste ne décide de repeindre les apôtres en blanc. *Ph.G.*

PARIS, ÉCOLE NATIONALE SUPÉRIEURE DES BEAUX-ARTS.

134 *Hippolyte Flandrin*

53. Esquisse d'ensemble du mur gauche du sanctuaire avec l'*Entrée du Christ à Jérusalem* (1846)

PEINTURE : T.H. 1,00 ; L. 0,46.

HISTORIQUE : Fonds familial Flandrin. Restauré en 1984

EXPOSITION : Paris, 1865, n° 66 ? (« Entrée de Jésus-Christ à Jérusalem »).

BIBLIOGRAPHIE : Horaist, 1979 (1981), p. 214-215, repr. fig. a p. 216, n° 3 p. 24 (collection Froidevaux, Paris).

ŒUVRES EN RAPPORT : Esquisse du même côté gauche, T.H. 1,00 ; L. 0,47 (Horaist n° 2, repr. fig. 4a p. 215). A vrai dire, cette peinture est d'une qualité nettement inférieure et semble ne pas être originale (copie par Paul Flandrin ?). Bruno Horaist est d'accord lui aussi pour la retirer à H. Flandrin (communication orale, 1984), alors qu'elle figure encore comme originale dans son article de 1979.
Autre esquisse, due à l'atelier du maître T.H. 1,00 ; L. 0,45 (Horaist n° 5, collection particulière). En 1980, chez Shepherd Gallery à New York (n° 82, repr. au catalogue) après avoir figuré auparavant dans la collection Bernard Chesnais à Paris.

Esquisse d'ensemble de la travée avec tout son système décoratif qui semble bien provenir d'une étroite collaboration entre Denuelle (*cf.* n° 52) et Flandrin. Omise par Mme Lanvin, elle a été publiée pour la première fois par Bruno Horaist. Elle est assez proche de la composition définitive, mais le Christ a encore un bras levé et le ciel n'est pas doré uni mais nuageux. La composition même de l'*Entrée du Christ à Jérusalem* reste l'une des plus belles de l'artiste aux dires de nombreux critiques (elle trouve même grâce aux yeux d'un Galimard qui la préfère — et il n'a peut-être pas tort — aux peintures de la nef). Ainsi Carpeaux n'a pas manqué de la copier (dessin au musée de Valenciennes : *ibidem*, 1975, n° 42 a, repr. au catalogue). C'est la position du Christ qui posa le plus de problèmes à Flandrin : fallait-il ou non lui faire lever le bras ? On conserve dans le Fonds familial Flandrin divers dessins où Hippolyte (dessiné par Paul) a lui-même donné la pose du Christ preuve de ses propres hésitations et tâtonnements dans cette affaire ; dans une lettre à son frère Paul, de septembre 1843, Hippolyte signale justement que tout est prêt sauf la figure du Christ « *que nous reverrons un peu ensemble* ».
Le fond dut faire également problème : bleu, nuageux ou doré à la manière des églises paléochrétiennes et byzantines ? Selon Horaist, c'est peut-être Denuelle avec ses exigences de peintre décorateur qui poussa décisivement Flandrin vers l'adoption d'un fonds doré. Devant le résultat, les critiques sont restés partagés (*cf.* Lanvin, 1967. t. II, p. 45-47 bis), Gustave Planche étant l'un des plus (intelligemment favorables aux choix de Flandrin, parce qu'il loue Hippolyte d'avoir su limiter son archaïsme au seul emprunt du fonds doré et de s'en être tenu pour le dessin des figures à la meilleure tradition « romaine » et raphaël lesque : « *Monsieur Hippolyte Flandrin a voulu concilier le sentiment catholique de Giotto avec la science païenne de Raphaël. C'est là une*

54
55

tentative que nous approuvons hautement », Thoré au contraire, tout à fait décontenancé (son vrai domaine était le paysage naturaliste et lui seul !) et un peu à court d'idées, stigmatise ici ce fond or, sans jamais tenter de poser le problème si spécifique de la peinture murale à vocation décorative et monumentale : « *A la bonne heure ! ce fonds de métal invariable dispense de l'air et de la perspective... C'est un pastiche des anciens maîtres catholiques, qui autorise à nier le progrès des arts depuis quatre ou cinq siècles. Mais dans le domaine de la vie, il faut le mouvement, la passion et la couleur* ». Une observation fort pertinente du critique de *La Patrie* du 28 juillet 1846, c'est que Flandrin, loin d'être systématique dans son parti archaïsant du fond d'or, a pris soin de détacher toutes les têtes de ses personnages sur le fond blanc des murailles et non sur le ciel doré qui les surmonte, obtenant ainsi une parfaite et heureuse lisibilité des formes plastiques et des détails narratifs.   *J.F.*

PARIS, COLLECTION PARTICULIÈRE.

54. *L'Entrée du Christ à Jérusalem* (esquisse peinte)

PEINTURE : P. sur carton. H.0,162 ; L.0,272.

HISTORIQUE : Fonds familial Flandrin.

BIBLIOGRAPHIE : Lanvin, 1967, t. II,p. 48 ; Horaist, 1979 (1981), p. 214, 215, repr. fig. 3, ibidem, 217, catal. n°

Une des toutes premières esquisses selon Horaist, parce que comportant un ciel bleu (et non doré comme dans le grand décor mural) et un Christ au bras. Mise en place rapide d'évidence. Même si la composition définitive est plus belle par sa clarté formelle et sa majesté, il reste que le présent travail d'esquisse, point de départ d'une grande idée, a une modestie charmante, presque naïve, qui mérite de retenir l'amateur.   *J.F.*

PARIS, COLLECTION PARTICULIÈRE

55. *L'Entrée du Christ à Jérusalem*

DESSIN : Sanguine sur papier calque. H. 0,297 ; L. 0,437. Marque *Hte Flandrin* (Lugt 933), b.d.

HISTORIQUE : Acquis par le possesseur actuel sur le marché parisien à une date non précisée.

Une des recherches préliminaires — le Christ a encore la main levée — qui montrent le zèle « formel » de l'artiste, soucieux de purifier et de renforcer ses motifs. L'hésitation sur le sens de la composition, ici en sens inverse de ce qu'on voit dans la réalité à Saint-Germain-des-Prés, est tout à fait intéressante à relever.   *J.F.*

PARIS, COLLECTION PARTICULIÈRE

136   *Hippolyte Flandrin*

56. *Tête d'homme de profil*, étude pour l'*Entrée du Christ à Jérusalem*

PEINTURE : T.H. 0,215 ; L. 0,163. S. b. g. : *H.F.*

HISTORIQUE : Fonds familial Flandrin.

Admirable étude inédite, en camaïeu gris, qu'on peut identifier comme celle d'une tête d'un des spectateurs acclamant le Christ en levant le bras, tout à l'extrémité droite de l'*Entrée du Christ à Jérusalem*. L'effet sculptural et monochrome est saisissant de pureté et fait penser à un Carrière en quelque sorte pétrifié et éternisé dans une noble monumentalité à l'Ingresque. A rapprocher de l'*Étude* de la collection Gatteaux pour Saint-Séverin (n° 28).　　　　　*J.F.*

PARIS, COLLECTION PARTICULIÈRE.

57. **Double étude pour le personnage de la Vierge dans la *Montée au Calvaire***
(1846)

DESSIN : Mine de plomb. H. 0,32 ; L. 0,238. Marque : *Hte Flandrin* (Lugt 933) b.d.

HISTORIQUE : Fonds familial Flandrin.

BIBLIOGRAPHIE : Lanvin, 1967, t. II, p. 55 ; Horaist, 1979 (1981), p. 225 n°25.

ŒUVRES EN RAPPORT : Lanvin (p. 55) signale un calque présent du dessin dans le Fonds familial Flandrin. Le groupe des Saintes Femmes et chacune séparément ont donné lieu à plusieurs dessins recensés par Flandrin puis Horaist dans le Fonds familial Flandrin (10 dont une étude d'ensemble conservée au musée de Lyon, mais un seul dessin concerne la Vierge isolée, celui exposé ici). A noter particulièrement une très belle tête de femme pour la suivante placée juste à gauche de Marie et dont l'épouse d'Hippolyte a fourni le modèle (très beau calque dans l'*Album des portraits*, du Fonds Flandrin).

Belle recherche pour un beau motif ! — remarqué en effet par presque tous les commentateurs du décor de Saint-Germain (Wey en 1846, Boissard en 1862, Saglio en 1864, Abel Fabre en 1917, etc…). Le dessin pourrait se suffire à lui-même par la seule évidence de son rythme, de ses rimes, pourrait-on dire : les lignes gracieusement flexibles et parallèles montrent que la double reprise du motif isolé avec un si heureux cadrage n'est nullement innocente ! Mais cette recherche graphique renvoie aussi et surtout à la plus belle partie de la *Montée au Calvaire* de Saint-Germain-des-Prés, là où le peintre a encore exagéré par rapport au présent dessin la courbure expressive du corps ployé de la Vierge, tandis qu'il atténuait par voie d'aplats simplificateurs et décoratifs la suggestion matérielle du relief. Du dessin à la peinture, cet arc de cercle que forme la Vierge, gagne ainsi en lyrisme : les seules lignes courbes n'ont plus besoin de suggérer un corps et chantent la douleur par un pur jeu formel ! La critique de Gustave Planche (1846, p. 158-159) tombe ici en total porte-à-faux et n'en est que plus instructive à citer, eu égard à la volonté d'affirmation stylistique qui régit toute l'œuvre de Flandrin :

« *Les plis droits et symétriques du vêtement ne traduisent pas la forme du corps, ce qui est un défaut grave à notre avis. Une partie de ces critiques s'applique également au second personnage, à la Vierge Marie… le vêtement ne laisse pas deviner assez clairement la forme du corps. Ici, je le sais, il fallait craindre en donnant à l'étoffe trop de souplesse, d'imprimer à la figure de la Vierge un caractère de beauté païenne. Toutefois, je pense qu'il eût été possible d'éviter cet écueil sans effacer, comme l'a fait M. Flandrin, la forme des cuisses, du ventre et des hanches.* » (cité par Mme Lanvin, 1967, t.II, p.58).　　　　　*J.F.*

PARIS, COLLECTION PARTICULIÈRE.

58. ***Sainte Geneviève*** Carton de vitrail pour le chœur de Saint-Germain-des-Prés
(vers 1846-1848)

DESSIN : P. sur. T. Gouache. H. 2,50 ; L. 0,99.

HISTORIQUE : Exécuté en 1846 pour la réalisation des vitraux du chœur de l'église de Saint-Germain-des-Prés. Dès 1887, dans les collections de la Ville de Paris dont le premier embryon s'appelle alors *Musée des collections artistiques de la Ville de Paris* et se trouve installé à Auteuil, sorte de préfiguration de l'actuel Dépôt des œuvres d'Art de la Ville de Paris à Ivry-sur-Seine. Restauré en 1984 pour la présente exposition. — N° d'inventaire : 242.

EXPOSITION : Paris, 1865, partie du n°88 (« Cinq cartons pour les vitraux de Saint-Germain-des-Prés » : 4°, Sainte Geneviève) ?

BIBLIOGRAPHIE : Inventaire Chaix, Edifices civils, t. II, 1889, p. 184 (Flandrin, 1846).

Ce grand carton de vitrail, le seul de la série que possède la Ville de Paris, nous a été signalé par MM. Brunel et Imbert, inspecteurs des églises de la Ville de Paris. On ne saurait prouver qu'il correspond effectivement au carton exposé en 1865, le livret très sommaire de cette exposition ne comportant aucune indication de dimension des objets exposés.
La date de 1846 et l'attribution à Flandrin remontent à la première mention de l'objet sur les listes du Dépôt d'Auteuil, en 1887. Il s'agit effectivement d'un carton pour le vitrail de Gérente placé dans le chœur de Saint-Germain-des-Prés à Paris (*cf.* Inventaire Chaix, *Edifices religieux*, t. II, 1881, p. 240-241). L'invention du motif revient à Flandrin (qui « dessina » également les autres vitraux, le Christ, la Vierge, saint-Jean-Baptiste, saint-Germain) mais le carton proprement dit, d'une exécution relativement banale, fut peut-être exécuté par quelque membre de la Maison Gérente sur un dessin original de Flandrin. La rareté d'un tel document suffit à justifier son sauvetage et son utilisation dans la présente exposition. Il permet de restituer au moins visuellement l'ampleur du travail décoratif de Flandrin qui joue sur plusieurs secteurs (peinture murale proprement dit, vitraux, décors architecturaux).　　　　　*J.F.*

IVRY-SUR-SEINE
DÉPÔT DES ŒUVRES D'ART DE LA VILLE DE PARIS.

59

60

59. Esquisse d'ensemble de la première travée du côté gauche de la nef avec l'*Annonciation* et *Moïse devant le buisson ardent*
(vers 1856)

PEINTURE : T.H. 1,00 ; L. 0,50.

HISTORIQUE : Fonds familial Flandrin. Restauré en 1984.

BIBLIOGRAPHIE : Horaist, 1979 (1981) p. 217, n° 55, p. 226, repr. fig. 6 a p. 216 (collection Froidevaux, Paris)

EXPOSITION : Paris, 1865, n° 70 ? (« Esquisse peinte d'un fragment de la nef de Saint-Germain-des-Prés »)

ŒUVRES EN RAPPORT : Petite esquisse de l'*Annonciation*, P.H. 0,23 ; L. 0,25 ; jadis dans la collection Poncet puis dans la collection Dalbanne à Lyon. Lyon, 1937, n° 118. Lanvin, 1967, t. II, p. 211. Elle ne s'intègre pas à la série des esquisses exposées puis vendues en 1865.
Le Buisson ardent : H. 0,43 ; L. 0,54. Paris, 1865, n° 86 (1e) ; vente de 1865, n° 1 (adjugé 800 frs à Ed. Voulaire). Horaist n° 56 (non retrouvé). De l'habituelle série des modelli pour la nef.

Comme celle de la paroi gauche du sanctuaire, (*Entrée du Christ à Jérusalem, cf.* n° 53), cette capitale esquisse, apparemment omise par Lanvin mais bien commentée par Horaist, a le grand avantage de montrer pour une travée donnée, et sans doute d'une façon idéale encore plus convaincante que dans la réalité, le projet décoratif de Flandrin dans son ensemble. On saisit alors toute l'importance de la collaboration entre Denuelle et Flandrin, et l'on perçoit bien l'incontestable et ambitieuse originalité d'une insertion de décors historiés dans un vaste et complexe décor polychrome, très habilement articulé sur la structure architecturale. Vu la rareté de telles esquisses d'ensemble, — elles n'apparaissent guère sinon aucunement dans les ventes et les expositions, à une virtuelle exception près en 1865 (la présente peinture), puisque les esquisses déjà connues sont toujours des morceaux de détail, classiquement limités à une seule composition —, on peut présumer qu'il n'y en eut pas d'autres et que celle-ci en particulier était un exemple-test servant de modèle de référence dans les discussions avec les commanditaires (Ville de Paris) et avec l'architecte Baltard.
Le plus curieux, c'est que l'esquisse semble dater au moins de 1856, puisque la Vierge de l'*Annonciation* est très proche dans ses variantes d'une étude dessinée pour Marie ainsi datée (Fonds familial Flandrin ; Lanvin, 1967 t. II, p. 212) et qu'en 1857, pourtant, Baltard et Denuelle font sur place des essais simulés en grandeur nature d'après un système décoratif notablement différent (grands anges au sommet des murs au-dessus de personnages saints logés dans des arcatures peintes de chaque côté des fenêtres) : la solution proposée par Flandrin serait donc antérieure à cette proposition et il faut en conclure que Flandrin aura su finalement imposer ses préférences initiales. D'ailleurs, entre Denuelle (qui est d'ailleurs un artiste) et Flandrin tout comme entre ces derniers et les

architectes (Baltard est un ami de Flandrin, *cf.* le portrait de sa fille Paule peint par Hippolyte, *cf.* n° 91), n'imaginons pas des rapports inégalitaires. Relevons dans ce contexte que Denuelle était assez admiratif de l'art de Flandrin pour être l'un des plus actifs acquéreurs à la vente de 1865 (n°s 114, 137, 143 166, 173, 180, 181, 183, 185, 229, 273, 280).
Indépendamment des variantes de l'*Annonciation* : par exemple, les fenêtres non carrées, d'aspect plus médiévales par conséquent, on notera le curieux détail du Dieu le Père apparaissant en chair et en os dans le Buisson ardent, motif très raphaëlesque (*cf.* Horaist) mais timidement abandonné dans la réalisation définitive (l'esquisse de détail de l'exposition et de la vente de 1865 comportait Dieu le Père, si bien que les commentateurs du cycle ont tous bien su relever cet abandon) ; méritent aussi d'être relevées, comme le fait Bruno Horaist, les hésitations sur l'emplacement des scènes et des figures : l'Annonciation, ici, n'est pas au début du cycle ; au-dessus, on ne voit pas le groupe d'Adam et Eve ; se devine plus à droite Baruch (?) qui figure en fait, sur le mur de gauche dans l'église, *etc.* L'amorce des autres panneaux est difficile à interpréter mais semble impliquer des « histoires » différentes.
Bref, un document essentiel à verser au dossier encore fort obscur (et sans doute le restera-t-il à jamais, vu les lacunes de la documentation) sur la genèse du décor de Saint-Germain, et lui-même d'interprétation fort délicate : la science très calculée de Flandrin, sa recherche méditée et sérieuse n'en seront que plus appréciées et tout à la faveur d'une des plus impressionnantes « sommes » iconographiques de l'art religieux du XIX° siècle.   *J.F.*

PARIS, COLLECTION PARTICULIÈRE.

60. Double esquisse de la deuxième travée de gauche : *La Nativité, Adam et Eve réprimandés*
(vers 1856)

PEINTURE : Carton. H. 0,185 ; L. 0,32.

HISTORIQUE : Fonds familial Flandrin.

Joli *bozzetto* tout à fait inédit, d'exécution encore un peu frêle, donc bien antérieur aux *modelli* plus grands et plus fermes de la vente de 1865 dont un certain nombre sont exposés ici, mais il faut remarquer que ne figurent ni à l'exposition ni à la vente de 1865 ceux de la deuxième travée. Est-ce à dire qu'ils n'auraient pas existé et que la présente esquisse en tint lieu ? Une telle double esquisse reste en tout cas une exception dans le matériel actuellement rassemblé pour le décor de Saint-Germain, à l'exception d'une seule petite esquisse de dimensions comparables à celles du présent tableau (esquisse de l'*Annonciation*, P.H. 0,23

L. 0,25, en 1937 dans la collection Dalbanne à Lyon ; ibidem, 1937, n° 118). On imagine bien pourtant que Flandrin a dû au départ esquisser de telles doubles recherches de premier jet, vu leur style très sommaire, ne serait-ce que pour prévoir la nécessaire articulation des scènes entre elles quant aux questions de formes, de masses, de couleurs et de lumière. La Vierge accoudée, et non orante, présente ainsi une belle variante à noter : ce geste est-il dû à la pose, comme l'estime Lanvin (1967, t. II, p. 221) en signalant la vieille photographie conservée dans les Archives Flandrin d'un dessin représentant la Vierge ainsi accoudée ? l'attachant dessin, hélas très pâli, acquis par le musée d'Autun en 1972 (Autun, 1980, n° 25) est conforme lui, au grand tableau, et d'ailleurs daté de 1860. Ce dernier dessin est dédié à Louise Varcollier, fille d'Augustin Varcollier, ce fonctionnaire des Beaux-Arts et ami des artistes dont Flandrin fit le portrait en 1845. Dans son étude générale sur le cycle, Bruno Horaist (*op.cit.*, p. 221) a bien insisté sur le curieux illogisme iconographique de Flandrin (qui ne peut ici qu'être responsable de ce choix déconcertant) : une antithèse entre le thème d'Adam et Eve et celui de la Naissance de Jésus au lieu de la traditionnelle et stricte entre l'Ancien et le Nouveau Testament, ce dernier ayant pour fonction d'assurer l'accomplissement total du précédent.   *J.F.*

PARIS, COLLECTION PARTICULIÈRE.

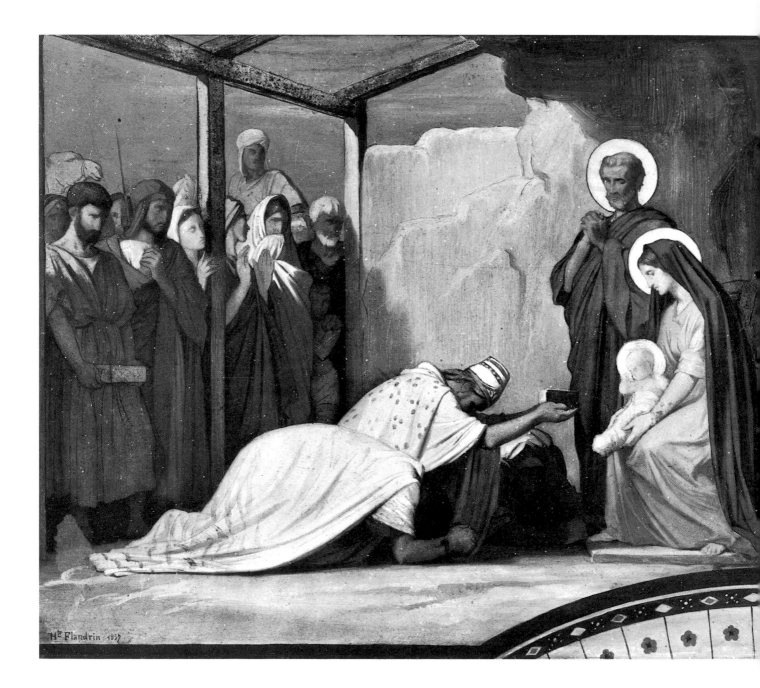

140   *Hippolyte Flandrin*

61. *L'Adoration des Mages*
(1857)

PEINTURE : Carton. H. 0,45 ; L. 0,56. S.D.b.g. : *Hte Flandrin 1857*.

HISTORIQUE : Vente posthume de l'artiste, Paris, Hôtel Drouot, 15-17 mai 1865, n° 2 (adjugé 1 700 frs à Haro) ; vente Paravey, Paris, Hôtel Drouot, 13 avril 1878, n° 2 (adjugé à Raynaud) ; vente à Paris, Hôtel Drouot, 8 mars 1974, n° 81 ; acquis là par le musée. — N° d'inventaire : 74 - 11 - 1.

EXPOSITION : Paris, 1865, n° 85 (5e : *L'Adoration des Mages*)

BIBLIOGRAPHIE : Lanvin, 1967, t. II, p. 228 (comme non retrouvé) ; Horaist, 1979 (1981), p. 226, n° 57, (comme non retrouvé) ; Quiniou, 1976, s.p. et repr. p. 37.

ŒUVRES EN RAPPORT : Lanvin (1967, t. II, p. 228 - 230) cite 25 dessins relatifs à l'*Adoration des Mages* dont ceux de la vente de 1865 : 15 dessins dans deux cadres, n° 92 (adjugés 850 frs à Haro) et n° 93 partagés entre Ambroise Thomas (*cf.* n° 89) et Basset pour 110 et 172 frs.). Horaist fait de même (n° 88 à 97) avec plus de précisions ; beaucoup de ces dessins sont restés dans le Fonds familial Flandrin dont trois dessins d'ensemble à la sanguine et datés de janvier 1856 (Horaist, n°s 91 et 92) ; un au Petit Palais exposé ici (*cf.* n° suivant), un *Saint Joseph* ? au musée de Lyon (Horaist, n° 93), un *Mage*, daté 1858 et inversé, au musée de Lille (Pluchart, n° 1349, Horaist, n° 97), un *Berger*, également à Lille (Horaist, n° 96). Ajoutons un joli dessin des porteurs d'offrandes au Musée des Arts décoratifs de Lyon.

Une des plus heureuses compositions de l'ensemble de Saint-Germain, à la troisième travée de la nef à gauche et en association avec *Balaam*, réussite à laquelle répond bien la qualité de cette fine et ferme esquisse très proche de la peinture définitive (on note de l'une à l'autre fort peu de variantes : ici manque la tête d'un dromadaire, par exemple) mais plus joliment montée en couleurs et parfaitement digne d'être comparée aux travaux du meilleur Chassériau !   *J.F.*

QUIMPER, MUSÉE DES BEAUX-ARTS.

62. **Dessin d'ensemble pour l'*Adoration des Mages***

DESSIN : Mine de plomb sur papier calque collé en plein et mis au carreau. H. 0,39 ; L. 0,495. S.b.g. : *Hte Flandrin* ; cachet de la Ville de Paris (Lugt), b.d.

HISTORIQUE : Don du célèbre marchand anglais, Sir Joseph Duveen, 1920, avec un autre dessin d'H. Flandrin pour Saint-Germain-des-Prés : *Balaam* (Horaist, n° 101). — N° d'inventaire : PPD 1243B.

BIBLIOGRAPHIE : Gronkowski, 1927, n° 288, p. 142 ; Lanvin, 1967, t. II., p. 230 ; Horaist, 1979 (1981), p. 227, n° 90.

Mis en place linéaire des personnages d'une belle qualité de trait aigu et précis, la mise au carreau servant à la transposition finale sur le mur (les dimensions concordent pratiquement avec celles du *modello* peint, *cf.* n° 61).
Pour d'autres dessins d'ensemble, *cf.* la rubrique *Œuvres en rapport* de la notice précédente.   *J.F.*

PARIS, MUSÉE DU PETIT PALAIS.

63

63. *Le Passage de la Mer Rouge* (1858)

PEINTURE : Carton. H. 0,485 ; L. 0,570. S.D.b.d. : *Hte Flandrin 1858.*

HISTORIQUE : Vente posthume de l'artiste, Paris, Hôtel Drouot, 15-17 mai 1865, n° 5 (adjugé 1 730 fr. à Haro) ; vente du Comte de Lambertye, Paris, Hôtel Drouot, 17 décembre 1868, n° 23 (1 300 fr. adjugé à la famille d'Hunolstein) ; vente à Paris, Hôtel Drouot, Etude Audap, 14 décembre 1973, n° 6 (adjugé 8 900 fr. — dans la même vente apparurent trois autres Flandrin, tous achetés par le musée de Poitiers, cf. n°s 25, 70 79) ; acquis à cette vente ou peu après par le Shepherd Gallery de New York (cf. son exposition de 1975) acquis par le musée en 1978 — N° d'inventaire : 78-37.

EXPOSITIONS : Paris, 1865, n° 86 (Le Passage de la mer Rouge) ; New York, 1975, n° 65 repr. au catalogue Wilmington, 1976, n° 1-13, repr. *ibidem* Londres, 1977, n° 36, repr. *ibidem* Chapel Hill, 1978, n° 31, repr. *ibidem* (à la Shepherd Gallery, New York) ; Paris-Philadelphie, 1979, n° 220, repr. *ibidem* (au musée de Princeton) ; New York, 1980, n° 80, repr. *ibidem*

BIBLIOGRAPHIE : Gautier, 1868, p. VII ; Lanvin, 1967, t. II, p. 242 (comme non retrouvé) ; Kashey et Reymert, 1975 p. 159, n° 65, repr. ; D.B., 1978, p. 67-68, n° 31, repr. Horaist, 1979 (1981), p. 226, n° 60, (à la Shepherd Gallery) ; Sebastiani, 1979, p. 355-356, n° 220, repr.

ŒUVRES EN RAPPORT : Madame Lanvin (op.cit.) p. 242-243) recense 10 dessins pour le *Passage de la Mer Rouge* dont un cadre de 5 feuilles passé à la vente de 1865 (n° 99 : adjugé 520 fr. à Haro et selon Sebastiani dans la vente Lambertye en 1868, n° 48. Horaist en signale 8 (n° 112 à 115) ; mis à part ceux, non retrouvés, de la vente de 1865, les autres sont pour la plupart dans le Fonds familial Flandrin, un autre au musée de Lyon (Femme et enfant) daté de 1858 et un autre à Lille (Pluchart n° 1 352 : Homme tenant ses mains jointes, avec force variantes, mais cette étude peut aussi se rapporter à l'*Ascension*).

Composition placée à la 4e travée sur le mur de gauche, en association avec le *Baptême du Christ*. Et, à juste titre, l'une des plus louées par les commentateurs pour la puissante élégance de son dessin, la forte trouvaille plastique des lignes courbes des bras qui se répètent en écho (un motif qui vient sans doute de Raphael ou de son école ; le *Salomon fait roi* aux Loges du Vatican, d'ailleurs copié par l'un des deux Flandrin (Paul ou Hippolyte) dans un petit tableau conservé dans le Fonds familial Flandrin, Lanvin 1967, t. I, p. 135), le délicieux motif de la femme avec son enfant blotti de peur contre le sein de sa mère, en contrastant avec le calme innocent du bébé qui dort dans son berceau, la parfaite et irrésistible lisibilité de chaque silhouette si bien découpée et de l'ensemble tout en courbes dynamiques qui répond au statisme frontal du *Baptême du Christ*.
Paul Mantz (1864) qui aimait peu Flandrin, est obligé d'en appeler ici à l'« Ecole de Raphaël » ! Gruyer (1862) vante le Moïse « grandiose et farouche ». La belle figure de femme au coude levé dans une attitude de protection, derrière Moïse, invite à la comparaison avec certains motifs de Lehmann et de Chassériau. Comme dans l'*Adoration des Mages* (cf. n° 61), le fonds bleu, si mural, aide efficacement à la lecture des formes, ce que l'esquisse, d'une très belle qualité picturale et pratiquement sans variantes par rapport à la composition définitive (mais il s'agit chaque fois de *modelli* assez poussés) souligne encore plus éloquemment.   J.F.

PRINCETON, THE ART MUSEUM, PRINCETON UNIVERSITY.

64. Etude de détail pour *Joseph vendu par ses frères*

DESSIN : Mine de plomb. H. 0,305 ; L. 0,235. D.b.g. : *21 Xbre 1858.* Marque *Hte Flandrin* (Lugt 933) b. vers lag.

HISTORIQUE : Galerie De Bayser, Paris, 1981, acquis là par le musée en 1981. — N° d'inventaire : PPD 3 609.

EXPOSITION : Paris, 1981, n° 21 B, repr. au catalogue.

ŒUVRES EN RAPPORT : Etude peinte (Paris, 1865, n° 85-12e ; vente de 1865, n° 9. Horaist, n° 63, comme non retrouvé). Cinq études dessinées vendues sous le même n° 105 à la vente de 1865 (adjugées 500 frs. au peintre Lehmann ; Horaist n° 136). Vente Lehmann 2,3 mars 1883 n° 181. Mme Lanvin (op.cit., p. 260-261) recense 6 dessins, presque tous dans le Fonds familial Flandrin
Un « fragment de la composition » est exposé en 1865 (n° 93) comme appartenant à Ingres. Peut-être est-ce le dessin partiel du musée de Montauban : Joseph et le marchand à gauche.
Le Musée du Petit Palais a également acheté chez De Bayser (1981, n° 21A, repr.) le dessin correspondant au marchand silhouetté à gauche sur la présente feuille.

Etude pour le groupe des frères du Jeune Joseph. L'un des marchands est laissé en réserve. Figures puissantes au trait ample et sûr et qui témoignent d'un excellente éducation raphaëlesque. La composition est logée dans la 5e travée de la nef, mur de droite, en pendant à la *Trahison de Judas*. Composition d'effet global un peu décevant mais ayant des motifs heureux : les frères aux gestes si bien dessinés, l'émouvant Joseph qui plaira beaucoup aux commentateurs de l'époque.   J.F.

PARIS, MUSÉE DU PETIT PALAIS

64

65

144 *Hippolyte Flandrin*

65. Etude *du Christ en Croix* pour la *Mort de Jésus-Christ sur le Calvaire.*

DESSIN : Mine de plomb sur papier beige, mis au carreau, avec repentirs sur des fragments de papier calque découpé et recollé (pour la tête du Christ) et de papier beige pour les extrémités des doigts. H. 0,299 ; L. 0,232. Marque *Hte Flandrin* (Lugt 933), b.g. ; marque du Louvre M.L. (Lugt 1886 A), b.d.

HISTORIQUE : Un des cinq dessins d'Hippolyte Flandrin donnés au Louvre par la veuve de l'artiste en 1865 (elle en donnera cinq autres en 1869). Tous se rapportent au décor de la nef de Saint-Germain. — N° d'inventaire : M.I. 983.

BIBLIOGRAPHIE : Guiffrey et Marcel, 1910, p. 96 ; n° 4029 ; Lanvin, 1967, t II, p 263 ; Horaist, 1979 (1981), p. 228, n° 142.

ŒUVRES EN RAPPORT : Esquisse peinte d'ensemble : Paris, 1865, n° 86 (9e) ; vente de 1865, n° 64 (comme non retrouvé). Dessins : Horaist recense 22 dessins en tout pour le *Calvaire*, dont 14 étuves vendues en deux lots en 1865 (n° 106 adjugé 680 frs. à Voulaire et 107 adjugé 260 frs. à Ducroiza et Marsac ; Horaist n° 137 et 138), une *Vierge* au musée de Lyon (Horaist n° 140)), une autre au Louvre (M.I.982 ; Horaist n° 139), un *Saint Jean* daté de 1859, également à Lyon (Horaist n° 145) et une grande étude d'ensemble, quadrillée, dans le Fonds familial Flandrin (Horaist n° 146). Un autre *Saint Jean* omis par Horaist se trouve à Lyon (n° 2 318. Lanvin 1967, t.II, p. 265) ainsi qu'une *Madeleine* (exposée ici).- Lanvin (*op.cit.*, p. 263-266) en recense un nombre équivalent mais d'une manière moins précise, certains dessins ne coïncidant d'ailleurs pas entre les deux listes.

Très sensible étude d'académie pour la composition de la quatrième travée de la nef, mur de droite, en pendant au *Sacrifice d'Isaac* (*cf.* n° 68). On notera à droite la belle reprise de détail avec l'étude du pagne du Christ conforme à ce qu'on voit dans la peinture définitive. Le dessin a une perfection qui lui confère une véritable autonomie et dépasse le simple statut d'étude préparatoire. La variante sur calque de la tête du Christ souligne l'importance que cette feuille de recherche devait avoir aux yeux de l'artiste. Le contour du corps si souplement modelé est renforcé par un trait noir et se détache par contraste sur la partie verticale de la croix noircie par des hachures, partie admirablement rendue ici mais absente de la peinture où le corps du Christ cache totalement le montant de la croix.   J.F.

PARIS, MUSÉE DU LOUVRE,
CABINET DES DESSINS.

66. *Tête du Christ*

DESSIN : Crayon noir. Mise au carreau. H. 0,295 ; L. 0,34. Marque *Hte Flandrin* (Lugt 933) b.g.

HISTORIQUE : Resté dans la famille de l'artiste et donné par la veuve de son fils, le peintre Paul-Hippolyte, en 1928. N° d'inventaire : B. 1 568.

EXPOSITION : Lyon, 1981, n° 100, repr. au catalogue.

BIBLIOGRAPHIE : Du Camp, 1867, p. 337 (selon Lanvin, *op.cit.*, Du Camp dans son Salon de 1867 mentionne une *Tête de Christ* dessinée par Flandrin qui est peut-être celle de Lyon ; Flandrin, 1902, repr. pl. XV p. 241 ; Lanvin, 1967, t.II, p. 263-264 (comme non retrouvé et connu par une ancienne photographie) ; Horaist, 1979 (1981), p. 228, n° 143, (musée de Lyon) ; Grafe, 1981, n° 100, p. 208.

Il est à noter qu'une *Tête de Christ* figure dans un des lots de la vente de 1865 (voir *Œuvres en rapport* dans la notice précédente), mais celle de Lyon a été gardée dans la famille jusqu'en 1928 et les dessins de 1865 furent réellement adjugés à moins qu'il n'y ait eu rachat pour la famille dans le lot acheté par Voulaire, parent des Flandrin (*cf.* n° 69).

Le présent dessin est certes l'un des plus beaux de l'œuvre de Flandrin. Grafe parle avec à propos de ce « *visage où seule, l'ombre tragique des yeux clos évoque autre chose qu'un sommeil douloureux* » et Mme Lanvin loue « *la triste expression regard rendu par les dégradés des ombres dans l'orbite oculaire* ». Le vide des yeux est en effet très expressif et, admirable, la qualité suave et soigneuse d'un modelé en quelque sorte caressé par la lumière. S'agirait-il du visage même d'Hippolyte ?
La mise au carreau implique t elle que le dessin a directement servi à un transfert du dessin sur le mur ? On doit souligner en tout cas l'exceptionnelle monumentalité de ce dessin, qui tranche par sa douce et touchante fermeté, servie par une mise en page très calculée (peu de détails de la couronne d'épines !). Devant la peinture elle-même, tous les commentateurs ont remarqué la beauté de la tête du Christ, notamment Gruyer, Vinet en 1862, Poncet en 1864, Louis Flandrin en 1902 et 1909 pour lequel cette « *tête, penchée et mourante est une des plus divines têtes du Christ que l'art chrétien ait créées* ». J.F.

LYON, MUSÉE DES BEAUX-ARTS.

67. Etude pour la *Madeleine au pied de la croix*

DESSIN : Mine de plomb. H. 0,265 ; L. 0,19. Marque *Hte Flandrin* (Lugt 933) b.d.

HISTORIQUE : Don de Mme Paul-Hippolyte Flandrin, veuve du fils de l'artiste, 1928.- N° d'inventaire : 1572.

BIBLIOGRAPHIE : Lanvin, 1967, t.II, p. 264.

Dessin omis par Horaist qui cite toutefois une *Madeleine* sans doute fort proche, dans le Fonds familial Flandrin (Horaist, n° 144 deux autres figuraient à la vente de 1865). La même pose — procédant donc d'une étude presque semblable, à l'inclinaison de la tête près — revient dans la *Dispersion* des peuples (*cf.* n° 70). La qualité du plissé du vêtement de cette Madeleine est à remarquer. Contre Havet qui invoquait la vraisemblance historique pour prendre Flandrin en défaut, Lavergne (1864) a bien su justifier Flandrin d'avoir placé son Christ trop bas par rapport à la Madeleine, pour des raisons d'agencement décoratif (la croix eût été trop haute pour le champ de la peinture, *etc.*)   J.F.

LYON, MUSÉE DES BEAUX-ARTS.

66
67

68. *Isaac au moment d'être sacrifié par son père*
(1860)

PEINTURE : Carton. H. 0,474 ; L. 0,60. S.D.b.g. : *Hte Flandrin 1860*.

HISTORIQUE : Vente posthume de l'artiste, Paris, Hôtel Drouot, 15-17 mai 1865, n° 11 (adjugé 1 600 frs. à Paravey) ; vente Paravey, Paris, Hôtel Drouot, 13 avril 1878, n° 25 (à Raynaud) ; vente à Paris, Hôtel Drouot, Etude Audap, 4 décembre 1973, n° 116 ; acquis à cette vente ou peu après par un collectionneur londonien qui l'a prêté en dépôt de longue durée au musée de l'Université à Albuquerque.

EXPOSITIONS : Paris, 1865, n° 86 (11e : « *Isaac au moment d'être sacrifié par son père* ») ; Lakewiew, 1980, n° 31, repr. au catalogue New York, 1980, n° 81, repr., *ibidem*.

BIBLIOGRAPHIE : Lanvin, 1967, t.II, p. 269 (non retrouvé) ; Horaist, 1979 (1981), p. 226 ; n° 65 (non retrouvé) et 66 (Galerie Shepherd, New York ; -il s'agit en fait du même tableau) ; Kasley et Reymert, 1980, n° 81, p. 238, repr. 239.

ŒUVRES EN RAPPORT : Lanvin (*op.cit*. p. 269-270) recense 12 dessins dont 7 passés en deux lots dans la vente de 1865 (n° 108 : 600 frs. à Marsac ; n° 109 : 50 frs. à Branicki) et un au musée de Lyon (*Etude pour Abraham*, n° 1 173 B), don du fils de l'artiste, Paul-Hippolyte, en 1917) ; les autres sont connus par d'anciennes photos ou existent dans le Fonds familial Flandrin, ce qu'Horaist (n° 147 à 151), précise pour deux d'entre eux.

Le *Sacrifice d'Isaac* se trouve à la 4e travée, mur de droite, associé à la *Mort de Jésus sur le Calvaire* (n° 65). L'esquisse, par son ciel plus lisse et son sol plus lumineux accentue encore l'effet d'extrême stylisation et de découpe cise-lée qui rend cette composition si fascinante, à l'apogée du style noble et châtié de Flandrin. L'Ange qui descend du ciel est un motif prodi-gieux de pureté graphique et d'aisance décora-tive. Tous les détails trop anecdotiques sont évacués au profit d'une lecture concentrée sur trois figures isolées. Les commentateurs de l'époque, peut-être gênés par ce parti « puriste » trop affirmé, ont préféré s'attarder sur de minces considérations iconographiques (Isaac prend une part trop active au sacrifice, dit Gruyer ; il aurait dû être entouré de bandelettes et mieux entravé, selon l'abbé Le Canu, *etc.*).

J.F.

COLLECTION PARTICULIÈRE, EN DÉPÔT À ALBUQUERQUE, THE ART MUSEUM, UNIVERSITY OF NEW MEXICO (E.U)

69. *Jonas rendu au jour par le monstre marin* (1860)

PEINTURE : P. sur carton. H. 0,42 ; L. 0,55. S.D.b.d. : *Hte Flandrin 1860*.

HISTORIQUE : Vente posthume de l'artiste, Paris, Hôtel Drouot, 15-17 mai 1865 n° 13 adjugé 900 frs. à Voulaire ; ce dernier étant un cousin éloigné de Mme Hippolyte Flandrin, il est possible qu'il y ait eu rachat par la famille ; don de Mme Paul-Hippolyte Flandrin, veuve du fils de l'artiste. Paris, 1928. - N° d'inventaire : B. 1 556.

EXPOSITION : Paris, 1865, n° 86 (13e : « Jonas rendu au jour par le monstre marin »).

BIBLIOGRAPHIE : Lanvin, 1967, t.II, p. 276 ; Horaist, 1979 (1981), p. 226, n° 68 (comme non retrouvé).

ŒUVRES EN RAPPORT : Dessin d'ensemble à la sanguine dans le Fonds familial Flandrin (Horaist n° 156) ; deux dessins à la vente de 1865 (n° 112 : 112 frs. à Pichon, soit le peintre et élève d'Ingres ? - (Horaist n° 157) ; en outre, Mme Lanvin, *op.cit.*, p. 276-277, en outre, Mme Lanvin, *op. cit.* p. 276-277, recense 3 autres dessins dont deux connus seulement par d'anciennes photographies et suggère qu'une *Etude de vague*, aquarelle de l'époque romaine de Flandrin (Fonds familial Flandrin) ait inspiré à l'artiste dans le motif de la vague qui déferle sur Jonas.

L'un des plus heureux sujets de la nef de Saint-Germain, remarqué et célébré par les commentateurs de l'époque, notamment Théophile Gautier (1861) qui admire vivement cette idée de la vague qui enroule de sa volute immense Jonas et l'apporte au rivage. L'intense polychromie de l'esquisse (jeu de bleus et de verts profonds) révèle le plaisir du peintre qui s'atténue forcément pour des raisons matérielles et plastiques (matité de la peinture à la cire, exigences de l'aplat mural sur une vaste surface) dans la composition définitive : on voit bien que Flan-drin sait jouer, quand il le faut, le peintre de « cabinet » et de jolis « morceaux ». Avec Mme Lanvin, il faut observer aussi comment le feston d'écume un peu trop perlé et fouillé cache dans l'esquisse le genou de Jonas, pour le laisser au contraire dégagé et le rendre, de ce fait, plus lisible et mieux compris dans la grande peinture. L'élégance graphique et le relief contrasté du rouleau de vagues ne se perdent pas moins, de l'esquisse au mur. Quant au monstre, il présente une certaine naïveté peu terrifique et charmante, bien typique de l'art de Flandrin. Tel quel, ce *Jonas*, à la 3e travée de la nef, mur de droite, s'oppose efficacement par ses courbes et ses festons décentrés à la très sage *Résurrection* centrée, équilibrée et balancée à souhait.   *J.F.*

LYON, MUSÉE DES BEAUX-ARTS

69

70

71

70. La Mission des apôtres pour réunir les nations dans une même foi

PEINTURE : Carton. H. 0,435 ; L. 0,555. S.D.b.g. : *Hte Flandrin. 1861.*

HISTORIQUE : Vente posthume de l'artiste, Paris, Hôtel Drouot, 15-17 mai 1865, n° 14 (avec le titre complet — adjugé 3 350 frs. à Haro : un des plus fort prix de la vente !) ; vente du Comte de Lambertye, Paris, Hôtel Drouot, 17 décembre 1868, n° 24 (*Remise des clefs à saint Pierre* ; adjugé à la famille d'Hunolstein) ; vente à Paris, Hôtel Drouot, Etude Audap, 14 décembre 1973, n° 7 ; acquis à cette vente par le musée. — N° d'inventaire : 974-17-2.

EXPOSITION : Paris, 1865, n° 86 (14° : « Mission des Apôtres »).

BIBLIOGRAPHIE : Lanvin, 1967, t. II, p. 279 (comme non retrouvé) ; Rérolle, 1976, p. 292 ; Vincent, 1980, p. 64, repr. ; Horaist, 1979 (1981), p. 226, n° 69, (au musée de Poitiers).

ŒUVRES EN RAPPORT : 7 études dessinées groupées sous le n° 114 de la vente de 1865 (adjugées 110 frs. à Denuelle, le décorateur avec lequel Flandrin travailla si souvent. — Horaist n° 158) ; 5 autres, n° 113 de la vente de 1865 (650 frs. à Haro identifiés par Horaist dans diverses collections privées à Londres (Horaist n° 162 : Saint Pierre), à Paris (Horaist n° 159-161 : Le Christ, deux groupes d'apôtres), en France (très belle *Tête de saint Pierre* que Mme Lanvin ne connaissait que par une photo ancienne : Horaist n° 163). Un *Apôtre* figure au musée de Montpellier (donné à Bruyas par la veuve de l'artiste (Sébastiani, 1979, n° 304 p. 440, repr. ; Horaist n° 164. La date de 1852 portée sur cette feuille implique que Flandrin ait réutilisé ledit dessin en l'inversant, car on retrouve cet apôtre ainsi dans la *Mission des apôtres*). Mme Lanvin enfin (*op.cit.*, p. 280) signale une étude d'ensemble très linéaire dans le Fonds familial Flandrin.

L'esquisse ne présente pour ainsi dire pas de variantes par rapport à la grande peinture. L'auguste et pesant statisme de cette dernière (toute la majesté de l'Eglise des plus anciens temps !) a d'évidents relents raphaëlesques et ingresques (*La Remise des clefs à saint-Pierre*) comme cela a été maintes fois noté, mais sans le maniérisme inhérent à Ingres et ses provocations agressives. Il y a bien sûr contraste recherché avec l'autre décor-compagnon de la deuxième travée de la nef, mur de droite : la *Dispersion des peuples* (cf. n° 73). Horaist (*op.cit.*, p. 217) a utilement insisté sur les variations du titre de la composition, Flandrin hésitant entre *Mission des apôtres*, *Remise des clefs à saint-Pierre*, ou *Réunion des hommes dans une même foi dans le don des langues donné aux Apôtres* (Archives Flandrin). De fait, les intentions de l'artiste restent incertaines et peu conformes à la vérité de l'iconographie : pourquoi une *Mission des Apôtres* avec un Christ qui tient les clefs et ne porte pas les stigmates ? La meilleure interprétation serait celle d'une *Pentecôte* (Horaist, p. 221, mais qui est bien mal placée avant l'*Ascension* ! Il est vrai que Flandrin vise à une vérité idéale, pour le sens et la forme, plus qu'à une objectivité historique ou théorique. D'où la parfaite et presque trop calme et trop sage majesté de cette composition qui est finalement peu ingresque : rien d'exagéré, rien à y reprendre ! *J.F.*

POITIERS, MUSÉE SAINTE-CROIX.

71. Etude du Christ dans la *Mission des Apôtres*

DESSIN : Mine de plomb sur papier gris-bleu. H. 0,305 ; L. 0,232. Marque *Hte Flandrin* (Lugt 933), b.d. ; marque P de l'actuel propriétaire (non décrite dans Lugt), b.d.

HISTORIQUE : Probablement dans la vente posthume de l'artiste, Paris, Hôtel Drouot, 15-17 mai 1865, partie du n° 113 (lot entier adjugé 650 frs. à Haro) figure à la vente Lamberty, 1868, n° 49 (cf. *Œuvres en rapport* dans la notice précédente) ; acquis dans le commerce parisien par l'actuel propriétaire en 1977.

EXPOSITION : Paris-Philadelphie, 1979, n° 305, repr. au catalogue.

BIBLIOGRAPHIE : Prat, 1979, p. 440-441, n° 305, repr. ; Horaist, 1979 (1981), p. 229, n° 159.

Dans l'esquisse et dans la réalisation définitive, le Christ élève la clef au lieu de la tendre comme ici vers saint Pierre. Sur le dessin, il est aussi moins hiératique, plus doucement humain. Le modelé et le plissé sont admirables de maîtrise mais sans froideur ; jusque dans les hachures, le trait reste vivant, cherche et construit, évite le système glacé... *J.F.*

PARIS, COLLECTION PARTICULIÈRE.

72

72. *Groupe d'apôtres* étude pour la partie droite de la *Mission des Apôtres*

DESSIN : Mine de plomb sur papier gris-bleu. H. 0,306 ; L. 0,235. Marque *Hte Flandrin* (Lugt 933), b.d. ; marque P de l'actuel propriétaire (non décrite dans Lugt), b.d.

HISTORIQUE : Cf. le n° précédent (même collection).

BIBLIOGRAPHIE : Horaist, 1979 (1981), p. 229, n° 161.

Belle reprise du détail de la main à droite. L'homme de profil est très proche d'une figure masculine dessinée par Flandrin en sens inverse, et datée de 1852, au musée de Montpellier (cf. *Œuvres en rapport* de la notice n° 70) et jadis décrite à tort comme se rapportant au cycle de Saint-Vincent de Paul. *J.F.*

PARIS, COLLECTION PARTICULIÈRE.

73. *La Dispersion des peuples au pied de la Tour de Babel* (1861)

PEINTURE : Carton H 0,48 ; L 0,60 S D b d : *H Flandrin 1861.*

HISTORIQUE : Vente posthume de l'artiste, Paris, Hôtel Drouot, 15-17 mai 1865, n° 15 acquis à cette vente par le musée (1 820 fr.) — N° d'inventaire : 463.

EXPOSITION : Paris, 1865, n° 86 (15e : « Dispersion des peuples au pied de la Tour de Babel ».

BIBLIOGRAPHIE : Vergnet-Ruiz et Laclotte, 1962, p. 236 ; Lanvin, 1967, t. II, p. 282 ; Horaist, 1979 (1981) p. 226, n° 70.

ŒUVRES EN RAPPORT : Nombreux dessins A la vente de 1865, 5 vendus sous le n° (115 adjugés 480 fr. à Voulaire) et 3 sous le n° 116 (90 fr à Chevignard) ; 6 au Louvre (Horaist n° 167 à 172). Lanvin (*op. cit.* p. 282-282 bis) recense en outre deux feuilles dans le Fonds familial Flandrin et trois autres connus d'après des photos anciennes (Archives Flandrin). Ajoutons enfin une première recherche pour la Femme avec son enfant, à Lille (Pluchart n° 1 354).

Apparemment, Lille fut le seul musée acquéreur à la vente de l'atelier de l'artiste ! Mais il choisit ici avec bonheur, car la *Dispersion des peuples* est bien l'une des compositions les plus complexe et les plus richement dynamiques du cycle de Saint-Germain : il faut relever ici avec Mme Lanvin que l'influence des *Sabines* de David a joué à plein dans l'enchaînement latéral de groupes très articulés. De fait, la *Dispersion des peuples*, placée dans la deuxième travée de la nef, côté droit, s'oppose fortement à la statique *Mission des Apôtres* (*cf.* n° 70). Opposition formelle qui devient sur le plan du sens une véritable antithèse, au lieu de la sacro-sainte concordance Ancien-Nouveau Testament qu'on aurait logiquement attendue ici (Horaist, *op.cit.*, p. 221) ; mais comme on pouvait déjà l'observer sur le côté gauche avec la *Nativité* illogiquement confrontée à *Adam et Eve*. De l'esquisse à la peinture murale, il y a quelques simplifications notamment l'arc du guerrier vu dos à droite.   *J.F.*

LILLE, MUSÉE DES BEAUX-ARTS.

74. *Jahel et Débora*

PEINTURE . P. sur carton. Cintré dans le haut. H. 0,34 ; L. 0,13. S.b.d. : *HF* (monogrammé) Cadre d'origine, *cf.* n°s 76-80, 82).

HISTORIQUE : Vente posthume de l'artiste, Paris, Hôtel Drouot, 15 17 mai 1865, n° 22 (adjugé 530 fr. à Paravey) ; vente Paravey, Paris, Hôtel Drouot, 13 avril 1878, n° 27 (adjugé à Whateley) ; acquis postérieurement par Melle Rostan et légué par elle avec la collection de son père en 1903 (*cf.* le n° 103). Restauré en 1974.

EXPOSITIONS : Paris, 1865, n° 87 (7e : Jahel et Debora) ; Aix, 1961, sans catalogue.

BIBLIOGRAPHIE : Vergnet-Ruiz et Laclotte, 1962, p. 235 (une des « deux études pour Saint-Germain-des-Prés ») ; Lanvin, 1967, t. II, p. 305-306 ; Horaist, 1979 (1981), p. 230, n° 207, (non retrouvé).

ŒUVRES EN RAPPORT : Etude dessinée connue par une photo ancienne du porte-feuille Flandrin de l'Ecole des Beaux-Arts à Paris (Lanvin, *op.cit.*, p. 306) et se retrouvant apparemment dans une collection particulière à Metz en 1978. Sans doute le dessin de la vente de 1865, car on lit au verso du dessin de Metz le n° 137, *cf infra*. Dans ce dessin, Debora a le bras replié contre elle, un index vengeur pointé vers le ciel ; Jael a le même visage — vieilli — que Debora, à la différence de ce qu'on voit sur le dessin de Lille et sur l'esquisse d'Aix. —Dessin au musée de Lille (Pluchart, n° 1 353), conforme à l'esquisse peinte. — Dessin dans le Fonds familial Flandrin. Mine de plomb. H. 0,195 ; L. 0,182 (Horaist, n° 254). — Dessin à la vente de 1865, n° 137 (Horaist, n° 253).

La jeune Jahel tient le clou et le marteau avec lesquels elle tua Sisara ; la vieille Debora, un sceptre de juge. Figures placées au-dessus du *Baptême du Christ* et du *Passage de la mer rouge* (*cf.* n° 63), 4e travée, mur de gauche, et associées à *Marie, sœur de Moïse* (Musée de Lyon —Horaist n° 206 comme non retrouvé). Leur font pendant *Aaron* et *Josué*.
Le même modèle a prêté son visage aux figures de Jahel et de Marie, mais la figure est infiniment plus réussie que celle de Marie. *J.F.*

AIX-EN-PROVENCE, MUSÉE GRANET.

75. *Le roi Ezéchias*

PEINTURE : P. sur T. Cintré dans le haut (surface origine H. 0,348 ; L. 0,14. S.b.d. : *H.F*

HISTORIQUE : Vente posthume de l'artiste, Paris, Hôtel Drouot, 15-17 mai 1865, n° 30 (adjugé 710 fr. à Paravey).Vente Paravey Paris, Hôtel Drouot, 13 avril 1878, n° 30 (adjugé à Raynaud) ; collection P.R. Paris, vers 1970 (acquis avec la *Judith* cf . n° 81 chez un antiquaire de Dieppe) ; collection Bernard Chesnais, Paris ; acquis de cette dernière collection par l'actuel possesseur en 1982.

EXPOSITION : Paris, 1865, n° 87 (15e : Elzéchias).

BIBLIOGRAPHIE : Horaist, 1979 (1981), p. 230, n° 214, (collection particulière).

ŒUVRES EN RAPPORT : Dessin dans la vente de 1865 (n° 141 — Horaist, n° 259) qui correspond peut-être au dessin de l'Ecole des Beaux-Arts à Paris (Lanvin, 1967, t. II, p. 311). Ce dessin présente des variantes : Ezéchias tient une lance et un bouclier.

Ce monarque fut le protecteur du prophète Isaie. Il tient un bouclier décrit par certains comme cadran solaire (Gruyer, Poncet). Ces derniers disent aussi qu'Ezéchias apparaît comme souffrant. Jolie étude peinte d'une fine nervosité (voir les hachures tracées au pinceau d'une manière incroyablement délicate et intelligente). La peinture de grand format est à peu près invisible et semble assez abîmée.
Figure placée au-dessus de la *Mort du Christ au Calvaire* et du *Sacrifice d'Isaac*, 4e travée, mur de droite, associée à *Isaie* et faisant pendant au duo *Jérémie-Baruch* (*cf.* n° 76). *J.F.*

PARIS, COLLECTION PARTICULIÈRE.

76. *Le prophète Baruch*

Peinture : Carton. Cintré dans le haut (surface peinte, car le tableau était primitivement rectangulaire et moins haut. Flandrin a pratiqué ici un ajout, *cf.* le même procédé aux n°s 74, 75, 77). H. 0,33 . L. 0,13. S.b.g.d. : *HF* — Cadre d'origine avec inscription : *Barruch, cf.* n°s 74, 77-80, 82.

HISTORIQUE : Vente postume de l'artiste, Paris, Hôtel Drouot, 15-17 mai 1865, n° 32 ; acquis à cette vente par le musée de Lille. Le catalogue de vente annoté des archives Flandrin porte en marge : Voulaire, 470 fr. Y a-t-il eu erreur de l'annotateur ou arrangement immédiat à la vente. Voulaire étant un cousin de Mme H. Flandrin ?

EXPOSITION : Paris, 1865, n° 87 (17e : « Barruch »)

BIBLIOGRAPHIE : Vergnet-Ruiz et Laclotte, 1962, p. 236 ; Lanvin, 1967, t. II, p. 311 ; Horaist, 1979 (1981), p.230, n° 216.

ŒUVRES EN RAPPORT : Dessin connu par une photographie ancienne conservée dans le portefeuille Flandrin à l'Ecole des Beaux-Arts de Paris (Lanvin, *op.cit.*).
Dessin à la vente de 1865, n° 143 (« Baruch » — Horaist, n° 261). Dessin dans le Fonds familial Flandrin. Mine de plomb sur papier calque H. 0,225 ; L. 0,195 (Horaist, n° 262).

Baruch le fidèle disciple de Jérémie dont il écrivit toutes les prophéties. Son papyrus porte une inscription allusive à la Captivité de Babylone. Pour une fois, une figure bien placée, remarque Horaist (*op.cit.*, p. 221-222e : au-dessus de la *Mort du Christ* et du *Sacrifice d'Isaac*, 4e travée du mur de droite, mais de tels cas semblent plutôt le fait du hasard (Horaist). Dans la peinture murale, Baruch est plus raccourci et le parchemin déroulé, confère moins de majesté au prophète. Figure associée à *Jérémie* et en pendant au duo Isaie-Ezéchias (*cf.* n° 75). *J.F.*

LILLE, MUSÉE DES BEAUX-ARTS.

77

78

79

77. *Le prophète Ezéchiel*

PEINTURE : P. sur carton. Cintré dans le haut (surface peinte) avec un ajout d'origine, *cf.* nᵒˢ 74-76). H. 0,329 ; L. 0,137. S.b.d. : *Flandrin*. Cadre d'origine (*cf.* nᵒˢ 74, 76, 78-80, 82).
HISTORIQUE : Vente posthume de l'artiste, Paris, Hôtel Drouot, 15-17 mai 1865, nᵒ 33 (adjugé 780 fr. à Paravey) ; vente Paravey, Paris, Hôtel Drouot, 13 avril 1878, nᵒ 31 (adjugé à Whately) ; acquis postérieurement par Melle Rostan et légué par elle avec la collection de son père en 1903, *cf.* nᵒ . Restauré en 1974.

EXPOSITIONS : Paris, 1865, nᵒ 87 (18e : Ezéchiel) ; Aix, 1961, sans catalogue ; Aix, 1976, sans catalogue.

BIBLIOGRAPHIE : Vergnet-Ruiz et Laclotte, 1962, p. 235 (une des « deux études pour Saint-Germain-des-Prés ») ; Horaist, 1979 (1981), p. 230, nᵒ 217, (comme non retrouvé).

Ezéchiel et est appuyé à une porte close. — Figure placée au-dessus de la *Résurrection du Christ* et de *Jonas*, 3ᵉ travée, mur de droite. *Ezéchiel* est associé à *Daniel* et fait pendant au duo Elie (*cf.* nᵒ 78) et Elisée.   *J.F.*

AIX-EN-PROVENCE, MUSÉE GRANET.

78. *Le prophète Elie*

PEINTURE : P. sur carton cintré dans le haut (surface peinte). H. 0,365 ; L. 0,135. S.b.d. : *H. Flandrin*. Cadre d'origine (*cf.* nᵒˢ 74, 76, 77, 79, 80, 82).

HISTORIQUE : Vente posthume de l'artiste, Paris, Hôtel Drouot, 15-17 mai 1865, nᵒ 35 (adjugé 730 fr. à Paravey) ; vente Paravey, Paris, Hôtel Drouot, 13 avril 1878, nᵒ 32 (adjugé au peintre Timbal) ; Collection Etienne Grafe, Lyon ; acquis de cette dernière en 1982. — Nᵒ d'inventaire : 82-64.

EXPOSITIONS : Paris, 1865, nᵒ 87 (20ᵒ : Elie). Lyon, 1981 , nᵒ 52, repr. en couleur au catalogue.

BIBLIOGRAPHIE : Horaist, 1979 (1981), nᵒ 219 p.230 ; Grafe, 1981, nᵒ 52, repr. ; *Bulletin des musées et monumens lyonnais*, 1982-1983, p.108 avec repr. en couleur.

ŒUVRES EN RAPPORT : Dessin au musée de Lille (Pluchart, nᵒ 1351) le prophète est étudié dans un beau dessin d'après un modèle posant nu selon l'habitude académique. Est-ce l'une des neufs études du nᵒ 152 de la vente de 1865 (Horaist, nᵒ 269) ?

Demi-nu, vêtu d'une peau de chèvre, le regard presque halluciné, Elie, le Prophète à la parole de feu qui purifiait les impuretés, élève et agite au-dessus de sa tête un glaive de feu, allusion au feu du ciel qui tomba sur l'autel pour consumer l'holocauste d'Elie et confondre ainsi les 850 prophètes de Baal (Grafe). Le disque de feu qui sert de nimbe au prophète, évoque la roue du char de feu de son ascension (idem). L'harmonie de jaune et de bleu-vert atteste un plaisir de la couleur qu'on ne retrouve pas aussi vif et allègre dans la peinture murale. La perfection graphique des contours n'est pas moindre dans cette jolie maquette qui révèle toute la maîtrise picturale et la science achevée de Flandrin.
Figure placée au-dessus de la *Résurrection de Jonas* et 3ᵉ travée, paroi de droite, associée à *Elisée* et faisant pendant à un duo *Ezéchiel* (*cf.* nᵒ 77) et *Daniel*.   *J.F.*

LYON, MUSÉE DES BEAUX-ARTS.

79. *Le prophète Habacuc*

PEINTURE : P. sur T. Cintré dans le haut (surface peinte). H. 0,32 ; L. 0,13. S.b.g. : *H. Flandrin*. Cadre d'origine avec inscription : Habacuc (sic), *cf.* les nᵒˢ 74,76-78.
HISTORIQUE : Vente posthume de l'artiste, Paris, Hôtel Drouot, 15-17 mai 1865, nᵒ 37 (adjugé 500 fr. à Haro) ; vente du comte de Lambertye, Paris, Hôtel Drouot, 17 décembre 1868, nᵒ 25, (adjugé 300 fr. à la comtesse d'Hunolstein) ; vente à Paris, Hôtel Drouot, Etude Audap, 14 décembre 1973, nᵒ 7 bis ; acquis à cette vente par le musée. — Nᵒ d'inventaire : 1974-17-1.

EXPOSITIONS : Paris, 1865, nᵒ 87 (22e : Habacuc ; Paris-Philadelphie, 1979, nᵒ 222, repr. au catalogue.

BIBLIOGRAPHIE : Rérolle, 1976, p. 192, repr. fig. 18 p. 293 ; Horaist, 1979 (1981), p. 230, nᵒ 221 ; Sébastiani, nᵒ 222, p. 356-357, repr. ; Vincent, 1980, repr. p. 52.

L'esquisse peinte est d'une admirable vivacité picturale et graphique qu'on ne saurait retrouver au même degré dans la grande peinture , d'ailleurs très difficile à voir à cause du contre-jour. L'invention, presque naïve, est inoubliable : ce saint tenu dans le vide — par les cheveux, telle une apparition surnaturelle… Ainsi donc, Habacuc, saisi par les cheveux et emporté par un ange à Babylone pour apporter de la nourriture à Daniel dans la fosse aux lions, tient à la main une corbeille de fruits.
Figure placée dans la 2ᵉ travée paroi de droite, au-dessus de la *Mission des Apôtres* (*cf.* nᵒ 70) et de la *Dispersion des peuples* (*cf.* nᵒ 73) ; associée à *Sophonie* (*cf.* nᵒ 80) et mis en pendant au duo *Osée* (*cf.* nᵒ 80) et *Joël*.   *J.F.*

POITIERS, MUSÉE SAINTE-CROIX.

80. *Le Prophète Osée*

PEINTURE : Carton. Cintré dans le haut (surface peinte). H. 0,325 ; L. 0,125. S.b.d. : H.F. (monogramme). Cadre d'origine avec l'inscription : *Osée* et comparable aux cadres des peintures d'Aix (nᵒˢ 74 et 77), de Lyon (nᵒ 78), de Lille (nᵒˢ 76, 82), *etc.*

HISTORIQUE : Vente posthume, Paris, Hôtel Drouot, 15-17 mai 1865, nᵒ 39 (adjugé 55 fr. à Polret) ; vente à Paris, Hôtel Drouot, Étude Labat, 1ᵉʳ décembre 1983, nᵒ 99 ; acquis à cette vente par l'actuel possesseur.

EXPOSITION : Paris, 1865, nᵒ 87 (24e : Osée)

BIBLIOGRAPHIE : Horaist, 1979, (1981) p. 230, nᵒ 223, (« non retrouvé »)

ŒUVRES EN RAPPORT : A la vente posthume de 1865 figurent sous le nᵒ 152 neuf feuilles d'études dont une pour Osée (Horaist, *op.cit.*, nᵒ 269, p. 231).

Au-dessus de la *Mission des Apôtres* (*cf.* nᵒ 70), à la 2ᵉ travée du mur de droite et associé à Joël (pour ce dernier, il existe un dessin au musée de Besançon : peut-être le nᵒ 145 de la vente de 1865 et le Horaist nᵒ 264 (comme non retrouvé ; — Besançon, 1982 nᵒ 80, repr.). *Osée et Joël* font ainsi pendant à *Sophonie* et *Habacuc*.
Bruno Horaist, *op.cit.*, p.221, signale qu'Osée aurait été mieux placé au-dessus de la *Résurrection* qu'il annonce dans ses prophéties : Flandrin s'est en fait permis quelques libertés avec la logique de l'iconographie biblique.   *J.F.*

PARIS, COLLECTION PARTICULIÈRE.

81. *Judith*

PEINTURE . Carton. Cintré dans le haut (surface peinte). H. 0,335 ; L. 0,129. S.b.g. : *HF* (monogrammé).

HISTORIQUE : Vente posthume de l'artiste, Paris, Hôtel Drouot, 1865, nᵒ 23 (adjugé 630 fr. à Paravey) ; vente Paravey, Paris, Hôtel Drouot, 13 avril 1878, nᵒ 28 (adjugé à Raynaud) ; acquis avec l' *Ezéchias* (*cf.* nᵒ 75) par l'actuel possesseur vers 1970 chez un antiquaire de Dieppe.

EXPOSITION : Paris, 1865, nᵒ 87 (8e Judith).

BIBLIOGRAPHIE : Lanvin, 1967, t. II, p. 307 ; Horaist, 1979 (1981), nᵒ 207 p. 230 (comme non retrouvé).

ŒUVRES EN RAPPORT : A la vente posthume de 1865 figurent deux dessins pour *Judith* : nᵒ 138 (adjugé 75 fr. à M. Boucher — Horaist, nᵒ 255) et partie du nᵒ 152 (Horaist, nᵒ 269)

Aux pieds de Judith, la tête d'Holopherne, le général de Nabuchodonosor qu'elle tua pendant son sommeil. Cette petite étude picturale est d'un grand charme à tout fois sentimental et formel. Une fois de plus, il faut admirer l'extrême élégance des plis innervés par un magistral et imparable dessin. La tête d'Holopherne est toute naïve, un peu même, celle de Judith aux yeux vagues, est d'une beauté pure et immatérielle, de la plus parfaite stylisation.
Figure placée au-dessus de l'*Institution de l'Eucharistie*, 5ᵉ travée, mur de gauche. Associé à *Gédéon* (Musée de Lyon, *cf.* Horaist, nᵒ 208 comme non retrouvé) et faisant pendant à *Samson* (*cf.* nᵒ 82), qui reste, lui, isolé à cause de la moindre largeur de cette travée attenante au transept.   *J. F.*

PARIS, COLLECTION PARTICULIÈRE.

82. *Samson*

PEINTURE : Carton. Cintré dans le haut (surface peinte). H. 0,345 ; L. 0,135. Cadre d'origine, *cf.* nᵒˢ 74, 76 à 80).

HISTORIQUE : Vente posthume de l'artiste, Paris, Hôtel Drouot, 15-17 mai 1865, nᵒ 25 ; acquis à cette vente par le musée de Lille. Le catalogue de vente annoté des Archives Flandrin porte en marge : Arnoldi, 510 fr. Même problème que pour le *Baruch* de Lille, *cf.* nᵒ. — Nᵒ d'inventaire : 454.

EXPOSITION : Paris, 1865, nᵒ 87 (10e : Samson).

BIBLIOGRAPHIE : Vergnet-Ruiz et Laclotte, 1962, p. 236 ; Lanvin, 1967, t. II, p. 308 ; Horaist, 1979 (1981), p. 230, nᵒ 209.

ŒUVRES EN RAPPORT : Dessin connu par une photographie ancienne conservée dans le Fonds familial Flandrin (Lanvin, *op.cit.,*).
Partie du nᵒ 152 de la vente de 1865 (un des neuf dessins proposés là concernait Samson, — Horaist, nᵒ 269).

Il tient la machoire d'ânes dont il frappa les Philistins et un flambeau. Pour son emplacement et son association avec d'autres figures, *cf.* le nᵒ précédent.

LILLE, MUSÉE DES BEAUX-ARTS.

PEINTURES MURALES

EGLISE SAINT-MARTIN D'AINAY, A LYON (1855)

Elisabeth Hardouin-Fugier

Professeur à l'Université Jean-Moulin, Lyon

A Lyon, en 1855, les peintres ayant fait leurs preuves dans le domaine du décor religieux sont rares, Saint-Pulgent le remarque avec raison : la fresque de l'Antiquaille par Janmot (1846), celles de la crypte de Sainte-Blandine à Ainay par Frénet (vers 1850) sont antérieures à la mort d'Orsel (1850). Pour les décors de Chatillon d'Azergues, en 1853, on réunit des artistes lyonnais connus : Martin et Claudius Lavergne, H. Flandrin et Fabisch. Les travaux de restauration d'Ainay, auxquels se consacre depuis 1844 le curé Boué, ne s'achèvent pas sans dissensions entre le Conseil de Fabrique et son architecte lyonnais, Benoit, d'une part et la Commission des Beaux-Arts et son architecte Questel, d'autre part. Ce dernier, chargé d'Ainay, désapprouve, en 1851, les travaux exécutés en son absence ; c'est Questel qui est donc chargé de dessiner l'autel d'orfévrerie déjà tracé pour la Fabrique. Tout concourt au choix d'H. Flandrin quand il s'agit du décor des absides. Il est décorateur de Questel à Nîmes, ami de Denuelle, c'est une gloire de l'école des Beaux-Arts de Lyon. Hippolyte et Paul Flandrin se « sont montrés très désireux de laisser quelques peintures monumentales dans leur ville natale » lit-on dans le registre de la Fabrique, (31 janvier 1854). « Ils proposent un prix de 12.000 francs ». On s'occupe dès lors de protéger les absides, à l'extérieur, par des couvertures de plomb ; le 26 mars 1854 « Messieurs Flandrin acceptent avec empressement l'offre qui leur a été faite par M. Questel ». Cette attribution n'est sans doute pas étrangère à l'immense déception qu'éprouve Janmot lors de l'achèvement du *Poème de l'Amc*, qu'il expose dans son atelier le 1er avril 1854, avant de montrer l'œuvre à Paris. Janmot obtient pourtant le décor de Saint-Polycarpe en janvier 1855. Lorsque Flandrin arrive sur le chantier d'Ainay, en juillet 1855, Janmot, atteint d'une sorte de diphtérie, est considéré comme perdu ; il ne mentionne pas les Flandrin dans le testament qu'il rédige alors. Les rapports entre Flandrin et J.B. Frénet sont franchement agressifs : c'est Frénet qu'Hippolyte désigne dans sa lettre à Paul du 29 juillet (Delaborde, p. 408) » « Moi, peintre de Paris, membre de l'Institut, je pouvais bien faire ce que je voudrais, ce serait toujours assez bon etc... » Hippolyte raconte à Paul, qui tarde à le rejoindre (il travaillera à Ainay de mi-août à mi-octobre, semble-t-il), les incidents du chantier : les échafaudages, les commentaires des badauds, le manque d'éclairage.

Aidé par Lamothe et Poncet, Flandrin commence l'exécution peinte au bout d'un mois, l'obscurité s'étant quelque peu dissipée. L'ouvrage avance rapidement, puisque l'ensemble peut être présenté le 20 octobre 1855. Quelques mois après, le décor de Frénet est supprimé par le Conseil de Fabrique sur ordre d'Achille Fould, ministre, qui impose cette destruction comme condition au financement demandé (15000 francs). Frénet, en effet, est repéré comme opposant notoire à l'Empire.

A Ainay, H. Flandrin reprend le parti décoratif général de l'abside de Nîmes : des personnages peu nombreux, de grandes dimensions, clairement silhouettés sur fond d'or. Le catalogue de l'exposition de 1865 à l'Ecole des Beaux-Arts comporte un seul numéro ayant trait à Ainay : « N° 82 études et croquis pour les peintures murales d'Ainay. »
Il semble que Flandrin ait assez peu hésité quant à la composition : seuls les numéros 280 à 282 de la vente après décès concernent Ainay : est-ce la preuve que les études ont été

relativement peu nombreuses ? (n° 280, ensemble de la composition ; 281, cadre de 17 dessins, 10 pour la Vierge et S. Michel, 2 pour S. Irénée, 1 pour S. Blandine, S. Clotilde, S. Pothin, S. Badulphe, 2 pour des moines. 282,6 feuilles, 2 pour JC., 1 pour S. Benoit, 1 pour S. Michel).

Une lettre à Questel (Delaborde) apprend que Flandrin avait d'abord pensé représenter le Christ assis, en majesté. Il y renonce et peint le Christ et la Vierge debout. Il veut ainsi donner à Marie « une dignité qui la met au-dessus des autres figures et cependant laisse franchement dominer celle du Christ ». Un croquis sommaire illustre cette lettre et montre les autres personnages agenouillés comme dans la réalisation. Le Christ est debout, surélevé. A ses pieds jaillissent les quatre fleuves du Paradis. Des palmiers symboliques en ce sanctuaire consacré au souvenir des martyrs lyonnais, encadrent la composition. Le Christ est d'inspiration byzantine, comme celui de Saint-Paul de Nîmes, avec son nimbe crucifère, ses drapés hiératiques et une certaine frontalité. A sa droite, la Vierge, de profil, nettement plus petite, présente sainte Blandine, à genoux, vêtue d'une tunique rouge, emblème du martyre qu'elle a subi ; elle tient le lys virginal ; elle a une coiffure d'esclave et ses chaînes brisées pendent à son poignet. A côté d'elle, agenouillée elle aussi, sainte Clotilde, parée d'un diadème, richement vêtue d'écarlate, se présente dans toute sa majesté royale et serre une croix contre sa poitrine. C'est elle qui a converti Clovis. A la gauche du Christ, saint Michel tient le glaive et l'oriflamme. Plus loin, saint Pothin, vieillard vénérable, premier apôtre de Lyon, est à genoux, vêtu d'une ample draperie. C'est sous le vocable des martyrs Pothin et Blandine qu'à été placée l'ancienne église d'Ainay. Saint Martin est représenté symétriquement à sainte Clotilde : c'est l'évêque qui a christianisé la Gaule ; il tient une crosse et un rouleau. Dans l'absidiole sud, Flandrin représente saint Benoit qui reçoit deux jeunes moines. Il leur présente la règle de l'ordre. Dans l'absidiole nord, saint Badulphe bénit l'abbaye d'Ainay, tandis que l'autel païen s'écroule. Certains historiens soutenaient alors que la basilique avait été construite sur l'emplacement d'un temple d'Auguste.

Le décor, sans vraiment décevoir, ne fait pas grande impression. Aucune réaction immédiate dans le *Salut Public*, et une simple mention d'E. Jouve à propos de l'Exposition Universelle. L'extrême simplicité de la composition déconcerte après Saint-Germain des Prés qui semble plus élaboré. L'austérité des peintures et l'obscurité du lieu déroutent les amateurs de spectaculaire. Pourtant, l'abbé de Saint-Pulgent, élève de Flandrin, fait une analyse perspicace du décor :

« M. Flandrin devait donc employer à Ainay le style antique, transfiguré par l'expression chrétienne. Outre la gravité et le sérieux que comportait par elle-même une œuvre destinée à venir en aide aux chants pieux, à la parole sainte, aux cérémonies du culte, le peintre devait encore imprimer à son œuvre un caractère de force et de sévérité en harmonie avec ces murs revêtus de reliefs presque barbares et avec les robustes colonnes qui se dressaient autour de lui.

« Ces peintures ayant été exécutées dans de pareilles conditions, on comprend que bon nombre de ceux qui ont été les visiter n'y aient pas trouvé ce qu'ils attendaient. Pour cette masse de spectateurs, en effet, à qui l'art n'a été révélé que par les tableaux de chevalet et ces agréables caprices que l'on étale à Lyon aux expositions, une œuvre d'art n'a d'autre importance que celle d'une distraction de bon goût, d'une diversion récréative aux préoccupations commerciales. Ils ne vont pas devant un tableau avec l'idée d'appliquer leur esprit, et encore moins de recevoir un enseignement. Par conséquent, dans l'œuvre de M. Flandrin, il n'y avait guère de quoi répondre à de pareilles dispositions. Cette peinture austère ne prétend passer par les organes que pour arriver à l'âme, parler aux yeux comme une parole modeste et simple frappe les oreilles pour faire parvenir la pensée à l'esprit : le signe extérieur n'est que son vêtement indispensable : ces peintures appartiennent éminemment à l'école spiritualiste.......................Il s'agissait tout simplement de ranger autour du Christ les patrons de l'Eglise ou des saints qui avaient vu quelque circonstance de leur vie s'accomplir dans cette basilique. Cette donnée exigeaitelle la dépense d'une composition dramatique ? Qu'on fasse du drame lorsque l'action se passe sur cette terre, où les passions, qui agitent sans cesse l'humanité, y amènent de perpétuels changements ; mais faire du drame lorsqu'on a simplement à représenter des saints pour jamais en possession de la plénitude du bonheur, là, le drame n'a plus de place, et le peintre a d'autant mieux rendu son sujet qu'il a donné à ses figures un caractère immuable, parfaitement en harmonie avec l'éclat permanent où elles se trouvent établies. On comprend que ces personnages ne sont plus exposés aux vicissitudes humaines, et qu'ils sont fixés là pour l'éternité ».

Le critique de la *Revue de l'Art Chrétien* fait chorus, réfutant le reproche de froideur ou d'indigence que semble avoir encouru la peinture :
« Il a été digne de lui-même dans l'église d'Ainay. Pureté de dessin, sobriété de tons, touche délicate et suave, toutes ces qualités qui ornent sa manière, il les a déployées en ce genre de peinture si bien approprié à l'architecture chrétienne. Quelques hommes du métier lui reprochent de la froideur, mais bien à tort. Dans la composition dont il s'agit, rien ne devrait être ni chaleureux, ni entraînant ; un idéal grandiose et tranquille, une douce lumière jetant ses reflets d'en haut et ses demi-teintes sur des scènes de recueillement et d'amour, tels étaient les besoins de ce travail, et c'est aussi dans cet ordre d'idées et de sentiments que M. Flandrin a su se tenir ».

Dans les nécrologies ou les biographies, le décor d'Ainay est de loin le plus négligé. Théophile Gautier avoue ne pas connaître. « l'abside de l'église d'Ainay à Lyon, son chef-d'œuvre à ce que prétendent les pieux visiteurs assez heureux pour l'avoir vu ».

Etienne Grafe

Professeur aux Facultés catholiques, Lyon

J.B. Poncet et H. Flandrin.

J.B. Poncet (1827-1901), élève de Dubuisson et de l'Ecole des Beaux-Arts de Lyon où il entre en 1842, remporte le second prix de peinture et la médaille d'or, premier prix de dessin, dès la première année (Berlot-Francdouaire). Il passe dans la classe de Fleur de Thierriat, puis remporte en 1851 un prix décerné par scrutin des élèves et des professeurs, le Prix d'estime générale fondé l'année précédente par Réveil, maire de Lyon. Poncet obtient cette récompense pendant qu'il fait son service militaire qui s'en trouvera abrégé.

Son œuvre croise celui de Flandrin pour la première fois lorsqu'il dessine, au musée de Lyon, d'après le *Dante aux enfers*. Le gardien le somme de demander une autorisation de copie à Flandrin qui la lui accorde par retour du courrier (Poncet, p. 21). Peu de temps après sa sortie des Beaux-Arts de Lyon, Poncet est invité par Félix Clément (1826-1888) à rendre visite à H. Flandrin à Paris.

Flandrin, qui avait remarqué le second prix du jeune peintre, le convie à revenir le voir (Berlot-Francdouaire). A la demande de Flandrin, Poncet lithographie une planche d'après le décor de Saint-Vincent-de-Paul. Poncet déclare avoir passé neuf ans (Berlot-Francdouaire) auprès de Flandrin.

En 1855, en compagnie de Lamothe, il aide Flandrin à décorer Saint-Martin d'Ainay. En 1859, il expose au Salon de Paris *Jeune homme rêvant au bord de la mer*, dessin d'après H. Flandrin. En 1863, il expose, toujours à Paris, un *Portrait d'H. Flandrin, membre de l'institut* (anciennement au Musée des Beaux-Arts de Lyon). C'est l'année de la détestable affaire de la gravure de Soumy à laquelle Flandrin fait allusion dans une lettre à Poncet datée du 25 janvier 1864 (Poncet). Si l'on en croit les biographes de Poncet et sa nécrologie hagiographique (Berlot-Francdouaire), il serait allé à Rome retrouver Flandrin, « recevoir son dernier soupir et lui fermer les yeux », encore que Poncet n'en fasse pas mention lui-même. C'est à ce moment que se situe le premier épisode d'une histoire fort mouvementée : Poncet devait obtenir de Pie IX la dédicace de ses gravures d'après les peintures d'H. Flandrin pour Saint-Germain des Prés. Devant les intrigues du baron Haussmann, le disciple de Flandrin doit renoncer à ce projet flatteur. En 1865, il expose à Paris *Adam et Eve*, ainsi que la gravure litigieuse « commencée par Soumy », l'*Entrée de Jésus à Jérusalem* d'après H. Flandrin pour Saint-Germain des Prés. Cet envoi lui vaut une médaille d'or, ce qui révolte les amis de feu Soumy.

Burty s'indigne de la mauvaise qualité de la gravure : « Non, Flandrin n'aurait point peint ces visages aveugles ; il n'aurait point autorisé ce pointillé plus brutal que naïf, qui creuse l'épiderme comme des cicatrices de petite vérole ;le groupe de ses apôtres est silencieux et grave, mais non pas sombre et bourru, et le peuple qui acclame a des gestes passionnés mais non ces yeux hagards et ces bouches épileptiques » (1865). Pendant une vingtaine d'années, les envois de Salon de Poncet, comprendront des dessins ou des planches gravées d'après les peintures de Saint-Germain des Prés.

1866 : *Saint Badulphe* (dessin d'après la peinture d'Ainay), *Le Buisson Ardent*, *Noë*, *Abraham, Isaac et Melchisédec*. Il semble qu'à cette époque, les démarches de Poncet auprès de la Préfecture de la Seine aient abouti : il obtient la commande de l'Album gravé d'après les peintures de Saint-Germain des Près, d'abord confiée à Soumy mort trois ans auparavant. 1868 : *Annonciation* ; *Portrait gravé d'H. Flandrin à 23 ans. Album de lithographies d'après les peintures d'H. Flandrin pour Saint-Paul de Nîmes et Saint-Martin d'Ainay.* En 1872, il reçoit officiellement confirmation de la commande de l'Album entrepris. (Arch. Nat. F^{21} 492). 1874 : *Montée de J.C. au Calvaire, Adam et Eve, Enoch.* 1875 : *Naissance de l'Enfant Jésus, Adam et Eve réprimandés par Dieu, L'adoration des Mages.* 1877 : *Le Passage de la mer Rouge* (dessin) ; *Samuel, David, Salomon, le Baptême de Jésus* (gravures). 1882 : 4 gravures d'après des *Figures de l'Ancien Testament.*

Il semble que la nomination de Poncet au poste de professeur de la classe de peinture aux Beaux-Arts de Lyon, en 1885 (il succède à Michel Dumas, élève d'Ingres), ait ralenti ses activités de buriniste et d'aquafortiste au profit de son œuvre peint. Il n'en réexpose pas moins au Salon de Lyon certaines de ses gravures d'après son maître, entre autres en 1886 et 1898, mais il se consacre surtout à son enseignement. En digne élève de Flandrin, il représente à Lyon, jusqu'à la fin du siècle, le courant post-ingresque de la tradition académique pour qui « le Beau est la splendeur du Vrai ».

Ces lithographies sèches, impersonnelles — quelle différence avec l'œuvre lithographié si sensible d'Hippolyte et de Paul Flandrin d'après leurs peintures murales ! — ont pour seul mérite d'évoquer ici les travaux de Flandrin dans la basilique lyonnaise de Saint-Martin d'Ainay.

Bibliographie sur Ainay

Chagny A. *La basilique S. Martin d'Ainay*, Lyon, Masson 1935, p. 174 à 183 - Charpigny F. Etude sur S. Martin d'Ainay, dactylographie - Delaborde H. *Lettres et pensées d'H. Flandrin*, Paris, Plon 1865 - *Exposition des œuvres d'H. Flandrin à l'Ecole Impériale des Beaux-Arts*, Paris, 1865 - Flandrin Louis. *H. Flandrin, sa vie, son œuvre*, Paris, Renouard 1902 ; id. Paris Perrin 1909 - Gandy G. « L'église S. Martin d'Ainay à Lyon » in *La Revue de l'Art chrétien*, 1857, p.369 à 373 - Gautier Théophile « Nécrologie » in *Le Journal Officiel*, Lyon, Bibl. Mun. 450 891 - Hardouin-Fugier E. « Dix gravures de J.B. Frénet, la crypte de sainte Blandine « in *Bulletin des Musées et Monuments lyonnais*, 1977 I, p. 1 à 7 ; *L.* Janmot, Lyon PUL 1981 - Jouve E. « Lettre sur l'Exposition de 1855 » in *Le Courrier de Lyon*, 27/10/ 1855 - Lyon, Archives d'Ainay, registre de délibérations du Conseil de Fabrique, aimablement communiqué en 1976 par Monseigneur Philippe - Lyon Arch. Mun. M 2 Ainay, 1846-1856, mention de Flandrin dans le rapport de Questel, 11/1/1859 - Martin J.B. *Histoire des Eglises et Chapelles de Lyon*, Lyon, Lardanchet 1909, I, p. 97 - *Revue de l'Art chrétien*, 1870, P.216 - Saint-Pulgent (de) « Peintures murales de S. Martin d'Ainay » in *La Revue du Lyonnais*, 1856 I, p. 148-158 - *Vente par suite du décès de M. Hippolyte Flandrin, tableaux, esquisses, études*, 15-16-/7/5/1865. E.H.F., E.G.

Bibliographie sur Poncet

Audin M., Vial E. *Dictionnaire des Artistes et Ouvriers d'Art de la France, Lyonnais*, Paris, Bibliothèque d'Art et d'Archéologie, 1918- Auquier P., Astier J.B. *la vie et l'œuvre de J. Soumy*, Marseille, Ruat 1910 - Berlot-Francdouaire E. (Pierre Virès) *J.B. Poncet*, Lyon, Legendre 1903 - Burty P. in GBA 1865 I, p. 83 1868 II, p. 111 ; *Maîtres et petits maîtres*, Paris, Charpentier 1877 (Soumy) - Desvernay F. in *Lyon-Revue* 1880, p. 74 (Soumy) - Institut d'Art et d'Archéologie, Bibliothèque Doucet, carton 35 (Soumy à Benoit, 14/10/1861 ; 8/5/ 1862 ; témoignages sur Soumy - Institut de France, Académie des Beaux-Arts, envois de Rome 1855-1858 (Soumy) - Jasseron in *Dernière Heure*, 26/11/1960 - *Le Journal de Vienne*, 12/4/1891 - Lyon, Arch. Dép. N 16^2, Arch. Mun. dossiers biographiques (Poncet, Soumy) ; Bibl. Mun. liste d'œuvres in Recueil 438 972 ; Ecole Nationale des Beaux-Arts, Inscriptions, 1842, récompenses, 1851 (Communication de M.-J. Brun) - Martin P. *Exposition de la Société des Amis des Arts de Marseille*, 1882 - Nécrologies (Poncet) 7, 8/1/1901 in *L'Express de Lyon* Orsay documentation (Soumy) - Paris Arch. - Nat. F^{21} 173, 247, 271, 284, 309, 492, 522 (Poncet) ; F^{21} 302, AJ^{52} 89 (Soumy) - Poncet J.B. *H. Flandrin*, Paris, Martin Beaupré 1864 ; *Conseils à mes élèves*, Lyon, Jevain, 2e éd. 1895 ; *Histoire d'une dédicace*, Lyon, 1879, p. 216, Jevain 1896 - *Revue de l'Art chrétien*, 1879, p. 216 - Rome, Archives de l'Institut de France, Villa Médicis, envois 1855 à 1859 (Soumy) - Rousset A. *Trouvailles d'un chiffonnier littéraire*, Lyon, Thabourin sd., sans fol. (Soumy) - *Le Salut Public*, 16/3/1891 ; 12/12/1894 ; 24/4/1898 - Thieme und Becker. *Allgemeines Lexikon der Bildenden Künstler*, Leipzig, 1907-1940 - Vial E. *Catalogue illustré de l'Exposition rétrospective des Artistes lyonnais*, Lyon Rey 1904. E.G.

83. **Lithographies de J.B. Poncet d'après les peintures d'H. Flandrin à Saint-Martin d'Ainay, Lyon.**

Peintures murales / exécutées / dans les églises St Paul à Nîmes / et St Martin d'Ainay à Lyon / par Hyppolyte Flandrin / membre de l'Institut de France / reproduites en lithographie par / J.B. Poncet / Album composé de 19 planches / Haro éditeur, Paris 20 rue Bonaparte / se vend aussi chez les principaux Mds d'Estampes / Imp. Lemercier & Cie Paris.
Album in-folio à l'italienne. Cartonnage vert sombre. En lettres d'or sur le plat supérieur : *Peintures murales exécutées dans / les églises St Paul à Nîmes / et St Martin d'Ainay à Lyon / par Hyppolyte Flandrin /*
19 Lithographies tirées en ton de sanguine sur chine collé H. 0,387 ; L. 0,545 marges comprises.

83^A. **Le Christ, la Vierge, sainte Blandine, sainte Clotilde, saint Michel, saint Pothin, saint Martin.**
Lithographie tirée en ton de sanguine sur chine collé ; avec marges H. 0,387 ; L. 0,990 ; sans marges H. 0,290 ; L. 0,790. (Planche dépliante) b.g. *Peint par Hte Flandrin* ; b. au centre *Imp. Lemercier & Cie Paris* ; b.d. *Lith. par J.B. Poncet.* Dans la marge inférieure *Grande apside église d'Ainay à Lyon.*

83^B. **Saint Badulphe.**
Lithographie tirée en ton de sanguine sur chine collé ; avec marges H. 0,387 ; L. 0,545 ; sans marges H. 0,200 ; L. 0,372. b.g. *Peint par Hte Flandrin* ; b. au centre *Imp. Lemercier & Cie* ; b.d. *Lith. par J.B. Poncet.*

83^C. **Saint Benoit.**
Lithographie tirée en ton de sanguine sur chine collé ; avec marges H. 0,387 ; L. 0,545 ; sans marges H. 0,200 ; L. 0,312. b.g. *Peint par Hte Flandrin* ; b. au centre *Imp. Lemercier & Cie Paris* ; b.d. *Lith. par J.B. Poncet.* Dans la marge inférieure *Apside de gauche Eglise d'Ainay à Lyon.*

84

84. *Autoportrait de jeunesse à la casquette*
(vers 1829-1832)

PEINTURE : T. H. 0,465 ; L. 0,38. Au verso étiquette ancienne datant le tableau de 1829.

HISTORIQUE : Resté d'abord dans la famille de l'artiste (où Delaborde le signale en 1865). Acquis pour 3 000 francs de Madame Mollard en 1922 sur les revenus de la Fondation Chazières. -N° d'inventaire : B-1278.

EXPOSITIONS : Paris, 1948, n° 40 ; Lyon, 1949, idem.

BIBLIOGRAPHIE : Delaborde, 1865, p. 98 (à la famille de l'artiste) ; Lanvin, 1967, t. III, p. 73-74.

Delaborde parait être le seul auteur de l'époque à citer cet autoportrait, si la description qu'il en donne : « *De face le visage dans l'ombre et la tête coiffée d'une petite toque noire* » s'applique bien au présent portrait ; ce qui n'est pas acquis, car il situe le portrait dont il parle postérieurement à la période romaine de l'artiste, et la toque visible sur l'exemplaire exposé ici n'est pas noire... Mme Lanvin, quant à elle, date le présent tableau d'avant 1840, « peut-être juste après le retour de Rome » (août 1838), ce qui n'est pas moins impensable, eu égard à la juvénilité des traits du présent visage qu'on ne saurait imaginer postérieur à l'*Autoportrait* de profil généralement situé en 1837 (exposé ici

sous le n° 85) ou au portrait dessiné à Rome en 1834 par son frère Paul (exposé ici sous le n°) Par comparaison avec un double portrait des jeunes frères Flandrin exécuté par un camarade de l'atelier Ingres, Jouy (Fonds Flandrin, Paris) que la tradition familiale situe à bon droit vers 1830 (Lanvin, 1967, t. III, p. 79 ; cliché Documentation de la Fondation Getty et du service d'étude des Peintures du Louvre, n° M.J.84-5), on aimerait placer très tôt, dans les mêmes années parisiennes antérieures à son départ pour Rome, soit entre 1829 et 1832, cet attachant et rapide portrait un peu inattendu dans l'œuvre de Flandrin, — traité dans une belle lumière sculpturale et une savoureuse pâte en frottis bruns dans le vêtement et en modelé nourri dans le visage, « ... observant la loi des contrastes, partie lumineuse sur fond sombre, partie sombre sur fond clair. La lumière sur le front est audacieusement barrée par l'ombre portée de la casquette. La veste austère et sombre avec ce col montant, encadre magnifiquement ce jeune visage à l'expression boudeuse » (Lanvin, t. III, p. 74). La date de 1829 portée sur une étiquette (relativement ancienne mais tout de même bien postérieure au tableau) vient confirmer à propos cette datation précoce. La qualité du modelé situe bien Flandrin dans un contexte fort traditionnel où les stylisations déformatrices d'Ingres, réservées au propre usage du Maître, sont soigneusement bannies de l'enseignement des élèves...   J.F.

LYON, MUSÉE DES BEAUX-ARTS.

85. *Autoportrait*
(1840)

PEINTURE : T.H. 0,46 ; L. 0,38. S.D. b.g. : *Hte Flandrin*. La date de 1837 indiquée par certains auteurs n'existe pas.

HISTORIQUE : Peint à Paris, vers 1840 (plutôt qu'à Rome en 1837, comme il a été avancé jusqu'ici sans aucune preuve). Resté dans la famille de l'artiste, puis par voie d'héritage chez les descendants de Paul Flandrin.

EXPOSITIONS : Paris 1840, n° 589 ; « Portrait de M. Hte F... ») ; Paris, 1855, n° 3082 (« Portrait de... Salon de 1840 ») ; Paris, 1865, n° 1A (« Premier portrait de H. Flandrin. Peint par lui-même. (1840) ; Lyon, 1904 n° 213 (à Mme veuve Paul Flandrin) ; Paris, 1923, n° 172 ; Copenhague, 1928, n° 76 ; Paris, 1934, n° 64, repr. pl. ; Lyon, 1937, n° 116 ; Paris, 1945, n° 42 ; Lyon, 1958, n° 332.

BIBLIOGRAPHIE : About, 1855, p. 143 ; Perrier, 1855, p. 100 ; Delécluze, 1856, p. 276 ; Delaborde, 1864, p. 361 ; idem, 1865, p. 97-98 ; Flandrin, 1909, p. 244 note 1, 349 ; Lanvin, 1967, t. III, p. 71-73 ;

ŒUVRES EN RAPPORT : Médiocre répétition (originale ?), à la Villa Médicis à Rome (collection des portraits de pensionnaires : Lanvin, 1967, t. III, p. 72-73 ; Brunel, 1979, n° 89 repr. p. 183 T.H. 0,47 ; L. 0,36. Ni signé, ni daté. Selon une tradition familiale qui nous paraît plutôt une tentative d'explication a *posteriori*, Flandrin aurait refait son autoportrait qu'il trouvait bon et voulait rapporter dans ses affaires à Paris, pour en laisser un exemplaire à la Villa, suivant l'habitude consacrée (cf. Lanvin, *op. cit*).

Ce portrait de grande et soigneuse qualité, « *image sévère et saisissante sur fond très obscur, qui nous frappe comme l'effigie d'une médaille* » (Lanvin), est généralement daté de 1837 (Flandrin, 1909 ; Lanvin) et représenterait Flandrin pensionnaire à la Villa Médicis, à 28 ans. Mais on ne sait en vérité si cette date repose sur un véritable fondement ou si elle n'a pas été imaginée après coup par Louis Flandrin écrivant la monographie de son oncle. Delaborde, tout comme le catalogue de la rétrospective posthume à l'Ecole des Beaux-Arts, se bornent, en 1865, à renvoyer à la date du Salon de 1840, qui est celle de la première apparition documentée dudit autoportrait. La datation de 1837 a pu découler uniquement du fait qu'il existe une réplique du présent portrait dans les collections de la Villa Médicis. Or, l'on sait que la constitution de ce fonds de portraits n'a rien eu de systématique, et certains portraits y furent ajoutés après coup (cf. Brunel, 1979, p. 155-156). La modeste qualité de l'exemplaire romain ne plaide guère en faveur de son authenticité. On préférera s'en tenir pour le moment au seul *terminus post quem* de 1840, sans exclure d'ailleurs, les raisons de style ne pouvant intervenir en si peu de temps pour marquer une différence, une datation italienne (1833-1838). La bouche amère, l'air grave et un peu maladif, le regard triste sont bien typiques en tout cas du personnage. On peut même se demander si cet exercice de profil pur n'est pas là pour dissimuler le désagréable strabisme dont Flandrin était affligé : dans ses autres autoportraits, il est toujours légèrement tourné de trois-quarts, jamais en face à face direct avec le spectateur, et l'artiste s'arrange le plus souvent pour noyer son regard dans l'ombre. Mais le profil ajoute évidemment de la dignité formelle à cette recherche affirmée de style, de modelé et de profonds contrastes d'ombre et de lumière.
Edmond About a été parfaitement sensible en 1855 à cette leçon de grandeur réaliste — car l'étude se veut exacte et suggestive autant que noble et forte : parmi tous les portraits exposés par Flandrin (où About note finement qu'*on y retrouve tout du maître* [Ingres] *excepté je ne sais quoi* » —, mais Flandrin cherchait-il le seul pastiche d'Ingres ?), « *le meilleur et le plus tendrement caressé est le portrait de l'auteur. Il fut peint il y a quinze ans, lorsque M. Flandrin se prit de passion pour les demi-teintes et les peintures dans l'ombre. Cet ouvrage, fait et refait plusieurs fois devant la glace* (entre nous soit dit, qu'en sait notre critique ?), *reste un des plus parfaits de l'auteur* ».
Delécluze, bien sûr, est à la fois docte et encourageant ; « *Les véritables connaisseurs*

regardent attentivement un simple profil, le portrait de l'auteur, M. H. Flandrin, qui a épuisé en cette occasion toutes les ressources de son art pour donner à la forme les inflexions que le modelé le plus délicat peut lui imprimer », et de conclure… « *ce profil qui n'attire pas l'attention au milieu d'une exposition nombreuse, pourrait bien, par la suite, occuper une place importante dans une galerie auprès d'ouvrages de choix* ». Charles Perrier, cet excellent critique qui mourut si jeune (à 26 ans en 1860 !) est non moins séduit : « *Mais le plus parfait de tous est celui qui porte le n° 3082 au catalogue et qui ne donne pas seulement le renseignement discret d'une initiale… C'est encore plus une étude qu'un portrait. La couleur y est d'une sobriété extrême. Les lignes sont précises mais sans aucune sécheresse… L'expression des traits est douce pensive et un peu mélancolique. C'est un homme qui songe, et en le considérant on se prend soi-même à songer !* »   *J.F. et Ch. L.*

PARIS, COLLECTION PARTICULIERE

86.   *Autoportrait,* ébauche du tableau des Offices
(1853)

PEINTURE : T.H. 0,46 ; L.0,38. D. au revers sur le châssis : *29 novembre 1853.*

HISTORIQUE : Resté dans la famille du modèle, puis chez les descendants de Paul Flandrin (en 1909, déjà chez la veuve de Paul Flandrin).

EXPOSITIONS : Lyon, 1904, n° 214 (à Mme veuve Paul Flandrin) ? ; Lyon puis Paris, 1925, n° 37 (à Louis Flandrin) :

BIBLIOGRAPHIE : Delaborde, 1865, p. 98 ; Flandrin, 1902, rep. en frontispice ; Flandrin, 1909, rep. en frontispice, p. 244, 351 ; Lanvin, 1967, t. III, p. 76 ; Julia, 1977, p. 62 au n° 29.

ŒUVRES EN RAPPORT : Tableau définitif, s.d. 1853, Florence, Galerie des Offices, T.H. 0,44 ; L. 0,36. Envoyé en 1865 à Florence pour la Galerie des Autoportraits par la veuve d'Hippolyte Flandrin par l'intermédiaire de Timbal et sur la demande du peintre Mussini, cf. Julia, 1977, p. 29. Cité encore par Delaborde, 1865, p. 98 comme appartenant à la famille de l'artiste, et exposé en 1865, n° 1 B comme daté de 1854 ; gravé par Deveaux en 1864 pour servir de frontispice à l'ouvrage de Delaborde (1865), avec l'inscription : *Hippolyte Flandrin peint par lui-même le 29 novembre 1853.*

Belle esquisse ébauchée à la terre de Cassel, le matériau même dont Flandrin se servait généralement dans la première mise en place de ses décorations murales (il appelait cela « casseler » ses figures, une fois qu'elles étaient dessinées, *cf.* la lettre de 1855 relative au décor d'Ainay, Delaborde, 1865, p. 408).
Dans le portrait définitif de 1853 aux Offices, très différent d'intention, car il s'achève et s'élargit à la base avec le rendu des épaules, Flandrin cherche visiblement, comme l'a bien noté Isabelle Julia (1977), à rivaliser avec les grands Florentins de la Renaissance, notamment l'*Autoportrait* d'Andrea del Sarto, aux Offices, très admiré par Flandrin lui-même (Charles Blanc en 1876, p. 271, fait le même rapproche-

ment entre Flandrin et Sarto) : la toque de velours noir, le vêtement drapé assez intemporel, le fond vert, autant de subtils et très conscients archaïsmes… La position de trois-quarts permet de masquer habilement le strabisme dont était affecté le peintre.
Ici, l'harmonie de blanc et d'ocre (le fond est réservé en blanc), l'étude spontanée et sans apprêt des traits vieillis, l'absence du buste confèrent à ce portrait un indéniable charme, pictural autant que psychologique, de la plus rare qualité. A la date de 1853, à 44 ans, Hippolyte apparaît ainsi, grave et soucieux, digne mais simple et sincère, déjà un peu vieilli, alors qu'il est en pleine gloire de son élection à l'Institut et à l'heure de son grand chantier de Saint-Vincent de Paul qui capte l'attention de toute la critique.   *J.F.*

PARIS, COLLECTION PARTICULIERE.

87.   *Autoportrait* tardif *au chevalet*
(1860)

PEINTURE : T.H. 0,67 ; L.0,54. S.b.g. : *Hte Flandrin*

HISTORIQUE : Peint vers 1860 . Don de Mme Paul-Hippolyte Flandrin, veuve du fils de l'artiste, 1928. — N° d'inventaire : B 1555.

EXPOSITION : Paris 1865, n° 1 C (« non terminé — 1863 »). Paris, 1908, n° 87 (« *Portrait de l'artiste. Appartient à M. Paul-Hippolyte Flandrin* ») ?

BIBLIOGRAPHIE : Delaborde, 1865, p. 98 ; Flandrin, 1909, p. 244 note 1, p. 352 ; Lanvin, 1967, t. III, p. 76-77.

ŒUVRE EN RAPPORT : Copie par Paul Flandrin au Musée national du château de Versailles, entrée en 1881. Reproduit en gravure par Gillot dans la *Méthode de Cassagne* (*L'art élémentaire — Figure*, pl. 20).

Eu égard à l'apparence physique du modèle qui est triste et fatigué mais en même temps assidu au travail et courageux — *cf.* aussi ses photos à l'époque, celle de Bingham, par exemple, dont une reproduction gravée par Léopold Flameng est publiée dans la gazette des Beaux-Arts du 1er août 1864, *cf.* aussi le cliché même exposé ici (n°) — le tableau est généralement situé aux alentours de 1860. Le visage, comme toujours, est à moitié dans l'ombre pour dissimuler le strabisme du regard qui s'était accentué avec l'âge. Le tableau se recommande par une belle qualité de lumière, de clair-obscur et de plasticité qui prouve que l'ingrisme décoratif et calligraphique n'est pas en fin de compte la vérité de Flandrin, à la différence d'un Amaury - Duval ou même d'un Chassériau, par exemple.   *J.F.*

LYON, MUSEE DES BEAUX-ARTS

88. *Portrait de Joseph de Roussel, Consul général de France à Alexandrie*
(1832)

PEINTURE : T.H. 0,81 ; L. 0,65. S.D.b.g. : *H. Flandrin 1832* (en chiffres romains).

HISTORIQUE : Peint à Bagnols-sur-Cèze durant l'été 1832 ; resté dans la famille du modèle.

BIBLIOGRAPHIE : Alègre, 1880, t. II, p. 245 ; Lanvin, 1967, t. III, p. 45-48.

ŒUVRES EN RAPPORT : Copie par Léon Alègre au musée de Bagnols (Alègre, *op. cit.*, note 2 p. 245).

En 1924, Mme Gueydan de Roussel, habitant dans le canton de Vaud en Suisse et arrière-petite-fille du modèle, signalait à Louis Flandrin, neveu et principal biographe de l'artiste le présent portrait pour qu'il soit inclus dans le catalogue des œuvres du maître (lettre inédite conservée dans les archives de la famille Flandrin et citée par Madame Lanvin dans sa thèse). Mais il n'y eut pas de nouvelle édition du livre, si bien que le portrait de Joseph de Roussel est resté inconnu jusqu'à ce jour.
Le modèle, Joseph-Jean-Baptiste-Hercule de Roussel, est une figure intéressante. Garde du corps du Roi à la Compagnie du Luxembourg en 1775, il entre bientôt dans la diplomatie, sert à Constantinople à partir de 1778, effectue diverses missions en Angleterre puis à la Haye, devient enfin en 1786 vice-consul à Nauplie de Romanie près de Mycènes en Grèce, traverse non sans encombres la période révolutionnaire, car sa famille est « royaliste » (son père est un noble de « robe », lié à « Monsieur », frère du Roi). Pendant la Campagne d'Egypte, le diplomate fut emprisonné par les Turcs pendant près de quatre ans. En 1803, Talleyrand le nomme consul à La Canée (Zanthe) en Crête, ce qui le place au cœur d'intenses négociations entre la France, l'Angleterre, la Russie et la Turquie qui se disputent alors les Iles ioniennes et la maîtrise des eaux méditerranéennes. Un moment, il sera à nouveau prisonnier, cette fois des Anglais. En 1810, Roussel devient consul à Patras puis sous Louis XVIII, en 1814, consul général en Egypte, mais il s'arrête en chemin à Smyrne où il officie comme Consul général pendant un an. Il arrive à Alexandrie en 1816 pour succéder au fameux Drovetti et demeure en poste jusqu'à sa retraite en 1820, à 63 ans après 45 ans de services. Il se retire alors en France dans la région de ses ancêtres. (Sur Roussel, *cf.* Alègre, 1880, t. II, p. 239-245) et Driault, 1925 et 1927).
Natif de Bagnols-sur-Cèze (en 1758), Joseph de Roussel mourut là-même en 1835 ; or son fils Antoine, dit Tony, né en 1800, était lié avec les frères Flandrin qui se rendaient fréquemment à Bagnols, pour des raisons familiales : la sœur de leur mère, leur tante Anne Bibet, avait épousé un médecin de Bagnols, le Docteur Ladroit, également maire de la petite ville (son portrait dessiné en 1829 par Paul Flandrin se trouve au musée de Bagnols). Ce docteur vécut quelques

années à Lyon où il fut médecin-chef des hôpitaux de Lyon, puis revint vivre dans sa ville natale.
Dans ses *Notices biographiques du Gard (op. cit.*, p. 240) Léon Alègre dit bien se souvenir des trois jeunes Flandrin et les avoir vus se promener et dessiner dans cette campagne pittoresque en compagnie de leur ami Tony de Roussel, alors étudiant à Aix-en-Provence et élève du paysagiste Constantin qu'il savait merveilleusement pasticher. On s'explique ainsi qu'Hippolyte ait pu peindre Roussel père en son superbe uniforme de Consul général et décoré de la Légion d'Honneur (sous Charles X), soit l'un des tout premiers portraits exécutés par Hippolyte, et doué d'une belle force expressive qui de fait révèle en un si jeune peintre un talent plein d'assurance et de promesse.
Une lettre d'Hippolyte à Ingres écrite de Nîmes en mars 1849 (Delaborde, 1865, p. 376-377) montre que les Flandrin étaient restés en contact avec les Roussel et profitèrent de leur passage à Nîmes pour aller revoir une statuette antique rapportée par le consul Roussel, marbre blanc de Paros de 70 cm de haut, sans tête ni bras et représentant une femme nue, une Vénus probablement, qu'Ingres avait jugée admirable d'après le croquis fait par Paul Flandrin. Tony de Roussel qui était alors un conseiller municipal influent de Nîmes et qui prit une part importante aux travaux de Saint-Paul, puisqu'il figure aux côtés de Questel, juste devant lui, dans le cortège des saints Martyrs à Saint-Paul de Nîmes (*cf.* Flandrin, 1909. p. 186, 197 ; *cf.* aussi Lanvin, 1967, t. II, p. 87 : dessin représentant Roussel et ayant pu servir pour le décor de Nîmes, conservé dans la collection des descendants de Roussel en Suisse ; Lanvin, p. 93, signale aussi que la sœur de Tony de Roussel, Amélie de Gonet figurerait dans le cortège des saintes à Nîmes), — Roussel le « Grec », — par sa mère et par sa naissance à Athènes —, se proposait, selon Hippolyte, de faire exécuter un moulage de cette Vénus et d'envoyer le plâtre à Ingres « comme un respectueux hommage à l'un des hommes qui honorent le plus notre pays ». Un moulage en existe selon Léon Alègre au musée de Bagnols, tandis que l'original avait été vendu au duc d'Arenberg, à Bruxelles. Roussel père avait réuni grâce à ses séjours en Grèce, en Orient et en Egypte une belle collection d'antiques, de vases et d'objets de fouilles qui existe toujours.
Seul auteur à avoir cité le présent tableau avant Mme Lanvin, Léon Alègre loue bien la « *figure osseuse* » du modèle, « *son teint bruni, sa perruque d'un noir intense* » sa touche pleine d'accent. Quant à Mme Lanvin, elle commente heureusement le portrait en ces termes :
« *Le Consul est en uniforme et l'ornement de feuilles de chênes en fil de soie brodé est un merveilleux thème décoratif exploité par le peintre, ainsi que l'éclat de la chemise blanche au col relevé et soutenu par un tour de cou de batiste de soie qui met en valeur le visage buriné que l'on croirait sculpté dans le buis. Remarquons le réalisme du dessin des lèvres, la*

vigueur du traitement, la construction du visage par les méplats lumineux, et demandons-nous quelle serait la réaction de bien des critiques ayant accusé Hippolyte Flandrin de faire une peinture « timide et sage », devant ce portrait resté méconnu » (Lanvin, t. III, p. 44).

J.F. et Ch. L.

SUISSE, COLLECTION PARTICULIÈRE

89. *Portrait du compositeur Ambroise Thomas*
(1834)

PEINTURE : T.H. 0,645 ; L. 0,54. S.D.b.d. : *Hte Flandrin. Rome 1834.*

HISTORIQUE : Peint pour Ambroise Thomas ; legs de sa veuve au Musée du Louvre en 1911 (avec divers dessins par Paul et Hippolyte Flandrin) ; déposé au Musée Ingres à Montauban en 1951. N° d'inventaire : R.F. 1964 (Louvre) ; — D51-4-2 (Montauban).

EXPOSITIONS : Paris, 1865, n° 4 ; Charleroi-Luxembourg, 1965, n° 30 ; Paris, Institut, 1967, n° 126 ; Montauban, 1967, n° 232 ; Montauban, 1980, n° 122.

BIBLIOGRAPHIE : Delaborde, 1865, p. 97 ; Fournel, 1884, p. 266 ; Blière, 1924, n° 3079 ; Ternois, 1965, n° 119, repr. Lanvin, 1967, t. II, p. 64-70 ; Foucart, 1972, p. 25-26 ; Lanvin, 1975 [1977], p. 66 ; Barousse, p. 28.

ŒUVRES EN RAPPORT : Réplique réduite du tableau de 1834, s.d.b.d. : *Hte Flandrin 1837.* T.H. 0,48 ; L. 0,37. Acquis par le musée de Metz, ville natale de Thomas, en 1935 (N° d'inventaire : 771 ; — Lanvin, 1967, t. III, p. 65-66 ; Foucart, 1972, note 9 p. 26). Dans la collection de la Villa Médicis à Rome, Jouin (1884, 1888) signalait un portrait d'Ambroise Thomas (par H. Flandrin ?) qui a disparu. L. Flandrin (1909, p. 349) faisait de même en y précisant la date (1835), alors qu'il omet le portrait de 1834 exposé ici-même.
— Une petite version (autographe ?) peinte à la cire sur pierre et comportant au verso, une copie de la *Joconde* chez une descendante de Baltard (communication de Mme de Puylaroque, 1984).
Dessin par Hippolyte, représentant Thomas de face, daté de 1852 et gravé par Ad. Nargeot. Provenant lui aussi du legs de Mme veuve Thomas au Louvre en 1911
Sur les dessins ou tableaux par Paul Flandrin et représentant Thomas, cf. aussi la notice du tableau de Metz exposé ici (n°). Dans le Fonds familial Flandrin existe un profil dessiné de Thomas par Paul, tourné vers la droite. Citons en outre de la même provenance familiale Flandrin, un amusante caricature de Paul Flandrin représentant de profil et en face à face le hirsute et sombre Thomas et un certain Drouin (cliché Documentation de la Fondation Getty et du service d'étude des Peintures du Louvre, n° M.J. 84-25).

Le portrait d'un aplomb fort monumental et sévère, est puissant, non même sans quelque gauche raideur qui lui confère encore plus de saveur. C'est, il est vrai, un des tout premiers essais de Flandrin portraitiste avec le *Joseph de Roussel* de 1832 (n° 88). Mais la simplicité des lignes (on notera un beau repentir visible au niveau de l'épaule à droite), l'usage du fond clair neutre, la massivité de la figure annoncent l'essentiel du grand portraitiste, à la fois digne, attentif et tranchant. Le modèle lui-même était quelque peu altier et farouche avec sa chevelure tourmentée et son regard sombre et caverneux, comme en témoignent ses portraits par Paul Flandrin, notamment le dessin de profil du Louvre (1834) et le tableau de Metz, n° 190 de la présente exposition). Ici, Hippolyte a en quelque sorte idéalisé et modéré le visage de son modèle et ami, tout en le rendant plus majestueux. N'écrivait-il pas une fois à ses parents : « Il [Thomas] a une tête superbe, et qui annonce le génie dont il a donné tant de preuves »), la confrontation des deux peintures de Metz et de Montauban, l'une et l'autre réalisées peu avant le départ de Thomas pour Paris en 1834 est à cet égard pleine d'instruction.

Ce portrait étant un hommage à l'amitié comme à l'estime qui unissaient deux artistes pensionnaires à la Villa Médicis, il convient de rappeler qu'Ambroise Thomas (1811-1896), Prix de Rome de musique en 1832 (l'année même où Flandrin eut celui de peinture), futur compositeur du célèbre opéra Mignon (1866), et de bien d'autres (la Tempête, Françoise de Rimini, Le Songe d'une nuit d'été, Le Caïd, Hamlet, etc.), directeur du Conservatoire de Paris depuis 1871, musicien aimable et grâcieux, à la forme pure et correcte, dont Debussy disait : il y a la bonne musique, la mauvaise et celle d'Ambroise Thomas..., auteur de Messes, de Cantates, de Romances, le messin Thomas appartient comme Flandrin au cercle des admirateurs et des disciples favoris d'Ingres, passionné de musique comme l'on sait. On connait la fameuse lettre du peintre, alors nouveau directeur de l'Académie de France à Rome, à Varcollier (25 mars 1835) où il parle chaleureusement de Thomas, ce « jeune homme excellent du plus beau talent sur le piano, et qui a dans son cœur et dans sa tête tout ce que Mozart, Beethoven, Weber ont écrit », que semble lui envoyer la Providence qui a eu pitié de lui, Ingres, car il était alors sans musique ; grâce à Thomas, « la plupart de nos soierées sont délicieuses » (Delaborde, 1870, p. ; Lapauze, 1924, t. II, p. 236-237). C'est encore Ingres qui intervint auprès du ministre pour faire prolonger de 6 mois le séjour de Thomas à Rome (Lapauze, op. cit., p. 330). Ingres dédicacera à Thomas un dessin pour le Chérubini du Louvre (dessin conservé au Conservatoire de Paris, legs de Mme Thomas en 1911). Aux funérailles d'Ingres sera jouée une Absoute composée par Thomas (Lapauze, op.cit., p. 554 ; sur Ingres et Thomas, cf. en outre p. 367, 531, etc.).

Quant à Flandrin et Thomas, compagnons de voyage au départ de Paris pour Rome puis en Italie même, ils resteront étroitement liés toute leur vie ; la Correspondance de Flandrin (Delaborde, 1865 : lettres de 1833, p. 193 et 1834, p. 223 notamment) en porte éloquemment témoignage. Hippolyte de surcroît, adorait la musique qu'il jugeait une chose « divine » (lettre à Auguste, du 15 août 1835). Aux obsèques de Flandrin, Thomas, vice-président de l'Académie des Beaux-Arts, prit la parole, rappelant « la fascination qu'il [Flandrin] exerçait sur tous ceux qui l'approchaient, la fascination de l'artiste et de l'homme de bien » (Flandrin, 1909, p. 334). Sur l'amitié de Flandrin et de Thomas, cf. encore les nombreuses références citées dans Foucart, 1972, note 8 p. 26.   J.F.

MONTAUBAN, MUSÉE INGRES

88

89

90. *Portrait de Paul Flandrin* (1835)

DESSIN : Crayon. H. 0,217 ; L.0,165. S.d.b. : *Hippolyte Flandrin* ; b.g. (de la main de Paul) : *moi Paul, dessiné par mon frère Hippolyte Flandrin, Rome 1835*. Dessin monté avec un *Portrait d'Hippolyte* par Paul, voir n° 189).

HISTORIQUE : Fonds familial Flandrin.

EXPOSITION : Paris, 1923, n° 174 (à Louis Flandrin)

BIBLIOGRAPHIE : Lanvin, 1967, t. III, p. 80.

Le portrait vu de profil surprend. La physionomie de Paul Flandrin correspond mal à l'iconographie connue de l'artiste. L'inscription de la main de Paul, confirme pourtant bien l'identité du modèle.

Les portraits de Paul exécutés par Hippolyte sont rares en dehors du système du double autoportrait. Le dessin présente donc un intérêt tout particulier. L'étude ne manque pas de qualités. Le profil est exprimé avec force, le visage modelé avec soin. L'ensemble reste toutefois un peu romantique.   *J.F.*

PARIS, COLLECTION PARTICULIÈRE

90

90bis. **Portrait de Paul Flandrin** (1835)

DESSIN : Cf. le *Double portrait (dessiné) de Paul et d'Hippolyte Flandrin*, Paris, Cabinet des dessins du Musée du Louvre, n° 194 de la présente exposition (classé à Paul, responsable de la plus grande partie du dessin).

91. *Portrait de Paule Baltard,* enfant (1839)

PEINTURE : T.H. 0,40 ; L. 0,33. Dédié h.g. vers le milieu : « *A mon ami Victor Baltard 1839* ».

HISTORIQUE : Peint pour l'architecte Baltard, père du modèle, en 1839 ; passé par voie d'héritage familial dans la famille Arnould (Mademoiselle Baltard devint à son mariage Madame Edmond Arnould) puis chez le possesseur actuel.

EXPOSITION : Paris, 1865, n° 13 ; Paris, 1874, n° 806 (« Portrait d'enfant. Collection de Mme Baltard) ; Paris, 1885, n° 77 ?

BIBLIOGRAPHIE : Lagrange, 1865, p. 294 ; Delaborde, 1865, p. 396 ; Rousseau, 1865, p. 143 ; Jannet, 1866 ; Blanc, 1876, p. 271 ; Flandrin, 1909, p. 247, 341, 349 (cité comme appartenant alors à Mme Arnould-Baltard) ; Lanvin, 1967, t. III, p. 85-87.

ŒUVRES EN RAPPORT : Dessin par H. Flandrin à la mine de plomb. H. 0,28 ; L. 0,20. Resté dans la descendance du modèle : Paule Baltard est vue en buste, assise de trois-quart, le visage presque de face (Lanvin, t. III, p. 86).
Autre dessin par le même, à la mine de plomb et portant l'inscription : *Bons amis Baltard 4 mars 1850),* Fonds familial Flandrin, (Lanvin, t. III, p. 86). Une copie peinte du tableau, attribuée à Paul-Hippolyte, chez un descendant de Baltard à Sceaux. Dessin par Ingres de Paule Baltard représentée à l'âge de deux ans, auprès de sa mère, en 1836.

Selon une tradition familiale consignée dans une note manuscrite peu lisible apposée au verso du tableau, ce portrait aurait été exécuté à l'insu de Victor Baltard en quatre séances. La dédicace et la réalité même de l'objet — sans doute offert par l'auteur au père du modèle — attestent les relations amicales qui unirent toujours Baltard à Flandrin.
Pensionnaire à la Villa Médicis à Rome avec Hippolyte Flandrin sous l'inoubliable directorat d'Ingres (où le ravissant dessin de la même Paule Baltard enfant par Ingres, en 1836, Nœf, n° 368), Victor Baltard, fils d'architecte et lui-même architecte bien connu (Les Halles de Paris, Saint-Augustin *cf.* n° 119 ; *etc...),* restaurateur de l'abbatiale de Saint-Germain-des-Prés à Paris sous Louis-Philippe, bras-droit d'Haussmann dans la décisive rénovation de Paris sous Napoléon III, ami et correspondant de Flandrin, collabora étroitement avec lui dans la décoration de Saint-Germain-des-Prés (*cf.* n°) et dans la réalisation du Berceau impérial (*cf.* ici le n°) et après la mort du peintre fut le responsable architectural de son monument votif à Saint-Germain-des-Prés. Comme Oudiné, Baltard était bien sûr du comité d'organisation de la rétrospective de 1865 à l'Ecole des Beaux-Arts et de la commission du monument Flandrin. Il fut acheteur à la vente de 1865 (n° 253).
Paule Baltard (1834-1916) est représentée ici à l'âge de cinq ans. Le portrait — l'un des premiers peints par Flandrin à son retour de Rome plut beaucoup à l'exposition de 1865, eu égard au charme attendrissant du modèle, mais aussi à la ferme qualité de son exécution. Telle est déjà l'observation de Léon Lagrange dans son compte-rendu de l'exposition de 1865 dans la *Gazette des Beaux-Arts* où les portraits tenaient une place de premier ordre, ratifiée par la critique unanime : « *Jamais Flandrin n'a rien peint de plus ferme, de plus carré que cette fillette en béguin blanc. Plus d'un portrait*

d'homme pâlit à ses côtés » Jean Rousseau (1865) vante l'« *exécution* » de ce portrait, « *charmante de naïveté et de sincérité* ». Claudio Jannet surenchérit en 1866 :... « *la perle de l'œuvre de Flandrin. La parole ne peut rendre tout ce qu'il y a dans cette tête de vie, de charme d'expression, de puissance de coloris et d'exécution. C'est digne de Holbein et peut-être plus vrai encore, car sous le pinceau de Flandrin, l'enfance n'a rien perdu de sa grâce.* » Pour Charles Blanc, « *la petite fille de M. Baltard... montre ce qu'aurait pu faire un peintre moins retenu par la pudeur du pinceau* ». Louis Flandrin enfin, neveu de l'artiste et auteur de sa principale biographie, se fait lyrique mais insiste bien en même temps sur la force de l'exécution : sujet charmant mais nullement mièvre ! « *Ce gentil visage, si intelligent et si décidé, ressort de la toile avec un relief puissant. Les tons gris se fondent dans une harmonie des plus douces et des plus élégantes. Quelqu'un a dit de ce petit chef d'œuvre que Velasquez ne l'eût pas désavoué. En tout cas, il fait autant d'honneur à l'artiste que ses portraits les plus connus* ». J.F.

FONTAINEBLEAU, COLLECTION PARTICULIERE

92. *Portrait de Madame Oudiné,* femme du sculpteur et graveur Oudiné (1840)

PEINTURE : T. H. 0,84 ; L. 0,64 S.D.b.g. : *Hippolyte Flandrin à son ami Oudiné-1840.*

HISTORIQUE : Dédié au sculpteur Oudiné et donc resté d'abord dans la famille du modèle en 1908 chez Eugène Oudiné fils, architecte ; à une date indéterminée, acquis par Abel Lefranc, Paris ; vendu par lui au musée de Lyon en 1930. Restauré en 1984.

EXPOSITIONS : Paris, 1840, n° 588 ; Paris 1865, n° 16 ; Paris, 1883, n° 86, Paris, 1908, n° 89, repr.

BIBLIOGRAPHIE : Delécluze, 1840 ; Planche, 1840, p.104 ; Blanc, 1840, p. 364 ; Janin, 1840, p. 237 ; Arnould, 1840 ; *L'Artiste,* 1841, p. 333 ; Galimard, 1864, p. 42 ; Lagrange, 1865, p. 187, 294 ; Delaborde, 1865, p. 320 ; Blanc, 1876, p. 271 ; Baudelaire, p. 41 ; Hepp, 1908, p. 39 ; repr. entre les pp. 38 et 39 ; Flandrin, 1909, p. 241, 349 ; Vergnet-Ruiz et Laclotte, 1962, p. 236 ; Ternois, 1962, p. 19. Lanvin, t. III, p. 92-97, 101.

ŒUVRES EN RAPPORT : Dessin préparatoire à la mine de plomb dans l'*Album des portraits,* Fonds Flandrin, Paris, collection particulière (Lanvin t. III, p. 93) : dessin au linéarisme très schématique, insistant fortement sur la construction du tableau en triangle.

Madame Oudiné, née Vauthier, était l'épouse du sculpteur et graveur en médaille Eugène Oudiné (1810-1887), camarade d'Hippolyte Flandrin à la Villa Médicis à Rome (Oudiné obtint le Prix de Rome de gravure en médaille en 1831) et qui resta lié aux Flandrin toute sa vie. C'est à Oudiné, au surplus membre du comité d'organisation de l'exposition rétrospective de 1865, ainsi que de la commission du monument Flandrin, qu'on doit le soigneux buste en marbre du peintre qui décore le monument Flandrin de 1866 à l'église Saint-Germain des Prés (une

réplique en est exposée ici) ; d'autres sont localisées à l'Institut et sur la tombe d'Hippolyte Flandrin au Père Lachaise. Oudiné fera aussi une statue d'Ingres (Salon de 1883). De son côté, H. Flandrin avait peint en 1836 le portrait d'Oudiné, alors qu'ils étaient pensionnaires à la Villa Médicis (ledit portrait, daté 1834 selon Lanvin, 1836 selon Brunel, 1979, p. 182, figure toujours dans les collections de l'Académie de France à Rome). Hippolyte, Paul [qui dessinera en 1869 la fille d'Oudiné, Mme Lefebvre] et Oudiné parcoururent ensemble la campagne italienne entre Viterbe, Orvieto, Sienne et Bolsena en 1835 (Delaborde, 1865, p. 230-231) Par leur art et leur style, Hippolyte et Oudiné appartiennent au milieu ingresque le plus militant, et le portrait de l'épouse du sculpteur vient tout naturellement s'inscrire dans un significatif contexte qui est esthétique autant qu'amical.
Du portrait de *Madame Oudiné,* Mme Lanvin a donné une excellente description qui fait bien sentir l'ingrisme quelque peu implacable, voire fascinant, un ingrisme de néophyte intransigeant, pourrait-on dire, qui caractérise cette forte peinture, l'un des premiers grands succès de Flandrin au Salon et certes l'essai et le coup de maître sur lequel devait s'ouvrir sa véritable et brillante carrière de portraitiste : « *Vue en buste, de face, droite et hiératique ; une expression ironique et mystérieuse se dégage de ce visage aux traits réguliers. Cette femme semble secrète et énigmatique comme un sphinx. Sa coiffure romantique aux larges bandeaux noirs impose sa symétrie, renforcée de part et d'autre de deux gros nœuds rouges. Une émeraude verte dans un bijou d'or, brille à la base du cou, conduisant le regard vers les épaules nues qui dessinent un parfait triangle isocèle de valeur claire. La base de ce triangle serait ce joli décolleté de tulle noir piqué en son milieu d'un bouquet de violettes sombres, dont les feuilles vertes s'harmonisent avec l'émeraude et un troisième vert, celui de la draperie damassée habillant la rampe du premier plan, sur laquelle se posent, très fines, les deux mains croisées auprès d'un petit face à main d'écaille et d'or.* » (Lanvin).
Jusqu'à cette effigie de *Madame Oudiné,* Hippolyte s'était borné en effet à peindre ses proches et ses amis intimes, comme le prouvent les quelques exemples montrés ici. Son succès au Salon de 1840 marque donc suffisamment qu'il s'agit d'un chef d'œuvre et d'un jalon essentiel dans la création du peintre.
Au Salon, le tableau, raide et intransigeant à souhait, fit à juste titre la plus saisissante et la plus inoubliable impression : Hippolyte parle à son frère à Auguste dans une lettre du 1er avril 1840 d'« *articles de journeaux ébouriffants* » qui lui arrivent tous les jours à cause du portrait de *Madame Oudiné.* Baudelaire lui-même, qui n'aimait guère les Ingresques, se souvenait encore du *Portrait de Madame Oudiné* cinq ans après (tout comme le critique de l'*Artiste* rendant compte en 1841 du *Portrait de Madame Vinet)* et il avait du mérite à le faire en un temps où il n'y avait pas de photographies, et des

91

92

milliers de tableaux exposés à chaque Salon, écrivant alors dans son compte-rendu du Salon de 1845 : « *Monsieur Flandrin n'a-t-il pas fait autrefois un gracieux* [sic] *portrait de femme appuyée sur le devant d'une loge, avec un bouquet de violettes au sein ?* »

On retiendra l'observation relative à une loge de théâtre, tentative d'explication « réaliste » d'un vieil artifice utilisé par les portraitistes (Champaigne, Rembrandt, Bol) pour cadrer un personnage et suggérer un moyen « raisonnable », tout à la fois modérément réaliste et artificiel sans excès, un utile effet de distanciation par rapport au modèle (effet de surprise ou de majesté, rigueur orthogonale, etc...). Ce qui reste bel et bien une (heureuse) gratuité stylistique qui n'a pas échappé à l'excellent critique Jules Janin pour lequel « *ce portrait de M. Hippolyte Flandrin est le plus beau du Salon... Seulement on ne comprend pas pourquoi cette femme s'appuie sur cette longue barre. D'où vient cette barre ? Comment est-elle placée là ? Pourquoi faire ? Est-ce le devant d'une croisée ou d'une loge de spectacle ? On n'en sait rien* » ? — Ou plutôt si, on le sait : c'est le choix personnel et « artiste » de Flandrin !

Les mains du modèle entre autres détails s'imposent à la plupart des critiques pour la qualité de leur modelé et l'évidence de leur allongement : « *une jeune et belle femme en noir qui montrait les mains les plus élégantes et les plus irréprochables du monde* » (*L'Artiste*, 1841) ; — des « *mains incomparables* », relève Galimard généralement si sévère envers Flandrin (1864) ; — « *des mains d'une exquise délicatesse* », relève Charles Blanc un peu malgré lui, car Flandrin l'ennuie profondément et il juge sa *Madame Oudiné* sans « *pensée ni tendresse. Cela est froid et sec et je ne vois pas ce qui peut intéresser à ces figures de parchemin qui se détachent sur un fond verdâtre, le plus fastidieux de tous les fonds* ».

Quant au pointilleux Gustave Planche, il note que la saillie osseuse de l'avant-bras gauche « *est marquée environ un demi-pouce trop haut. La distance qui sépare le poignet de la naissance des phalanges acquiert ainsi une dimension démesurée* ». Mais n'avons-nous point là une de ces intéressantes déformations stylistiques, comme on en rencontre chez Ingres, Planche devenant en quelque sorte ici le Kératry de Flandrin... et son laudateur involontaire ?

Même un observateur un peu réticent comme Auguste Arnould dans le *Commerce* (21 avril 1840 : « *Le portrait de Madame O... est juste la moitié d'un chef d'œuvre* » !) en trouve « *le dessin... magnifique, d'une sévérité et d'une pureté qu'on ne saurait trop louer* » et, comme Planche, juge lui aussi Flandrin bien supérieur à Amaury-Duval (le parallèle entre les deux artistes est fréquent dans les compte-rendus du Salon de 1840), mais le manque d'animation qu'il reproche aux portraits des deux artistes est d'une éclairante incompréhension : on ne saurait mieux mettre en valeur *a contrario* ce primat

du style que voulurent les Ingresques.

C'est ce que le vieil et austère Delécluze a parfaitement senti devant « *cet ouvrage achevé avec une grande délicatesse et où il* [Flandrin] *a su joindre la grâce à une exacte vérité* » : dans tous ces portraits « *formant peut-être le bouquet de l'exposition* », Flandrin comme Amaury-Duval cherchent à se rattacher à la grande école italienne des quinzième et seizième siècles ; ils ramènent les traits de leurs modèles « *à une certaine unité de proportion, base de la beauté* », ils savent sacrifier les détails à l'ensemble ; l'Ingrisme, comme naguère les Primitifs italiens, est en fait une machine à maîtriser les apparences !

Il faudrait aussi insister avec nombre de critiques sur la qualité de la polychromie du portrait, très « cloisonnée » en quelque sorte et infiniment lisible avec la note rouge dans les cheveux et la sévère harmonie de tons noirs, bruns, mauves et vert sombre tranchant sur le clair éclatant des chairs : une nouvelle leçon de choix arbitraires et très efficaces !

Concluons sur un excellent résumé aux expressions fort bien pesées de Claudio Jannet, cet enthousiaste et lucide admirateur de Flandrin, mais il est vrai qu'en 1866 le vertueux combat ingresque n'est plus contesté comme il l'était encore en 1840... : « *Madame Oudiné, simplicité de la pose et noblesse du style, chasteté dans l'expression et puissance du modelé, tout est réuni dans cette toile qui fut le plus délicat hommage que puisse inspirer l'amitié* ».　　J.F.

LYON, MUSÉE DES BEAUX-ARTS.

93. *Portrait de Madame Vinet* (1840)

PEINTURE : T. H. 0,60 ; L. 0,52 ; S.D.h.g. : *Hippolyte Flandrin, 1840* (en capitales et chiffres romains)

HISTORIQUE : Sans doute exécuté à la demande d'Ernest Vinet, fils du modèle et bibliothécaire à l'Ecole des Beaux-Arts de\Paris, puis légué par lui au Musée du Louvre, 1880. — N° d'inventaire : RF 269.

EXPOSITIONS : Paris, 1841, n° 712 ; Paris, 1865, n° 18 ; Paris, 1981, n° 17.

BIBLIOGRAPHIE : Haussard, 1841 ; *L'Artiste*, 1841, p. 333 ; Gautier, 1841, p. 169 ; Galimard, 1864, p. 42 ; Delaborde, 1865, p. 323 ; Jannet, 1866 ; Flandrin, 1909, p. 245-247, 349 ; Sterling-Adhémar, 1959, p., repr. pl. 298 ; Lanvin, 1967, t. III, p. 99-103 ; Catalogue sommaire, 1972, p. 161.

Très admiré au XIXe siècle, incroyablement loué par les contemporains mêmes de Flandrin (E. Vinet surtout, grand ami et admirateur d'Hippolyte et de Paul, *cf.* n° 200, qui envoya à l'*Artiste* en 1841 une lettre d'un enthousiasme presque délirant pour le remercier d'avoir peint le portrait de sa mère — le ton très personnel de la lettre impliquant bien qu'il s'agit très probablement d'une commande directe de Vinet à Flandrin, ce portrait spécialement légué au Louvre par le fils du modèle n'a plus aujourd'hui la

même résonance artistico-sentimentale que naguère (en a-t-il même encore une ?) et semble surtout voué à l'oubli (momentané !) des réserves. Ainsi vont — et injustement — les réputations... Car, à relire les appréciations de l'époque, tout n'est pas pathos dans ce langage complaisamment écrit, et le tableau a été en fait très finement observé et justement analysé.

C'est qu'il faut y voir plus que le portrait précis, voire anecdotique, d'une vieille femme donnée, d'une aïeule lassée, d'une mère vieillissante : l'image générale de la Mère, l'idée de la tendresse maternelle, « *une œuvre idéale et une peinture de style* » comme le dit Prosper Haussard dans le *Temps* (31 mars 1841) à l'occasion du Salon : avec Flandrin « *nos portraitistes apprendront* [de lui] *à sentir et voir leur modèle en artistes, à trouver la beauté dans la ressemblance... Il leur enseignera que tout portrait doit être pour ainsi dire la transfiguration glorieuse de la personne, type heureux que l'on rêve, image privilégiée qui charme et retient par l'expression de l'âme, du caractère et de l'esprit, par la convenance accomplie de la force, du maintien et du costume* ».

« *Quelle beauté morale respire sur cette figure, en purifie les traits et les contours, supplée la beauté de la jeunesse... L'âge ne pèse point sur une femme qui le porte avec cet abandon... Nous insistons avec plaisir sur le beau sentiment de ce portrait. Voilà comme on imite, ou plutôt comme on crée en quelque sorte la nature. C'est dans la pensée, c'est avec l'âme qu'il faut peindre d'abord. L'âme, c'est l'art surtout, sans elle l'exécution n'est rien. Mais ici, l'exécution suit l'idée* ». (Ou plutôt ajoutons que l'exécution, par sa réserve et sa tension, crée déjà elle seule une sorte d'idée...) Et Haussard de conclure : « *Monsieur Hippolyte Flandrin dessine toujours sous l'œil du Maître* [Ingres], *il épure la forme, il caresse la ligne et le contour, il cherche avec ardeur l'idéal où son école aspire, l'accord de la beauté morale et de la beauté matérielle* » (cité par Lanvin, 1967, t. III, p. 100-101.)

Mêmes éloges stylistiques singulièrement pertinents dans le compte-rendu de l'*Artiste* (« *dessin élégant et fin* », « *modelé d'une délicatesse suave* », plis du vêtement « *distribués avec une grâce sans pareille* », note rare et puissante des fleurs rouges dans le bonnet noir, « *une sévérité de lignes dont la grâce est loin d'être exclue* ») ainsi que Théophile Gautier (« *bien dessiné, modelé finement, d'un aspect heureux et tranquille, et quoique la personne qu'il représente ne soit pas jeune, le regard s'y arrête volontiers* ») des éloges certes mérités et qui établissent à suffisance l'extrême efficacité du réalisme stylisé de l'Ecole d'Ingres dont Flandrin se fait alors l'un des hérauts convaincants. Mais Haussard note bien qu'il y a ici une sorte d'apaisement, de confiance sûre qui contraste avec la raideur trop volontairement stylisante du portrait de Madame Oudiné. Le jeu subtil des noirs, des ocres cuivrés et du fond gris-vert joue favorablement en ce sens, austère et réservé mais harmonieux. L'extrême habileté du faire (les bandeaux

si vivement dessinés et s'enlevant sur un fond tendre, l'évidence discrète de la broche) permet alors, sans tomber dans la crudité vulgaire, une étude presque cruelle du visage (la verrue, les plis dans les chairs du cou, etc...) : c'est une parfaite, presque trop parfaite leçon d'équilibre où Ingrisme ne veut plus dire appauvrissement ou assèchement des formes et des couleurs. J.F.

PARIS, MUSÉE DU LOUVRE

94. *Portrait du Comte Félix d'Arjuzon* (1841)

PEINTURE : T. H. 0,83 ; L. 0,64. S.D.h.g. : *Hyppolite Flandrin 1841* (à noter l'Y mal placé et le N inversé !)

HISTORIQUE : Resté dans la famille du modèle jusqu'en 1949, date à laquelle les descendants de Félix d'Arjuzon, à savoir le Comte d'Arjuzon (Félix d'Arjuzon était son grand-père), son fils et ses-petits enfants donnent le portrait au Musée du Louvre (N° d'inventaire RF. 1949-29). Déposé par le Louvre au Musée national du Château de Compiègne en 1957 (n° d'inventaire : C. 53 et D. 22).

EXPOSITIONS : Paris, 1843, n° 431 (« Portrait de le Comte d'A... ») ; Compiègne, 1953, n° 105.

BIBLIOGRAPHIE : *L'Artiste*, 1843, p. 212 ; Wey, 1843 ; L. Flandrin, 1909, p. 350 ; Lanvin, 1967, t. III, p. 110-112 ; Rosenberg et Compin, 1974, note 40 p. 267 ; Arjuzon, 1978, p. 76, n° 31 de l'iconographie des Arjuzon, repr. p. 86.

ŒUVRE EN RAPPORT : Étude préparatoire à la mine de plomb sur papier calque dans l'*Album des portraits* (Fonds Flandrin, Paris collection particulière). La pose choisie dans le dessin était beaucoup plus libre d'allure avec des jolis jeux de lignes souples et un parti plus « ingriste » ; on peut même selon Mme Lanvin (t. III p. 111) juger regrettables les importants changements opérés par le peintre en passant du dessin au tableau.

Félix d'Arjuzon (1800-1874) était d'une famille noble assez fortunée, d'allégeance et de sympathie napoléoniennes. Son père, Gabriel d'Arjuzon (1716-1851), Comte d'Empire, Chambellan de Louis-Napoléon roi de Hollande, fut le possesseur du fameux *Verrou* de Fragonard qu'il proposa au Louvre pour acquisition en 1817 (ce tableau était encore dans cette famille en 1849, selon l'inventaire après décès de Mme Félix d'Arjuzon). L'épouse de Gabriel d'Arjuzon, Pascalie Hosten, liée à la reine Hortense — elle en était sa dame de compagnie — s'adonnait aux arts (aquarelles au Musée de la Malmaison) et fut l'élève de Gérard et d'Isabey ; elle fit un portrait d'Hortense que Félix d'Arjuzon donna en 1851 au Prince-Président, futur Napoléon III et fils, comme on le sait , de la reine Hortense.
Félix d'Arjuzon, sous-préfet de Civray en 1825 puis gentilhomme de la Chambre de Charles X en 1829 (mais apparemment non titulaire) s'abstint comme son père de toute activité politique sous la Monarchie de Juillet, à l'exception d'un modeste rôle de conseiller général du canton de Montfort dans l'Eure. Ses vieilles relations d'enfance avec Louis-Napoléon (Napoléon III) — ce dernier lui écrit cordialement en 1837 au lendemain du soulèvement raté de Strasbourg — lui firent reprendre une activité publique sous le Second Empire, comme député de l'Eure, de 1852 à 1870 (en « bon candidat » recommandé par la Préfecture...) et comme Chambellan de

l'Empereur, de 1853 à 1861. Il épousa en 1826 Caroline Reiset, la sœur de Frédéric Reiset, illustre conservateur du Louvre et grand ami d'Ingres, et il figure sur le tableau d'Ange Tissier : *L'architecte Visconti présentant à Napoléon III et à Eugénie le plan du nouveau Louvre* (1855, Musée de Versailles).
Il est plus que probable que les liens familiaux de Félix d'Arjuzon avec les Reiset l'ont influencé dans son choix d'Hippolyte Flandrin comme portraitiste : « ingriste » fervent, Reiset s'était fait peindre par Hippolyte en 1839 (Paris, 1865, n° 14, — portrait non retrouvé par Mme Lanvin, 1967, t. III, p. 103 bis).
A la date de 1841 en tout cas, Hippolyte n'a guère portraituré que des proches de sa famille ou des relations de son milieu artistique (*Ambroise Thomas, Madame Oudiné, Reiset*, la petite *Baltard*, etc.), à l'exception d'un dessin représentant Lacordaire en 1840 (Lanvin, t. III, p. 104). Le présent portrait aux harmonies raffinées (l'œillet rouge tranche avec la chemise blanche sur un jeu sombre et profond de bruns, de noirs et de verts, celui traditionnel du fonds), aux carnations fondues et travaillées (la main quoique trop décorative, trop exagérément « ingresque » est d'une matière particulièrement belle), aux effets lisses et au modelé uni s'affirme comme un coup de maître, et peut bien se comparer au *Duc d'Orléans* d'Ingres (1842), la hardiesse de la silhouette en moins. Dès lors, les demandes de portraits devaient affluer auprès de Flandrin qui sera obligé d'en refuser des ces années-là (Flandrin, 1909, p. 250) : «« *Si vous voulez voir une belle tête d'homme noblement et conscieusement rendue* », écrit l'*Artiste* au Salon de 1843, « *arrêtez-vous devant le portrait de M. d'A... Cela n'a ni la savante profondeur de Titien, ni la saisissante coquetterie de Van Dyck. Mais cela est simple et naturel, cela est vrai, cela est consciencieux et cela fait plaisir à voir* ». Mais le critique observe ensuite que les épaules « *manquent d'ensemble et que le bras gauche parait tiré en bas avec un violent effort* », ce qui n'apparaissait pas sur le dessin préparatoire : il est vrai que le *Comte d'Arjuzon* de 1841 est l'un des premiers grands portraits mondains du maître et que, visiblement, la recherche des accords de couleurs l'a emporté ici sur la qualité de la forme qui reste un peu massive. L'œuvre retient par une extrême séduction.
Le *Globe*, quant à lui, insiste une fois encore, et peut-être exagérément, sur l'aspect « conscien-cieux » du talent de Flandrin (« *c'est un digne élève de M. Ingres qui procède du chef de l'école, sans le copier servilement* ») : « *Le portrait de M. le Comte d'A... est d'une pâte solide et d'une exécution soutenue. Il a un air de ressemblance qui tout d'abord saisit. Le dessin en est ferme. Les teintes sont passées avec beaucoup d'harmonie. Si les yeux étaient plus nettement accentués, si la main n'était dans une attitude un peu forcée, l'ouvrage serait sans reproche* ». J.F.

COMPIEGNE, MUSEE NATIONAL DU CHATEAU (DEPOT DU LOUVRE)

95. *Portrait de la Comtesse de Cambourg* (1846)

PEINTURE : T.H. 0,98 ; L. 0,75. S.D.d.d. à mi-hauteur : *Hte FLANDRIN 1846*. Armoiries du modèle, h.d.

HISTORIQUE : Resté dans la famille du modèle (Mme Lanvin vit encore l'œuvre à Paris en 1967 chez le petit-fils du modèle, alors âgé de 90 ans environ) jusque dans les années 1970 ; vendu en 1973 par la Galerie Jacques Fischer , de Paris, au Detroit Institute of Arts (acquis grâce à un don de M. et Mme Alvan Macauley, Jr.) — N° d'inventaire : 73-169.

EXPOSITION : Detroit, 1979, n° 11, repr. p. 36.

BIBLIOGRAPHIE : Delaborde, 1865, p. 99, Flandrin, 1902, p. 329 ; Lanvin, 1967 t. III, p. 145-147 (tableau du Salon de 1846) ; *La Chronique des Arts*, dans *Gazette des Beaux-Arts*, 1974, p. 140 n° 445 *The Art quarterly*, Spring 1974, repr. p. 112 ; Detroit, catalogue du musée, 1979, n° 82, repr. pl.

ŒUVRES EN RAPPORT : Etude avec variantes dans le costume au verso d'un portrait dessiné de Mme de La Béraudière. Dessin à la mine de plomb sur papier bistre, H. 0,30 ; L. 0,23. Mis au carreau. S.b.d. ; conservé dans l'*Album des portraits* du Fonds familial Flandrin.

Le portrait est celui de la Comtesse Berthilde-Victoire-Angélique de Cambourg (1825-1894), née Beaussier de Chateauvert, comme l'indiquent sur le tableau les armes des deux familles réunies par une couronne comtale. Elle est peinte durant les premières années de son mariage, l'année qui suivit la naissance de son premier fils. Famille angevine, les Cambourg ont pu tout aussi bien connaître Flandrin par ses amis Bodinier, que par Jacques Victor de la Béraudière, collectionneur connu, lequel était le beau-frère de madame de Cambourg.
Le modèle apparaît comme une jeune femme tranquille et réfléchie, d'une élégance discrète. L'accent est mis sur le dessin tout en courbes décoratives (ovale du visage, profil des épaules ; contour des mains...) ; aucun détail inutile ne vient rompre cette harmonie : le peintre a haussé son modèle au niveau d'un type.
Le charme un peu irritant de ce portrait très ingresque qui confine au chef d'œuvre, la qualité du dessin très pur et décidé ont pu donner à penser que l'œuvre avait été exposée au Salon (celui de 1846). Il semble qu'il n'en soit rien et que le portrait de femme exposé par Hippolyte Flandrin en 1846 soit celui de Mme de la Béraudière (France, collection parti-culière).
Comme il est fréquent dans la vie des Flandrin, pendant qu'Hippolyte peignait Madame de Cambourg, Paul dessinait le portrait de son époux Louis-Antoine de Cambourg (1814-1852). Ce dessin est toujours conservé dans la famille du modèle (S.D., 1846). M.-M.D.

DETROIT, INSTITUTE OF ARTS

94

95

96. *Portrait de l'épouse de l'artiste* (1846)

PEINTURE : T. H. 0,83 ; L. 0,66 ; S.D.g. sur la moulure d'un coffret : *Hippolyte Flandrin 1846*.

HISTORIQUE : Resté dans la famille de l'artiste (en 1909, chez sa fille Cécile, devenue Mme Charié-Marsaines). Passé ensuite chez les descendants de Paul Flandrin : déjà en 1937, chez Madeleine Froidevaux, fille de Louis Flandrin, lui-même cousin germain de Cécile Charié-Marsaines (cette dernière n'ayant pas eu d'héritiers en ligne directe) ; don de Madame veuve Froidevaux et de ses enfants au Musée du Louvre en 1984, à l'occasion de l'Exposition Flandrin.

EXPOSITIONS : Paris, 1846, n° 659 ou n° 660 (« Portrait de Mme... », et non' même mention à chacun de ces n°ˢ !) ; Paris, 1923, n° 173 ; Lyon puis Paris, 1925, n° 36 (à Mme Charié-Marsaines) ; Lyon, 1937, n° 117 (à M . Yves Froidevaux) ; Paris, 1945, n° 41 ; Paris, 1948, n° 41 ; Lyon, 1958, n° 331, rep. fig. 9 ; Charleroi-Luxembourg, 1965, n° 31 ; Paris, 1965, sans n° ; Montauban, 1967, n° 238 ; Paris, 1969, n° 191.

BIBLIOGRAPHIE : Planche, 1846, p. 296 ; *Journal des Débats*, 1846 ; Thoré, 1846, p. 307 ; Wey, 1846 ; Delaborde, 1865, p. 99 ; Champfleury, 1894, p. 54-55 ; Flandrin, 1909, p. 251, 350 ; Lanvin, 1967, t. III, p. 141-144 ; Lacambre, 1969 (1971), p. 116 ; Lanvin, 1975 (1977), p. 65 repr. fig. 11, p. 66-67.

Popularisée par les nombreuses expositions où il figura, cette admirable effigie — émouvante par le sentiment autant que fascinante par la forme ! — vient d'entrer au Louvre à l'occasion de la première grande rétrospective Flandrin organisée depuis celle de 1865, en don très éclairé de la famille Froidevaux, une des branches directes de la descendance même de Paul Flandrin, frère d'Hippolyte. C'est le seul portrait connu de l'épouse d'Hippolyte peint par lui. Contrairement à bon nombre d'autres portraits (cf. l'*Album des portraits* du Fonds familial Flandrin), aucun dessin préparatoire pour cette peinture n'est connu. Du milieu Flandrin, notons tout de même un sévère portrait dessiné de Mme veuve Flandrin, par Paul (1874), *cf.* des photos anciennes de ce dessin dans les Archives Flandrin et dans le Recueil Flandrin au Cabinet des Estampes à la Bibliothèque nationale de Paris.
Aimée Ancelot (1822-1882), petite-cousine de Gatteaux — relevons cette intéressante relation ingresque — épousa Hippolyte Flandrin en mai 1843, à 21 ans : fille unique fort bien élevée par sa mère, elle était bonne pianiste et jouait de la musique pour consoler Ingres lors du décès de sa première épouse en 1849, d'où le très beau portrait d'elle dessiné par Ingres en 1850 (Musée de Lyon, *cf.* Naef, n° 419). Rappelons ici, pour rester dans le climat musical cher à Flandrin, que c'est son ami de Rome, Ambroise Thomas (*cf.* n° 89) qui tint l'orgue pendant la messe de mariage d'Hippolyte et d'Aimée à Saint-Pierre-de-Chaillot à Paris.
Belle et distinguée, d'un caractère doux et énergique, Aimée sut entourer son mari qui lui vouait une grande affection (il adorait lui écrire, comme le rappelle Louis Flandrin par quelques exemples de lettres de 1845, *cf.* Flandrin, 1909, p. 121-122), et le silence des biographies (*cf.* Delaborde, 1865, p. 56-57) n'est qu'hommage rendu au bonheur paisible et discret de ce couple, et bien accordé à la physionomie un peu rêveuse et tendrement réservée du modèle,

tel qu'il apparaît avec beaucoup de pénétration psychologique sur ce grave portrait d'une jeune épouse de 24 ans (on la croirait volontiers plus âgée !). Les Flandrin eurent quatre enfants (dont un mort à la naissance en 1844). A la date de 1846, le jeune Auguste (*cf.* n° 97) est déjà né depuis quelques mois (en octobre 1845).
On notera avec Mme Lanvin l'acuité des détails : les deux bagues dont l'une faite de cheveux tressés, l'oreillet rouge et le myosotis bleu serrés par la main gauche, jolie note discrète de couleur dans ce concert de noirs (robe de moire, capeline en dentelle de Chantilly) et de blancs (manches en dentelle d'Alençon), les petits boîtiers d'or pendus en aumônière à la ceinture qui doivent renfermer aussi probablement, des cheveux d'êtres chers, le châle très ingresque, si répandu dans les portraits du XIXᵉ siècle.
La « nature morte » toute « culturelle » n'est pas moins remarquable : riche coffret incrusté de style très « louis-philippard » et surmonté d'une Minerve antique et de poteries diverses : Antiquité et Art moderne, auxquels répond à droite, dans un significatif vis-à-vis, le Moyen Age chrétien avec un Primitif florentin ou siennois du XIVᵉ siècle (une *Crucifixion* sans doute) qui devait appartenir à Flandrin, collectionneur de tels objets comme, bien entendu, Ingres l'avait bien été lui-même (et tant d'autres de leurs contemporains). Apparemment, ce tableau ne se retrouve pas chez les descendants actuels de Paul Flandrin, même si on peut encore noter çà et là quelques Primitifs italiens provenant d'Hippolyte (sinon de Paul Flandrin).
La pose est du plus pur ingresque et renvoie immédiatement au fameux portrait de la Comtesse d'Haussonville peint par Ingres juste un an avant (New York, Frick Collection) : les deux figures (tête inclinée vue de face, buste de trois-quarts légèrement cambré, position des mains au menton et à la taille, jeu des accessoires, petit doigt d'une main plongé dans les plis de la robe) sont identiquement pensées, à cela près que Flandrin a inversé son modèle (corps tourné vers la droite) par rapport à la figure d'Ingres (corps tourné vers la gauche) et que les mains de Madame Flandrin sont incomparablement moins belles, plus lourdes que celles de Madame d'Haussonville : surtout, elles paraissent trop fortes et comme disproportionnées par rapport au joli visage de Madame Flandrin aux traits si purs et réguliers.
En fait, à trop confronter Flandrin et Ingres comme le fait Naef, on risquerait d'écraser l'élève sous le maître et de méconnaître ainsi une victorieuse originalité qui triomphe ici dans ce portrait rêveur et mélancoliquement charmant, modelé dans les ombres avec tant de fine et ferme douceur : Flandrin affectionne les sombres et les demi-teintes (*cf.* Jullian, 1937, p. 68), quand Ingres exalte une implacable et parfaite polychromie — flatte l'élégance morale de la femme, là où Ingres s'adonne à une sorte d'intemporelle, de glaciale et de fabuleuse pétrification des êtres et des choses. Sous le signe d'un ingrisme global, la voie de Flandrin mène

en fin de compte à une tout autre poésie, où la présence du détail — c'est très net ici — ne joue plus selon les mêmes critères de surréalité fascinante mais s'accorde dans un ensemble de grâce et de calme aux harmonies raffinées : la courbe du beau visage patient d'Aimée, loin de n'être qu'une pure abstraction de style, devient le support d'une exploration « humaniste », d'une élévation morale.
S'explique dès lors le vibrant jugement de Champfleury, au Salon de 1846, devant ce tableau et trois autres portraits de ·femme exposés par Hippolyte : « *Quand on rencontre une de ses œuvres tranquilles et réfléchies, alors on comprend que M. H. Flandrin est après M. Ingres le plus grand portraitiste de notre temps* ». Et Gustave Planche d'admirer à son tour la « *rare habileté* » de cette simple effigie « *d'une femme vêtue de noir, reléguée, je ne sais pourquoi, au fond de la grande galerie [du Louvre où avait lieu le Salon], le savoir consommé du modelé du visage et des mains, les yeux « enchâssés avec une fermeté magistrale et [qui] regardent bien* ».
On saisit moins que Baudelaire, esprit, il est vrai, imprévisible, ait en 1846 jugé les portraits des Ingristes « *souvent entachés d'une afféterie prétentieuse et maladroite* ». A quoi répond sans peine l'inoubliable image de Madame Flandrin au tact formel inégalé, l'un des portraits les plus *distingués*, dans tous les sens du mot, de la peinture du XIXᵉ siècle et désormais, aussi, l'un des « classiques » du Louvre...   *J.F.*

PARIS, MUSEE DU LOUVRE.

97. *Portrait du jeune Auguste Flandrin,* fils de l'artiste (vers 1847)

PEINTURE : T. Tondo inscrit dans un carré. H. 0,29 ; L. 0,28 S.b.d. : *H.F.* Etiquette au verso donnant l'identité du modèle.

HISTORIQUE : Fonds familial Flandrin.

EXPOSITION : Paris, 1865, n° 23 ? ; Paris, 1910, n° 71 ? (« *Portrait d'Auguste Flandrin enfant* », exposé avec le « *Portrait de Cécile Flandrin enfant* », n° 70, l'un et l'autre appartenant alors à M. Charié-Marsaines).

BIBLIOGRAPHIE : Delaborde, 1865, p. 99 (portrait d'Auguste à 4 ans et demi ; — à condition, toutefois, que Delaborde ne songe ici par confusion à un portrait d'Auguste à sept ans, signé et daté, *cf.* plus bas.)

Charmant portrait quasi inédit (il est juste cité par Delaborde et oublié ensuite...) et dont l'identification repose sur une tradition familiale qu'il n'y a pas lieu de mettre en doute. Dans sa thèse, Mme Lanvin étudie seulement un portrait d'Auguste Flandrin à sept ans, signé et daté de 1853 (Flandrin, 1909, p. 350, à la date erronée de 1849 ; Lanvin, t. III, p. 172), lui aussi resté dans la descendance de Paul Flandrin, tout comme un petit portrait d'Auguste bébé coiffé d'un bonnet, peint par Hippolyte vers 1846 (Lanvin, t. III, p. 173 — non photographié par

96

97

cet auteur ni revu par nous-même. Le présent portrait montre Auguste (1845-1893), le fils aîné d'Hippolyte, vers l'âge de 2-3 ans (Delaborde le vieillit juste un peu trop), joufflu à souhait, dans un format circulaire d'un bel effet typiquement ingresque, qui concentre l'attention et accentue le rythme des volumes ronds et lisses inhérents à cette vision miraculeusement neuve et pure de l'enfance.

Vu sa belle et attachante qualité, on peut présumer que c'est ce portrait (le catalogue, trop succinct, ne permet pas de décider entre les divers exemplaires existants de portraits d'Auguste) qui figurait à la rétrospective posthume de 1865, et non l'effigie assez ingrate de 1853 citée plus haut. De fait, le portrait d'Auguste était accompagné en 1865 de celui de Cécile enfant, la sœur cadette d'Auguste, parfaitement identifiable avec le portrait de 1852 qui se trouve toujours chez les descendants de Paul Flandrin (1865, n° 24 ; Lyon, 1948, n° 42).

Or, l'un et l'autre forment comme des pendants et l'on comprend mieux qu'on les ait exposés ensemble : même format en tondo, dimensions assez voisines (le tableau de Cécile mesure 38 sur 32 cm), identique présence d'un jouet aux côtés de chaque enfant (une poupée chez Cécile, une sorte de chat ou de chien en tissu (?) près d'Auguste). Malheureusement, le portrait de Cécile n'évite pas une certaine naïveté due à moins de maîtrise formelle, ce qui n'en établit que mieux, en regard, l'incontestable supériorité esthétique du tondo d'Auguste. Le jeune garçon fera plus tard carrière au Cabinet des Estampes de la Bibliothèque nationale à Paris (il y entre comme surnuméraire en 1874, devient bibliothécaire en 1888, catalogue la Collection Lallemant de Betz, les pièces de l'ordre du Saint-Esprit dans la Collection Clairambault, etc.., démissionne en 1891) ; on lui doit, selon Mme Lanvin, le classement des œuvres de son père, la fabrication d'un cachet imité de la signature d'Hippolyte Flandrin (Lugt n°) et son apposition sur de très nombreux dessins de l'artiste restés non signés et authentifiés depuis par cette marque. Pour l'iconographie du jeune Auguste, cf. encore le carnet n° 134, exposé ici.   J.F.

VERSAILLES, COLLECTION PARTICULIERE.

98. *Portrait de Mme Antonie Balaÿ*
(1851-1852)

PEINTURE : T. H. 1,10 ; L.0,78. S.D.h.g. : *Hippolyte Flandrin 1851.*

HISTORIQUE : Resté dans la famille du modèle, lequel était l'arrière grand-mère du possesseur actuel.

EXPOSITIONS : Paris, 1865, n° 98 (1851).

BIBLIOGRAPHIE : Poncet, 1864, p. 70 ; Delaborde, 1865, 1909, p. 99 ; Flandrin, 1909, p. 350 (1982) ; Fosca, 1921, p. 412 (1853) ; Lanvin, 1967, t. III, p. 168 (1852 ; — non retrouvé) ; Naef, 1979, p. 285-286, repr. fig. 3 p. 286 (1852) ; Cohn et Siegfried, 1980, p. 132.

ŒUVRES EN RAPPORT : Copie au trait, probablement par Ingres lui-même, de la tête seule, sur papier calque. H. 0,30 ; L. 0,17. Montauban, Musée Ingres, Legs Ingres 1867. Catalogue Ternois, 1959, n° 169, repr. (comme *Tête de Mme Reiset, vue de face*). De fait, le dessin comporte une inscription (postérieure ?) : *Mad^e Reiset*. Mais il ne ressemble absolument pas au portrait de Mme Reiset peint par Ingres en 1846 (Fogg Art Museum, Cambridge), et Marjorie Cohn et Susan Siegfried ont pu démontrer que ce calque avait été pris sur le tableau même de Flandrin ! La remarque de Momméja relative à ce dessin : « *Calque exécuté sur la peinture* » n'était donc pas aussi erronée que le croyait Ternois...
— Dessin d'Hippolyte Flandrin : Mine de plomb rehaussé de craie blanche sur papier bis. H. 0,35 ; L. 0,23 : au verso du *Portrait de Melle Delessert*, dans l'*Album des Portraits* du Fonds familial Flandrin (Lanvin, 1967, t. I, p. 168).
— Autre dessin d'Hippolyte, mine de plomb sur papier crème. Inscrit b.d. : *Mme Balay*. H. 0,32 ; L. 0,24 Fonds familial Flandrin. Le modèle est vu de profil (Lanvin, ibidem). — cf. en outre le n° 202, portrait dessiné par Paul Flandrin.

Le tableau n'avait pu être retrouvé par Mme Lanvin lors de ses recherches de thèse (1967) et ne lui était connu en fait que par les dessins préparatoires et une vieille photographie provenant des archives de la famille Flandrin. Puis Hans Naef le publia en 1979 (toujours d'après une ancienne photo) à l'occasion de sa redécouverte de la *Vénus à Paphos* d'Ingres (aujourd'hui au Musée d'Orsay) qui fut peinte à partir du même modèle. Mais, par ses contacts avec les descendants de Mme Balaÿ, il réussit à retrouver le présent tableau, qui peut ainsi être remonté en public pour la première fois depuis la rétrospective de 1865.
La belle et digne Antonie Balaÿ (1833-1901), — Antonie : tel était son prénom —, était la fille d'un industriel lyonnais, Jean-Jules Balaÿ. Elle épousa à une date non connue des descendants son cousin Francisque Balaÿ (1820-1872), agronome, député de la Loire sous le Second Empire. Il est possible qu'elle soit déjà représentée ici en tant qu'épouse, ayant pu se marier fort jeune, même si elle paraît sur le tableau, par le fait d'une idéalisation typique de Flandrin, un peu plus âgée qu'il ne conviendrait à la date de 1851 où elle est censée n'avoir que 18 ans... Selon François Fosca qui avait eu connaissance de ce tableau et du dessin de Paul Flandrin, Mme Balaÿ était « *d'excellente famille, fort pieuse et d'une beauté si surprenante que l'on prétend qu'un instant Napoléon III avait songé à l'épouser* ». On ne sait sur trop quelles bases pouvait reposer un tel bruit plus ou moins arrangé mais pas absolument précis, car l'Empire, de toute façon, ne fut proclamé qu'en novembre 1852. La tradition familiale elle-même des Balaÿ (Naef, 1979, p. 283, d'après

une lettre de M. Pierre Balaÿ, de 1976) n'en est pas moins arrangeante et sollicitée : Mme Balaÿ serait allée s'installer à Lyon, « *car elle avait été remarquée de façon un peu trop insistante par l'Empereur* ». En fait, le vrai titre de gloire de cette belle personne, si bien mise en valeur par Hippolyte dans une frontalité sans brutalité : du grand art de portraitiste !, est d'avoir inspiré Ingres dans son étonnante et souveraine *Vénus à Paphos* (vers 1852) et ce, à travers le dessin de Paul Flandrin (cf. n° 202), beau dessin pur et élégant, ingresque jusqu'à l'évidence et bien heureusement agencé (les mains à la Joconde !), au point qu'il servit de première idée au tableau d'Ingres qui est lui-même un curieux mélange de portrait réel et d'évocation mythologique idéale. Mais la peinture d'Hippolyte, plus sage, plus harmonieuse, sans (géniales) incorrections de dessin ! et d'une fort agréable mesure qui devait plaire aux modèles (on admirera le beau modelé du coude pénombre), n'a pas su moins retenir l'attention du Maître de Montauban. Cohn et Siegfried ont récemment et brillamment relevé qu'Ingres a dessiné (ou recueilli) un fidèle tracé du visage sur papier calque (cf. *Œuvres en rapport* ; le dessin a les mêmes mesures que le visage du tableau) : étonnante manière de travailler d'un grand artiste qui va butiner partout et même jusque chez ses plus chers élèves, mais plus encore, parfaite démonstration de la belle pureté de style que sut préserver Hippolyte Flandrin dans un habile portrait mondain qui pouvait s'y prêter moins facilement.
— La date de 1851 peut faire problème, dans la mesure où le journal de Paul Flandrin (cf. le n° 202 de la présente exposition) semble bien indiquer que Paul exécuta son portrait dessiné de Mme Balaÿ au moment où Hippolyte peignait le sien. Hippolyte a-t-il légèrement antidaté son tableau dont l'exécution a bien pu s'étendre en effet de 1851 à 1852 ?   *J.F.*

PARIS, COLLECTION PARTICULIERE

* Ce tableau ne sera présenté qu'à Paris.

99. *Portraits de la Comtesse Maison*
(1852)

PEINTURE : T.H. 1,30 ; L. 0,80 S.D.h.g. : *Hippolyte Flandrin 1852* (en caractères romains). Armoiries h.d.

HISTORIQUE : Resté dans la famille du modèle puis donné par celle-ci au couvent des Dominicaines d'Etrépagny, installé dans les dépendances du château d'Etrépagny en Normandie (cf.Tourtier-Bonazzi, 1972, p. 329 : archives) par les deux filles de la Comtesse Maison, Isabelle de Vatimesnil (1842-1897), morte dans l'incendie du Bazar de la Charité (elle fonda le couvent à la mort de son mari Albert de Vatimesnil en 1875) et sa sœur aînée, la très pieuse Mathilde de Mackau (1837-1886), peinte elle aussi par Hippolyte Flandrin (en 1858).
— De 1960 à 1983, le tableau avait été déposé à l'Institut Sainte-Isabelle, établissement médico-scolaire adjoint au couvent et repris aujourd'hui par l'Association du Moulin vert (dans sa thèse, Mme Lanvin localise le tableau dans cet institut).

EXPOSITIONS : Paris, 1855, n° 3078 (« *Portrait de Mme la Comtesse M...* » Paris, 1865, n° 38 ; Paris, 1874, n° 808 ? (« *Portrait de femme, collection du comte Maison* », mais il peut s'agir aussi, bien que ce soit moins vraisemblable, du portrait de Mlle Maison).

BIBLIOGRAPHIE : Perrier, 1855, p. 100 ; Flandrin, 1902, p. 330 ; Lanvin, 1967, t. III, p. 179-180.

ŒUVRES EN RAPPORT : Dessin préparatoire dans l'Album des portraits, Fonds familial Flandrin.

La Comtesse Maison (1816-1885), née Diana de Domecq (sa famille était, orignaire d'Usquain en Basses-Pyrénées), épousa en 1836 le Comte Joseph Maison (1799-1874), deuxième fils d'un personnage considérable de la Monarchie de Juillet, le brillant général et Comte d'Empire puis Marquis et Pair de France Nicolas-Joseph Maison (1771-1840) devenu maréchal de France en 1829, chef de l'expédition française en Morée en 1828, plusieurs fois ambassadeur et ministre sous Louis-Philippe. Si le fils aîné, le Marquis Maison, a laissé un souvenir comme collectionneur de tableaux (vente en 1869), le Comte Maison qui le suivit dans l'armée, fut un officier falot, surtout protégé par le renom de son père et quitta l'armée comme lieutenant-colonel en 1844. Son portrait par Sébastion Cornu (1840) fut donné en 1922 au Musée de l'Armée à Paris par le Vicomte et la Vicomtesse de Bonneval, arrière-petite fille de la Comtesse Maison. C'est la même Vicomtesse de Bonneval (+ 1969) qui remit aux Archives nationales en 1959 les papiers de famille dont le vaste et très instructif inventaire a été publié par Mme de Tourtier-Bonazzi en 1967 et 1972. Par le mariage en 1858 de la fille de la Comtesse Maison, Mathilde, avec le Baron Armand de Mackau (1832-1918), le futur grand défenseur des Congrégations religieuses, partisan du général Boulanger, célèbre député d'Argentan (pendant 48 ans...) et l'un des principaux chefs du « parti » catholique, lui-même fils d'un actif amiral de France sous Louis-Philippe, la famille Maison devait maintenir par alliance interposée sa brillante position. En 1876, Isabelle de Vatimesnil, sœur de Mathilde, acheta le château d'Etrépagny (revendu par les Bonneval en 1917) d'où n'a jamais bougé le portrait de sa mère, tandis que la charmante toile de Flandrin représentant Mathilde Maison et plus connue sous le titre de *Jeune fille à l'œillet* (1858) est exposée ici sous le n° 106.
Les papiers de la famille Maison-Mackau comportent deux lettres adressées à Mackau par les fils d'Hippolyte, Paul-Hippolyte et Auguste, ainsi qu'une lettre de la veuve d'Hippolyte en 1865 (cf. Tourtier-Bonazzi, 1972, p. 228-239). A la vente de 1865, les Maison se portent trois fois acquéreurs (n°s 153, 204, 276). Relevons aussi que Paul Flandrin fit un portrait dessiné du Baron de Mackau en 1882 (photo ancienne dans le Recueil Flandrin au Cabinet des Estampes de la Bibliothèque nationale à Paris).
Un des plus beaux exemples du Grand Style ingresque dont Flandrin fit un si convaincant usage en portrait. De la beauté du modèle, admirablement impassible et distingué, quasi

parnassien…, au bonheur de la mise en page et de la pose, de l'usage d'un châle rouge sur le fauteuil à la rime en bleu des nœuds dans les cheveux, de la « monstrance » très plaisamment et savamment raphaëlesque (ou ingresque) des mains — et des bagues à l'éclairage ferme et pourtant délicat du modelé des chairs et jusqu'au subtil « contraposto » entre la direction du regard vers la droite — le visage étant légèrement tourné vers la gauche — et le flux de lumière provenant de la gauche, tout dans ce portrait est équilibre harmonieux et souverain, distance supérieure à l'égard du modèle exactement copié, pureté formelle sans froideur désincarnée, esthétisme sans abstraction desséchante. Juste après et derrière Ingres, Flandrin, on peut bien le dire, atteint ici l'un des sommets de l'art du portrait au XIXe siècle, et dans toute son œuvre. Ainsi Charles Perrier, dans son compte-rendu de l'Exposition de 1855, relevait bien que dans le *Portrait de la Comtesse M…*, *« les mains ont été admirées à juste titre comme un prodige d'élégance et de beauté… »* J.F.

ETREPAGNY, COUVENT DES DOMINICAINES

102. *Portrait de Mme Bordier mère* (1852)

PEINTURE : T. Ovale. H. 0,53 ; L. 0,46. S.D.d. sur le fond : *Hyppolite [sic] Flandrin 1852.*

HISTORIQUE : Don de Madame veuve Bordier, belle-fille du modèle, 1910.

EXPOSITION : Paris, 1935, n° 147.

BIBLIOGRAPHIE : Poncet, 1864, p. 70 ; Delaborde, 1865, p. 99 ; Flandrin, 1909, p. 350 ; Lanvin, 1967, t. III, p. 167.

Mme Bordier était la mère du docteur Arthur Bordier (Saint-Calais dans la Sarthe, 1841 — Grenoble, 1910) actif professeur de médecine, spécialiste de questions d'anthropologie et de géographie médicale, polygraphe abondant, esprit ouvert à des problèmes très divers, d'abord en fonction à Paris où il fit toutes ses études, puis à Grenoble où il se fixa définitivement en 1895, lorsqu'il devint directeur de l'Ecole préparatoire de médecine dans cette ville jusqu'à sa mort, d'où le don fait par sa veuve au musée de Grenoble. Son nom reste célèbre sur place, puisqu'il fut l'un des fondateurs et des principaux animateurs de la Société dauphinoise d'Ethnologie et d'Anthropologie. On ignore comment ses parents rencontrèrent Flandrin, car il était de la Sarthe été étudia à Paris comme interne à Sainte-Barbe. Sur le Dr Bordier, *cf.* Picaud, 1910, p. 3-12 (avec liste de ses nombreux écrits). L'acte de naissance du Dr Bordier à Saint-Calais, le 3 mai 1841, nous apprend que son père était notaire dans cette localité et sa mère alors âgée de 19 ans. Le présent portrait nous la montre donc encore jeune, à l'âge de 30 ans.

Par l'heureux effet de concentration que procure le choix du format ovale (très aimé d'Ingres, de Flandrin et de tant d'artistes du XIXᵉ siècle), la facture lisse et soigneuse, l'impeccable pureté des contours, le jeu des courbes (les bandeaux de la chevelure), l'éclat de quelques détails colorés et matériels comme les bijoux ou le bout de châle, ce portrait est l'un des plus sincères et des plus respectables hommages à Ingres que puisse comporter l'œuvre de Flandrin, — sans qu'il y ait facile et inavouable pastiche ! — soit l'Ingres portraitiste de Mme Marcotte de Sainte-Marie (1826), de Jeanne Gonin (1821) ou de Mme Reiset (1846), elle aussi vue de face dans un ovale.   *J.F.*

GRENOBLE, MUSÉE DES BEAUX-ARTS

100. *Portrait du Comte de Germiny* (1852)

PEINTURE : T. Ovale. H. 0,70 ; L. 0,55. S.D.b.d. : *Hippolyte Flandrin 1852.*

HISTORIQUE : Resté dans la famille du modèle.

BIBLIOGRAPHIE : Poncet, 1864, p. 70 ; Delaborde, 1865, p. 99 ; Flandrin, 1909, p. 350 ; Lanvin, 1867, t. III, p. 165 (l'homme), 166 (la femme).

Charles de Germiny (1800-1871), d'origine rouennaise, arrière-grand-père du possesseur actuel, épousa Elisabeth Humann en 1825. Membre du Conseil d'Etat, il devient préfet de Seint-et-Marne en 1843 ; puis il participe à la création de nombreuses sociétés financières. Il est nommé en 1854 Gouverneur du Crédit Foncier de France et, en 1856, Gouverneur de la Banque de France, poste qu'il conserve jusqu'en 1863. Membre du Sénat (pour la Seine-Maritime) jusqu'en 1870. Il finit Grand-Officier de la Légion d'Honneur (renseignements dus au présent propriétaire).

Bel et typique exemple de ces portraits de la haute Société, où Flandrin, en scrutateur sincère et probe exécutant, trouva une vaste clientèle qui ne pouvait qu'apprécier ce très sage et harmonieux mélange de stylisation noble et d'exactitude vériste.   *J.F.*

FRANCE, COLLECTION PARTICULIERE

101. *Portrait de la Comtesse de Germiny* (1852)

PEINTURE : T.H. Ovale. H. 0,70 ; L. 0,55. S.D.b.g. : *Hippolyte Flandrin 1852.*

HISTORIQUE : Cf. la notice précédente.

BIBLIOGRAPHIE : cf. *supra.*

Elisabeth Humann (1806-1889), d'origine strasbourgeoise, est la fille de Georges Humann, député de Strasbourg en 1820, ministre des Finances sous Louis-Philippe de 1832 à 1836 et de 1840 à 1842. — Ici encore, une harmonie restreinte et sévère de clairs et de sombres (robe de velours bordeau foncé) où un camée de pierre cerclé d'or pose la seule note vive, relayée en mineur par le dossier du fauteuil (un fauteuil qui n'est chose curieuse, chargé d'aucun ornement sculpté ?) tapissé de beige-clair à dessins gris-bleus. La main pose avec évidence très ingresque. La figure est admirablement calée dans l'ovale et le présent pendant, très étudié dans son rapport avec le portrait du mari.   *J.F.*

FRANCE, COLLECTION PARTICULIERE

103. Portrait en pied du docteur Rostan (1855)

PEINTURE : T.H. 2,02 ; L. 1,256 — S.D.b.g. : *Hippolyte Flandrin 1855.*

HISTORIQUE : Peint en 1854 avec la collaboration de Lamothe ; donné par la fille de Rostan, Eugénie-*Louise*-Valentine Rostan d'Abancourt, au Musée Granet en mai 1903 avec 57 autres tableaux dont 4 d'Hippolyte Flandrin et de 4 de Paul Flandrin, *cf.* n°s 74, 77, 169, 171. Ces tableaux de la première moitié du XIXe siècle (citons Chazal père, Garneray, Chérelle, Lacoma, Jolivard. Le Poittevin, Renoux, Marigny et puis... David et Delacroix) provenaient sans doute pour la plupart de la collection paternelle, reflétant de fait le goût d'un homme formé sous le Premier Empire et la Restauration et achetant principalement sous Louis-Philippe. La Donation Rostan n'a malheureusement jamais été encore cataloguée.
Exposé en 1855 et ainsi daté, le portrait de Rostan avait été commencé dès l'année précédente puisqu'en juillet 1854, Flandrin proposait à son élève et collaborateur Louis Lamothe (celui-là même qui sera le maître de Degas) de faire « *quelques-un des accessoires du portrait de M. Rostan* » en espérant que ce ne sera pas pour lui « *une trop ennuyeuse corvée* » (Delaborde, 1865, p. 400-401), soit les objets sur la table, les boiseries du fond, etc..., tâche très probablement acceptée par Lamothe qui collabora à plusieurs reprises avec Flandrin (sur Lamothe et Flandrin cf. le récent article d'Aubrun, 1983, qui ignore toutefois la collaboration au portrait du Dr Rostan).

EXPOSITIONS : Paris, 1855, n° 3081 (« Portrait de M. le docteur R... ») ; Paris, 1865, n° 33 (« Portrait en pied de M. le docteur Rostan »), Aix-en-Provence, 1887, n° 520.

BIBLIOGRAPHIE : *L'Artiste* ; Perrier, 1855, p. 100 ; Delaborde, 1865, p. 100, 401 ; Béclard, 1867, p. 17-18 ; Flandrin, 1909, p. 351 (mentionné à tort comme appartenant encore à Melle Rostan à Aix-en-Provence) ; Genty, 1927-1930, t. IV, p. 96 ; Vergnet-Ruiz et Laclotte, 1962, p. 235 ; Lanvin, 1967, t. III, p. 193-195.

ŒUVRES EN RAPPORT : Trois dessins préparatoires à la mine de plomb sur papier calque dans l'*Album des portraits*, Fonds Flandrin, Paris, collection particulière (Lanvin, t. III, p. 194) avec variantes dans la position du bras gauche.
Photo d'époque montrant le modèle en train de poser, (non citée par Lanvin), Fonds Flandrin, Sèvres, collection particulière — Buste en marbre, par Louis Schröder (1867) au Musée Granet ; visiblement inspiré du portrait du Dr Rostan peint par Flandrin (d'après une obligeante remarque de M. Bruno Ely, conservateur au Musée Granet). Un autre exemplaire en marbre fut donné à l'Académie de Médecine à Paris par la veuve de Rostan, *cf.* Béclard.

Il ne s'agit pas d'un « *Docteur en droit* [sic], *juge suprême* (qui) *nous regarde de sa haute stature sombre, d'une expression froide et hautaine* » (Lanvin, t. III, p. 193), mais d'un professeur de médecine posant en robe parée des couleurs traditionnelles de sa discipline (noir et rouge). Il porte ici la Légion d'Honneur et le collier de l'ordre du Nicham Iftikar que le Sultan d'Egypte lui décerna en 1850 (papiers conservés au Musée Granet, renseignements de M. Bruno Ely, conservateur audit musée, 1984).
De fait, Léon Rostan (1790-1866) d'origine provençale (il naquit à Saint-Maximin et sa fille favorisera la ville d'Aix), élève du fameux Pinel et condisciple de Chomel, fut un médecin et un professeur à la Faculté de médecine de Paris assez réputé au milieu du siècle dernier. Auteur d'une thèse sur le charlatanisme (en 1812) et d'intéressantes recherches sur le ramollissement cérébral (1819), enseignant enthousiaste, théoricien passionné de diagnostics et d'examens cliniques précis, Rostan eut son heure de gloire lorsqu'il devint le chantre de la médecine organiciste et classificatrice face aux tenants de la

médecine physiologique comme Broussais (Rostan fit paraître son *Cours de médecine clinique où sont exposés les principes de la médecine organique, ou Traité élémentaire de diagnostic* en 1830).
Professeur de clinique médicale depuis 1833 enseignant à l'Hôtel-Dieu de Paris, membre de l'Académie de médecine dès 1823, Rostan fut à l'instar de Trousseau et pendant une vingtaine d'années l'un des professeurs de médecine les plus appréciés des étudiants parisiens. Le couronnement de sa carrière de théoricien très positiviste de l'examen clinique fut son *Exposition des principes de l'organicisme* de 1846, dirigée contre l'hypothèse des forces et propriétés vitales soutenue par Broussais, Stahl et Bichat.
En 1847, il épousa Madame veuve Arnould, fille du Vicomte d'Abancourt, Pair de France et Conseiller d'Etat. De ce mariage naquit une fille Louise, morte en juin 1903, dont toute la vie fut consacrée aux œuvres de bienfaisance et à la réunion de collections paléontologiques et botaniques qu'elle donna — notamment en 1894 — avec les œuvre d'art héritées de son père, dont les présents Flandrin à la Ville d'Aix. Elle-même fut peinte à deux reprises, enfant, par les Flandrin, et son médaillon en marbre par Pontier (1904) se trouve encore au Musée d'histoire naturelle d'Aix-en-Provence. L'un de ces portraits dû à Hippolyte, peint en 1852 et exposé en 1865 (n° 34), ne semble pas être entré au musée d'Aix avec la donation de 1903. L'autre, par Paul, est cité dans une lettre de Rostan à Paul Flandrin de mars 1863 (Lanvin, t. III, p. 176) mais ne semble connu au musée d'Aix que par une copie (de Villevieille ?) qui aurait été substituée à l'original lors de la donation des tableaux en 1903 selon une inscription portée sur le châssis ; observations de MM. Malbos et Ely).
Visiblement, Rostan et les Flandrin s'apprécièrent particulièrement, et le choix admiratif du modèle explique aussi sa réussite. Béclard, en 1867, porte témoignage de ses bonnes relations (le docteur recevait chez lui l'artiste). Ajoutons qu'il possédait une peinture d'Hippolyte (Paris, 1865, n° 95 : « *Fragment de la composition des Arts et Métiers* », — aujourd'hui non localisée). Le *Portrait du Dr Rostan* donne une effigie dans la lignée de celles en pied de Maître Rheims et du Bâtonnier Chaix d'Est-Ange peintes ou dessinées en 1844 et toutes caractérisées par un verticalisme et une massivité impressionnantes. L'autre grande réussite de portrait en pied, là même où Flandrin se distingue bien d'Ingres qui fera peu de portraits de ce genre (*le Bonaparte de Liège*), sera le *Napoléon III* du Salon de 1863, bien « préfacé » par le présent portrait que Flandrin eut soin de faire figurer au Salon de 1855, juste au moment de l'Exposition Universelle.
La profonde et sérieuse polychromie du tableau Rostan fondée sur un simple (et admirable) jeu de verts (le tapis de table), de rouges et de noirs, l'excellence du modelé (voir le détail ferme et élégant des mains), un mélange très étudié de hiératisme et de réalisme (Flandrin travailla d'après une photographie posée par Rostan lui-

même en robe professorale) suffisent à garder à cette toile d'origine très traditionnelle (en pied, à la Van Dyck) et toute nourrie de poncifs (le geste des mains — l'une dit et affirme, l'autre retient et impose —, le fond architectural dignifiant) une réelle fraîcheur d'illusion et de vision, un pouvoir de réinvention et pour tout dire une authentique raison d'être picturale.
Le recours à la photographie si fréquent au XIXe siècle mais parfois difficile à prouver sur documents — car on n'a pas toujours conservé comme ici la photographie de travail préparatoire à côté du tableau correspondant — a certainement aidé Flandrin, mais le primat du peintre (ou des idées du peintre à travers le choix effectué par un client) s'impose, car c'est lui qui indiqua devant l'objectif photographique à Rostan sa pose magistrale (Flandrin fit significativement de même avec Napoléon III), tout en prenant soin d'atténuer quelque peu ici la vieillisse ridée du visage.
Dans la photo de Rostan d'ailleurs, le bras et la main gauche du personnage sont ramenés contre la poitrine, intéressante variante qui répond aux hésitations de dessins, comme si Flandrin avait eu du mal à trouver le bon geste ; concevons aussi que la pose de la main gauche repliée sur la poitrine comme on le voit sur la photographie, ne pouvait être longtemps imposée au modèle, et admirons enfin l'effet de lisibilité et de majesté pyramidales et triangulaires obtenu sinon renforcé par la présente disposition avec le rouleau de quelque docte brevet, — symbole de savoir et accent de lumière qui fait rime avec le rabat, l'autre main et les papiers disposés sur la table. La soigneuse lumière sculpturale, d'essence fort académique en elle-même, vient dans sa froide patience souligner et renforcer l'intransigeant jeu des formes.
Au total, comme le note bien l'*Artiste* nmme le note bien l'*Artiste* en 1855, il y a de la « noblesse » et du « caractère » dans ce portrait où Flandrin a su atteindre à une ressemblance très caractéristique, celle, victorieuse, de la réalité d'un modèle et, bien plus encore, d'une fonction et d'une dignité : le portrait de Rostan, tel un nouveau *Monsieur Bertin* d'Ingres, réussit à définir par ses seuls artifices de tableau la splendeur (pour nous nostalgique !) du savoir intellectuel et la fierté de la Médecine et de l'Université en leur optimiste et sincère apogée du XIXe siècle.

J.F.

AIX-EN-PROVENCE, MUSEE GRANET.

104. *Portrait de Monsieur Georges Broelmann*
(1855)

PEINTURE : T. sur B. H. 0,71 ; L. 0,575. S.D.h.d. : *Hippolyte Flandrin 1855.*

HISTORIQUE : Resté dans la famille du modèle puis donné au musée de Lyon par Madame de Rouville en 1938 avec le portrait de Madame Broelmann, également par H. Flandrin (s.d. 1860 ; ce n'est pas un pendant du portrait de son mari, vu la date et des dimensions légèrement plus grandes : H. 1,00 ; L. 0,81). N° d'inventaire : 1938-17.

EXPOSITIONS : Paris, 1855, n° 3080 (« Portrait de M.B.. ») ; Paris, 1865, N° 40 (« M. Broelmann »).

BIBLIOGRAPHIE : Poncet, 1864, n° 71 (« Brolmann », 1854) ; Lagrange, 1865, p. 294 ; Delaborde, 1865, p. 100 (exposé en 1855) ; Blanc, 1876, p. 271 ; Flandrin, 1909, p. 341, 351 (1854 ; — date par erreur de 1855 le portrait de « Mme Broelemann »). Lanvin, 1967, t. III, p. 189.

ŒUVRES EN RAPPORT : Dessin à la mine de plomb, inscrit dans un ovale, dans l'*Album des portraits*, Fonds familial Flandrin. Le parti du cadrage ovale a été abandonné dans la toile définitive.

Jusqu'aux toutes récentes recherches d'Elisabeth Hardouin-Fugier, l'identification du portrait pouvait poser problème, parce que le tableau (tout comme le portrait féminin daté de 1860 qui l'accompagnait dans le même don de 1938) était entré sous le titre : *Portrait de M. Georges Broelman* et que les mentions des catalogues et des textes de l'époque (en 1855, en 1865) citent toujours les portraits de M. et Mme Broelmann (l'orthographe du nom varie, quant à elle, légèrement), sans prénom… Or, le seul Broelmann tant soit peu connu et cité dans l'histoire de Lyon et de Flandrin est, mis à part son fils Arthur-Auguste, Emile-Thierry Broelmann (1800-1869), le Président du Conseil municipal de Lyon qui faisait le 7 mars 1865 à la séance dudit conseil un rapport très remarqué sur l'embellissement et l'agrandissement de la ville (démolition de fortifications et du mur d'enceinte de la Croix-Rousse pour faire place à un large boulevard, hippodrome au Grand Camp, etc…, *cf.* à ce sujet M. Vincent, 1965, p. 42) et prononçait conjointement au directeur de l'Ecole des Beaux-Arts de Lyon, Caruelle d'Aligny, un éloge de Flandrin à la distribution des prix de ladite école au Palais Saint-Pierre, le 1er août 1864 (*cf.* Flandrin, 1909, p. 342, note 5). Ce Thierry Broelmann, d'une grande famille de négociants en soierie d'origine protestante et wesphalienne (de Soest) installée sous Louis XV à Lyon, était assez ami des arts pour léguer au musée de sa ville natale six manuscrits (entrés en 1870 et depuis échangés avec la Bibliothèque municipale de Lyon) et donner dès 1861 l'énigmatique *Maraichère* de David (?) ainsi que deux Primitifs. Né en 1800, Thierry aurait pu être encore le modèle, d'apparence relativement mûre, dépeint par Flandrin en 1855, mais, à coup sûr, sa femme, née Nancy Chion (1806-1895) qu'il épousa en 1825 et que nous connaissons bien par le portrait peint par Court en 1836 et donné au musée en 1959 par son arrière-petit-fils, M. Millevoye, ne peut s'identifier, ne serait-ce que pour des raisons d'âge et

104

d'apparence physique, avec la dame portraiturée par Flandrin en 1860 (sur le joli portrait de Mme Thierry Broelmann par Court, *cf.* l'article de Madeleine Vincent, 1965, p. 41-43 qui donne en outre quelques renseignements bibliographique sur les Broelmann). Pour en finir avec les Broelmann, milieu de collectionneurs avertis comme l'était déjà le père de Thierry, Henry-Auguste (1775-1854), rappelons que le fils du même Thierry, Arthur-Auguste consentit d'importants legs au musée de Lyon (*cf.* Morin-Pons, 1904, Giraud, 1905). En fait, si les généalogies lyonnaises de Frécon (t. III), forcément incomplètes, ne citent pas de Georges Broelmann, ni, semble-t-il, le livre d'Arthur Broelmann, *Souvenirs et portraits* (Lyon 1882) comme ceux de Giraud et de Morin-Pons consacrés au même Arthur-Auguste, Mme Hardouin-Fugier (communication du 17 mai 1984) a réussi à trouver traces d'un Georges Broelmann dans les Archives municipales de Lyon : Georges-Guillaume-Auguste, fils de Paul-Félix Broelmann (né à Lyon en 1783) naquit à Lyon le 23 octobre 1826 (Archives municipales, n° 4716). Paul-Félix, négociant lui aussi et qui avait épousé en 1821 Christine Noell originaire de Giesen en Allemagne, était l'un des fils d'Henri-Auguste Broelmann dont il a été question plus haut. Georges qui ne semble pas s'être marié à Lyon, si l'on en croit les archives lyonnaises, était donc un cousin d'Emile-Thierry, le plus connu de cette active et nombreuse famille de négociants lyonnais du XIXe siècle (« commissionnaires en soieries », dit exactement un Annuaire de Lyon en 1869).

Son portrait, plus ferme et plus énergique que celui de Mme Broelermann aux charmes peu fânés, aux tons un peu gris et éteints, donne l'image de la volonté et de la réflexion concentrée. Le geste des mains, celle de droite surtout, solidement calée sous le menton, est bien trouvé : on le voit déjà dans le portrait qu'Hippolyte fit de Varcollier en 1844, juste quand Ingres utilise la même pose dans *Mme d'Haussonville* et dans *Mme Gonse* ; le gros livre posé à droite symbolise suffisamment le pouvoir de la pensée, et le jeu salubre et franc des noirs, des blancs et du fond vert déploie toute son efficace.

J.F.

LYON, MUSEE DES BEAUX-ARTS.

105

105. *Portrait*
de Mlle Mathilde Maison
(future baronne de Mackau)
dite « *La jeune fille à l'œillet* »

PEINTURE : T.H. 0,790 × L. 0,640. S.d.h.g. *Hipp. Flandrin 1858.*

HISTORIQUE : Conservé d'abord dans la famille immédiate du modèle jusqu'à l'extinction de la ligne directe (Mme de Bonneval, 1883-1969), petite-fille du modèle et grande donatrice des Archives nationales : Fonds Maison-Mackau, Watier de Saint-Alphonse ; passé vers 1957-1958 chez un descendant collatéral de cette famille.

EXPOSITIONS : Paris, 1859, n° 1070 ou n° 1071 « Portrait de Mlle M... », les deux numéros cités ayant le même titre, on ne peut décider lequel correspondait exactement à notre tableau ; Londres, 1862, n° 74 ; Paris, 1865, n° 47 ; Paris, 1885, n° 79.

BIBLIOGRAPHIE : Astruc, 1859, p. 212-214 ; Aubert, 1859, p. 218-219 ; Auvray, 1859, p. 48-49 ; Belloy, 1859, p. 258 ; Delécluze, *Journal des Débats*, 27 avril 1859 ; Gautier, 1859, p. 801 ; Leroy, 1859 ; Darcel, 1864, p. 124 ; Saglio, 1864, p. 250 ; Delaborde, 1865, p. 100, 422 ; Blanc, 1876, p. 271 ; Fournel, 1884, p. 274 ; Montrosier, 1882, p. 72 ; Thoré, 1893, p. 328 ; Flandrin, 1902, p. 257-259, pl. XVIII ; Lanvin, 1967, p. 204-213 ; Lanvin, B.M.I., 1977, p. 66, fig. 10 ; Tourtier-Bonazzi, 1972, pl. VII, rep. en couleurs, face p. 224 ; Marguillier, 1903, rep. p. 175.

ŒUVRES EN RAPPORT : Dessin de Paul Flandrin, s.d. 1858, Fonds familial Flandrin.

Mathilde Maison (1837-1886), fille de la Comtesse Maison — également portraiturée par Flandrin (n° 99 de la présente exposition) — et par là-même petite-fille du maréchal Maison, épousa en mai 1858 — l'année même de son propre portrait — le Baron Armand de Mackau (1832-1918), fameux politicien catholique. Sur ce dernier, *cf.* la notice du portrait de la Comtesse Maison et l'excellente introduction de Chantal de Tourtier-Bonazzi à son inventaire des Archives Mackau-Maison, 1972, pp. 16-23.
De Mathilde, dont la personnalité peut être mieux cernée grâce à ces papiers de famille aujourd'hui conservés aux Archives nationales par le legs si clairvoyant de Mme de Bonneval, sa propre petite-fille, l'archiviste qui les inventoria écrit une sympathie bien informée : « ... durant toute sa vie la petite-fille du maréchal Maison, en femme parfaite, sut partager les sentiments de son époux, ses joies comme ses soucis. Elle l'encouragea tout en l'apaisant, le soutint dans ses combats politiques, sans perdre sa sérénité et son jugement, l'aida de sa compréhension sans se mêler des tâches qui lui étaient étrangères. Très pieuse, elle prit l'habit de tertiaire dominicaine et a laissé des lettres et notes qui éclairent le climat spirituel de cette fin du XIXe siècle. Ses correspondants étaient d'humbles curés normands, desservants de Guerquesalles et de Vimoutiers, ou bien, à l'opposé, des cardinaux tels que Mathieu, Czacki ou encore des vicaires généraux, des pères dominicains, des religieuses, carmélites et dominicaines pour la plupart. Mère tendre et attentive, elle écrivait souvent à sa fille unique Anne,... puis à son gendre Humbert de Quinsonas.
« Sans délaisser ses devoirs religieux et ses obligations familiales, elle composa aussi des essais, contes, vies de saints et légendes, œuvres non dépourvues de sensibilité, qui témoignent du goût littéraire. L'une d'elles fut publiée sous le titre : Ce que disent les champs [en 1873 ; plusieurs rééditions jusqu'en 1910]. Bien après la mort de Mme de Mackau, survenue en janvier 1886, l'Année dominicaine (1912) lui consacrera une notice où l'on voit combien une existence sans grand éclat peut receler de richesse de pensées et de sentiments » (Tourtier-Bonazzi, *op. cit*, p. 23 ; sur les papiers et écrits personnels de Mme de Mackau et sa correspondance, *cf. ibidem*, p. 236-243).
Sa sœur, Isabelle Lefèbvre de Vatimesnil (1842-1897), mariée en 1866), non moins pieuse et non moins belle (cofondatrice du couvent des Dominicaines d'Etrépagny, elle fut portraiturée par Cabanel, tableau toujours en place à Etrépagny), décéda dans le tragique incendie du Bazar de la Charité, où la vente de charité avait justement été organisée par le Baron de Mackau.
Bien fait pour plaire à la critique comme au grand public des Salons, tout à la fois gentiment ironique et charmant, enchanteur et modeste, plein de tact et de distinction, exquisement raffiné et sage, agréablement campé dans l'espace selon d'heureux et subtils mouvements de ligne car ni tout à fait de face ni pleinement de trois-quarts, d'une séduisante harmonie colorée qui se balance entre le rouge d'un œillet remarqué par Théophile Gautier, le bleu du coussin et d'intelligents dégradés de noir, le portrait de Mathilde Maison peint l'année même de son mariage — ceci expliquant peut-être cela —, connut un extraordinaire succcès et suscita d'innombrables commentaires généralement plus enthousiastes et plus élogieux les uns que les autres lors de son apparition si réussie au Salon de 1859. Ainsi Zacharie Astruc, dans ses *Quatorze stations du salon de 1859*, décrit le tableau avec une belle et juste ferveur littéraire : « ce fut une magnifique inspiration, celle qui produisit la toile heureuse, la toile où rayonne cette candide enfant. Imaginez-là ou plutôt voyez-là, brune, avec des yeux noirs aux paupières enfantines délicieusement encadrées, et qui brillent d'une malice, d'une finesse désespérantes. Sa bouche dit mille choses aimables : elle est causeuse, moqueuse, spirituelle. Le nez est mutin, tout petit, délicat à se faire adorer des roses. A des velours noirs dans les cheveux, elle porte une robe violette à reflets verts ».
Le grand Théophile Gautier, l'un des meilleurs critiques de l'époque (il est temps de le dire infiniment supérieur à Baudelaire, car sentant vraiment la peinture !) donne ses lettres de totale et définitive noblesse à ce tableau que chacun appelle bientôt la *Jeune* fille à l'œillet : « Le peintre lui a dit sans doute de garder cette fleur pour motiver la main, elle l'a respirée, et ne pense plus à la tenir. Tout cela est très fin, très bien senti, et se devine aisément. Le type de la tête est charmant, mais non d'une beauté banale. Il y a dans sa beauté quelque chose de singulier, de mystérieux, d'inquiétant ».
Taisant leurs réticences habituelles à l'égard de Flandrin, les critiques n'hésitent pas à lancer ici les plus flatteuses comparaisons : « C'est une des têtes les plus incontestablement douées de vie qu'ait produites le pinceau. Elle fait songer à Léonard » (Aubert). Ou encore : « C'est avec la Mona Lisa, la Madame de Vaucey [d'Ingres, Musée Condé, Chantilly] et la fille du Gréco [le fameux Gréco de la Pollok House à Glasgow, vue à Paris au temps de la Galerie espagnole de Louis-Philippe], une des têtes les plus immortellement douées de vie qu'aie produites le pinceau » (Gautier).
Maurice Aubert, dans ses *Souvenirs du salon de 1859*, admire la facture du tableau : « Les mains, du dessin le plus pur, et qui serviront quelque jour de modèle à la statuaire, sont peut-être un peu fortes pour l'ensemble délicat de la figure...
« Il y a dans ce portrait une harmonie de ton équivalente à de la couleur. Le modelé est peu cherché dans les détails. La toile est à peine couverte. Le procédé estompé et tamponné particulier à l'auteur ne laisse aucune place possible aux vivacités de touches. Ce portrait est un chef-d'œuvre plutôt par l'admirable expression du dessin, du modelé, que par la peinture, qui a les défauts ordinaires de ce timide et pâle pinceau. »
Nulle fausse note dans ce concert de louanges ! Jusqu'au *Charivari* qui abandonne sa causticité habituelle pour imaginer un dialogue amusé entre les différents portraits de Flandrin et d'autres tableaux de l'exposition (la *Jeune fille* s'adressant à un autre modèle de Flandrin, la Comtesse Sieyès : « Voulez-vous faire une promenade ? Cela nous réchauffera ». Madame S. : « Volontiers (elles sortent de leurs cadres). Savez-vous, ma belle petite, que vous êtes véritablement charmante. M. Flandrin vous a traitée en enfant gâtée », etc...).
Et chacun de succomber au charme de ce tableau et de se sentir l'âme d'un poète, Paul de Saint-Victor étant le plus enthousiaste et s'exprimant avec un lyrisme véritablement inspiré et d'une belle venue littéraire :
« Merveille et puissance de l'art ! Cette jeune fille inconnue qui passera sans bruit dans le monde, enveloppée des ombres de la vie privée, entre par ce portrait dans l'existence éternelle. L'instant fugitif où le peintre l'a saisie dans la fleur de sa jeunesse et dans l'éclosion de son âme devient pour elle une immortalité. Tôt ou tard, la postérité enlèvera à la famille cette radieuse image d'une enfant obscure et la suspendra dans ses musées entre les reines de Raphaël et les

grandes dames de Van Dyck. Des milliers de regards contempleront sa beauté. Des milliers de cœurs interprèteront son sourire. Il en est qui, dans trois siècles, seront pris devant elle de ce regret étrange dont a parlé Michelet et qui s'écrieront : « Oh femme que j'aurais aimée ! » Hormis les articles publiés dans la presse, certains témoignages écrits nous montrent que chez les artistes également ce tableau eut un retentissement certain. Citons à ce propos l'extrait d'une lettre de Lachenié à Gustave Moreau (cet autographe inédit est conservé au Musée Gustave Moreau à Paris ; nous remercions M. Loyrette de nous l'avoir signalé) : « Je t'avouerai en commençant que j'ai été très frappé d'un portrait de femme par Flandrin ; il a beaucoup de succès, mais ce n'est pas une raison pour le croire bon. Je ne sais si tu aimerais beaucoup cette peinture-là, j'en doute ; cependant il me semble que tu rendrais justice à des qualités vraiment distinguées que j'ai cru y reconnaître. Pour te dire, je trouve ce portrait-là fort supérieur à ceux de Ricard que ton ami monsieur de Gas [Degas !] m'a fait remarquer et qu'il me paraît estimer davantage. Je vois bien, malgré que je m'y connaisse bien peu, que c'est mieux peint ; il y a des vêtements de soie d'une couleur et d'une facture incomparables, c'est composé d'une façon plus pittoresque, mais la figure humaine y est traduite avec beaucoup moins de simplicité et d'élévation. » Typique paradoxe des artistes : Degas préfère Ricard à Flandrin ! L'honnête Lachenié est troublé, car il voit bien la qualité digne et élevée de Flandrin, peinture elle-même trop pure et trop parfaite pour intéresser un inquiet Gustave Moreau…

M.-M. D. et J.F

FRANCE, COLLECTION PARTICULIERE

106. *Portrait de Charles-Marie Tanneguy, Comte Duchâtel* (1859)

PEINTURE : T.H. 1,20 ; L. 0,935 S.D.h.d. : *Hippolyte Flandrin, 1859.*

HISTORIQUE : Resté chez les descendants du modèle (branche issue du mariage de la fille Duchâtel avec les la Trémoille).

EXPOSITIONS : Paris, 1861, n° 1114 ; Paris, 1865, n° 55 ; Paris, 1883, n° 85.

BIBLIOGRAPHIE : Nadar, 1861, n° 3 ; Auvray, 1861, p. 34 Gautier, 1861, p. 957 ; Laurent-Pichat, 1861, p. 72 Vinet, 1861, p. 454 ; Perrin, 1861 ; Callias, 1861, p. 266 ; Calonne, 1861, p. 353 ; Dauban, 1861, p. 16 ; Delaborde, 1861, p. 888 ; Delaborde, 1862, p. 18 ; Delaborde, 1865, p. 411 ; Thoré, 1893, p. 37, p. 136 ; Flandrin, 1909, p. 352 (1861) ; Lanvin, 1967, t. III, p. 222-225, Lacambre, 1968, p. 25 rep. fig. 8.

ŒUVRES EN RAPPORT : Gravure par Henriquel-Dupont en 1863.
Etude, Mine de plomb et craie blanche, H. 0,320 ; L. 0,240. S.h.g. *H.F.* dans l'*Album des portraits* (Fonds familial Flandrin).

Le Comte Duchâtel (1803-1867) réussit très jeune et brillamment dans la vie politique. Dès 1830, il fait partie du Conseil d'Etat, puis il devient Commissaire du roi auprès des Chambres en 1831.
En 1836, il entre dans le cabinet de Guizot dont il sera un fidèle collaborateur et qu'il suivra dans sa chute en 1848.
A partir de 1840, il aura la charge du Ministère de l'Intérieur. Pendant sept ans, il dépose en cette qualité un certain nombre de projets de loi concernant les Beaux-Arts comme son projet de réorganisation des Archives publiques, le projet d'érection de monument à Molière, il s'occupe également des Monuments historiques et fait acquérir à l'Etat l'Hôtel de Cluny. En 1846, il devient membre libre de l'Académie des Beaux-Arts. Amateur d'Art, il réunit une collection de tableaux prestigieuse y figurent notamment plusieurs toiles italiennes du XV° siècle, un Memling, et un certain nombre de tableaux hollandais, *cf.* Delaborde, 1862. Parmi les toiles contemporaines, les deux pièces majeures de sa collection sont deux tableaux d'Ingres : *Oedipe et le Sphinx* et la *Source* (légués au Musée du Louvre en 1878). Il posséda également une des répétitions réduites de la *Stratonice* d'Ingres (Delaborde, 1870, n° 44). Amateur de peinture ingresque, le Comte Duchâtel se devait donc de faire exécuter son portrait par Flandrin, et il n'est pas étonnant qu'il achète à la vente de 1865 deux des *tableaux* les plus chers le n° 43 (*Femme et son enfant malade, dans la campagne de Rome*, 3700 fr.) et le n° 74 (*Tête de femme*, 3 000 fr.).
Dans cette tendance à la simplicité et à la dignité qui caractérise les Ingresques, Flandrin se dispense de figurer les accessoires obligés qui évoquent l'homme politique ou le collectionneur. L'autorité du modèle, la main portée au revers de sa redingote d'un air d'assurance un peu désinvolte suffisent et ne peuvent tromper ; l'expression est celle d'un homme qui a été habitué à brasser les affaires.
Présenté au Salon de 1861, le tableau fut

106

diversement apprécié selon les critiques :
« *Dans le portrait de M. le Comte Duchâtel, morceau supérieurement dessiné, auquel on pourrait reprocher seulement un certain défaut d'harmonie entre le ton de quelques accessoires et ce ton vert du fond que M. Flandrin étend trop invariablement derrière ses modèles, rien ne se retrouve de cette invitation sommaire, de ces procédés d'exécution un peu hâtifs. Tous les détails de la physionomie y sont rendus sans minutie, mais avec une netteté parfaite. Tout y annonce la clairvoyance, l'étude consciencieuse, et cette imperturbable loyauté qui est la qualité distinctive et la marque du talent de M. Flandrin* » (Delaborde, 1861).
…« *Ce n'est pas non plus le portrait de M. Duchâtel qui attire notre admiration ; cette tête qui a manqué à Rubens n'était pas faite pour le pinceau correct et sculptural de M. Flandrin* » (Calonne).
…« *Le portrait de M. le Comte D... est debout. Il se détache d'un de ces fonds verts qu'affectionne M. Hippolyte Flandrin, et sur lequel par surcroît se drape un rideau également vert. Le Comte D... porte une main à la basque (?) de sa redingote avec l'inconscience d'un geste familier, et appuie l'autre sur une table couverte de livres. La tête vit et semble vous rendre votre regard.* » (Théophile Gautier).
« *Des quatre portraits exposés cette année par le maître, il en est deux où se montre ce talent qui ne l'abandonne jamais ; l'un est le portrait de M. le Comte Duchâtel* » (Vinet). Nadar, quant à lui, est franchement caustique : « *Ne vous semble-t-il pas que M. le Comte de X... à l'air de trouver désagréable le drap gris violet dans lequel M. Flandrin lui a taillé sa redingote ? que M. de X... en prenne son parti, le célèbre maître n'a jamais eu d'autre étoffe que celle-là ; c'est un restant de coupon, provenant de l'établissement de M. Ingres, encore un fameux, qui n'est pas parfait non plus* ». — Plaisanterie facile qui ne surprendra pas, venant d'un adversaire de l'Ecole d'Ingres.   M.-M.D.

106 bis.   **Portrait
de Melle Marguerite Duchatel**

PEINTURE : T. sur bois ; H. 1,06 ; L. 0,84. S.d.h.g. : Hte FLANDRIN 1860. Au verso du panneau, marque Haro.

HISTORIQUE : Acheté par l'actuel propriétaire en 1963 auprès de la Galerie Fèvre au Marché aux Puces de Saint-Ouen. Il devait provenir dans ces conditions de l'autre branche de la descendance de Mme de La Trémoille, vu les recherches négatives menées par Mme Lanvin en 1966 dans la famille qui possède encore le portrait du Comte Duchâtel et qui descend de l'un des deux enfants du présent modèle.

EXPOSITIONS : Paris, 1865, n° 56.

BIBLIOGRAPHIE : Delaborde, *G.B.A.*, 1862, t. XII, p. 18 ; Delaborde, p. 100 ; Flandrin, 1902, P. 332 ; Lanvin, 1967, t. 3 p. 225-226.

ŒUVRES EN RAPPORT : dessins mis au carreau, mine de plomb H. 0,370×L. 0,270 S.h.g. Album des portraits conservé dans la famille Flandrin.

Le portrait est celui de la fille du comte Duchâtel (voir notice), Marguerite Duchâtel, représentée ici en 1860, deux ans avant son mariage avec le duc de la Trémoille. Elle joua un rôle en tant que donatrice du Musée du Louvre.

En 1878, elle renonce à l'usufruit dont sa mère la faisait bénéficier pour que les tableaux légués au musée y entrent sans délai et en une dizaine de jours la salle Duchâtel est créée (Archives des Musées Nationaux : procès-verbaux du Conservatoire, dossier P. 8). En 1898, elle fera don à son tour de deux tableaux : une *Scène d'enfer* de Bouts et une *Sainte famille*, école française XVIIe, destinée au Musée de Versailles (Archives des Musées Nat. procès-verbaux du conservatoire, dossier P. 8).

Dans ce portrait, on mesure toute l'évolution de Flandrin. Si c'est toujours le même type de femme qu'il affectionne, on ne trouve plus guère de traces de l'influence d'Ingres (sinon peut-être dans les bras et les mains du modèle), l'artiste a su trouver un ton qui lui est personnel. Le charme de cette jeune femme élégante mais un peu trop sérieuse, la coloration un peu atténuée de la toile sont égayées par deux notes de couleur celle du châle et celle du bouquet. L'atmosphère qui règne ici n'est pas sans évoquer, celle qu'on retrouvera plus tard dans les portraits de Fantin-Latour.

Malgré sa simplicité apparente, le bouquet est composé avec raffinement, tiges frêles des graminées, du myosotis et des muguets se mélangent habilement à d'autres espèces ornementales, de chaque côté retombent les lianes capricieuses des liserons. Cette composition très poétique et printanière se détache sur un de ces fonds gris-vert cher à Flandrin.

On connaît un autre portrait de Flandrin à nature morte de fleurs, sensiblement de la même époque, il s'agit du portrait de Madame Brame (Musée de Lyon). *M.M.D.*

LA ROCHE-SUR-YON, COLLECTION PARTICULIÈRE

107. *Portrait de Napoléon-Joseph-Charles-Paul Bonaparte, Prince Napoléon* (1860)

PEINTURE : T. H. 1,17 ; L. 0,89 — S.d.h.d. NAPOLEO PRINCEPS ANNO MDCCL [1860]. Hip^te Flandrin P^t.

HISTORIQUE : Legs de la princesse Mathilde (1820-1904), sœur du modèle (Comité consultatif, 29 septembre 1904 ; décret du 17 février 1904) ; tableau affecté au Musée de Versailles. — N° d'inventaire (Louvre) : R.F. 1549 ; — (Versailles) : M.V. 5613.

EXPOSITIONS : Paris, 1861, n° 1113 ; Londres, 1862, n° 95 ; Paris, 1865, n° 50 ; Paris, 1883, n° 87 ; Milan, 1959, p. 8 ; Nice, 1960, n° 38 ; Turin, 1961, p. 304, pl. CXX.

BIBLIOGRAPHIE : About, 1861 ; Auvray, 1861, p. 33 ; Du Camp, 1861, p. 25 ; Gautier, 1861, p. 957 ;Delécluze, 1861 ; Nernier, 1861, p. 224 ; Lagrange, 1861, p. 203, 331 ; Callias, 1861, p. 266 ; Delaborde, 1861, p. 888 ; Saglio, 1864, p. 249 ; Rousseau, 1865, p. 143 ; Jannet, 1866, p. 4 ; Thoré-Bürger, 1893, t. I. p. 6, p. 135, P. 193 ; Flandrin, 1909, p. 256, 351 ; Lanvin, 1967, t. III, p. 243 249 ; Constans, 1980, p. 52.

ŒUVRES EN RAPPORT : - Etude dessinée, mine de plomb mise au carreau. H. 0,352 ; L. 0,280 ; S.h.g., dans l'*Album des portraits*, Fonds familial Flandrin.
Belle photo d'époque du tableau par Richebourg, « Photographe de la Couronne » dans le Recueil Flandrin au Cabinet des Estampes de la Bibliothèque nationale à Paris.
Paul Flandrin a exposé au Salon en 1861 (n° 1122) un portrait dessiné du Prince Napoléon.

Le dépouillement et l'absence d'apparat de ce portrait mettent en valeur le caractère du visage et des mains, des mains vivantes et extrêmement bien peintes. On sent que le peintre a rencontré là un modèle qui lui convenait et, comme le souligne Lagrange dans son compte-rendu du Salon de 1861 : « Peintre de style, en présence de natures dénuées de style, il n'a éprouvé qu'une impression vague... Ici, plus d'hésitation : il se place en face du modèle, il sacrifie tout ce qui ne serait qu'épisodique. La tête seule domine. Le corps n'est là que pour le soutenir, les bras que pour arc-bouter le torse puissant sur lequel il pose. Le ton s'efface. Le modèle s'attache à préciser seulement les plans caractéristiques ».

Napoléon-Joseph-Charles-Paul BONAPARTE (1822-1891) était le fils de Jérôme Bonaparte, donc le frère de la princesse Mathilde ; homme politique, il est élu assez régulièrement député de la Corse depuis la Seconde République jusqu'en 1876. Il s'est constamment distingué par ses opinions qui le rattachaient aux fractions les plus avancées du parti démocratique, tout en étant un prétendant potentiel. Ceci lui valut l'inimitié de l'Impératrice et du prince impérial et plus tard l'opposition du bonapartisme orthodoxe.

Nommé général de division sans avoir jamais servi dans l'armée, son attitude pendant la campagne de Crimée lui valut le surnom de « Plon-Plon » qu'il conservera toute sa vie. Toutefois, Napoléon III avait un faible pour son turbulent cousin, qu'il maria (30 janvier 1859) avec la fille du roi Victor-Emmanuel de Savoie, un mariage très politique puisque le Prince Napoléon était un des principaux auteurs de l'accord politique conclu entre la France et la Sardaigne dès 1858 et qu'il prit une part active au « Risorgimento » ; après la paix il continuera à défendre au Sénat la cause de l'unité italienne avec éloquence et énergie.

Amateur d'art, il se fit édifier une villa pompéienne, avenue Montaigne où se réunissait le cercle de ses amis littéraires et politiques. La fête qu'il donna dans cette villa en 1860 fut immortalisée par le tableau de G. Boulanger, *La Répétition du joueur de flûte* (Salon de 1861). La comédienne Rachel, son amie, qui avait mis en vogue les tragédies à l'antique, ne fut probablement pas étrangère à ses goûts. Il se flattait de connaître aussi bien l'art antique que l'art contemporain ; dans sa collection figura notamment le *Bain turc* d'Ingres qu'il échangera plus tard contre l'autoportrait du peintre conservé à Chantilly.

Edmond About dans son Salon de 1861 décrit ce portrait d'une phrase restée justement célèbre : « *Si tous les documents de l'histoire*

venaient à périr, la postérité retrouverait dans ce tableau le prince Napoléon tout entier. Le voilà bien, ce César déclassé que la nature a jeté dans le moule des Empereurs romains, et que la fortune a condamné jusqu'à ce jour à se croiser les bras sur les marches d'un trône ».

La toile peinte en 1860 est exposée au Salon de 1861. Elle remporte un vif succès auprès du public et fait à peu près l'unanimité auprès des critiques, chose assez rare pour qu'elle soit soulignée. Comme on l'a souvent constaté, le tableau n'est pas sans évoquer le portrait de M. Bertin peint par Ingres en 1832, à l'époque où Flandrin étudiait dans l'atelier du maître. Hasard ou réminiscence il a su reprendre à son compte avec bonheur le thème de la grandeur tranquille.

Au Salon de 1861 qui comptait plus d'un portrait officiel, par exemple celui de l'Impératrice par Winterhalter, celui de Guizot par Baudry (achat du musée de La Roche-sur-Yon en 1980) et plusieurs autres ; le portrait du Prince Napoléon impressionne les critiques et le public, non tant à cause de la personnalité du modèle que de la qualité de l'œuvre elle-même. Delaborde et E. About n'hésitent pas à parler de chef-d'œuvre : « *La salle destinée à la peinture officielle contient plusieurs portraits. Un seul nous a paru remarquable et digne du nom qui l'a signé : c'est celui du Prince Napoléon, par Hippolyte Flandrin* ».(Maxime du Camp).

« *Rien de moins emphatique, mais aussi rien de moins aride que l'apparence de cette toile, rien qui compromette la gravité nécessaire de l'aspect ou qui transforme une représentation de la réalité contemporaine en une image de Convention* ». (Henri Delaborde).

« *La perfection du dessin, l'unité, la simplicité, toutes les qualités transmises par M. Ingres à M. H. Flandrin se trouvent dans le portrait du Prince Napoléon. Malgré sa couleur voilée, terne, un peu triste, on ne peut se détacher de cette toile où tout se tient, où règne une aisance admirable. Par sa posture noble, attitude à la fois libre et digne, le personnage prend bien possession du cadre* ». (Valéry Vernier).

On pourrait comparer le portrait de Flandrin avec un autre du même modèle peint par Hébert également conservé à Versailles, la comparaison est peut-être un peu fallacieuse dans la mesure où cette toile est parfois donnée comme une copie (Constans, p. 71), toutefois, l'idée qui a présidé à sa conception demeure : le modèle représenté en pied est figé dans la tenue militaire d'apparat avec ses décorations. Incontestablement Flandrin a su, sans flatter son modèle, mettre en valeur un physique assez ingrat et en comprendre la personnalité. *M.M.D.*

MUSÉE DE VERSAILLES, MUSÉE NATIONAL DU CHATEAU

107

188 *Hippolyte Flandrin*

108. *Portrait de Mlle Zoé d'Aubermesnil*
(1861)

PEINTURE : T.H. 1,04 ; L. 0,80. S.D.h.g. *H. Flandrin 1861.*

HISTORIQUE : Resté dans la famille du modèle, qui était la grand-mère de l'actuel propriétaire.

EXPOSITION : Paris, 1889, n° 341 (« Portrait de Mme de la H...J.. App. à Mme de la Haye-Jousselin »).

ŒUVRE EN RAPPORT : Dessin préparatoire désigné après coup et à tort comme portrait de Mme Anisson-Duperron, dans l'*Album des portraits*, Fonds familial Flandrin, portrait que Mme Lanvin (Lanvin, 1967, t. II, p. 242) identifie à son tour comme celui d'une inconnue présentée en supplément au Salon de 1861 (la description des critiques du Salon prouve qu'il s'agit d'un modèle différent de celui qui nous intéresse ici).

Le modèle, Zoé-Adélaïde d'Aubermesnil (Paris, 29 avril 1831 - Paris, 31 décembre 1898) descendait d'une vieille famille de parlementaires normands (les Lemoyne d'Aubermesnil dont on peut citer un très prudent député de la Seine-Inférieure sous la IIe République, cf. Borel d'Hauterive, 1852, p. 297) et se maria à Paris en novembre 1868 avec un La Haye Jousselin. Chose étonnante, le tableau est resté inconnu de toute la littérature sur Flandrin (y compris de la thèse de Mme Lanvin), et c'est juste une simple mention dans le catalogue de l'*Exposition Centennale de l'Art français 1789*, elle-même organisée dans le cadre de l'*Exposition Universelle* de 1889, qui l'a fait — et très heureusement, car c'est un chef-d'œuvre ! — retrouver pour la présente rétrospective, alors que tant d'autres portraits féminins tout aussi attachants ont (momentanément) disparu, comme le montrent bien la thèse de Mme Lanvin et l'*Album des portraits* du Fonds familial Flandrin (sorte de *Liber veritatis* de Flandrin portraitiste, réunissant quantité de calques). Le fond de tapisserie ancienne, genre verdure des Flandres du XVIIe siècle (elle n'existe plus chez les descendants actuels du modèle), sur lequel se détache cette effigie toute de grâce rêveuse et d'élégante dignité, ajoute une belle note d'éloignement poétique. L'exceptionnel intérêt de ce tableau doit être souligné par le fait que, dans ses dernières années, Flandrin, accablé par ses chantiers d'église et ses succès de portraitiste mondain ou politique — le peintre de Duchâtel, de Rothschild, de Walewski, de Napoléon III, du Prince Napoléon —, refusait presque toutes les commandes qui lui étaient adressées. Mlle d'Aubermesnil, vu ses attaches normandes et son milieu parisien, était-elle une connaissance des Maison et des Mackau ?   J.F.

FRANCE, COLLECTION PARTICULIERE

108

109. *Portrait de l'Empereur Napoléon III*

(vers 1861-1863)

PEINTURE : T.H. 2,12 ; L. 1,47.

HISTORIQUE : L'historique du tableau a été parfaitement établi par O. Sébastiani dans le catalogue de l'exposition *L'Art en France sous le Second Empire*, en 1979. Après une commande (officieuse) passée en 1853 puis annulée (Archives des Musées nationaux, Louvre, P 26, 1er avril puis 26 avril 1853), une commande officielle survint en 1866 au prix de 20 000 francs survint en 1862, alors que le tableau avait été commencé dès 1861 (cf. Delaborde, 1865, p. 430, lettre d'Hippolyte à Bonaventure Laurens, 10 décembre 1861) et envoyé l'année suivante à l'exposition Universelle de Londres. Exposé avec retentissement au Salon de 1863, il reste quelques mois au Dépôt des Marbres pour être copié en plusieurs exemplaires destinés à diverses villes (Archives nationales, F 21 120) ; envoyé au Musée du Luxembourg en 1864 (Archives des Musées nationaux, Louvre, L2 ; Fournel, 1884, p. 249 note 1 ; Rapport de Nieuwerkerke, 1868) ; donné en 1866 au Tribunal de Commerce à Paris (ibidem, p. 10, 14 avril 1866) où Joanne le signale en 1870 comme décorant la Salle du Conseil ; réclamé par les Musées nationaux et envoyé à Versailles en 1884 (ibidem, P. 43 mai, 25 juin 1884). N° d'inventaire : MV 6556).

EXPOSITIONS : Londres, 1862, n° 177 ; Paris, 1863, n° 704 ; Paris, 1865, n° 59 ; Paris, 1867, n° 255 ; Venise, 1934, n° 143 ; Lyon, 1937, n° 119 (doutes erronés sur l'identification de la présente toile de Versailles avec le tableau des Salons de 1863 et 1867) ; Milan, 1959, p. 9, repr. pl. 15 ; Turin, 1961 ; Paris, 1979, n° 223, repr.

BIBLIOGRAPHIE : Astruc 1863, p. 24 ; Callias, 1863, Salon p. 214 ; Cantrel, 1863, p. 195 ; Chesneau 1863, Dauban, 1863, p. 14-15 ; Gautier, dans *Le Monde illustré*, t. I (1863), p. 298 ; id., dans *Le Moniteur*, 23 mai 1863 ; Lagarde 1863, Lavergne, 1863 ; Lockroy, 1863 ; Merson, 1863 ; Montlaur, 1863, p. 75-76 ; Sault, 1863 ; pp. 18-21 ; Sault, 1863, pp. 4-5-8-15 ; Viollet-le-Duc, 1863 ; Yriarte, 1863, p. 409 ; Beulé, 1864, p. 19 ; Delaborde, 1864, Galimard, 1864, p. 43 ; Lagrange, 1864, p. 753 ; Mantz, 1864, p. 80 ; Poncet, 1864, p. 55-72 ; Saglio, 1864, p. 249 ; *L'Artiste*, 1864, p. 158 ; Claretie, 1865, p. 225 ; Delaborde, 1865, pp. 77-101, 430-439 ; Lescure, 1865, p. 424 ; Merson, 1865 ; Montifaud, 1865 ; Nathaniel, 1865, p. 416 ; Rousseau, 1865, p. 143 ; Jannet, 1886, p. 43 ; Montrond, 1866, p. 30 ; Stevens, 1866, pp. 12-13 ; Duret, 1867, pp. 160-61 ; Saint-Pulgent, 1869, p. 531 ; Joanne, 1870, p. 920 ; Blanc, 1876, p. 271 ; Montrosier, 1882, pp. 71-72 ; Fournel, 1884, pp. 255, 270, 276 ; Chennevières, 1885, II, p. 8 (réédition 1979, avec repr. fig. 35) ; Castagnary, 1892, pp. 109, 11-12 ; Thoré (Bürger), 1893, pp. 193, 372 ; Masson, 1900, p. 27 ; Denis, 1902, p. 84 ; Flandrin, 1902, p. 123, 259-262, repr. pl. ; Geoffroy, 1904, repr. p. 95 ; Marcel, 1905, p. 104, repr. p. 105 ; Flandrin, 1909, pp. 256-59 ; Schommer, 1927, p. 458 ; Mauricheau-Beaupré, 1949, p. 119 ; Lanvin, 1967, t. III, p. 251-277 bis ; Angrand, 1968, p. 316 ; Lacambre, 1969, p. 110 repr. 106 ; Lanvin, 1975, p. 68-71 ; Sébastiani, 1979, n° 223, p. 357-358, avec repr. ; Johnston, 1982, p. 120, dans la notice du n° 131.

ŒUVRES EN RAPPORT : Très nombreuses copies peintes officielles, exécutées aux frais de l'État pour distribution à divers établissements publics (Hôtels de Ville, Préfecture, etc.), comme il en est advenu de l'autre portrait « officiel » de l'Empereur, encore plus répandu, peint par Winterhalter (Napoléon III en costume de cour) : lui est aussi pendant un portrait d'Eugénie en impératrice). Selon Poncet, 1864, p. 56, les copies d'après Flandrin furent distribuées par d'autres ateliers que celui de Flandrin et sans que ce dernier ait eu son mot à dire ; mais, supportant courageusement cette injustice, il aurait quand même surveillé l'exécution de ces travaux et conseillé sincèrement leurs auteurs. L'assertion est-elle bien fondée ? Citons sans pouvoir être complet et pour se limiter à des musées les copies de Leyendecker à Marseille (envoi de 1864), de Ravergie au Château de Compiègne (MI747, MV5141, acheté de Jules Naudin à Amiens, de Ville à Nantes, d'Antoine-Fulcrand Carrière à Autun (envoi de 1867) ; d'autres anonymes à Vendôme (envoi de 1868) au Château de Compiègne (2 exemplaires donnés en 1951 avec la collection Ferrand dont un à mi-corps), à Bordeaux (envoi de 1864), à Langres, à Calais (avant 1940), à la commune du Saulchoir (du couvent des Dominicains vers 1967, cf. Lanvin, t. III, p. 253), à Arenenberg, au château de Magnac-La Valette en

Charente (exemplaire à mi-corps, signé et peut-être original, selon Mme Lanvin). En outre, O. Sébastiani a bien relevé que le portrait à mi-corps de la collection du Prince Napoléon, exposé à la Malmaison en 1968 (n° 167) et décrit alors dans le catalogue comme une étude préparatoire pour le grand exemplaire de Versailles, n'est qu'une copie.

Dans l'*Album des portraits* (Fonds familial Flandrin), plusieurs dessins sur calque : une étude d'ensemble avec le Prince impérial et une autre sans lui ; une étude de la tête de l'Empereur.

Diverses photographies (archives Flandrin) ont servi à la mise en place du portrait. Mme Lanvin cite ainsi une photo du buste de Napoléon Ier sous les drapeaux de la Grande Armée, une photo du décor de boiserie du fond et surtout une étonnante photo d'Hippolyte posant dans la tenue de l'Empereur que lui avait fait prêter Napoléon III (Lanvin, 1975-1977), repr. fig. 13, p. 68). La tête d'Hippolyte ayant un peu bougé, la photo présente à cet endroit une pittoresque zone de flou !

Gravure de Léopold Mar (Dépôt légal : 1866).

— Photos d'époque du tableau : par Bingham, 1er septembre 1864 (tableau du Musée du Luxembourg) ; par A. Lhuillier, cf. le Recueil Flandrin au Cabinet des Estampes de la Bibliothèque nationale à Paris.

— Caricature (Chirac transformé en Napoléon III) dans le *Canard Enchaîné*, 17 août 1977).

Le modèle pose dans un Salon des Tuileries, près d'une statue de l'« Ancêtre » par Chaudet (ou dans son genre). Flandrin s'étant servi de quelques photographies du décor de cette pièce en les modifiant légèrement dans un but de simplification (décor du fond plus neutre et faisant mieux se détacher la tête de l'Empereur). L'utilisation et l'importance de la photographie dans la réalisation du tableau, faits plus fréquents qu'on ne croit à cette époque (même chez les contempteurs de la photo comme Flandrin !) sont à comparer avec le processus déjà employé dans le *Portrait du Dr Rostan*. Sans doute Flandrin a-t-il dû beaucoup travailler sur photo pour le cadre et les accessoires, vu les séances de pose probablement trop rapides et trop rares que lui aura réservées Napoléon III aux Tuileries. On notera avec intérêt la variante d'une première idée où Flandrin songeait à représenter l'Empereur avec son fils, le jeune Prince Impérial. En y renonçant, Flandrin a bien sûr donné plus de force et de majesté isolante à son personnage tout en se rapprochant du grand précédent ingresque, inestimable aux yeux de Flandrin, le *Portrait de Ferdinand d'Orléans* (1842) : même usage d'un fonds amarante, même présence d'un tapis, même présence riche en détails de l'uniforme militaire, notamment la note rouge du pantalon commune aux deux tableaux, même lumière venant de la gauche, même frontalité, même performance iconographique dans la ressemblance alliée à la représentativité. Invoquons encore, pour des raisons purement thématiques cette fois, le portrait un peu antérieur de Louis-Philippe en tenue de général, roi-fondateur du Musée historique du château de Versailles peint par Winterhalter en 1841 (Musée du Louvre).

Dans cette lignée de portraits d'hommes d'Etats modernes représentés en habits militaires, on se doit de citer aussi un autre précédent qui a bien pu influencer Flandrin, le *Napoléon Ier debout dans son cabinet de travail* de David (1812). Une version identique à celle de Washington était exposée sous le Second Empire dans le Salon du Chambellan aux Tuileries, soit l'exemplaire acquis en 1979 par les Musées nationaux de l'actuel Prince Napoléon. Non seulement

l'idée principale est la même, mais certains accessoires sont quasiment identiques, le fauteuil Premier Empire à dos rond par exemple qui correspond dans la composition davidienne au fameux fauteuil de « représentation » dessiné par David pour le Grand Cabinet des Tuileries et qui se trouve répété à quelques détails près sur le tableau de Flandrin (tendu d'un tissu sans abeilles ! Flandrin aura-t-il eu sous les yeux quelque pastiche datant du Second Empire ?).

Fort traditionnel dans son inspiration, le portrait peint par Flandrin ne plut guère à Napoléon III (et à sa famille), si l'on en croit un témoin bien placé comme Chennevières, mais par trop habile conteur à la retraite pour être suivi au pied de la lettre. Jugeant son image « trop mélancolique », l'Empereur aurait poursuivi Flandrin d'une « rancune tranquille et inflexible », rejoignant en cela les critiques de sa cousine la Princesse Mathilde (« Sire, vous avez l'air de méditer la mort de votre fils », lui fait dire Jules Claretie en 1876, p. 35). Chennevières rapporte ainsi (mais, notons-le, après coup) que Napoléon III laissa partir sans regrets son portrait par Flandrin vers le Tribunal de Commerce de Paris, une fois l'artiste décédé. Le conservateur de musée qu'était Chennevières aurait bien voulu garder ladite peinture pour le Luxembourg, conscient de la maigre représentation de l'artiste dans les collections de ce musée-antichambre du Louvre. Mais, contrairement à ce que laisse entendre Chennevières un brin de complaisance rétrospective (défendre les musées et les grands artistes !), suivi ici avec trop de confiance par Odile Sebastiani dans son excellente notice de 1979, le magnifique Tribunal de Commerce que Bailly venait d'édifier de 1860 à 1864 en plein cœur de la Cité à Paris, et qui loge la plus importante institution échevinale de France, ne pouvait nullement être considéré comme une destination absolument secondaire, pour laquelle aurait suffi une simple copie. On eût pu préférer l'œuvre, si elle avait tant déplu, dans quelque préfecture lointaine infiniment moins prestigieuse ! Et ne pas en faire tant de copies et de reproductions officielles…

Il n'est pas sans intérêt de comparer (et d'opposer) le *Napoléon III* de Cabanel (il resta, lui, aux Tuileries) à celui de Flandrin, comme le firent d'abord en pensée les visiteurs et les critiques du Salon de 1865 (apparition du portrait de Cabanel), puis réellement ceux de 1867 quand les deux effigies figurèrent à la même Exposition Universelle. La version de Cabanel est bien connue par la jolie petite esquisse du musée de Baltimore (Paris, 1979, n° 185, repr. ; Johnston, 1982, p. 120, n° 131, repr.) à défaut du grand tableau qui est réputé avoir disparu depuis longtemps (toutefois, selon Johnston, on l'aurait récemment localisé dans une collection privée de Lucques, en Italie, en 1981). Cabanel, avec brio pictural mais banalité des formes et du style, dépeint un Empereur debout, en tenue civile, habit de cour noir et grand ruban rouge, à la pose molle et correcte d'« un maître d'hôtel » comme il fut méchamment (et justement) dit à l'époque. Le contraste est saisissant entre la

poésie et la majesté de l'effigie flandrinienne (Montifaud), la noblesse et la profondeur, le regard méditatif d'un chef d'Etat « *planant dans le domaine abstrait de l'intelligence* » (Montifaud) et vu par un « *peintre d'âmes* » (Lescure, qui précise : dans le *Napoléon* de Flandrin, « *on* (y) *sentait la lutte avec le modèle, l'effort vers le grand* ») et puis, l'habileté réaliste, l'exactitude agréable, « *la rectitude la plus absolue dans l'expression* » (Montifaud, 1865), le côté « *effigie pâte tendre* » et « *cold cream* » (Blanc, 1867, 1876, p. 431) du *Napoléon III* de Cabanel — une platitude « tautologique » inhérente à un certain réalisme prosaïque, dirait Thévoz —, en résumé, tout ce qui fait que « *Monsieur Cabanel* », comme le dit excellement Lescure (1865, p. 424), « *devient de plus en plus le roi des peintres bourgeois* » (et des rois embourgeoisés et non stylisés, mal à l'aise dans le costume moderne qui n'aime plus les apparats et les magnificences de jadis, aimerait-on dire à la suite de Théophile Gautier) : « *Flandrin a été au-delà de la copie. Il a renfermé la personnalité morale de l'individu dans l'homme...* », déclare Montifaud au terme d'un jugement balancé sur les deux portraits, mais nettement favorable à Flandrin.

Malgré Cabanel et nonobstant les réticences de l'Empereur à l'égard de son effigie peinte par Flandrin (les critiques sévères d'un Maurice Denis l'auraient-elles consolé ?), c'est la sage vision impériale d'Hippolyte, presqu'exagérante dans sa trop belle gravité réfléchie..., que la postérité continue de préférer comme image légendaire et symboliquement représentative du Second Empire. La multiplicité des livres et des magazines historiques sur la période qui en font usage suffirait à le prouver. Or, le plus plaisant (ou le plus ironique...) dans l'histoire de cette belle et vraie réussite du réalisme idéal (le plus difficile de tous !), c'est que Flandrin n'en voulut pas au départ. Lui-même n'aimait guère ce genre de travaux officiels où il devait finir par rivaliser avec le fameux Winterhalter, le grand portraitiste d'apparat du Second Empire et, déjà, de la Monarchie de Juillet. En témoigne par exemple sa lettre au peintre Roger où il vilipende durement les portraits de Louis-Philippe et de sa famille royale exposés par Winterhalter au Salon de 1839 (Delaborde, 1865, p. 298).

Force est donc de rappeler qu'en 1853, et deux ans justement avant que Winterhalter ne montre au Salon ses fameux portraits en pied de l'Empereur et de l'Impératrice si souvent reproduits en copie par la suite (infiniment plus que l'effigie flandrinienne !), Flandrin avait été pressenti par le Surintendant des Beaux-Arts, Nieuwerkerke, pour une commande de 20 000 francs, comme étant « *l'artiste le plus capable d'exécuter un grand portrait historique de l'Empereur* ». L'affaire resta sans suite immédiate, même si la Princesse Mathilde ne fait que parler de ce problème à Flandrin, lorsqu'elle visite Saint-Vincent-de-Paul (note d'Hippolyte dans son Agenda à la date du 24 mai 1853, cf. Flandrin, 1909, p. 256, note I). En fait, Flandrin ne semble s'être remis à ce grand travail de portrait

impérial que dans les années 1860-1861, parallèlement à l'exécution du portrait du propre cousin de Napoléon III, le Prince Napoléon (n° 107) : le second a peut-être ranimé le premier. Maints critiques n'ont pas manqué en tout cas d'opposer avec quelque complaisance les deux effigies, non sans préférer celui du Prince Napoléon plus évidemment ingresque, à tel point qu'en 1866 Claudio Jannet juge de tels débats « stériles » et se croit obligé de justifier, chacun dans leur genre, les deux tableaux en question. Cela dit, un autre fastidieux parallèle, celui de Flandrin-Winterhalter (auquel succédera un peu plus tard un duo Flandrin-Cabanel), devait reprendre à l'occasion du Salon de 1863, quand on put y admirer en même temps le *Napoléon III* d'Hippolyte et une *Impératrice Eugénie assise* de Winterhalter (Thoré fait bien sûr la comparaison).

Très remarqué à Londres en 1862 et au Salon de 1863, bien qu'il ait été mis à la place d'honneur, soit, remarque Flandrin dans une lettre à Lacuria en juin 1863, « *dans un horrible salon sans lumière, où il est devenu noir comme un crêpe !* » (Flandrin, 1909, p. 256, note 1. Sur ces médiocres conditions d'exposition, cf. encore les Archives des Musées nationaux au Louvre, série X, 15 mai et 2 juin 1863), le *Napoléon III* de Flandrin fut infiniment commenté par les critiques, le plus souvent en bien, mis à part la raide attaque de l'ultra-réaliste Astruc (une « *peinture radicalement défectueuse* »), plut généralement aux artistes, même des différents camps, note encore Flandrin dans sa lettre à Lacuria, et devait enchanter le public. Mais toute une controverse se déclenche sur la qualité du regard de l'Empereur, dont le côté vague et noyé, rêveur et tellement indéfinissable, nous surprend toujours à bon droit aujourd'hui. Selon Louis Flandrin (invente-t-il après coup en bon littérateur ?), l'artiste aurait expliqué au modèle : « *Sire, j'ai voulu vous représenter lisant dans l'avenir* » ! (Flandrin, 1909, p. 257). Les uns, favorables, y voient donc souveraine profondeur et haute intelligence morale du modèle, tel le dithyrambique Théophile Gautier, par ailleurs critique excellent et grand amateur de « peinture pure » dont les avis sont toujours de poids (Gautier, il faut le répéter, reste l'un des meilleurs critiques de Salon du siècle, loin devant un Baudelaire !) ; tout son passage relatif au *Napoléon* de Flandrin mérite assurément d'être retranscrit ici : « *Jamais l'artiste ne s'est élevé à cette hauteur... M. Flandrin a rendu, avec une idéale perfection, le « Souverain moderne », un des problèmes les plus ardus qu'il soit donné à la peinture d'aujourd'hui* », puisque les conditions du costume moderne ont radicalement changé la magie des apparences. « *C'est donc par d'autres côtés que le peintre doit faire comprendre au spectateur qu'il a devant lui le Chef d'un grand Etat, et c'est à quoi M. Flandrin a réussi d'une façon admirable. Nulle emphase, nul apparat dans la composition du portrait, mais une majesté simple et tranquille qui s'impose sans effort... La tête est d'une ressemblance à la fois intime et historique. C'est*

l'homme et le souverain. Des luisants satinés modèlent le front et semblent y fixer la pensée avec la lumière. Les yeux profonds et rêveurs regardent de ce regard qui va au-delà des choses, et paraît distinguer les formes de l'avenir invisible pour tous ».

Saglio, en 1864, est non moins enthousiaste, avec cette sentimentalité très caractéristique du XIXe siècle mais si peu appréciée et injustement jugée par le goût actuel « *...une âme est ici en action ; on voit l'homme penser...* ». Merson encore estime qu'« *il y a mieux qu'une ressemblance physique* » : Flandrin « *a cherché et trouvé sa ressemblance morale* ». Pour Montlaur, « *l'étrange fascination du regard* » est bien rendue : « *C'est l'Empereur, sa pose habituelle, son calme..., son impassible sérénité que rien n'altère* ».

D'autres critiques sont au contraire gênés par ce regard absent de l'Empereur : « *... il manque deux yeux à ce portrait, ou plutôt, pour la première fois l'Empereur vient d'apprendre qu'il a perdu une bataille dans la guerre ou la paix* » (Coutrel) ; « *le peintre a voulu lui donner une profondeur tellement voilée que c'est l'œil lui-même qui en reste voilé d'une façon regrettable* » (Chesneau). « *Et les soucis du trône !* dirat-on. Sans doute, mais tel poids est un fardeau pour le faible et un jouet pour le fort. Plus de sérénité m'eût convenu davantage* », estime un critique cité (sans référence) par Louis Flandrin (1909, p. 258, note 2). Fournel juge que « *la concentration du regard a éteint le rayonnement et la vie, au lieu de la méditation, il a indiqué la tristesse* ». Pour Charles Blanc qui contredit même l'opinion générale, car on savait, et ses photos le confirment, que l'Empereur avait un regard un peu vide, « *l'air vrai, l'intention prophétique d'un regard vague et noyé nous paraissent appartenir au peintre plutôt qu'au modèle, et gâter par la prétention une figure modelée net et ferme...* ». Jean Rousseau (1865) juge le regard « *indécis* » et la couleur « *noire et lourde* ».

Regard trop vrai et portrait trop véridique qui aura sans doute déplu à l'Empereur par sa fidélité même (Sébastiani, 1979), une telle analyse ne devrait pas nous empêcher pour autant de goûter une qualité formelle, admirable, singulièrement la riche et diverse harmonie des rouges qui ravit Gautier (tant d'amarante !), un faire lisse impeccable, le rendu extraordinaire des chairs (noter les mains !), le contraste habile d'un fond un peu voilé qui fait ressortir le relief de la figure, la science des détails et la nuance savante de l'éclairage, le modelé subtil doué d'un « sfumato » fort poétique qui rappelle, comme le note Odile Sébastiani, la technique en dégradé d'Andréa del Sarto. Bref, il y a là toute une volonté de style qui justifie et permet l'approche psychologique très réussie (l'idéalisme un peu trouble de ce héros aventurier dont parlent bien Henri Marcel et Gustave Geffroy...), mais qui sait aussi nous amener au-delà des simples apparences d'un portrait réaliste du XIXe siècle et qui situe Flandrin à sa place très originale (le mot est de Thoré, embarrassé par ce beau tableau qu'il n'aime pas et qui, dit-il, ne rappelle personne), dans la lignée des plus grands portraitistes de la tradition, et ce, à une époque où le portrait, face à la photo, devenait d'une pratique et d'une justification de plus en plus difficiles.

« Ce portrait de l'Empereur sera le portrait de l'histoire », assurait bien Hector de Callias. « M. Flandrin est un artiste qui a placé son idéal très haut et il mérite le respect de ceux-là, qui, voyant autrement que lui la nature, ont quelque peine à comprendre l'austérité avec laquelle il l'interprète », note très honnêtement Paul Mantz qui n'aime pas le tableau mais en admire la performance.

La critique du Temps, avec beaucoup d'intuition, voit bien, tout comme Gautier, que Flandrin a su « trouver la conciliation entre un uniforme, une pose, un ensemble de choses que l'on pourrait appeler banales, et l'étude d'une individualité ». — « Faire vivre l'homme sous l'habit », certes, et un habit moderne !, puis « mettre d'accord un homme connu avec des actes également connus », passer du réel à la page d'histoire, équilibrer le réel observé et l'idée morale, peindre un homme vrai et un monarque crédible, rendre le pur détail individuel et la glorieuse généralité, être réaliste et idéaliste, exact et beau, psychologue et pictural, ferme et coloriste, ressemblant et stylisé, n'est-ce pas l'exceptionnelle et supérieure réussite de Flandrin dans son complexe et en vérité assez inoubliable Napoléon III, riche de tant de vivantes conciliations ?   J. F. et Ch. L.

VERSAILLES, MUSÉE NATIONAL DU CHATEAU

110. *Portrait d'Auguste Casimir-Perier*, homme politique (1862)

PEINTURE : T. sur B. H. 1,190 ; L. 0,89. S.d.h.d. *Hippolyte Flandrin 1862.*

HISTORIQUE : Acheté par le Conseil général de l'Isère en 1983 avec la collection du Duc d'Auddifret-Pasquier, descendant par alliance du modèle (l'épouse d'Auguste Casimir-Perier, née de Fontenillat, était la sœur d'une duchesse d'Audiffret-Pasquier et l'arrière-grand-mère du vendeur du portrait), pour le Musée de la Révolution française installé au château de Vizille (Isère), ancienne demeure des Casimir-Périer — N° d'inventaire : 983-03-06.

EXPOSITION : Vizille, 1984, n° 511.

BIBLIOGRAPHIE : Flandrin, 1902, p. 332 ; id., 1909, p. 352 (1861) ; Lanvin, 1967, t. III, p. 249 bis (tableau alors au château de Pont-sur-Seine, chez Mme Edme Sommier, née Casimir-Perier, petite-fille d'Auguste).

ŒUVRE EN RAPPORT : Etude mine de plomb sur papier teinté H. 0,320 × L. 0,262. S.b.g. : H.F. Album des portraits, Fond de la famille Flandrin Paris, collection particulière Lithographie de Borneman.

Le modèle représenté ici est Auguste-Casimir-Victor-Laurent Casimir-Perier (1811-1876), le fils aîné du célèbre banquier et homme politique de la Restauration et de la Monarchie de Juillet Casimir-Pierre (1777-1832), et le père du Président de la République, Jean-Paul Pierre Casimir-Perier (1847-1907), président de 1894 à 1895.

D'abord diplomate, Auguste abandonne la carrière et est élu député de l'Aube en 1845. Après le Coup d'Etat de 1852, il se retire de la vie politique pour se consacrer à la publication de traités économiques ; en 1861, il est réélu membre du Conseil Général de l'Aube, puis se présente dans l'Isère en 1862 où il n'échoue que par la suite de manœuvre de ses adversaires. Rallié à la République Conservatrice, il est appelé par Thiers le 11 octobre 1871 au ministère de l'Intérieur.

Cette toile est exécutée en 1862 c'est-à-dire deux ans avant la mort du peintre à une époque où, déjà occupé par les travaux de Saint-Germain-des-Prés, il se voit obligé de refuser de nombreuses commandes de portraits. A cette même époque Auguste Casimir-Perier, le modèle, vient de rentrer dans la vie politique dont il s'était retiré depuis une dizaine d'années. On peut donc penser qu'ils n'eurent pas beaucoup de temps à consacrer aux séances de pose ; il y en eut toutefois au moins une,

comme en témoigne l'étude dessinée figurant dans l'*Album des portraits*, conservé dans la famille. Cependant, comme le signale Mme Lanvin, il existe de sensibles différences entre l'attitude familière du dessin et l'apparat du portrait définitif. Etant donné le contexte, il n'est pas impossible qu'Hippolyte se soit aidé d'une photographie, car tout dans la pose et dans le côté extrêmement officiel de ce portrait (en pieds, le chapeau et les gants à la main, l'autre main appuyée sur une console) rappelle les photographies de cette époque. Il en existe d'ailleurs une, contemporaine du tableau, exécutée par Pierson et Braun et conservée dans le même fonds de Vizille.

Il n'en demeure pas moins que le peintre à rendu son modèle très vivant, la stature imposante, le visage énergique, la bouche légèrement ironique. Le visage et les mains, seules parties éclairées se détachent sur un fond sombre.   M.-M.D.

VIZILLE, MUSÉE DE LA REVOLUTION FRANCAISE

110

111. Etude de *jeune italienne à mi-corps*, dite aussi *Femme mulâtre* (1836)

PEINTURE : T.H. 0,42 ; L. 0,32. S.b.d. : *H^{te} Flandrin*.

HISTORIQUE : Vente posthume de l'artiste, Paris, 1865, n° 66 (« Etude de femme mulâtre, figure à mi-corps, année 1836 ») ; acheté à cette vente pour 500 fr. par le sculpteur Emilien Cabuchet (célèbre par sa statue du Curé d'Ars à l'église d'Ars) qui intitulait cette figure : *la Douleur !* ; acquis à Paris de sa petite-fille Melle Cabuchet, par le possesseur actuel, après 1967.

BIBLIOGRAPHIE : Lanvin, 1967, t.I, p. 161.

ŒUVRE EN RAPPORT : Petite étude du même modèle, peinte par Paul Flandrin : assise et de face, torse nu, Fonds familial Flandrin.
Paris, collection particulière (Lanvin, 1967, t.I, p. 161).

La date de 1836 — qui situe donc le tableau à Rome — est donnée par le catalogue de la vente posthume de 1865 : il n'y a pas de raison de ne pas s'y fier. En revanche, le titre de *Femme mulâtre* est quelque peu fantaisiste : sans doute s'agit-il seulement de quelque modèle italien (voire tzigane ?) un peu farouche, aux traits fins et pittoresques, qui aura retenu l'attention des frères Flandrin : déjà, Léopold Robert, quelques années plus tôt, avait été fasciné à Rome par la qualité « sauvage », exotique en quelque sorte des natifs italiens à la rude et attachante simplicité, — leçon toujours actuelle pour un jeune artiste comme Flandrin en 1836.
En soi, le tableau mérite de retenir l'attention, car c'est un des rares exemples de nu (féminin) que comporte l'œuvre de Flandrin et qui relève de la bonne tradition des exercices académiques sur nature, conseillés aux jeunes artistes pensionnaires à la Villa Médicis. Le modelé est habile et soigneux ; du visage se dégage un charme indéfini, à la fois vague, tendre et triste qui fait toute la qualité de cette étude et où se révèle déjà le talentueux portraitiste qui fera plus

tard fureur. La qualité acérée du trait témoigne cependant de l'heureuse éducation ingresque du peintre et d'une parfaite maîtrise formelle qui sait éviter l'écueil de la représentation anecdotique et sentimentalisante. L'accentuation triangulaire des traits du visage, le cou fortement penché en avant, l'autre rime triangulaire formée par le détail des seins témoignent bien des préoccupations plastiques de cette étude très heureusement cadrée : les bras sont coupés de façon à ce que le morceau ne soit pas trop grand, et que le visage reste le motif important, mis en valeur par la large masse sombre d'une opulente chevelure qui fait heureux contraste.

J.F.

PARIS, COLLECTION PARTICULIERE

112. *Etude florentine* ou *Jeune femme en buste les yeux baissés* (1840)

PEINTURE : T.H. 0,60 ; L. 0,51. S.D.b.g. : *H^{te} Flandrin 1840*.

HISTOIRE : Selon Delaborde et Poncet qui précise bien que Feltre est le destinataire et non un simple propriétaire de l'œuvre en question (ce qui implique un lien direct entre l'artiste et son amateur), peint pour les frères Clarke de Feltre ; légué au musée avec la collection Clarke de Feltre en 1852 (77 tableaux en tout, plus quatre dessins et un buste), la Salle Clarke étant inaugurée en 1854. *cf.* les n°s 116, 170, 201.

EXPOSITIONS : Paris, 1865 ? n° 29 (« *Etude 1852* » — Le laconisme du catalogue ne permet pas de décider quel tableau de Nantes était exposé : celui-ci ou la *Rêverie*) ; Paris, 1967, n° 237 ; Paris, 1973, sans n°, repr au catalogue ; Montauban, 1980, n° 124.

BIBLIOGRAPHIE : Catalogue du musée, 1854, n° 29 ; Merson, 1860, p. 195 ; Poncet, 1864, p. 69 (« Etude florentine (pour M de Feltre ») ; Delaborde, 1865, p. 96 ; Catalogue du musée, 1876, n° 741 ; Gonse, 1900, t II, p 241 ; Catalogue du musée, 1903, n° 876, repr. p 279 ; Flandrin, 1909, p. 346 ; Nicolle, 1913, n° 964 ; Elder, 1921, repr. p. 439 ; Benoist, 1953,

n° 964 ; Vergnet-Ruiz et Laclotte, 1962, p. 236 ; Lanvin, 1967, t. III, p. 288-289 ; M.M., 1973, repr.

ŒUVRE EN RAPPORT : Dessin sur papier calque. H. 0,60 ; L. 0,50. Fonds familial Flandrin hérité de Paul Flandrin, Paris, collection particulière.
Tracé linéaire exécuté pour ou d'après le tableau même, *cf.* les dessins sur calque pour Dampierre. Mme Lanvin suppose à juste titre que ce dessin étant très élaboré et abouti, il dut y avoir d'autres dessins intermédiaires (non retrouvés).

On notera le titre d'*Etude florentine* très anciennement donné au tableau par Poncet qui partait d'une liste d'ouvrages établie par Flandrin lui-même. Ce titre situe bien l'œuvre dans un contexte globalement italianisant et antiquisant, qui est presque inhérent au classicisme néo-ingresque de l'époque et qui correspond parfaitement — la parenté se renforce au niveau des grands calques linéaires préparatoires si voisins d'une œuvre à l'autre — au décor des Muses de Dampierre peint par Flandrin en 1841.- Il doit être noté aussi que le modèle du présent tableau se retrouve dans d'autres peintures d'Hippolyte et de Paul Flandrin (*cf.* les n°s 113, 114, 206), d'où le titre de *Florentine* qui leur est généralement donné.
Malgré le jugement péremptoire de Merson pour une fois mal inspiré : étude « *d'un mérite à peu près négatif* », cette peinture qui fut si bien choisie sinon commandée par les Feltre eux-mêmes, est devenue l'une des œuvres les plus célèbres et les plus fréquemment reproduites de Flandrin. — « *Il est partisan de la simplicité distinguée* », dit excellemment Champfleury en 1846 d'Hippolyte Flandrin : ainsi pourrait-on qualifier cette étude de nu, — rare chez Flandrin, mais visiblement appréciée des Feltre, puisque la *Rêverie* de 1846 (n° 116) part elle aussi d'une étude de nudité féminine, — en tout cas merveilleusement pudique au-delà du sens immédiat du terme, parce que pleine de tact sur le plan formel, infiniment juste, délicate, ferme dans son vocabulaire plastique : le triangle parfait, l'intelligente vivacité des contours qui ne sont point uniformes, la frontalité subtilement assumée, l'éclat des blancs et des clairs qui tranchent sur les toilettes généralement sombres des portraits féminins de Flandrin. « *Le visage* », écrit très bien Mme Lanvin, « *redonne cette note d'intimité et de vie intérieure chère à Flandrin. D'un bel ovale très pur encadré de bandeaux noirs, cette petite figure est très ingresque d'esprit* ».— Et l'on pourrait même ajouter : d'un ingrisme fort comparable à celui de Papety (il y a beaucoup de parentés entre leurs études féminines) et de Lehmann, le charme de la modestie restant la qualité propre à Flandrin : Mme Lanvin relève encore l'efficacité très isolante du fond gris uni très doux sur lequel s'enlève la figure, « *dans son modelé ocre-rose discret, au contour légèrement refroidi sur la joue droite par le reflet d'un ruban* », le rôle d'équilibre joué par les rubans de taffetas bleu qui encadrent « *ce visage si parfait dans sa simplicité* » et comment, *in fine*, « *l'œil est attiré par un unique bijou, ce collier ondulant à la base du cou, énigmatique comme un serpent* » (Lanvin, *op cit.*, p. 288). *J.F. et Ch L.*

NANTES, MUSEE DES BEAUX-ARTS

113

196 *Hippolyte Flandrin*

113. *Jeune femme en buste,* dite *La Florentine*
(vers 1840-1841)

PEINTURE : T.H. 0,605 ; L. 0,502. S.b.d. : *H^{te} Flandrin.*

HISTORIQUE : Légué avec la collection de Louis-Modeste Leroy, 1935, — Leroy, né en 1855, juriste de formation, député « républicain » de l'Eure en 1893, spécialisé dans les questions d'enseignement technique, châtelain du Tremblay (Eure) où il conservait sa collection de peintures du XIXe siècle.
Dans le même legs figure un dessin d'Hippolyte Flandrin (inv. 8192 et Viallefond n° 18) représentant une scène à plusieurs personnages non identifiés. — N° d'inventaire du tableau : 7943.

BIBLIOGRAPHIE : Vergnet-Ruiz et Laclotte, 1962, p. 236 (« Portrait de jeune femme ») ; Viallefond, 1970, n° 17 et p. 60-61.

ŒUVRE EN RAPPORT : Réplique (ou plutôt copie ?) non signée, T.H. 0,65 ; L. 0,54, dans le Fonds familial Flandrin à Paris, (Lanvin, 1967, t.III, p. 290).

Dans sa thèse, Mme Lanvin qui ne connut l'exemplaire signé d'Evreux qu'après 1967, recense uniquement la version identique mais non signée et de moins bonne qualité, possédée par les descendants de Paul Flandrin (nous n'excluons pas que cette dernière toile soit une copie, peut-être de Paul Flandrin), et le modèle qui a posé ici, serait celui qui servit pour l'*Etude* du musée de Nantes, peinte en 1840 (n° 112), un modèle qu'on retrouve dans d'autres peintures d'Hippolyte (n° 114) et de Paul (n° 206) traditionnellement désignées sous le titre de *Jeune florentine.* Les traits du visage sont en effet très semblables dans les deux cas, et l'inspiration, néo-romaine, plus que voisine : modèle à demi-nu, posant drapé dans une tunique blanche de goût vaguement « antique », sur un fond uni et donnant lieu à de belles et fermes études de modelé sculptural sous une lumière froide, lisse, presqu'abstraite dans sa définition. Le superbe jeu des arabesques n'en est que plus évident et incite, à juste titre, à citer, comme l'a fait Mme Lanvin pour la réplique du tableau d'Evreux (1967, p. 290), un précédent d'Ingres. Que ce soit la fameuse *Source,* commencée à Florence dès 1820, et achevée plus tard à Paris en 1856, qui présente en effet un mouvement inverse des bras retenant la chevelure ou, plus encore, la *Vénus anadyomène* de Chantilly (vers 1807-1848). Intime d'Ingres (qui rentre de Rome en 1841), admis à fréquenter son atelier, Flandrin n'a pas pu ne pas connaître de telles peintures qui restèrent très longtemps en chantier chez Ingres. Mais, là où son maître visait à un effet d'étrangeté parfaite et d'abstraction quelque peu maniériste, Flandrin a cherché plus humblement à rester sur le terrain du charme et de l'attachante fraîcheur poétique d'une simple image « réaliste », modestement stylisée, préfigurant en quelque sorte un Vallotton dans sa pureté faussement naïve qui irrite par son manque d'intentions mais fascine par son « absolu plastique ». Chronologiquement et stylistiquement, on situera le tableau d'Evreux et les études du même type assez près de la *Femme* de Nantes (1840) et des travaux décoratifs pour Dampierre (1841), dans le prolongement des années romaines du peintre où il a dû aussi exécuter des études comparables pour des raisons d'exercice pratique (vente de 1865, n°s 55-58-64-65 ; *cf.* aussi la *Jeune Mulâtresse* de 1836, exposée ici sous le n° 111). Par ailleurs, on peut relever dans la vente de 1865 (n° 70-78) quantité de *Têtes* d'homme ou de femme vues de profil, de trois-quarts ou de face, les yeux parfois baissés, *etc.* qui datent justement de ces années 1840-1842-1844 et qui peuvent fournir un contexte aux tableaux de Nantes et d'Evreux étudiés ici.　　　*J.F.*

EVREUX, MUSEE MUNICIPAL

114. *Profil de jeune femme,* dite *La Florentine*

PEINTURE : T.H. 0,27 ; L. 0,215. S.b.d. : *H^{te} Flandrin.*

HISTORIQUE : Fonds familial Flandrin

ŒUVRES EN RAPPORT : Petit croquis du même profil. Non paraphé. Mine de plomb sur papier calque. H. 0,165 ; L. 0,115. Même Fonds Flandrin que le présent n° 113.

BIBLIOGRAPHIE : Lanvin 1967, t. III, p. 291.

« *On reconnait bien la « Florentine », véritable profil de médaille modelé comme une effigie de cire, aux fondus délicats puis dans un contour très souligné. C'est une excellente petite toile, ocre rose et noirs sur fin fond vert sourd* ». (Lanvin, *op. cit.*). Sur la chronologie et le style de ce genre de *Têtes, cf.* la notice n° 113.

PARIS, COLLECTION PARTICULIERE

114

115. *Deux têtes d'hommes* étude pour Saint-Germain-des-Prés ?
(vers 1844)

PEINTURE : T. H. 0,245 ; L. 0,320. monogrammé b.g. : *H.F.*

HISTORIQUE : Collection du sculpteur et graveur Edouard Gatteaux (1788-1881), ami de l'artiste ; legs Gatteaux à l'Ecole des Beaux-Arts, 1881-1883. Un Numéro 77 et la date 1843 portés sur le châssis nous font supposer que ce tableau a figuré à la vente posthume de l'artiste sous le numéro 77 du catalogue, « Deux Têtes d'Hommes, même décoration [Saint-Germains-Prés]./ Année 184 » : le nom de Gatteaux apparaît en effet comme l'acquéreur de ce tableau, pour la somme de 75 francs, ainsi que permet de le déterminer un exemplaire annoté du catalogue en la possession de Melle Marthe Flandrin à Paris. — Restauré en 1984 après avoir été récemment retrouvé dans les réserves et sorti à l'occasion de la présente exposition. *Cf* le n° 28.

BIBLIOGRAPHIE : Müntz, s.d. [1889], p. 190 ; Müntz, 1890, p. 290 ; Audin et Vial, 1918, t. 1, p. 344.

La comparaison avec la décoration finale exécutée à Saint-Germain-des-Prés ne permet guère de déterminer pour quelles figures ces études ont été réalisées. On remarquera cependant certaines parentés, par exemple avec le licteur repoussant saint Jean dans l'épisode de la *Montée au Calvaire*.
Par ailleurs il est possible de se demander si nous ne sommes pas ici en présence d'un double portrait, à gauche celui d'Hippolyte par lui-même, à droite celui de son frère Paul, avec toutefois certaines modifications exigées par le sujet : nous savons en effet qu'Hippolyte aimait à utiliser ses familiers comme modèles des personnages religieux qu'il avait à peindre. *Ph.G.*

PARIS, ECOLE NATIONALE SUPERIEURE DES BEAUX-ARTS

116. *Rêverie*
(1846)

PEINTURE : T.H. 0,61 ; L. 0,51. S.b.g. : *Hippolyte Flandrin.*

HISTORIQUE : Peint en 1846 (selon Delaborde et Poncet) pour Clarke de Feltre ; légué au musée avec la Collection Clarke de Feltre en 1852. *Cf.* encore les n°s 112, 170, 201.

EXPOSITIONS : Paris, 1848, n° 1688 ? (« Etude de femme ») ; Paris, 1865, n° 29 ? (« Etude — 1852 » le manque de précision ne permet pas de distinguer entre les deux Hippolyte Flandrin de Nantes).

BIBLIOGRAPHIE : Merson, 1860, p. 195 ; Poncet, 1864, p. 70 (« Etude pour M. le duc de Feltre, 1846 ») ; Delaborde, 1865, p.' 96 (1846) ; Catalogue du musée, 1876, n°740 ; Catalogue du musée, 1903, n° 875 ; Flandrin, 1909, p. 347 (1849) ; Nicolle, 1913, n°965, p.... ; Vergnet-Ruiz et Laclotte, 1962, p. 236 (1849) ; Lanvin, 1967, t. III, p. 294-295 ; Souviron, 1980, p. 41.

ŒUVRE EN RAPPORT : Peinture de Paul Flandrin, voisine par le sujet, dans le Fonds familial Flandrin, Paris, collection particulière (Lanvin, t. III, p. 295). A la vente de 1865 figure une *Rêverie, Etude* (n° 45 — dimensions oubliées) : avait-elle un rapport avec le tableau de Nantes ou avec les autres *Rêveries* citées *infra* ?

Fils d'un ancien ministre de la Guerre sous le 1er Empire, les deux frères Edgar Clarcke, deuxième Duc de Feltre (1799-1852) et Alphonse, Comte de Feltre (1806-1850) — c'est surtout Alphonse qui était l'ami personnel et l'amateur des artistes représentés dans cette collection — semblent avoir beaucoup apprécié l'art des Flandrin parmi les ouvrages de bien d'autres artistes « modernes » (Horace Vernet, Delaroche, Jacquand, Alexandre, Hesse, Dubufe, Papety, Brascassat, Diaz, Steuben, Gudin, Verbœckhoven, Cogniet, Robert-Fleury, Léopold Robert, Kœkkœk, etc.), qui confèrent un charme tout à fait rare et attachant à leur collection, ensemble de peintures typiques de l'époque Louis-Philippe au goût anecdotique ou pittoresques et d'une exécution picturale toujours soignée. Signalons qu'indépendamment de deux tableaux d'Hippolyte présentement exposés et des deux peintures de Paul également montrées ici, Le legs Clarke de Feltre comporte un portrait dessiné par Paul Flandrin d'Edgar vieilli, daté de 1852, peu avant la mort du collectionneur (Souviron, 1980, repr. p. 40). Soit une collection très contemporaine et parisienne, qui n'arriva à Nantes que parce que le Louvre la refusa (le testament stipulait qu'en cas de refus du musée parisien les exécuteurs testamentaires avaient à choisir un autre musée : Nancy, Nantes et Tours furent ainsi sur les rangs), mais grâce à laquelle, fait digne d'être relevé, Hippolyte Flandrin, mis à part le cas spécial de sa ville natale, fit sa première entrée dans un musée, bien avant celui du Luxembourg à Paris (le *Jeune Homme nu* n'entra dans ce dernier qu'en 1858, alors que Paul devançant son frère, parvint au Luxembourg dès 1852, la même année justement qu'à Nantes). — Dans le Fonds familial Flandrin se trouve une plaisante « charge » dessinée par Paul Flandrin représentant « Une visite aux M.M. de Feltre » (l'un est immense, l'autre normal) qui atteste des relations cordiales entre ces amateurs et les Flandrin. (Cliché de la Documentation de la Fondation Getty et du Service d'étude des Peintures du Louvre, n° M.J. 84-23).
Selon Mme Lanvin, la *Rêverie* aurait figuré au Salon de 1848, mais le vague titre du livret : *Etude de jeune femme* permet toutes les suppositions, négatives ou positives. Quant à la date de 1846, elle émane de Delaborde et de Poncet qui semblent avoir eu accès à des sources directes, Poncet notamment. De ce fait, elle semble plus fiable que celles de 1849 ou de 1852, proposées dans des ouvrages plus tardifs. Le titre de *Rêverie*, si bien donné à ce tableau, semble lui aussi original : il apparaît dès la donation de 1852.
Tendre, élégiaque, presque complaisamment sentimentale — et le terme de « romantique » parfois employé dans cette occasion serait à prendre ici dans une acception purement littéraire — ; cette *Rêverie* si bien dénommée reste — là est l'honnêteté vertueuse du peintre ! — de la plus grande et de la plus sincère élégance formelle dans le jeu des belles lignes agréables et apaisées et dans le velouté caressant des ombres et des teintes adoucies ; en un mot, parfaitement et heureusement « idéale », cette jeune fille rêveuse — mais à quoi pense-t-elle et pourquoi ces fleurs si passagères sur son sein ? — s'inscrit dans toute une suite assez méconnue, mais qui pourrait nuancer utilement notre image de Flandrin ; de « portraits de genre » mi-réalistes, mi-esthétisés, de têtes d'étude méditées et méditatives, porteuses de ce besoin de rêve, de nostalgie ou d'évasion qui parcourt si profondément tout le XIXe siècle : ainsi la pensive et tardive *Jeune fille grecque* de 1863 au Louvre (n° 117), à juste titre l'une des créations les plus populaires de l'artiste, ainsi la figure d'Evreux (n° 113), ou le profil dit de la *Jeune florentine* (n° 114), le dessin d'une jeune fille rêveuse, tenant ses cheveux (Fonds Flandrin, collection particulière) que Mme Lanvin met en relation avec des travaux pour la Famille Marcotte (1967, t.III, p. 280), la *Jeune fille aux fleurs* de la Donation Rostan à Aix-en-Provence, dans un ovale très décoratif et approprié au genre langoureux du tableau (un récent nettoyage intempestif a gravement défloré cette jolie peinture, d'où son absence à l'exposition), et surtout une deuxième *Rêverie*, de 1855, connue seulement par d'anciennes photographies d'époque, et très proche en idée du tableau de Nantes : une *Femme* représentée elle aussi en buste, pensive et accoudée à une balustrade, qui fut peinte pour le Prince Demidoff, achetée à sa vente par Haro en 1863, passée chez Richard Wallace (Flandrin, 1909, p. 347) mais non retrouvée par Mme Lanvin (Delaborde, 1865, p. 96 ; Lanvin, 1967, t. III, p. 297 ; bien entendu le tableau n'est pas à la Wallace Collection à Londres).
Ce que le tableau de Nantes a d'un peu trop concerté et de parfaitement idéalisé et harmonisé, se ressent bien à la lecture du jugement fort incisif mais finement vu du peintre-conservateur du musée de Nantes, Olivier Merson, en 1860 (Flandrin eut toujours des détracteurs irrités par son « ingrisme » apaisant !) : « *Le visage exprime la tristesse. Cette peinture offre les qualités et les défauts habituels à l'artiste : le dessin est châtié, le contour est calme, tendre, — il manque d'accent et de vie ; — le modelé est serré, habile, savant, — il est terne et uniforme ; — la couleur est douce et suave, elle est molle, maladive, sans relief dans les clairs, sans profondeur dans les ombres* ». (*op. cit.*, p. 195). *J.F.*

NANTES, MUSEE DES BEAUX-ARTS

116

115

117

200 *Hippolyte Flandrin*

117. *Etude de jeune fille* dite *La Jeune Grecque* (1863)

PEINTURE : T.H. 0,65 ; L. 0,52. S.D.h.g. : *H^{te} Flandrin*.

HISTORIQUE : Peint en 1863 peu de jours avant le départ du peintre pour l'Italie (Poncet et Delaborde) ; collection Marcotte-Genlis ; légué au Louvre en 1867 par M. Marcotte-Genlis entré au Louvre en 1877 après être passé par le Musée du Luxembourg. — N° d'inventaire : MI. 728.

EXPOSITIONS : Paris, 1934, n° 65 ; Rome, 1962, n° 91 ; Munich, 1964-1965, n° 108, repr. ; Montauban, 1967, n° 239, repr. pl. 25 ; Paris, 1978-1979, sans n° ; Paris, Hébert, 1981, n° 18, repr. ; Gifu, 1982, n° 19, repr.

BIBLIOGRAPHIE : Poncet, 1864, p. 72 (« Etude de jeune fille grecque ») ; Delaborde, 1865, p. 96 ; Both de Tauzia, 1878, n° 769 ; Fournel, 1884, repr. p. 273 ; Flandrin, 1909, p. 260, 347 ; Brière, 1924, n° 284, repr. pl. LXVI ; Jamot, 1929, p. 64, rep. pl. 76, p. 67 ; Vaudoyer, 1934, p. 930 ; Sterling, 1934, p. 4 ; Sterling et Adhémar, t. II, 1959, n° 845, repr. pl. 298 ; Lanvin, 1967, t. III, 294-295 ; Catalogue du musée, 1972, p. 160 ; Lanvin, 1975 (1977), p. 53, repr. fig. 1, p. 54.

ŒUVRES EN RAPPORT : Copie peinte vers 1883 par le japonais Hosui Yamamoto (1850-1907) et conservée au musée de Gifu depuis 1982 (Gifu, 1982, n° 5, repr.) : Yamamoto séjourna en France de 1878 à 1887 et fut élève de Gérôme. Gravure de L. Ruet (Dépôt légal en 1890) éditée dans la série *Musées et Salons* n° 9 (éditeur : Jules Hautecœur).

Autant que le titre de *Jeune fille grecque* voulu par l'artiste et bien rapporté comme tel par Poncet et Delaborde dès 1864-65 — sans doute une Athénienne qui posa comme modèle et que le peintre idéalisa en une image d'un noble goût « attique » (ce beau profil perdu plus émouvant encore qu'une médaille à l'antique !) —, le seul nom de Marcotte-Genlis, donateur de ce tableau de grand charme, suffirait à nous situer dans un contexte pleinement ingresque : il s'agit en effet de Jean-Baptiste-Joseph Marcotte (1781-1867), percepteur à Mézières, dit Marcotte-Genlis pour le distinguer de ses frères dont le plus célèbre était Charles Marcotte dit Marcotte d'Argenteuil (1773-1864), directeur des Eaux et Forêts, grand ami et correspondant d'Ingres, fervent amateur de ses œuvres. Marcotte-Genlis était lui aussi fort lié à Ingres et fut même dessiné deux fois par lui (en 1830 et en 1852). Collectionneur (il avait plusieurs Ingres dont deux petites répliques d'atelier qu'il légua au Louvre), mécène et protecteur de Simart (le sculpteur avec lequel Flandrin travailla à Dampierre puis pour la Ville de Paris à l'occasion du berceau du Prince impérial, *cf.* n° 24), Marcotte-Genlis était bien entendu lié à Hippolyte Flandrin avec lequel il correspondait. Aussi ne manqua-t-il point de se faire portraiturer par le maître lyonnais et ce, juste la même année que la *Jeune grecque*, en octobre 1863, donc très peu de temps avant le deuxième départ d'Hippolyte pour l'Italie (portrait non retrouvé par Mme Lanvin mais connu par la photographie, *cf.* Lanvin, 1967, t. III, p. 279-280). Mais, en 1859 déjà, Flandrin avait peint pour Marcotte-Genlis une *Etude de femme* (*cf.* Delaborde et Poncet) qui reste à retrouver et qui ne saurait se confondre avec la *Jeune grecque* de 1863. Cette *Etude* ne figure pas dans la Vente Marcotte-Genlis (Paris, 17-18 février 1868), mais on relève au n° 16 un tableau de Paul d'après Hippolyte, *Jeune femme tenant un médaillon*, toile, H. 0,62 ; L. 0,50. Elue par un amateur de vieille admiration et d'excellent goût qui n'hésita pas à léguer très significativement cette œuvre au Louvre, alors qu'il n'y avait qu'un seul Hippolyte au Luxembourg (depuis 1857, *cf.* n° 14), la *Jeune grecque* ou *Jeune liseuse* apparaît à l'évidence comme une sorte de testament pictural de l'artiste. Le vif succès dont elle a toujours joui auprès du public (dès 1884, elle est reproduite par Fournel dans un grand livre de vulgarisation sur les peintres français de l'époque), est certes venu ratifier le choix de Marcotte-Genlis. C'est avec la *Tête d'Ange* de 1864 (n° 119), la dernière œuvre vraiment représentative du peintre (nous ne pouvons compter pour tel un portrait inachevé de son fils Paul-Hippolyte encore conservé chez les descendants de Paul Flandrin et d'ailleurs fort abîmé par un accident). C'est aussi la plus fine et la plus parfaite de ses portraits de genre, domaine dans lequel Hippolyte a excellé : voir la *Jeune Florentine* d'Evreux, l'*Etude* de Nantes, etc. C'est surtout l'aboutissement exemplaire de son esthétique de la demi-teinte et du dégradé, voire du *sfumato*, — sorte de clair-obscur incroyablement rêveur et tendre, subtil et délicat, triste même et toujours poétiquement suggestif, qui confère à Flandrin, comme Jamot et Sterling l'ont bien vu, sa vraie et heureuse originalité. Face à Ingres et à tous les Ingristes linéaires de l'époque, voici un tableau qui débouche en fait sur le monde de Fantin-Latour, de Bouguereau et de Whistler ! Le commentaire du neveu de l'artiste, Louis Flandrin (1909), sonne juste à travers un ton qui peut nous sembler aujourd'hui légèrement suranné : « *C'est une des plus charmantes interprétations que l'auteur ait donné de la grâce virginale... Combien de fois a-t-elle été copiée ! Les amateurs de poésie idéale, de peinture discrète et suave, ont bien souvent rêvé devant elle... Cette jeune fille aux traits si purs, à l'expression méditative, n'est-elle pas la muse de Flandrin elle-même !* » Plus littéraire encore et un je ne sais quoi ironique mais plein de sympathie finalement, Vaudoyer, en 1934, témoigne de l'immense célébrité du tableau : « *... cette romanesque « Liseuse » qui, toute baignée de « smorfia », songe à ce qu'elle vient de lire dans le volume vert de la collection Lévy qui va glisser de ses doigts. Nous nous souvenons de notre penchant sentimental pour ce joli tableau, lorsque nous avions seize ans, et que nous dévorions Stendhal dans ces mêmes volumes. Ce visage de jeune fille se faisait pour nous le visage des héroïnes de ces romans. Et aujourd'hui encore, c'est à elle que ressemblent vaguement, dans notre mémoire émue, Madame de Rénal et Clélia Conti...* »

J.F.

PARIS, MUSEE DU LOUVRE

118. *Têtes d'étude* **pour la décoration de la cathédrale de Strasbourg ?**

PEINTURE : Pierre. H. 0,430 ; L. 0,745. Une inscription au centre, actuellement illisible.

HISTORIQUE : Collection du sculpteur et graveur Édouard Gatteaux (1788-1881), ami de l'artiste ; legs Gatteaux à l'École des Beaux-Arts, 1881-1883. L'œuvre ne paraît pas avoir figuré à la vente posthume de l'atelier de l'artiste et l'on peut supposer que Gatteaux la tenait directement de Flandrin. — Retrouvé récemment dans les réserves de l'École et restauré en 1984 à l'occasion de la présente exposition. — Sur Gatteaux, *cf.* le n° 28.

BIBLIOGRAPHIE : Müntz, s.d. [1889], p. 194-195 (« Trois têtes d'étude peintes sur pierre des Vosges (deux hommes, vus, l'un de face, l'autre de profil), une femme vue de profil). Essai fait pour la cathédrale de Strasbourg ») ; Müntz, 1890, p. 290 (« trois têtes peintes sur pierre des Vosges, essai pour la cathédrale de Strasbourg ») ; Audin et Vial, 1918, t.1, p. 344 (« *Têtes d'étude*, peinture sur pierre des Vosges, essai pour la cathédrale de Strasbourg »).

Nous savons, grâce aux témoignages de Jean-Baptiste Poncet (1864) et de Claudio Jannet (1866), que Flandrin devait exécuter un *Jugement Dernier* pour la cathédrale de Strasbourg mais que la mort l'empêcha de mener à son terme cette commande. Si l'on en croit ce dernier auteur, *« des recherches minutieuses, des études approfondies étaient déjà commencées »* lorsque la mort le surprit. Toutefois, les recherches plus récentes n'ont pas permis de retrouver la trace de ces quelques essais. Il semble pourtant que, sur la foi d'une tradition ancienne remontant à Gatteaux lui-même, les présentes études soient à mettre en relation directe avec les projets destinés à cette décoration. *Ph.G.*

PARIS, ÉCOLE NATIONALE SUPERIEURE DES BEAUX-ARTS (pour des raisons de fragilité ce tableau n'a pas été prêté à Lyon)

119. *Etude d'enfant. Tête d'ange* **étude pour le porche de l'église Saint-Augustin à Paris.**

(1864)

PEINTURE : T.H. 0,40 ; L. 0,30 — Inscription (évidemment non autographe) b.g. : *Hte Flandrin dernier coup de pinceau* ; b.d. *Rome 1864.*

HISTORIQUE : Resté dans la famille directe de l'artiste (en 1909 les deux *Etudes* sont à son fils Paul-Hippolyte et à sa fille Cécile, (Mme Charié-Marsaines) puis passé chez les descendants de son frère Paul.

BIBLIOGRAPHIE : Delaborde, 1865, p. 96 (Etudes pour le porche de Saint-Augustin) p. 477-478 ; Flandrin, 1909, p. 347 ; Lanvin, 1967, t. II, p. 314.

ŒUVRES EN RAPPORT : L'*Etude de tête d'ange*, moins belle et plus petite (H. 0,28 L. 0,25) qui accompagnait celle qui est présentement exposée, existe toujours dans le Fonds familial Flandrin (Lanvin, *op. cit*, p. 314).

L'inscription a dû être apposée après la mort de l'artiste (21 mars 1864) mais a toute chance d'être fiable, vu le caractère inachevé de la toile et l'origine toute familiale de cette dernière. Il est difficile de dire si le modèle est masculin ou féminin. Les propres enfants de l'artiste, en tout cas, conviendraient mal : en 1864, Auguste a 19 ans, Paul-Hippolyte 8 et Cécile 16. Mais Flandrin a bien pu recourir à un modèle, comme semble l'impliquer sa lettre à Paul, du 26 février 1864, où il fait allusion à ses derniers travaux en cours. C'est d'ailleurs la seule indication (indirecte), mis à part la liste de ses œuvres par Delaborde, que l'on ait sur ces deux *Têtes d'ange*, études pour un décor resté sans suite à la nouvelle église Saint-Augustin construite par son ami Baltard (sur Baltard, *cf.* le n° 91)… *« Je*

vieillis de toutes façons mais depuis bien long-temps je n'ai rien fait, et de là est née une défiance de moi-même qui est une véritable faiblesse. J'aspire à voir par un vrai travail où j'en suis réellement. J'essaie depuis quelques jours de faire quelques études utiles à mes travaux, mais il est bien difficile d'avoir modèle dans un appartement, en plein soleil, au milieu du va-et-vient d'une famille ; ce que je rapporterai sera bien peu de chose » (Delaborde, 1865, p. 477-478).

Belle étude de ce réalisme naturellement stylisé dans lequel se complaît Flandrin et qui prouve en tout cas que l'artiste, à l'extrême limite de son existence (les deux *Etudes* en question sont vraiment ses tout derniers ouvrages), n'avait nullement perdu de sa maîtrise artistique. Le mérite de Flandrin est d'autant plus grand qu'il traversait alors une période d'abaissement physique, comme il l'écrit le 27 février 1864 à son ami Timbal (sur Timbal, *cf.* le n° 24) : *« Les mois de janvier et de février ont été mauvais pour ma santé. Les douleurs, les névralgies ont fondu sur moi avec fureur et, quoique à Rome, j'ai été bien grognon. L'incapacité de travail me désole… »* *J.F.*

PARIS, COLLECTION PARTICULIERE

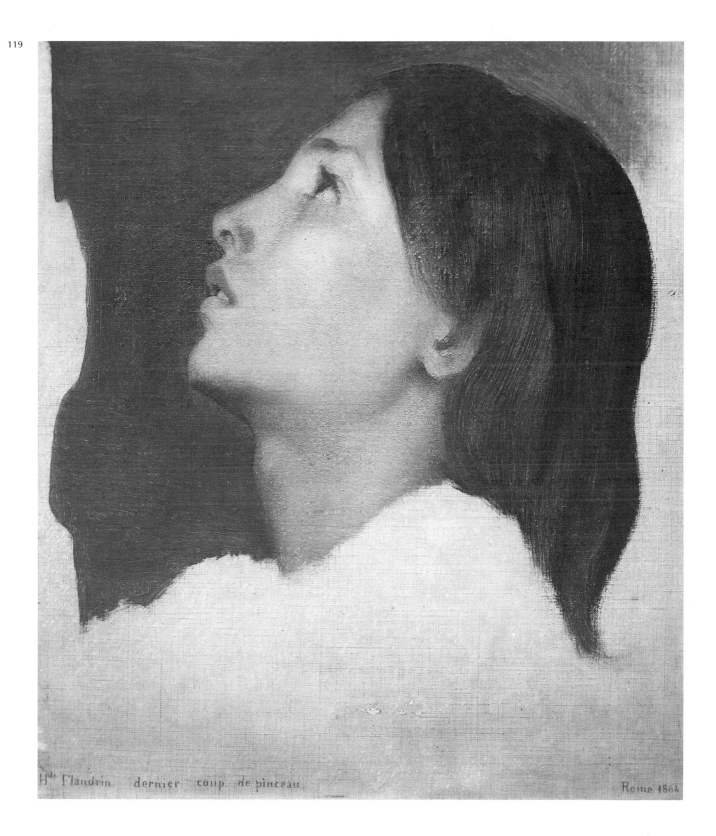

H^{le} Flandrin   dernier   coup de pinceau   Rome 1864

203 *Portraits*

120. **Copie d'après une *Sibylle* de Raphaël**

(vers 1833-1834)

PEINTURE : H. 0,465 ; L. 0,375.

HISTORIQUE : Fonds familial Flandrin.

ŒUVRES EN RAPPORT : Copie dessinée par H. Flandrin d'après une *Sibylle* de Raphaël, marque *Hte Flandrin* (Lugt 933), b.g. Paris, collection particulière : *cf.* le catalogue de l'exposition *Raphaël et l'art français*, Paris, 1983-1984, repr. fig. 118, p. 372.
Peinture : « *Fragment d'après le tableau des Sibylles de Raphaël* ». Peint en 1834 à Rome dans la vente de 1865, n° 62 (adjugé à M. Boucher, 200 francs).

Grâce à un dessin de Flandrin non exposé mais reproduit dans le catalogue de l'*Hommage à Raphaël* (1983-1984), Jean-Luc Vannier a pu identifier avec précision cette tête de femme aux lignes très décoratives et fort bien cadrée, comme celle d'une des Sibylles de Raphaël à Santa Maria della Pace (même catalogue cité *supra*, repr. p. 372). A rapprocher du tableau copié d'après les Sibylles, vendu en 1865 : l'adjudication à Boucher pour 200 Fr. implique qu'il s'agit d'une autre copie, à moins que la famille Flandrin n'ait racheté ce tableau par la suite. Retenons en tout cas la date de 1834 qui peut bien valoir pour le présent tableau.
Un beau document inédit — fascinant jusqu'à l'irritation par son expressive laideur maniériste (une tête trop grosse, trop lisse...) —, à verser au consistant dossier du *Raphaëlisme* de Flandrin qui ne saurait se réduire aux copies relativement médiocres (espérons d'ailleurs que leur attribution à Hippolyte Flandrin qui ne remonte qu'à 1867 est absolument sûre..., car il se glisse tant de choses dans le legs d'un très vieil artiste !) du Legs Ingres au Montauban (*cf.*, par exemple, l'*Eve* un peu lourde et moyennement convaincante, exposée en 1983 dans l'*Hommage à Raphaël, Raphaël et l'art français*, n° 90, repr...). Signalons ici que la grande copie (laissée en grisaille) d'après le groupe de Pythagore dans l'*Ecole d'Athènes* de Raphaël, Envoi de Rome de 4ᵉ année en 1837, existe toujours dans les réserves de l'Ecole des Beaux-Arts à Paris mais roulée et apparemment ruinée de façon presqu'irrémédiable (communication orale de Philippe Grunchec) ; en 1965, cette copie n'avait pu être retrouvée et montrée à Mme Lanvin qui dut provisoirement la cataloguer comme perdue (*cf.* Lanvin, 1967, t. I, p. 137) ! Initialement, Flandrin devait copier la *Galatée*, puis il choisit l'*Ecole d'Athènes*. Flandrin, « *à cause de la fièvre* », laissa en grisaille sa copie,

explique de Rome en juillet 1837 Bonnassieux dans une lettre à Dumont (*cf.* Le Normand, 1979, p. 146, ainsi que Bodinier, 1912, p. 121). La vente de 1865 offrait plusieurs copies d'après Raphaël : le n° 50, *Tête du Démon* d'après le *Saint Michel* du Louvre (1831), repassé dans la Vente Haro, Paris 2-3 avril 1879, n° 143 (M. Granville voudrait l'identifier avec le tableau de sa collection au musée de Dijon, *cf.* Lemoine, 1976, n° 112, repr. ; cette attribution nous semble hasardeuse et sollicitée) ; — le n° 53 *Femme portant un vase*, d'après l'*Incendie du Bourg* ; — le n° 54, *Groupe de deux figures d'homme*, d'après le même tableau ; le n° 59, *Groupe de trois têtes*, Rome 1833 ; — le n° 60 : *Tête d'Heliodore* (ibidem, 1833) ; — le n° 61, *Tête de femme* (ibidem, 1833), *etc.* Parmi les beaux emprunts de Flandrin à Raphaël, on citera le détail des bras levés dans l'*Entrée à Jérusalem* (*cf.* n° 53) et dans le *Passage de la Mer Rouge* (n° 63).
Il est émouvant de lire dans le *Journal* (inédit et à paraître fin 1984 par les soins de Mme Froidevaux et de Mlle Flandrin) de Flandrin qu'arrivé à Rome le 8 janvier 1833 dans l'après-midi, Hippolyte se rend aux *Stanze* du Vatican dès le 10 ; en février, il note qu'il commence à faire quelques croquis au Vatican et travaille encore là en mars. C'est dire sa sincère admiration pour Raphaël. A relever encore qu'il dessina pour la gravure un portrait de Raphaël illustrant un article d'Eugène Pelletan sur le peintre italien, paru dans la *France littéraire* de 1840 (t. I, p. 227 ; *cf.* le recueil Flandrin Dᶜ 294 au Cabinet des Estampes de la Bibliothèque nationale à Paris). En novembre 1836, sans doute en train de travailler au *Christ et les enfants* (*cf.* n° 15), Hippolyte demande à Victor Bodinier de lui trouver les gravures des *Actes des Apôtres* (*cf.* Bodinier, 1912, p. 113). J.F.

SEVRES, COLLECTION PARTICULIERE

121. Copie d'après l'*Incendie du Bourg* de Raphaël
(1833)

DESSIN : Mine de plomb. H. 0,24 ; L. 0,20. Marque : *Hte Flandrin* (Lugt 933) b.g. Date (sans doute autographe) : *janvier 1833*.

HISTORIQUE : Acquis dans le commerce parisien (Prouté) vers 1970-1975.

Copie d'après un détail de l'*Incendie du Bourg* de Raphaël, l'une des plus célèbres fresques des *Stanze* au Vatican, copiées et méditées par tous les artistes de passage à Rome. Le trait est particulièrement subtil, combinant les accents saccadés et les lignes plus calmes. Il y a réinterprétation — notamment par l'isolement du motif — au profit d'une vision remplie de charmante tendresse, presque naïve en sa pureté, qui est bien la marque propre d'Hippolyte, copiste de très belle intelligence. La date doit pouvoir se lire 1833 : Flandrin arrive juste alors à Rome comme pensionnaire à la Villa Médicis. On imagine bien qu'une de ses premières visites soit pour Raphaël, le Dieu des Ingresques..., comme il l'écrit en effet de Rome à ses frères, le 14 janvier 1833 : ...« *les choses sublimes que j'ai vues au Vatican, les grandes fresques de Raphaël... Oh ! la Messe de Bolsène, l'École d'Athènes, la Dispute et toutes les autres, mon Dieu !* » (Delaborde, 1865, p. 188). *J.F.*

PARIS, COLLECTION PARTICULIERE

122. Copie d'après un détail de la fresque d'Ugolino di Prete Ilario à la Cathédrale d'Orvieto
(1835)

AQUARELLE : H. 0,24 ; L.0,145. Inscription (sans doute de la main de Paul Flandrin) h.d. : *1ᵉʳ juin 1835 d'après frate ilario cathédrale di orvieto Hte. Flandrin* suivi de marque *Hte Flandrin* (Lugt 933). Autre inscription b.g. : *frate Ilario Orvieto* (inscription originale, peut-être d'Hippolyte).

HISTORIQUE : Fonds familial Flandrin.

ŒUVRES EN RAPPORT : Aquarelle presqu'identique citée par Lanvin (t. I, p. 152) mais un peu moins bonne de qualité, (certains diront : de Paul Flandrin, mais c'est vite dit !), dans une autre collection des descendants de Paul Flandrin, avec l'inscription h.d. : *fratto hilario orvietto*. Cliché Documentation de la Fondation Getty et du Service d'étude des Peintures du Louvre, nº M.J. 83 - 781.

Le voyage de 1835 conduisit les frères Flandrin à Orvieto, au 4ᵉ jour de leur voyage selon le carnet des Archives Flandrin cité plus haut, et donc non par le 1ᵉʳ juin, comme il est inscrit en haut sur le dessin, preuve que cette inscription a été ajoutée postérieurement (en regard, celle du bas, plus laconique, tout comme l'est celle qu'on lit sur l'aquarelle analogue citée dans la rubrique *Œuvres en rapport*, a toute chance d'être originale et contemporaine de l'exécution du dessin : simple aide-mémoire) : « *... Excellente route dans un beau pays. Orvieto. Pas plutôt arrivés, pluie dégoûtante* ». — 5ᵉ jour : « *... Elle dure la pluie tout le lendemain...*

Malgré le travail dans la cathédrale, nous nous ennuyons à mort. » Malgré cet ennui *(sic !)* Flandrin dut prendre un certain plaisir à copier les fresques de la cathédrale, notamment celles de Signorelli (Lanvin, 1967, t. I, p. 152) que Flandrin voudra spécialement revoir lors de son deuxième et ultime voyage en Italie, en novembre 1863 (Delaborde, 1865, p. 512 : Hippolyte note alors dans son journal qu'il n'a pu revoir les peintures, car il faisait trop tôt et le jour n'était pas encore levé !). On admirera l'éclectisme de Flandrin qui passe ainsi de Signorelli au décor bien plus « primitiviste » de « Frate Hilario » (Ugolino di Prete Ilario) dans le chœur : les *Scènes de la vie de la Vierge* ; ici, l'une des suivantes dans la *Naissance de Marie*. Du même cycle, on connaît une autre jolie copie, aquarellée, d'une figure de femme très élancée, (collection J.P.C. à Paris : dessin avec la marque *Hte Flandrin*, Lugt 933). *J.F.*

PARIS, COLLECTION PARTICULIERE

123. Copie d'après l'*Allégorie de la Paix* d'Ambrogio Lorenzetti, à Sienne
(1835)

DESSIN : Mine de plomb. H. 0,27 ; L. 0,205. Inscription (postérieure et de Paul Flandrin ?) b.g. : *Ambrogio Di Lorenzo a Sienna Hippolyte Flandrin 1835*. Marque : *Hte Flandrin* (Lugt 933) b.d. ; autre inscription (faite sur place, par Hippolyte lui-même ?) h.g. : *ambrogio di Lorenzo*.

HISTORIQUE : Fonds familial Flandrin.

BIBLIOGRAPHIE : Lanvin, 1967, t. I, p. 153.

La copie reprend un célèbre détail — souvent et à juste titre reproduit ! — de la grande fresque des *Effets du Bon Gouvernement* dans la Salle du Palais public de Sienne (vers 1337-1340). « *Dessin sinueux, tout pénétré de la souplesse et des lignes onduleuses de l'Ecole siennoise ; le copiste a pris la liberté d'accuser les contours de la silhouette palliant ainsi à la rigueur du crayon* ». (Lanvin, *op. cit.*). Manque bien sûr le fond bleu nuit qui assure le volume « giottesque » de cette belle figure, transformée ici en un pur (et en quelque sorte, « pré-cézannien », très intellectuel) spectacle de lignes. La subtilité habile du « linéariste » Hippolyte est inégalée : Paul, copiste, est infiniment moins souple et moins fin. C'est le 7 juin 1835 que les frères Flandrin, en compagnie d'Oudiné, arrivèrent à Sienne : « *... Auberge della Scale... Les femmes sont jolies et bien faites, les hommes beaux et forts, blonds en général... Belles peintures dans les Eglises et le Palais Public surtout. Nous travaillons beaucoup. Nous y restons quatre jours.* » (Carnet de voyage d'Hippolyte, Archives Flandrin, cité par Lanvin, 1967, t. I, p. 143).
A la fin de sa vie, en novembre 1863 (*cf.* son *Journal* du 2ᵉ voyage d'Italie largement cité par Delaborde, 1865), Flandrin revisitera avec émotion Sienne et les salles à fresque. Palais Public : « *... je demande à voir* [le 6 novembre] *celle*

d'Ambrogio Lorenzetti, où est la figure de la Paix, entourée de beaucoup d'autres figures allégoriques, admirables par la poésie de l'invention, la profondeur, de l'expression, et même par la beauté... Mais une fois qu'on a vu de pareilles choses, quelque mutilées qu'elles soient, on s'en souvient toujours. Pour moi, il m'a semblé n'avoir pas quitté celle-ci et je remarque que ce que j'aimais le mieux, lors de mon premier voyage [ainsi, cette *Paix* qu'il dessine en 1835], *est encore ce que je préfère maintenant.* » (Delaborde, *op. cit.*, p. 509-510). *J.F.*

PARIS, COLLECTION PARTICULIERE

124. Copie d'après Fra Angelico
(1835)

DESSIN : Mine de plomb. H. 0,265 ; L. 0,211. Inscription sans doute de la main de Paul Flandrin h.d. : *B. angelico da fiesole florence juin 35*.

HISTORIQUE : Fonds familial Flandrin.

BIBLIOGRAPHIE : Lanvin, 1967, t. I, p. 151.

Très jolie copie limitée au groupe principal (manque ici le saint Joseph visible à gauche sur l'original), de ce petit tableau de Fra Angelico, *La Fuite en Egypte* (1450), dans la série des scènes de la vie du Christ, au musée du Couvent de Saint-Marc à Florence (à l'origine, cette suite décorait la porte d'une armoire de vases sacrés et d'ex-voto). Selon Mme Lanvin, cette étude serait de Paul Flandrin, étant classée à l'origine dans ses albums d'étude. La qualité en tout cas excellente. Il est difficile de trancher dans un domaine où les deux frères sont aussi étroitement imbriqués. Mais la subtilité des contours de l'âne parlerait plutôt en faveur du meilleur des deux artistes, Hippolyte donc. Malgré la date de 1835 (qui a bien pu être ajoutée après coup), la copie date sans doute du séjour de 1837 qui fut beaucoup plus long (tout le mois de septembre) que celui — fort court — de 1835. Flandrin repasse d'ailleurs encore une fois à Florence en 1838 (en juillet), comme il l'écrit dans une lettre du 6 juillet 1838 à son ami, le peintre Eugène Roger (Delaborde, 1865, p. 282, 283) où il redit avec une conviction bien révélatrice, et dont témoignent si concrètement ses copies, que « *Malgré ce que nous venons de voir à Naples, les vieux maîtres toscans conservent à mes yeux tous leur prix. Eux et Raphaël, je les aime plus que jamais !* » *J.F.*

PARIS, COLLECTION PARTICULIERE

125. Copie d'après Andrea da Firenze

AQUARELLE : H. 0,28 ; L. 0,18. Marque *Hte Flandrin* (Lugt 933) b.d.

HISTORIQUE : Acquis par l'actuel possesseur à une date non précisée.

ŒUVRES EN RAPPORT : Copie aquarellée assez médiocre (et relativement tardive ?) dans le Fonds familial Flandrin.

Très belle copie à l'aquarelle, d'une interprétation intelligente par sa fermeté précise alliée à un sûr esprit de synthèse et d'abréviation (voir la main droite bénissante du pape, son visage schématisé et volontairement transcrit en aplats, *etc.*). Le modèle a été identifié par M. Jean-Luc Vannier (communication orale) : soit un détail de la fresque de la *Glorification de saint Thomas d'Aquin* peinte par Andrea di Bonaiuto (Andrea da Firenze) vers 1365-1367, à la Chapelle des Espagnols dans l'église Santa Maria Novella) de Florence. Flandrin a modifié les couleurs et laissé en blanc le fond brun-sombre contre lequel est adossée la figure allégorique de l'Eglise. La tiare du pontife est représentée ici sans ornement, contrairement à ce qu'on observe dans la fresque ; le fermail n'est pas sombre, le rouge de la robe est devenue plus clair ; de même, la robe de la figure allégorique, en vert clair dans la décoration de Florence, devient chez Flandrin ocre. Bref, une copie d'analyse et non d'illusion, qui se fait belle et attirante en soi. *J.F.*

PARIS, COLLECTION PARTICULIERE

126. **Copie d'après une fresque de Giotto à Assise**
(1835)

AQUARELLE : H. 0,215 ; L. 0,15. Marque . *Hte Flandrin* (Lugt 933). Inscription : *Giotto*, h.g.

HISTORIQUE : Don de Mme Cornelie-Marjolin-Scheffer, fille du peintre Ary Scheffer, en 1897 avec 13 autres dessins d'Hippolyte Flandrin. On aurait aimé que ces dessins aient appartenu à Scheffer lui-même, mais celui-ci étant mort en 1858, il faudrait supposer que le cachet Flandrin ait été apposé postérieurement à 1864 ; en fait, Marjolin (le Dr René Marjolin, † 1897) figure parmi les acheteurs de la vente posthume de 1865, notamment à deux reprises pour les « Dessins d'après les anciens maîtres » (sous le n° 301, lots divisés entre plusieurs acquéreurs). Au musée de Rouen, Mme Marjolin donna, l'année même de la mort de son époux, 247 dessins du XIXe siècle (Ingres, Benouville, Delacroix, Théodore Rousseau, Troyon, Pils, Calame, Fromentin, *etc.*). — N° d'inventaire : 1357. Autre numéro : 401-1.

ŒUVRES EN RAPPORT : *Cf.* le n° suivant.

Copie aquarellée d'après le groupe des Clarisses se lamentant sur le corps de saint François, fresque de Giotto à l'église supérieure d'Assise, appelée également *Translation du corps de saint François à l'église Saint-Damien*. Il s'agit du groupe de sœurs Clarisses placées le plus à droite devant l'église. Le détail — si touchant — de la religieuse qui embrasse le pied nu du saint est spécialement intéressant, car cette partie est fortement lacunaire aujourd'hui.
A noter que, dans le Fonds Marjolin, se trouvent plusieurs copies de Flandrin d'après Giotto et les anciens Maîtres italiens dont un *Baiser de Judas* copié à Assise et daté du 22 juillet 1835 (n° 396). *J.F.*

ROUEN, MUSEE DES BEAUX-ARTS
N.B. Ce dessin collé dans un *Album* ne pourra être montré qu'à Paris.

123

124

125 126

127. Feuille de dessins d'après Giotto et Giovanni da Milano
(1835 et 1837)

7 dessins (tirés d'albums de voyage ?) collés après coup sur une feuille.

En haut, à gauche : copie partielle de la *Résurrection de Lazare* de Giovanni da Milano à la Chapelle Rinuccini de l'église de Santa Croce à Florence (v. 1365). Identification de L. Bellosi (communication orale à D. Thiébault, juin 1984). Du temps de Flandrin, les fresques Rinuccini étaient attribuées à Gaddi sur la foi de Vasari. C'est Cavalcaselle qui les réattribua à Giovanni vers 1864. Mine de plomb. H. 0,155 ; L. 0.215.

Au milieu, en haut : copie du motif central de la fresque de Giotto (?), *Les Lamentations des Clarisses sur le corps de saint François*, Assise, Eglise supérieure. Mine de plomb. H. 0,185 ; L. 0,26. Inscription h.d. : *giotto s. francesco assisi/27 luglio 1835.* D'après la même fresque, Flandrin a exécuté une aquarelle exposée ici (n° 126).

En haut, à droite : copie d'un détail de la fresque d'un disciple de Giotto (?) : *Pierre d'Assise libéré de la prison*, Assise, Eglise supérieure. Mine de plomb. H.0 »185 ; L. 0,155. Inscriptions h.d. : *Giotto s.* b.d. : *28 Juillet 1835.*

En bas, à gauche : copie d'après une fresque de « Giottino ». Mine de plomb. H. 0,185 ; L. 0,13. Inscription, b.g. : *Giotto s. Francesco.* En fait, comme nous le signale Mme Thiébault (communication de mai 1984), d'après le saint Barthélémy des fresques de la Chapelle Saint-Nicolas à la Basilique inférieure d'Assise — dues à un giottesque que Previtali (1967, repr., fig. 297, p. 304, et p. 302) attribue au Maître de Saint-Nicolas).

En bas, 2e dessin en partant de la gauche vers la droite : copie du motif principal (le saint) de la fresque de Giotto : *Le crucifix de la petite église* de Saint-Damien parle à saint François, Assise, Eglise supérieure : Mine de plomb. H. 0,123 ; L. 0,102. Inscription b.d. : *Giotto assisi 18 agosto 37.*

En bas, 3e dessin en partant de la gauche : copie d'un détail majeur de la fresque de Giotto, *La Résurrection de Lazare*, Padoue, Santa Maria dell'Arena. Mine de plomb. H. 0,123 ; L. 0,102. Inscription b.g. : *giotto sta maria in arena Padova 27 7bre 37.*

En bas, 4e dessin le plus à droite : copie d'après le détail principal de la fresque de Giotto : *La Rencontre de la Vierge et de sainte Elisabeth*, Padoue, Santa Maria dell'Arena. Mine de plomb. H. 0,125 ; L.0,102. Inscription h.g. : *Giotto santa maria in arena Padova 28 7bre 37.*

HISTORIQUE : Fonds familial Flandrin.

L'assemblage a été visiblement effectué à une date tardive, sans doute après la mort d'Hippolyte, puisqu'il réunit des dessins exécutés à des périodes différentes (1835-1837) et d'après des modèles tirés d'édifices distincts (Assise, Florence, Padoue). Ces dessins, comme il arrive parfois chez Flandrin, n'offrent pas le paraphe d'Hippolyte. Par ailleurs, et le cas n'est pas moins fréquent, ils portent des inscriptions très appliquées, aux dates parfois retouchées (le 37 de 1837, par exemple, sur les dessins de Padoue) qui nous semblent plutôt de l'écriture de Paul Flandrin. Est-ce à dire qu'ils sont de ce dernier ? On ne peut écarter l'idée, d'autant plus que les deux frères, à ces dates-là, ont voyagé et travaillé ensemble. Dans le classement et le partage des dessins exécuté après la mort d'Hippolyte (1864), ou Paul Flandrin, son

frère, ou Auguste, son fils et bibliothécaire au Cabinet des Estampes à la Bibliothèque nationale, (donc un spécialiste de ce genre de problèmes) ou les deux ensemble, ont pu hésiter sur telle ou telle attribution plus de trente ans après les faits. Quoiqu'il en soit, il y a tout lieu de croire, vu la rédaction peu spontanée et trop complète des inscriptions, que c'est Paul Flandrin lui-même qui aura légendé après coup (Hippolyte, lui, annote rarement) bon nombre de ces copies d'après les maîtres, en s'aidant des carnets de voyage où Hippolyte consignait le détail de ses visites.

N'excluons pas d'ailleurs que sur cette feuille puissent coexister des croquis d'Hippolyte (la copie très aigüe et riche d'abréviations d'après la *Lamentations des Clarisses*, supérieure de qualité) et de Paul (les copies plus égales d'après l'Arena de Padoue ou d'après « Giottino » à Assise). Les deux artistes ayant travaillé côte à côte et s'influençant par leur fréquente collaboration à des œuvres communes, une discrimination précise reste délicate.

Quant à l'admiration de Flandrin pour Giotto, si bien démontrée par de telles copies studieuses (on se doute qu'une partie seulement du matériel ainsi accumulé a subsisté) et fondamentale pour le goût « décoratiste » et « primitif » à la mode chez tous les peintres de murs et élèves d'Ingres à l'époque, elle se vérifie encore par la correspondance de Flandrin qui signale les voyages pédestres d'été de 1835 (fuir Rome et ses mauvaises chaleurs !) et tel carnet de voyage inédit et très instructif, cité par Lanvin (1967, t. I, p. 141-145) : étant parti de Rome le 1er juin 1835, comme on peut le déduire d'une lettre écrite de Pise par Hippolyte à ses parents, le 15 juin (Delaborde, 1865, p. 230), Hippolyte note ainsi au 20e jour de sa randonnée, après être passé à Pise le 15e jour : « *Assise... Admirable aspect. San Francesco. Peintures de Giotto. Ce sont celles, dans notre voyage, qui nous font le plus plaisir... mais le mauvais état où elles sont, nous fait éprouver un vrai changrin. Nous y restons cinq jours...* » (Lanvin, op. cit., p. 145). Citation qu'il faut faire suivre de celle de la lettre d'Hippolyte à ses parents citée plus haut pour la bonne intelligence de ces nombreux travaux de copiste : « *Partout, nous avons fait des croquis qui seront de précieux souvenirs et que nous aurons bien du plaisir à vous montrer...* » (Delaborde, op. cit., p. 231).   J.F.

PARIS, COLLECTION PARTICULIERE

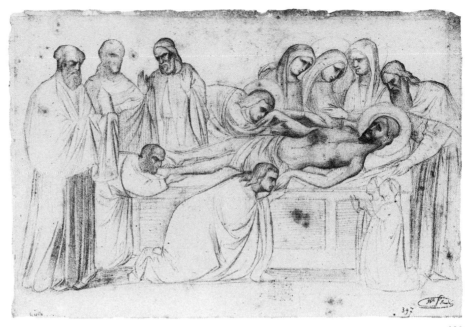

128

129

128. Copie d'après le Maître de la Madone de la Miséricorde

DESSIN : Mine de plomb. H. 0,22 ; L. 0,29. Marque : *Hte Flandrin* (Lugt 933), b.d. Inscription b.g. : *Giotto*.

HISTORIQUE . Don de Mme Marjolin-Scheffer au musée, 1897 : cf. le n° 126. Nos d'inventaire : 397 et 1091.

L. Bellosi (lettre à Mme Thiébault, 18 juin 1984) a retrouvé le modèle de Flandrin : la partie inférieure *(Mise au tombeau)* d'un panneau à plusieurs scènes du Fogg Art Museum à Cambridge (E.U.), don E. Forbes en 1917, qu'on attribue au Maître de la Madone de la Miséricorde, peintre florentin de la fin du XIVe siècle suiveur d'Orcagna. Le tableau appartint-il à Flandrin ? En 1882, il passe dans la Vente Du Cluzel d'Oloron (n° 28, attribué à Giotto) puis dans la Vente Jean Dollfus en 1902 (n° 63, Toscane, début du XVe siècle). Forbes l'acquit chez un marchand de New York en 1913. Cf. Cambridge, 1971, p. 34-35. Bien entendu, Flandrin n'a pas manqué de copier aussi la fameuse *Déploration du Christ* de Giotto à l'Arena de Padoue lors de son voyage de 1837. Il se montre sensible à la fine rythmique des lignes et, par son système linéaire, réduit tout à l'aplat selon un parti très significatif de ses choix esthétiques.   J.F.

ROUEN, MUSEE DES BEAUX-ARTS

129. *Tête de jeune garçon d'après Ingres*

PEINTURE : T.H. 0,234 ; L. 0,174. S.d.b. : *Flandrin*. Inscrit sur le châssis : *A Madame Delphine Ingres* (la 2e épouse d'Ingres Delphine Ramel).

HISTORIQUE . Sans doute un don de Flandrin à Ingres ; collection de Mme Ingres après 1867 ; à une date inconnue, au plus tard en 1921, acquis par Paul Jamot, conservateur au musée du Louvre ; Legs Paul Jamot, avec le reste de ses collections, 1941. N° d'inventaire : 949 I - 34.

EXPOSITIONS : Paris, 1921, n° 136 ; Paris, 1937, n° 6 ; Paris, 1941, n° 59.

BIBLIOGRAPHIE : Lanvin, 1967, t. III, p. 313.

Jolie copie — omise des listes de Vergnet-Ruiz et Laclotte (1962) — d'après le jeune guide d'Homère tiré du tableau d'Ingres, *Homère et son guide*, conservé au musée de Bruxelles. Or, l'exécution de ce tableau s'étire de 1827 à 1862 et la figure du guide est généralement considérée comme tardive d'Ingres, peut-être de 1859, date donnée au tableau par Ingres lui-même (en fait, l'œuvre d'Ingres porte deux dates : 1861 et 1862) — Rien ne saurait donc mieux prouver l'extraordinaire respect de Flandrin à l'égard de son maître que ce travail de la fin de la vie de Flandrin, ultime et touchant hommage d'un très vieil élève plein de ferveur et d'humilité !   J.F. et Ch. L.

REIMS, MUSEE DES BEAUX-ARTS

130. *Vue de Rome la nuit depuis la Villa Médicis*
(1836 ?)

AQUARELLE : H. 0,133 ; L. 0,23. Inscription (postérieure et sans doute de Paul Flandrin) : de la *Loge de la villa médicis Hte Flandrin Rome 1836.*

HISTORIQUE : Fonds familial Flandrin.

EXPOSITION : Lyon puis Paris, 1925, n° 40 (une des trois aquarelles de paysage — sujet non précisé — appartenant à Mme Charié-Marsaines, née Cécile Flandrin) ?

BIBLIOGRAPHIE : Lanvin, 1967, t. I, p. 173-174.

Une ou deux aquarelles de cette qualité suffiraient pour compter Flandrin parmi les vrais paysagistes de son temps ! Le choix même de l'heure, le calme lunaire, le caractère synthétique et ramassé de cette rare évocation donnent tout son poids à cette étude vraiment exceptionnelle et inoubliable. Deux lettres d'Hippolyte, datées justement de la même année 1836, prouvent combien le jeune artiste aimait Rome et pressentait en cette dernière année de son séjour, la nostalgie qu'il en garderait. Elles constituent, observe Mme Lanvin, une sorte de commentaire idéal de la présente aquarelle : fut-elle même exécutée à cet instant de contemplation un peu mélancolique ?
« … *Cette pauvre Rome : la laisser : l'autre soir, avant de me coucher, je pris une chaise, et j'allais m'établir sur la loge pour bien jouir de la vue de la ville éclairée par la lune. C'était une de ces fois où la lumière, placée derrière les masses, les fait si bien comprendre. Le coassement des grenouilles et le bruit de la fontaine, ne m'empêchaient pas de comprendre le silence, qui régnait partout. D'ailleurs, point de mouvement, point de lumière. J'allais quitter lorsque m'arrivèrent quelques accords de piano… »* (lettre d'Hippolyte à Ambroise Thomas en date du 29 août 1836, *cf.* Delaborde, 1865, p. 256). *Et dans une autre lettre datée de mars 1836, à son ami Lacuria :* (Delaborde, p. 247).
…« *Quand je pense qu'il me faudra quitter Rome, cela me déchire le cœur. Lorsque de ma fenêtre seulement je vois cette belle plaine, puis cette belle chaîne de la Sabine, ces belles montagnes avec leurs vieux noms, leurs noms antiques, plus près de moi notre beau jardin, enfin le délicieux Palais dont j'habite une aile, lorsque je vois tout cela d'une de mes fenêtres, et que, me retournant de l'autre côté, je vois et je domine toute la ville, avec la ligne de la mer pour l'horizon, oh ! voyez-vous, je souffre, à la pensée d'abandonner un jour tout cela… »*
J.F. et Ch. L.

PARIS, COLLECTION PARTICULIERE

131. *Vue de la Campagne romaine*
(vers 1834-1838)

AQUARELLE : H. 0,115 ; L. 0,20. Inscription (postérieure et sans doute de Paul Flandrin) b.g. : *Campagne de Rome Hte Flandrin.*

HISTORIQUE : Fonds familial Flandrin. Le dessin a été collé, peut-être à une date déjà ancienne, dans un album en cuir rouge aux initiales de la femme de l'artiste : AA (Aimée Ancelot) et contenant divers paysages dont un daté du 15 mai 1835, et plusieurs relatifs à la Campagne romaine.

EXPOSITION : *Cf.* le n° 130.

BIBLIOGRAPHIE : Lanvin, 1967, t. I, p. 177.

Très impressionnante vue de la campagne romaine rendue dans toute sa noble et sauvage immensité où se détache une colonne solitaire qui fixe un bel accent blanc. Panorama quasi « idéal » et intellectuel dans sa saisie globale d'une plaine très vaste, observée d'un point si élevé et si reculé, que l'œil peut souverainement restituer tout un horizon de ciel et de nuages. Dans le jeu des taches d'aquarelle, Flandrin se révèle un paysagiste aussi rare que magistral qui fait en effet regretter, comme l'a justement observé Mme Lanvin, qu'il ne se soit pas davantage adonné au paysage (1967, t. I, p. 166). — A dater évidemment du premier séjour italien (1834-1838). Non sans raison, Mme Lanvin cite à propos d'un tel paysage ample et large, ces recommandations très inspirées, adressées au spécialiste Paul Flandrin qui aurait bien dû les méditer, même si elles se heurtaient en fait profondément à sa conception du paysage historique, balancé et structuré : « *Tâche de saisir la nature vivante par les vents, les grands effets, enfin tout ce qui peut encore ajouter au caractère du site… Fais des choses bien souples, bien larges, mets-y ton esprit… Laisse-toi aller… repousse la peur* ». (Lanvin, 1967, t. I, p. 177).
J.F. et Ch. L.

PARIS, COLLECTION PARTICULIERE
N.B. Ce dessin collé dans un *Album* ne pourra être montré qu'à Paris.

130

131

132. *La Dent du Chat*

AQUARELLE : H. 0,145 ; L. 0,21. Inscription de Paul Flandrin !
b.d. : *La dent du Chat*. Juste au-dessus, marque Hte Flandrin
(Lugt 933).

HISTORIQUE : Fonds familial Flandrin.

EXPOSITION : Cf. le n° 130.

BIBLIOGRAPHIE : Lanvin, 1967, t. I, p. 171.

« Le parti-pris de cette tranche de forêt de pins à
contre-jour mettant en valeur tout le ravinement
de la haute falaise, est excellent. L'analyse de la
crête accidentée bien écrite sur le ciel nuageux
nous prouve une fois de plus qu'Hippolyte eût
pu faire un excellent paysagiste » (Lanvin, *op.
cit.*). Le site est pris en Savoie, près du lac du
Bourget, donc dans une région que Flandrin a
pu visiter de Lyon ou traverser en allant vers
l'Italie (à son premier voyage, en 1832-33, il
passe par Lyon puis par le Mont-Cenis, ce qui a
pu le faire passer non loin de la Dent du Chat.
Au retour, en 1838, en revanche, il franchit les
Alpes beaucoup plus au Nord, par le Simplon).
Faut-il dater alors ce dessin de la fin de 1832 ?
Le style assez aisé, l'aspect peu neigeux de la
montagne ne soutiennent pas facilement,
avouons-le, une telle assertion.   *J.F.*

PARIS, COLLECTION PARTICULIERE

134

133. *Carnet de jeunesse* avec des croquis militaires
(vers 1822-1824)

Restes d'un carnet dont la couverture manque. 44 pages avec 30 dessins environ subsistent (car beaucoup d'autres ont été arrachées). La plupart des croquis portent l'habituelle marque *Hte Flandrin* (Lugt 933). H. 0,11 ; L. 0,16 (chaque page).

HISTORIQUE : Fonds familial Flandrin.

Carnet datable des années 1822-24 et intéressant comme témoignages des débuts d'Hippolyte et de sa réelle précocité de dessinateur. Il s'agit en règle générale d'assez alertes croquis à la plume de sujets militaires napoléoniens (revues, bivouacs, cavaliers, halte de soldats, *etc.*) dans le goût de Charlet ou d'Horace Vernet (dans un autre carnet de la même collection et des mêmes années 1822-24, est ainsi donnée une liste de lithographies d'après ces artistes). Une jolie aquarelle représente un mendiant, une autre trois soldats. *J.F.*

PARIS, COLLECTION PARTICULIERE

134

134. *Carnet* avec profil d'Ingres et de nombreux croquis des enfants d'Hippolyte
(1843-1850)

Carnet de 78 pages dont 41 dessinées. Couverture cartonnée ocre. H. 0,18 ; L. 0,12 (chaque page). Sur la page de garde, un héritier de Flandrin (Auguste ?) a collé une page donnant une légende de chaque dessin avec des identifications précises.

HISTORIQUE : Fonds familial Flandrin.

BIBLIOGRAPHIE : Lanvin, 1967, t. III, p. 83 (à propos du profil d'Ingres), 173 (croquis représentant Auguste enfant).

Très bel album riche en croquis linéaires étonnamment pures, rapides et sûrs (la supériorité du graphisme d'Hippolyte éclate ici !) et pour la plupart d'Hippolyte : attachants et ravissants croquis d'après ses jeunes enfants (Auguste surtout, dessiné en juin 1846, en 1847 et 49 — il naquit en 1845 — et Cécile, née en 1848, à 8, à 15 jours..., certains de ces dessins étant datés de Nîmes) ; étude ample et concise d'Ingres, mais très révélatrice du personnage assez massif qu'il était ; le Maître est représenté de profil, et le dessin est censé avoir été exécuté à Montmorency le 9 juin 1850 (H. Flandrin louait là une maison) si l'on en croit une inscription portée

en-dessous, peut-être par Paul Flandrin (Mme Lanvin a lu, à tort croyons-nous, 1840).
D'après Mme Lanvin (*op. cit.* p. 83), une telle étude aurait pu resservir dans la frise de Saint-Vincent-de-Paul, au niveau de la procession des Saints Docteurs (Ingres en saint Léon pape. Dans son article de 1975 (1977) p. 63, fig. 9, Mme Lanvin reproduit un autre profil très voisin d'Ingres, cette fois en sens inverse). Par ailleurs, le carnet contient divers croquis allusifs à un voyage d'Hippolyte à Reims en septembre 1843 avec Benoît Chancel (son collaborateur de Nîmes, portraituré par Paul Flandrin en août 1845, dessin au Cabinet des dessins, RF. 4502). Flandrin copie là quelques statues et des vitraux de la cathédrale. Citons encore une étude d'après le modèle Lambert pour l'*Entrée à Jérusalem* à Saint-Germain-des-Prés, un chien de berger dans la ferme de Neauphle (là où Gatteaux avait une maison de campagne), une première pensée pour le *Napoléon législateur* (30 novembre 1845), et quelques rares dessins de Paul dont un montre Hippolyte tenant son fils Auguste bébé sur ses genoux le 20 décembre 1845, une panthère noire de Java au Jardin des plantes à Paris, un double portrait d'un parent, le docteur René Beaumers, *etc..* *J.F.*

PARIS, COLLECTION PARTICULIERE

135. *Album de dessins* pour les décorations d'églises peintes par Hippolyte Flandrin

Album relié en vert. H. 0,53 ; L. 0,36. Sur une page de garde, inscription : *Cécile.* Dans cet album sont collés 112 dessins sur calque, plus 2 mobiles, pour la plupart paraphés de la marque *Hte Flandrin* (Lugt 933). Sur le dos de la reliure, étiquette ancienne : *Hte Flandrin.* Dessins pour Nîmes, St-Vincent-de-Paul, Ainay, St-Séverin.

HISTORIQUE : Fonds familial Flandrin. L'inscription *Cécile* prouve que cet album appartint à la fille de l'artiste, devenue Mme Charié-Marsaines, tout comme le dessin sur calque pour la frise d'entrée de Saint-Vincent-de-Paul qui en provient et qui en fut extrait pour une exposition en 1884 (*cf.* nº 42).

L'album est inédit mais d'une grande importance documentaire, notamment pour la genèse des décors de Nîmes et de Saint-Vincent-de-Paul. Il a dû être constitué après 1864 par la veuve de l'artiste ou par sa fille Cécile. D'autres albums de ce type (même reliure verte) remplis de photos anciennes de dessins d'Hippolyte existent encore dans le Fonds familial Flandrin, qui appartinrent eux aussi à Cécile. Les dessins rassemblés ici sont presque tous sur papier calque (de couleurs diverses), souvent à la mine de plomb, mais parfois aussi à la plume, voire à la sanguine. 47 d'entre eux concernent le décor de Nîmes ; 48, Saint-Vincent-de-Paul dont 21 pour la frise d'entrée sous les orgues et 27 pour les frises de la nef : ensemble capital pour ce cycle. On y rencontre notamment 8 projets d'ensemble de la frise d'entrée dont 5 proches du tableau d'Haro relatif aux Vertus théologales (*cf.* ici nº 41). Un de ces projets de frise d'entrée porte la date de juin 1848 ; un autre, la suscription révélatrice : « *la charité est la plus grande* » (la Charité, au centre, fait le lien entre les deux autres Vertus). Enfin, les 18 dessins restants se rapportent à Ainay dont un daté du 10 février 1854 (ou 1855 ?) ; en revanche, tout ce qui concernait Saint-Séverin a été ôté à une date inconnue.   *J.F.*

VERSAILLES, COLLECTION PARTICULIERE

136. *Photos anciennes* représentant Paul et Hippolyte (vers 1855)

A) *Paul Flandrin*
Tirage sur papier collé sur carton blanc. H. 0,23 ; L. 0,18. Au verso, inscription datant la photographie vers 1855.
B) *Hippolyte Flandrin*
Tirage sur papier collé sur carton gris-bleu. H. 0,24 ; L. 0,18. Traces d'ovale en bas.

HISTORIQUE : Fonds familial Flandrin.

Belles épreuves anonymes et intéressantes à citer pour l'iconographie des deux artistes. La plus belle des deux photos est celle de Paul Flandrin, mais la représentation d'Hippolyte assis et prématurément vieilli — quelque peu comparable à la photo de Bingham gravée dans la *Gazette des Beaux-Arts* du 1er août 1864 et réutilisée en reproduction par Larthe-Ménager dans une publication de 1894 — est tout à fait instructive et fort émouvante.   *J.F.*

PARIS, COLLECTION PARTICULIERE

135

136 a

136 b

137. **Jean-Auguste Dominique Ingres**
(1780-1867)

Projet de monument funéraire à la gloire d'Hippolyte Flandrin

DESSIN : Mine de plomb sur papier calque. Deux dessins réunis dans un même cadre. En haut : H. 0,08 ; L. 0,11. Cachet J I Lugt 1477. Mise au carreau. Inscription (autographe) à droite, à demi cachée par le montage : St-Séverin, St-Vincent-de-Paul, St-Paul, Nîmes.
En bas : H. 0,112 ; L. 0,158. Marque JI b.g. S.b.d. : *Ingres del vit* avec la légende (autographe) sous le dessin : *La mort elle-même, regrette le Coup qu'elle vient de porter.* Sur un pilastre à droite, Ingres a inscrit les principaux travaux d'Hippolyte · *St-Séverin — St-Vincent-de-Paul — Chap. d'Any* (Ainay à Lyon). *St-Paul à Nismes. St-Germain-des-Prés. St-Clair. Jésus et les petits enfants.*

HISTORIQUE : Don d'Ingres à la veuve de Flandrin ; transmis par voie d'héritage aux descendants de Paul Flandrin.

Emouvants dessins préparatoires, — car Ingres, à cette date, a déjà 84 ans, mais on voit ici que sa main ne tremble nullement ! — pour le croquis publié dans l'album de l'*Autographe*, n° du 27 avril 1864, p. 89 (Flandrin, 1909, p. 337 note 1 ; Naef, 1979, t. III, 1979, p. 457, repr. fig. 3) ; ce dernier dessin qui présente de faibles variantes avec les présents croquis (les travaux de Flandrin énumérés en plus y sont le *Dante* et le *Saint Louis* du Sénat), porte d'après la reproduction de l'*Autographe* la date du 8 avril, donc suit de peu de jours l'annonce de la mort de son cher élève (Hippolyte meurt à 55 ans à Rome, le 21 mars 1864).
Déjà, Ingres apprenant le décès d'Hippolyte se serait écrié devant Paul : « La mort s'est trompée ! » (cité par L. Flandrin, 1909, note 2, p. 337). Le mot doit être vrai, car, dès juin 1864, un certain Edmond-Gabriel Rey en fait également état (Rey, 1864, p. 14-15). Ingres, enfin, figurera dans la Commission du monument à Flandrin que Baltard érigera dans l'église Saint Germain des Prés à Paris. Il y a donc lieu de rappeler les rapports d'extrême admiration et de respect presqu'idolâtre nourris par Flandrin à l'égard d'Ingres : ils ont été longuement et parfaitement analysés par Hans Naef (1979, chapitre 176, p. 446-460), bien qu'avec une certaine sévérité un peu dédaigneuse et sans doute injuste à l'égard d'un artiste qualifié tout uniment d'épigone très appliqué et trop laborieux du grand maître. Le charmant croquis de cette allégorie en forme d'épitaphe, traitée avec la candeur qui seyait à Flandrin, établit la sincère et touchante estime du vieux maître pour l'un de ses plus chers élèves : alors, n'écrasons pas trop Flandrin de l'immense et incontestable supériorité d'Ingres, puisque ce dernier, après tout, savait admirer les travaux d'Hippolyte qui sont en fait d'un ordre différent (le style de Flandrin finalement échappe à l'ingrisme...), portraitura son élève en 1855 (musée de Lyon) et lui dédia ce croquis d'une très belle pensée et du meilleur Ingres qui soit. *J.F.*

PARIS, COLLECTION PARTICULIERE

138

138. *Buste d'Hippolyte Flandrin*
(1864-1866)
par Eugène André Oudiné
(Paris, 1810-id., 1887)

MARBRE : H. 0,50 ; L. 0,32 ; P. 0,22.

HISTORIQUE : Fonds familial Flandrin.

Version, apparemment inédite et avec variantes, du buste du Monument Flandrin, érigé dans l'église Saint-Germain-des-Prés en 1864-1866. En juillet 1864, une commission se constitua pour ériger un mounument à la mémoire d'Hippolyte Flandrin. Une souscription devait en assurer le financement. Oudiné, ami de Flandrin, et membre de la commision, obtint la commande du buste qui devait prendre place dans un édicule de genre médiéval dessiné par Victor Baltard, le grand ami de Flandrin et architecte responsable des travaux de Saint-Germain-des-Prés, *cf.* le n° 91. Le lieu choisi fut Saint-Germain-des-Prés, ce qui étonna Pierre Dax (1er décembre 1864) : « *J'ai peine à m'expliquer cependant pourquoi on a choisi cette église quand l'école des Beaux-Arts était si voisine* » (!). Mais le gouvernement avait donné son autorisation dès novembre 1864. Les listes des souscripteurs furent publiées dans la *Chronique des Arts et de la Curiosité* : parmi eux se trouvaient l'Empereur (1 000 F), le duc de Luynes (1 000 F), la Société des Amis des Arts de Lyon, *etc.* Le 12 mars 1866, Oudiné pria Nieuwerkerke, Surintendant des Beaux-Arts, de venir voir le buste terminé dans son ateliers 19, rue Vavin. Après son exposition au Salon de 1866

(n° 2921) le marbre fut inauguré à l'église Saint-Germain-des-Prés le 7 juillet 1866, dans le bas-côté gauche.
Parmi les autres exemplaires du buste, citons celui de l'Institut (commandé en 1868) et celui du Père-Lachaise (buste en hermès placé à l'intérieur d'une niche semi-circulaire (sans drapé, comme à Saint-Germain-des-Prés), sur le tombeau du peintre, 57e division).
En outre, Oudiné exposa un plâtre au Salon 1884 (n° 3791), décrit au livret comme un buste, alors qu'il s'agissait d'un projet de statue en pied comparable à la grande statue d'Ingres en marbre qu'Oudiné exposa au même Salon. Le sculpteur sollicita du Directeur des Beaux-Arts l'acquisition de son plâtre et sa réalisation en marbre pour le musée de Versailles, affaire restée sans suite. Oudiné exposa encore deux médaillons en plâtre représentant l'un Hippolyte Flandrin, l'autre Paul, au Salon de 1876 et à l'Exposition universelle de 1878.
D'Hippolyte, on peut citer encore en matière de sculptures commémoratives le médaillon en marbre de Pierre Aubert (1853-1912) à Lyon, le médaillon en plâtre de Théophile Barau (1848-1913), la grande statue de marbre sur la Fontaine des Jacobins à Lyon, de 1886, par le sculpteur Charles Degeorge (1837-1888), une réduction demi-nature, du même, au Salon de 1883 (n° 3536), un buste en marbre de Joseph Fabisch (1812-1886) acquis en 1886 par le musée de Lyon, *etc.*   A.P.

138

Jean Lacambre
Conservateur des Musées nationaux

Chronologie d'Hippolyte Flandrin

Les œuvres citées sont sauf précision contraire des peintures ; les n°ˢ en marge renvoient aux notices de l'exposition.

1809
23 mars
Naissance à Lyon rue des Bouchers d'Hippolyte Flandrin, de Jean-Baptiste Flandrin et Jeanne-Françoise Blbet, mariés en 1803.

1810
Hippolyte est placé en nourrice jusqu'à l'âge de cinq ans à Nantuy petit village du Bugey.
Il est remarqué à l'âge de 13 ans par le sculpteur Foyatier qui le présente lui et son frère Paul au sculpteur Legendre-Héral et au peintre Magnin qui venaient d'ouvrir un atelier pour débutants et les met aussi en relation avec le peintre paysagiste Duclaux.

1827
Hippolyte entre avec son frère Paul à l'Ecole des Beaux-Arts de Lyon, dirigée par Artaud ; il a comme professeur Revoil.
Il remporte le prix de peinture appelé « Le Laurier d'or ».

1828
Il obtient le premier prix de la première classe (où l'on travaillait d'après nature, les élèves tenant tour à tour le rôle de modèle).
Lui et son frère Paul gagnent en partie leur vie en faisant de nombreux croquis militaires qu'ils vendent en lithographies.

1829
début avril
Hippolyte et Paul partent pour Paris.

juillet
Ils entrent dans l'atelier d'Ingres « mieux réglé que celui d'Hersent » (lettre à son père) sur les conseils de Guichard.
Ils vivent alors dans une petite chambre, 47 rue Mazarine.

1829-1830
Hiver
Portrait d'un gendarme (perdu).

1830
Hippolyte se présente avec 38 autres candidats au concours du Prix de Rome ; à l'Ecole des Beaux-Arts de Paris : le 15 mai, il est admis au « second essai » le 11ᵉ de la liste des 20 noms retenus où l'on ne compte que 3 élèves d'Ingres dont Flandrin, mais n'est pas retenu à l'issue de ce dernier, le 29 mai (Grunchec, 1983, p. 203).

1831
avril
n° 2
Commence les *Bergers de Virgile* qu'il complètera en 1836.

Nouvel échec au Prix de Rome (43 élèves au « premier essai » ; Flandrin est admis le 14 mai comme 15ᵉ sur la liste des 20 reçus où il n'y a toujours que 3 élèves d'Ingres.

n° 1
Il n'est pas retenu à l'issue du « second essai », le 28 mai (Grunchec, 1983, p. 206).

1832
15 janvier
n° 88
Dans une lettre à son frère Auguste, il se déclare favorable à l'insurrection de 1831.
Portrait d'Hercule de Roussel.
Portrait d'Auguste Flandrin, frère de l'artiste (Paris, collection particulière).

29 septembre
n° 3
Il obtient le Grand Prix de Rome avec *Thésée reconnu par son père*
Le « premier essai » avait été jugé le 28 avril (Flandrin, 5ᵉ des 20 candidats retenus sur 32 participants ; parmi les 20, 3 seulement sont élèves d'Ingres. Le « second essai » est jugé le 26 mai (10 retenus sur 20 : Flandrin est le 5ᵉ ; *cf.* Grunchec, 1983, p. 208-209).

1833
Hippolyte est à Rome à la Villa Médicis dont Horace Vernet est encore le Directeur. Se rappelant le séjour de Flandrin à la Villa, Amaury-Duval dans *l'Atelier d'Ingres* (ed. 1924, p. 77) devait écrire : « Je souhaite qu'on y envoie longtemps des hommes comme Flandrin, Baudry, Hébert, *etc...* ».
Portrait de Miss Eliza Williams (dessin connu par une ancienne photo. Y eut-il en plus un tableau ?)

février
Hippolyte se lie d'amitié avec le musicien Ambroise Thomas (voir le n° 89) avec lequel il séjourne à la Villa Médicis. Il commence un journal qu'il tiendra (irrégulièrement) durant son séjour en Italie.

cf. n°ˢ 120-121
25 mai
Peint des copies au Vatican d'après Raphaël.
Ecrit à Lacuria qu'il revient de voir les œuvres d'Overbeck :
« Je trouve cela beau et bien pensé ».

n° 6
Il peint son premier Envoi obligatoire *Polites, figure d'étude*, présenté en juillet 1834 à Paris et, bien accueilli vers mai-juin. Il dessine un portrait de Guillaume Bodinier, frère de Victor (musée d'Angers).
Dans une lettre à Lacuria, il confie « *Je travaille, mais pas comme je voudrais, je me tourmente, je voudrais avancer plus vite* ».

1834
n° 6
n° 9
Il peint ses deuxièmes *Envois, Le Berger, figure d'étude* et *Dante aux Enfers*, exposés au Salon de 1836.
Paul rejoint son frère à Rome
n° 89
Portrait d'Ambroise Thomas
Portrait du sculpteur Oudiné (Rome, Villa Médicis. Selon Brunel, est daté 1836). Plusieurs portraits d'artistes conservés à la Villa Médicis ont été jadis attribués sans preuves et à tort à Hippo-

lyte Flandrin (Jaley, Delannoy, Debay, Dufeu, Jouffroi, Salmon, Elward).

1835
4 janvier Ingres remplace Horace Vernet à la direction de l'Académie de France à Rome.
Flandrin peint *Euripide écrivant ses tragédies dans une grotte de l'île de Salamine* exposé en 1836 à l'Ecole des Beaux-Arts comme Envoi de 3e année puis à Lyon. Acquis par la Ville de Lyon la même année ; renvoyé au Dépôt des œuvres d'art de l'Etat à Paris et déposé à la mairie de Juvisy-sur-Orge. En 1969 redéposé au musée de Montauban.

n° 90 *Portrait de son frère Paul* (dessin). *Double portrait des deux frères Flandrin ;* chaque frère l'un par l'autre (dessin)
n° 194 *Portrait du peintre Signol,* (Rome, Villa Médicis).

n° 11 Il peint *Saint-Clair guérissant les aveugles* qu'il expédie à Paris en 1836 comme Envoi de 3e année ; voyage l'été en Toscane et y copie les Maîtres.
cf. n°s 122-123

1836 Il travaille à une copie d'après Raphaël : *Fragment de l'Ecole d'Athènes* (Paris, Ecole des Beaux-Arts, roulé et ruiné) qu'il envoie à Paris, à l'Ecole des Beaux-Arts en 1837 en même temps
n° 2 n° 14 que les *Bergers de Virgile* et le *Jeune homme nu accroupi,* comme Envois de 4e année.
n° 9 *Dante et Virgile, Euripide, le Jeune Berger* sont
n° 7 montrés à une exposition de la Société des Amis des Arts de Lyon.
A partir d'août, Hippolyte souffre pendant plusieurs mois de la fièvre, d'où retards dans ses travaux.

Salon de Paris :
n° 9 *Le Dante conduit par Virgile offre des consolations aux âmes des envieux* (n° 697) (médaille de
n° 7 2e classe) ; *Jeune Berger* (n° 698).

1837 Voyage en Italie à partir du mois de juin :
cf. n°s 124-128 Pérouse, Florence, Arezzo, Assise où, de nouveau (il y était allé en 1835), les peintures de San Francesco l'émerveillent. Il voyage aussi dans le Nord de l'Italie, à Bologne, Ferrare, Padoue, Venise.
Repassant à Padoue, il admire une fois encore la
cf. n°s 126-127 Chapelle de l'Arena (lettre à E. Roger, 11 octobre 1837).
A Florence, il cite alors dans son *Journal* le Palais Pitti, la Galerie des Offices. Naples le laisse assez indifférent.

Salon de Paris :
n° 11 *Saint Clair premier évêque de Nantes guérissant les aveugles* (n° 701). Avec ce tableau Hippolyte obtient une médaille de 1ère classe.

1838
2 janvier Mort de son père Jean-Baptiste, à Lyon.
4 juin Ayant bénéficié d'une prolongation de séjour pour finir son dernier Envoi, alors qu'il avait été gêné par la maladie, Hippolyte quitte Rome et rentre en France en passant par Florence.

20 octobre *Jésus Christ et les petits Enfants* exposé à l'Ecole
n° 15 des Beaux-Arts de Paris avec les Envois de 1838.

1839 Il commence la décoration de la Chapelle de
cf. n°s 25-28 l'église Saint-Séverin à Paris.
Septembre Il s'installe 14 rue de l'Abbaye à Paris où il habitera jusqu'à la fin de sa vie.
Diane de Poitiers, copie exécutée pour le Musée historique du château de Versailles (MV 4603), déposée à Fontainebleau. *Portrait de la duchesse de Vendôme,* autre copie pour Versailles (MV 3627), déposée au Ministère des Finances à Paris.
Sans doute en 1839, commande du *Saint Louis dictant ses établissements,* cf. 1841.
Portrait de M.M. Mignon (perdu mais connu par un dessin).
n° 91 *Portrait de Mlle Paule Baltard enfant.*
Portraits (dessinés) de Decamps, de M. Lemaire (perdus).

Salon de Paris :
n° 15 *Jésus Christ et les petits enfants* (n° 734). Avec ce tableau, Hippolyte obtient une médaille de 3e classe.

1840
n° 93 *Portrait de Mme Vinet*
n° 112 *Jeune fille (Etude),* peintre pour M. de Feltre.
Portrait (dessiné) du R.P. Lacordaire (Paris, collection particulière)
Portrait de Marie Françoise de Noailles, marquise de Lavardin, copie exécutée pour le Musée historique du château de Versailles (MV 3672).
Portrait de François de Tournon, copie exécutée pour le Musée historique du château de Versailles (MV 4042).
Portrait de la mère du peintre (Paris, collection particulière), refusé au Salon de 1843.
— Vers 1840-1842, portrait dessiné de *Reber* (perdu) ;
Portraits peints de M. Laferrière, de Mme Cassas, de M. Reiset (perdus)
Portrait de Mlles Mellier (connu par un dessin).

Salon de Paris :
n° 92 *Portrait de Mme O... [Oudiné]* (n° 588).
n° 85 *Portrait de M. Hte F...* (n° 589).

1841 La Chapelle Saint-Jean l'Evangéliste de l'église Saint-Séverin à Paris est ouverte au public.
Il est fait Chevalier de la Légion d'Honneur
Il est associé à la décoration de la grande salle du
cf. n°s 29-33 château de Dampierre.
Pour la Chambre des Pairs à Paris, il peint *Saint Louis dictant ses établissements* (toile toujours en place au Sénat). La commande semble remonter au 13 juin 1839 (Archives nationales, F216, dossier n° 2, bien que le sujet du tableau ne soit pas mentionné là).
n° 94 *Portrait de Mr d'Arjuzon* (cf. Salon de 1843).

Salon de Paris :
n° 93 *Portrait de Mme... [Vinet]* (n° 712).

1842 *Portrait de Melle Delessert,* future comtesse de Nadaillac (non retrouvé, connu par photo).
Portrait (dessiné) de M. Seghers (perdu).
Portrait (dessiné) de Delafontaine (collection F. Cummings, Detroit)

Portrait de Mme Cassas (perdu).
Portrait (dessiné ?) *du sculpteur Cabuchet* (perdu mais connu par une lithographie).
Copie du *Cherubini* d'Ingres, exécutée pour le Musée historique du château de Versailles (MV 3016).

Salon de Paris :
Saint Louis dictant ses établissements (n° 681).

cf. n°ˢ 52-58 Il entreprend la décoration du chœur de l'église de Saint-Germain-des-Prés à Paris qu'il achèvera en 1846.

1843
10 mai Epouse à l'église Saint-Pierre de Chaillot, Mlle Aimée Ancelot, petite cousine de Gatteaux.
Peint un carton pour un vitrail de la chapelle de Dreux (Archives de la Manufacture de Sèvres).
Portrait (dessiné) *de Mme Seghers* (perdu).

Salon
n° 94 *Portrait de M. le Comte d'A...* [d'Arjuzon](n° 431)
Le *Portrait de Madame Flandrin, mère de l'artiste,* peint en 1840, est refusé par le Jury (registre KK 37, n° 3322 Archives des Musées nationaux).

1844
14 septembre Naissance de son premier enfant, une petite fille qui ne vit que quelques heures.
Commande du *Napoléon Iᵉʳ législateur* (Archives nationales. F 21 30 ; *cf.* Salon de 1847).*Mater*
n° 20 *Dolorosa. Cf.* Salon de 1845.
Portrait de Mme de La Béraudière (France, collection particulière).
Portrait de M. Varcollier (Paris, collection particulière).
Portrait (dessiné) *de M. Ancelot* (Paris, collection particulière).
Portrait de Maître Chaix d'Est-Ange (perdu mais connu par un dessin).

1845
8 octobre Naissance de son deuxième enfant, Auguste.
Portrait de la Comtesse de la Béraudière 2ᵉ version (France, collection particulière).

Salon de Paris :
n° 20 *Mater Dolorosa...* (n° 598).
Portrait de Mme...[Féburier] (n° 599).
Portrait de M.V....[arcollier] (n° 600).
Portrait de M. Chaix-d'Est-Ange (n° 601).

1846
14 mars
cf. 52-58 Invitation pour voir les peintures du chœur de Saint-Germain-des-Prés qu'il est sur le point de terminer.
Portrait (dessiné) *de Maître Rheims* (connu par une copie dessinée).
Portrait de Madame de Verdun (perdu).
Portrait de Madame Regnault (perdu ; Cf. une lettre du 2 février 1846, à la Bibliothèque Doucet à Paris, Peintres, carton 13).
Portrait de M. Villiers du Terrage, collection particulière, Nantes. Cf. Salon de 1847.
n° 95 *Portrait de Mme de Cambourg.*
n° 96 Il peint le portrait de sa femme.

Salon de Paris :
n° 96 *Portrait de Mme...* [Flandrin] (n° 659).
Portrait de Mme...[?] (n° 660) — Soit Mme de Cambourg ou plutôt Mme de la Béraudière.
Portrait de Mme R...[Regnault] (n° 661).

Portrait de Mme la Comtesse de V... [Verdun] (n° 662 ; cf. une lettre de l'artiste à M. de Cailleux, 21 avril 1846, archives des Musées Nationaux, P. 30.)

1847 *Portrait de Mme Auvray,* (née Villiers du Terrage) (Nantes, collection particulière).
Portrait de Mme Meurice (connu par un dessin).
Portrait dessiné de Mme Lecomte.
Portrait de M. Haghermann (connu par un dessin).

Salon de Paris :
Napoléon Iᵉʳ législateur (n° 604) (commande pour le Conseil d'Etat) qui obtient une médaille de 1ʳᵉ classe (tableau détruit en 1871 sous la Commune mais connu par photo et dessin. Sur ce tableau, cf. la lettre I 9342 a à l'Institut néerlandais à Paris).
Portrait d'homme (n° 605) : sans doute M. Villiers du Terrage.

Exécute les peintures de la Chapelle des Apôtres à Saint-Germain-des-Prés.

1848
14 février Naissance d'un troisième enfant, sa fille Cécile.
juin
cf. n°ˢ 34-40 Après les événements de février, il part pour Nîmes avec Paul, ses aides Chancel et Denuelle pour entreprendre la décoration de l'église Saint-Paul qui lui avait été demandée en 1846 par Questel, architecte de l'église. Il s'installe à Nîmes. Toutefois, il n'a pas encore entrepris la frise de Saint-Vincent-de-Paul, et l'architecte Hittorff ainsi que Varcollier le pressent de rentrer à Paris (lettre de Flandrin à Baltard, 15 décembre 1848, Delaborde, 1865, p. 372). Il vote pour Cavaignac.

1848
n° 23 Prend part au concours pour la composition d'une figure allégorique représentant La République.
Vers 1848-1852, portraits de M. et Mme Prétard, de Melle Prélard, de M. de Clozier (perdus).

Salon de Paris :
Portrait de Mlle... (n° 1685).
Portrait de M... (n° 1686).
Portrait de M... (n° 1687).
n° 116 *Etude de femme* (n° 1688). Peut-être la *Rêverie* du musée de Nantes, de 1846. (Médaille de 1ʳᵉ classe)

1849
cf. n°ˢ 34-40 Il termine les peintures de l'église Saint-Paul à Nîmes.
15 juin Il est à Lyon lors des sanglantes émeutes.

Cette fois (à la différence de 1831), il prend partie contre les émeutiers, cf. L. Flandrin, p. 203.

août Il est à Paris. Ingres, à la mort de sa femme, vient s'installer un moment chez lui.
août Grâce à la recommandation (non suscitée) d'Armand Marrast, alors maire de Paris, il reçoit la commande de la décoration de l'église Saint-
cf. n°ˢ 41-50 Vincent-de Paul à Paris où il travaille jusqu'en juin 1853.

Il partage cette décoration avec Picot qui ainsi, que Ingres, avait été pressenti avant lui ; il décore la nef, Picot se réservant le chœur.
Portrait de Mme de Saint-Didier (France, collection particulière).
Portrait de M.M. d'Assy (perdu, connu par un dessin).

1850 *Salon de Paris :*
Portrait de MM D...[D'Assy cousin] (n° 1071).

Ingres dessine le portrait de Mme Flandrin, l'épouse de l'artiste (Naef 419, Musée de Lyon).

1851 *Portrait de Mlle Prelard.*
n° 98 *Portrait de Mme Balaÿ.*

1852 Il peint le portrait de sa fille Cécile (Sèvres, collection particulière).

Autres portrait à signaler :
n°ˢ 100-101 *Le Comte et la Comtesse de Germiny.*
n° 102 *La mère du Docteur Bordier.*
n° 99 *Madame la Comtesse Maison.*
Portrait (dessiné) d'Ambroise Thomas (Louvre).

1853
cf n° 86 *Autoportrait* (Florence, Offices).
12 août Il est nommé Officier de la Légion d'Honneur (23 févr. 1855, lettre de nomination émanant de la Grande Chancellerie transmise par H. de Nieuwerkerke, Archives des Musées Nationaux).

13 août Il est reçu Membre de l'Académie des Beaux-Arts (où il avait posé sa candidature dès 1849) par 18 votes favorables sur 33 (Delacroix en obtenant 5).
Plusieurs portraits : celui de son fils Auguste (Paris, collection particulière), ceux de la Comtesse de Goyon (perdu mais connu par un dessin), de Mme Buddicom, (idem), de Mlle Hittorff (Musée du Louvre R F 1963-115) de M. Seguin (perdu, mais connu par photo et dessin, *cf.* Salon de 1855).
Portraits de M. de Thiac et de son épouse (Paris, collection particulière).
Portrait de Melle Rostan (perdu). Portrait dessiné de *Melle Baltard* (collection particulière).

1854 Il peint pour le Conservatoire des Arts et Métiers
cf. n° 51 deux figures symboliques de « *Agriculture* » et de l'« *Industrie* ».
Étude de jeune femme (« Rêverie ») ; peinte pour le Prince Demidoff, acquise par Haro en 1863 puis dans la Collection H. Wallace (n'est pas dans le Musée Wallace à Londres). - Connue par photo.

n° 103 *Portrait du Dr. Rostan ; cf. Salon* de 1855. Lamothe aide Flandrin dans ce portrait.
Portrait de la Baronne Fréteau de Pény (perdu mais connu par photo).

1855 Il entreprend la décoration murale de l'Eglise
cf. n° 83 Saint-Martin d'Ainay à Lyon.
A l'Exposition Universelle, il présente dix tableaux (n°ˢ 3075 à 3084), *cf.* lettre du 18 avril 1855 conservée à l'Institut néerlandais à Paris (n° 1973-A-674).

Exposition universelle Section Beaux-Arts France (qui se substitue au Salon de cette année-là) :

n° 11 *Saint Clair, premier évêque de Nantes, guérissant les aveugles* (n° 3075).
(Salon de 1837).

n° 7 *Figure d'étude* (n° 3076).
Portrait de Mme R...[Regnault] (n° 3077) (Salon de 1846).

n° 99 *Portrait de Mme la Comtesse M.[Maison]* (n° 3078).
Portrait de Mme F...[Féburier] (n° 3079) (Salon de 1845).

n° 104 *Portrait de M.B....[Brœlmann]* (n° 3080).
n° 103 *Portrait de M. Le Docteur R.* [Rostan] (n° 3081).
n° 85 *Portrait de...[Autoportrait]* (n° 3082) (Salon de 1840).
Portrait de M.D. Dassy (n° 3083) (Salon de 1852).
Portrait de M.S...[Marc Seguin] (n° 3084).
(perdu mais connu par photo et dessin).
Outre ces tableaux, il expose à la Section de Lithographie sous le même numéro 4804 :
Trois lithographies : 1ᵉ les saints Confesseurs 2ᵉ Les saintes Vierges ; les saintes Vierges martyres. 3ᵉ Les saints Martyrs, les Saints Evêques. Font partie de la publication commencée des peintures murales de Saint-Vincent-de-Paul.
Flandrin avait été nommé en janvier membre du jury d'admission de l'Exposition universelle, puis en mars membre du jury des récompenses.
Ingres fait son portrait dessiné (Naef 434, Musée de Lyon).

1856 Reçoit la commande de quatre projets allégori-
cf. n°ˢ 24 ques pour le berceau du Prince Impérial.

printemps Entreprend la décoration murale de la nef de
cf. n°ˢ 59-82 Saint-Germain-des-Prés qu'il poursuivra jusqu'à sa mort.

5 septembre Rapporteur pour la section Peinture de l'Académie des Beaux-Arts pour les Envois de Rome.
Les procès-verbaux montrent que Flandrin se montre relativement sévère mais finalement juste dans le jugement des Envois.

20 novembre Naissance de son second fils, Paul-Hippolyte, qui sera lui-même peintre spécialisé dans les sujets religieux.
Portrait de M. Legentil père ; Chambre de Commerce de Paris (sur ce tableau, *cf.* une lettre non datée d'Hippolyte, à l'Institut néerlandais, n° I 8399).

1857 Entre en fonction comme professeur à l'Ecole des
16 février Beaux-Arts de Paris.

Salon de Paris :
(Peintures) *Portrait de Mme L... [Legentil]* (n° 978) (perdu mais connu par photo).
Portrait de M.F. de P...[Fréteau de Pény] (n° 979) (perdu mais connu par litho, photo et dessin).
Fragment des peintures de Saint-Vincent-de Paul (n° 3314) (section lithographie).

	Décoration des trois absides de l'église d'Ainay, à Lyon (section monuments publics, peinture).
15 décembre n° 14	Acquisition du *Jeune homme nu au bord de la mer* par le Musée du Luxembourg (lettre d'Hippolyte au Directeur des Musées, 26 octobre 1857 — archives des musées nationaux P. 30).
1858	Mort de sa mère (qui allait avoir 81 ans).
15 février n° 105	*Portrait de M. Legentil fils* (perdu). *Portrait de Mlle Maison* (« la Jeune fille à l'œillet ») (*cf.* Salon de 1859). *Portrait de Mme Sieyès* (Paris, collection particulière), (*cf.* Salon de 1859).
1859 n° 106	*Portrait de M. le Comte Duchâtel.*
10 juillet	Il répond à Bruyas qu'il accepte de faire le portrait de leur ami commun Jules Laurens (jamais réalisé).
n° 105	*Salon de Paris :* *Portrait de Mme S...[Sieyès]*, appelé par Th. Gautier « la dame à la fourrure » (n° 1069). *Portrait de Mlle M...[Maison]*, dit « la jeune fille à l'œillet » (n° 1070). *Portrait de Mlle M...[Maison, cousine de la précédente]* (n° 1071) (perdu mais connu par photo et dessin). Les deux premiers portraits consacrent la célébrité de Flandrin portraitiste (*cf.* lettre d'Hippolyte à Lacuria, 25 janvier 1861. *cf.* aussi la lettre de Lachenié à Gustave Moreau, en date du 9 juin 1859, Paris, Musée Gustave Moreau).
1860	Il refuse la décoration de l'Hôtel de ville de Lyon pour laquelle il n'exécute que des projets. *Portrait du Comte Sleyès* (*cf.* Salon de 1861) (Paris, collection particulière).
n° 106 bis	*Portrait de Melle Duchâtel.*
n° 107	*Portrait du Prince Napoléon* (*cf.* Salon de 1861).
1861	Parallèlement à ses travaux de peintre d'église, Flandrin continue une carrière de portraitiste à succès.
n° 108	*Zoé d'Aubermesnil.* *Mme Edouard Brame* (Musée de Lyon).
décembre n° 109	il est invité par l'Empereur à Compiègne, ce qui lui est utile pour son portrait de Napoléon III, commencé dès ce moment (10 décembre 1861, lettre à B. Laurens).
n° 107 n° 106	*Salon de Paris :* *Portrait de S.A.I. le prince Napoléon* (n° 1113). *Portrait de M. le Comte D...[Duchâtel]* (n° 1114). *Portrait de M.G...[Gatteaux]* (n° 1115) (détruit en 1871 mais connu par une photo et par la copie de Paul Flandrin (1862) conservée au Musée du château de Versailles). *Portrait de M. le comte S...[Sieyès]* (n° 1116). Au cours du Salon furent exposés en plus le *Portrait du Comte Walewski* (perdu mais connu par un dessin) et celui d'une inconnue, peut-être Mme Anisson-Duperron (perdu).
1862	*Portrait de M. Ternois* (Paris, collection particulière).
	Portrait de M. Say (perdu mais connu par un dessin). *Portrait de la duchesse d'Ayen* (Champlâtreux, collection particulière)
n° 110	*Portait de Casimir Périer*
n° 109	Commande *officielle* du portrait de Napoléon III.
19 octobre	Voyage dans le Nord de la France Visite le musée de Lille pour la collection de dessins. Puis il se rend à Bruges, à Gand où il admire l'*Agneau mystique* de Van Eyck et ensuite à Anvers où il note les tableaux de Rubens et de Van Dyck. Participe à la souscription à une médaille frappée en l'honneur d'Ingres.
1863	*Portrait de M. Marcotte-Genlis* (perdu mais connu par photo et dessin). *Portrait du Baron James de Rothschild* (New York, collection particulière).
n° 117	*Etude de jeune fille*, dite « la Jeune Grecque ».
23 juin	Une lettre du peintre Cornelius lui apprend qu'il vient d'être nommé Chevalier de l'Ordre du Mérite de Prusse. (Il succédait dans cette distinction à Horace Vernet).
24 juin	Très malade, il part pour Rome, accompagné de sa femme et de ses enfants, alors que la nef de St Germain-des-Prés n'est pas achevée (c'est son frère Paul qui la terminera) ; « *Les souvenirs de Lyon et de Rome s'unissent pour me ramener à nos anciens jours* ». (Lettre à Paul, de Nice, les 22/23 octobre 1863). De son voyage (*cf.* les extraits du Journal de l'artiste publiés par Delaborde) nous avons plusieurs notations sur Pise (Le Campo Santo), la traversée de la Toscane, à Rome sur l'Eglise des Capucins, Sainte-Marie-Majeure, Saint-Paraxède, la bibliothèque du Vatican ; les catacombes de Sainte-Agnès (le 15 novembre), les catacombes de Saint-Calixte (le 22 novembre). Comme Amaury Duval, il professe une admiration toute particulière pour le Dominiquin.
vers novembre	Malgré son état de santé il réagit très vivement (comme Ingres) au rapport du Surintendant des Beaux-Arts sur la réforme de l'Ecole des Beaux-arts de Paris et rédige un projet de réponse (non publié alors cf. Delaborde, p. 488) ainsi qu'une lettre à Beulé (Delaborde, p. 467). Cf. Le manuscrit VI (2157) 82 à l'Institut de France. Le 29 novembre, il écrit scandalisé à Lacuria : « *Oh ! l'Empereur ne peut savoir ce qu'on lui fait faire* ».
15 décembre	Il écrit à Charles Timbal « *Comment pourrai-je me passer de mon Forum, de mes chères églises, que tous les jours je vois et je revois, que tous les jours j'aime davantage ?* » Ce 2e séjour italien l'enchante et l'apaise.

Salon de Paris :

nº 109 *Portrait de S.M. L'Empereur* (nº 704).

1864
vers janvier *Portrait de son fils Paul-Hippolyte* (inachevé et en
-février mauvais état, Paris, collection particulière)
février Portrait dessiné à Rome, de *Mme Flachéron*
  (Paris, collection particulière).
  Projet du *portrait du pape Pie IX* (non réalisé).
21 mars Hippolyte meurt à Rome.
  L'Autographe publie un croquis de J.J. Henner
15 avril représentant Flandrin sur son lit de mort (dessin
  conservé à Paris, Musée Henner).
28 avril Ses funérailles ont lieu en l'église Saint-Germain-
  des-Prés.
  Il est enterré au Père-Lachaise et non en l'église
  Saint-Germain-des-Prés, comme il l'aurait souhaité. Les discours sur sa tombe sont prononcés
  par Beulé, Ambroise Thomas et Louis Lamothe,
  son élève.
19 novembre Un hommage officiel est prononcé à l'Académie
  des Beaux-Arts par Beulé.

1865
15 février Une exposition posthume de ses œuvres a lieu à
au 1er avril l'Ecole des Beaux-Arts à Paris.

15-16-17 mai Une vente posthume de ses œuvres à lieu à
  l'Hôtel Drouot de Paris (313 nºs).

  Parution du livre d'H. Delaborde, *Lettres et pensées d'Hippolyte Flandrin* avec un premier catalogue des œuvres du maître.

1866
7 juillet Inauguration de son monument funéraire, élevé
  dans l'église de Saint-Germain-des-Prés (un motif
  d'architecture de Victor Baltard, renfermant le
  buste de l'artiste sculpté par Oudiné)
  Ce monument était dû à l'initiative d'un comité
  présidé par le Comte Walewski et dont les vice-
  présidents étaient Ingres et Gatteaux.

1882
1er octobre Mort de l'épouse de l'artiste à Sèvres.

1893
cf. nº 97 Mort de son fils Auguste.

1902 Parution de la première grande monographie sur
  l'artiste, due au neveu de l'artiste, Louis, fils de
  Paul Flandrin. Rééditée en 1909. Elle restera le
  seul ouvrage important sur Hippolyte.

1921 Mort de son fils, le peintre Paul-Hippolyte. Ce
  dernier puis sa veuve font d'importants dons au
  musée de Lyon (*cf.* l'essai de Mme Rocher-Jauneau).

1926 Mort de sa fille Cécile qui avait épousé M. Charié-Marsaines.

1957-1958 Première « purification », sous l'égide des Monuments historiques et du clergé, de l'intérieur de
  Saint-Germain-des-Prés qui attente au décor de
  Denuelle, mais on n'ose toucher aux peintures
  de Flandrin.

1967 Thèse de Chantal Lanvin sur Hippolyte Flandrin à
  l'Ecole du Louvre.

1971-1972 La Ville de Paris fait nettoyer les frises de Saint-
cf. nºs 41-50 Vincent-de-Paul.

1974 Nouvelle tentative « purificatrice » (projet de
  Pierre Bas) restée sans suite à cause du problème
  des « fresques » (sic !) de Flandrin.

1980 Mémoire de maîtrise de Bruno Horaist sur les
  peintures religieuses murales d'Hippolyte Flandrin à l'Université de Paris X-Nanterre.

1983-1984 La Ville de Paris fait restaurer les peintures de la
cf. nºs 25-28 Chapelle Saint-Jean à Saint-Séverin.

1984 La Ville de Paris fait photographier intégralement
cf. nºs 52-82 le décor de Saint-Germain-des-Prés.

1984 Don au Louvre par Mme Froidevaux et ses
nº 96 enfants du *Portrait de l'épouse de l'artiste ;*
  œuvre capitale de Flandrin.

Auguste FLANDRIN
(1804-1842)

AUGUSTE FLANDRIN

Gilles Chomer

Collaborateur technique du C.N.R.S.
(E.R.A. 445 - Lyon)

L'aîné des Flandrin (1804-1842) reste le moins connu de la famille. On ne disposait guère, jusqu'ici, que de quelques notices de catalogues d'expositions fort succinctes, et des documents publiés en marge de leurs travaux sur Hippolyte, par le vicomte Delaborde (1865) et par Louis Flandrin (1902, voir surtout p. 91-106).

Le mémoire de maîtrise de Jeannie Doublet, dirigé par le professeur Daniel Ternois et soutenu, cette année-même devant l'Université de Lyon II, a permis de mettre en valeur les œuvres et les faits essentiels relatifs à l'artiste et de lui ménager une meilleure place dans l'exposition. Mais ont pu être ajoutés quelques inédits trouvés à Paris et à Lyon au cours de la préparation de cette rétrospective.

Auguste Flandrin est né à Lyon le 17 floréal an XII (soit le 6 mai 1804) et a été baptisé le lendemain en l'église Saint-Pierre-des-Terreaux : parrain et marraine sont René Baumers et Marie Chanut, veuve Flandrin. Le père, rentier et artiste amateur, a dû être pour quelque chose dans le choix par l'enfant de la carrière artistique. Auguste entre en 1817 à l'Ecole des Beaux-Arts de Lyon, dans les classes d'Alexis Grognard et de Fleury Richard, où il remporte des récompenses en août 1820, septembre 1822 et septembre 1823. De cette époque datent quelques portraits, un pastel de 1819 (*Halte dans une caverne*, collection particulière) dans l'esprit des futures lithographies et quelques carnets qui portent les dates de 1820 et 1821 et où Flandrin copie tout à la fois des gravures militaires de Carle Vernet, l'*Amour et le lion* de Gagnereaux, des détails d'après Tintoret ou l'*Allégorie au chien* de Girodet. Tout en poursuivant cette formation classique d'après l'estampe et le moulage, Auguste donne leurs premières leçons à ses cadets Hippolyte et Paul (qui entrent eux-mêmes à l'Ecole des Beaux-Arts de Lyon en 1828, et se rendent à Paris un an plus tard). Sitôt sorti de l'Ecole, Auguste bénéficie de l'engouement extraordinaire de l'époque pour la lithographie et parvient à vivre des dessins nombreux, modestes et variés qu'il procure aux éditeurs de Lyon. Les plus anciens paraissent être le portrait du Père Guichellet, encore dans le goût de Richard et les neuf vignettes pour l'illustration du *Voyage à Lyon* de M. de Fortis (1824). Flandrin traite aussi bien les faits de l'actualité internationale (deux compositions en 1825 à propos de Missolonghi) que des anecdotes toutes locales (le passage à Lyon d'une *giraffe* (sic) offerte à Charles X), il dessine le portrait de visiteurs fameux (Talma en 1825), la *Construction du nouveau pont de l'île Barbe* (1828), soit tout un ensemble de planches très variables d'où surgit un groupe cohérent qui concerne le milieu musical de Lyon (une trentaine de partitions, *cf.* le n° 140). Cette activité besogneuse et quasi alimentaire couvrira en fait toute la carrière de l'artiste, jusqu'aux derniers mois.

Néanmoins, ses frères qui ont très tôt renoncé à leur idée première d'étudier chez Hersent et se sont placés chez Ingres en 1829, avaient et auront toujours pour leur aîné d'autres ambitions. Hippolyte avait montré à Ingres en octobre 1831 des vues du Bugey dessinées par Auguste (Delaborde, 1865, p. 139) et il n'aura de cesse que son frère « *fasse des tableaux* » et vienne se perfectionner (réapprendre plutôt) chez M. Ingres Auguste fit l'un et l'autre. Dès 1831, il expose deux peintures à la Société des Amis des Arts de Lyon et, en janvier 1833, arrive à Paris où il partage son temps entre le travail sous la direction d'Ingres et l'étude au Louvre. Au cours de l'été 1833, il gagne l'argent de son séjour en donnant des leçons chez les Borghèse (*cf.* ici le n° 144), rentre à Lyon d'octobre 1833 à mai 1834 puis retourne quelques temps à Paris (sa carte d'admission au Cabinet des Estampes de la Bibliothèque royale porte la date du 26 août 1834). A deux reprises, il s'est présenté en vain au concours pour le Prix de Rome en peinture d'histoire (en mai 1833, conjointement avec son frère Paul) et en mai 1834 (*cf.* Grunchec, 1983, p. 211, 216).

Revenu à Lyon, il y reprend son activité de portraitiste en 1835 (*cf* les n°s 145-147) et expose en 1836 des œuvres qui restent dans la tradition lyonnaise, un *Petit Savoyard* (n° 105 du Salon de Lyon) dont le titre rappelle les sujets de Bonnefond, et deux portraits à l'estampe. Hippolyte, pensionnaire à la Villa Médicis, où il est rejoint par Paul, puis par Ingres, nommé directeur, encourage vivement Auguste à les rejoindre. Le voyage est remis de six mois en six mois sous l'effet des causes les plus diverses : alertes de choléra, maladie de Flandrin père (qui meurt le 2 janvier 1838). Auguste ne part pour l'Italie qu'au début de mai 1838.

Son séjour là-bas sera bref mais fructueux. A la Villa Médicis, il retrouve bien sûr frères et Maître, dessine *Trois enfants lisant* pour Mme Ingres (Louvre, Cabinet des dessins, Album Ingres, n° RF 3585), dessine aussi sur le motif et y puise le sujet d'éventuels tableaux. Mais plus que Rome, c'est Naples où il séjourne en juin, qui semble l'avoir marqué (*cf.* le n° 148). Le 14 juin, Hippolyte écrit à Ambroise Thomas : « *Je suis ici avec Paul et mon frère aîné, qui enfin est venu nous chercher, puis avec Boulanger et Roger, leurs compagnons de voyage. Nous allons bientôt partir pour Pestum. Au retour, nous pensons Boulanger et les trois frères nous embarquer pour Livourne. Nous reverrons Pise, Florence et Milan, pour les montrer à notre frère. Ensuite un certain séjour à Lyon auprès de ma bonne mère* »... (Delaborde, 1865, p 281). Ce programme semble avoir été respecté, comme en témoignent le carnet (collection particulière) avec une vue d'un temple de Paestum, les relevés aquarellés des fresques de Pompéï et d'Herculanum (dont le fameux *Bacchus assis* qui inspira Mottez et Ingres) et des études (perdues) faites à San Miniato de Florence en vue de tableaux qui seront peints à Lyon (*cf.* le n° 154).

Plus que l'expérience parisienne, le séjour italien semble avoir engagé Auguste à affirmer des ambitions nouvelles. Dès son retour à Lyon, il ouvre un atelier avec l'aide de Louis Lamothe, son « petit Louis » (sur ce dernier, *cf.* l'article de Mme M.-M. Aubrun, 1983) qui collaborera peu après avec Hippolyte, — atelier fréquenté par quelques artistes qui mourront jeunes, tels L. Cornier (1823-1849), J. Pagnon (1824-1848), B. Vérant (1829-1843), mais visité aussi, par Bellet du Poisat (1823-1883) et le sculpteur Cabuchet (1819-1902). Surtout, il travaille davantage, expose régulièrement à la Société des Amis des Arts de Lyon (trois tableaux dont le présent n° 148 en 1838, six tableaux — dont quatre portraits — en 1839) et, enfin figure en 1840, 1841 et 1842 au Salon de Paris (huit tableaux en tout, dont notre n° 154 et le portrait du Docteur Des Guidi, S.D. 1840, du musée de Lyon). Si le portrait, tel qu'il l'a toujours pratiqué et tel que l'exige une clientèle issue surtout du monde médical ou musical (portrait dessiné de G. Hainl, 1839, Musée Carnavalet à Paris, Mme Siran, M. Lambert, 1839, *cf.* ici le n° 153) l'occupe beaucoup, il consacre un soin particulier à un tableau d'histoire (ou voulu tel), le *San Miniato* qui reste son seul essai dans le genre, ou s'adonne au portrait d'apparat, tels ceux du cardinal de Bonald (Archevêché de Lyon), achevé après sa mort par Hippolyte et du Père jésuite Colonia (ici exposé sous le n° 158). Mais, au cours de l'été, un refroidissement et la mort le 30 août 1842 mettent rapidement un terme à ce qui se présentait comme l'amorce d'une seconde carrière.

Qu'Auguste Flandrin ait été le moins doué des trois frères, n'est pas assuré, et Hippolyte en convenait volontiers. Mais il se trouve que les circonstances biographiques (il est l'aîné et a tôt charge de famille) comme les données de sa propre psychologie, difficiles à réunir mais qui semblent renvoyer à une sorte d'irrégularité et une grande irrésolution, ont fait qu'il n'a pas su ou voulu comme ses cadets échapper aux contraintes du milieu lyonnais et de son climat artistique. Formé à l'école de Grognard et Richard, il en gardera toujours quelque chose de menu et n'aura pas le temps de mettre en pratique les leçons pourtant bien assimilées qu'il recevra lors des deux moments les plus stimulants de sa vie, auprès d'Ingres et en Italie.

L'ouverture de l'atelier en 1838 avait manifestement pour but de prôner l'Ingrisme à Lyon, face à l'Ecole municipale où Bonnefond maintenait la tradition de Revoil. Les lettres adressées à Louis Lamothe la même année ou peu après en apportent la confirmation, sur le ton de la confidence (Bibliothèque municipale de Lyon. Fonds Charavay, mˢ 375). L'enseignement d'Ingres (« *faire tourner la forme* ») est d'ailleurs régulièrement rappelé dans les lettres d'Hippolyte à Auguste : « *A Lyon, les portraits que tu feras, fais les toujours comme des études. Que la pensée de l'argent n'y soit pour rien* » (lettre du 22 septembre 1834, *cf.* Delaborde, 1865, p. 226) ; « *il en est un* [conseil] *que je peux te donner d'avance et dont tous les trois nous devons faire notre profit : c'est de penser au blond et au large* » (lettre du 6 janvier 1839, *ibidem*, p. 295). C'est peut-être dans le portrait dessiné qu'Auguste approche le plus de ce but. Quant aux compositions italianisantes, elles montrent une dette, émouvante envers Léopold Robert (*cf.* le n° 148) et l'on souhaite que soient retrouvés un jour le *Vieux moine aveugle* et les *Femmes à la fontaine de Terracina* exposés à Lyon en 1838, les *Deux Napolitaines consultant un vieil ermite* également montrés à Lyon en 1839 et le *Repos après le bain* du Salon de 1840. Les portraits peints qui sont souvent restés, — c'est la loi du genre — dans les familles, demeurent mal connus. A force de poncifs qui reviennent à propos du *San Miniato*, les critiques des Salons ne manquaient pas de leur reprocher tous les défauts de l'Ecole lyonnaise : le goût « étriqué » ou « mesquin », la « sécheresse » de l'exécution, le coloris « mosaïqué ». Ce sont en fait les tout derniers tableaux, les deux grands portraits en pied — à vrai dire très « hippolytéïsés » — de 1842, qui indiquent le mieux le sens de ces « *progrès vers le large, le beau et le grand* », de cet art renouvelé vers lequel s'orientait Auguste Flandrin peu avant sa mort, à l'âge de 38 ans.

140 a,b,c,

139. *Portrait d'Hippolyte Flandrin, âgé de neuf ans et demi*
(vers 1818)

DESSIN : Crayon sur papier blanc. H. 0,16 ; L. 0,13 ; inscription en bas : « dédié au meilleur des oncles par ses neveux Hippolyte et Auguste Flandrin ». Au verso, étiquette : « M. Ladroit était oncle et parrain d'Hippolyte Flandrin. Hippolyte Flandrin à l'âge de 9 ans et demi, dessiné par Auguste Flandrin qui avait environ 14 ans. Dédié à M. Ladroit, médecin. »

HISTORIQUE : Offert par l'artiste et le modèle à M. Ladroit, médecin à Bagnols-sur-Cèze ; en 1929 dans la collection de Mme Paul-Hippolyte Flandrin, puis de ses descendants.

EXPOSITION : Lyon puis Paris, 1925, n° 135.

BIBLIOGRAPHIE : Doublet, 1984, catalogue D 1, repr. pl. 3.

ŒUVRES EN RAPPORT : Lithographie anonyme. H. 0,103 ; L. 0,08. (Recueil Portraits N2. Cabinet des Estampes, Bibliothèque nationale, Paris).

Ce dessin qui d'après les inscriptions date de 1818, soit des premiers temps de l'apprentissage d'Auguste à l'Ecole des Beaux-Arts de Lyon, offre toutes les caractéristiques du portrait lyonnais dans le goût des Grobon, Grognard, Révoil ou Richard qui ont laissé des feuilles très proches : présentation de profil, à mi-corps, facture marquetée à base de très courtes hachures disposées en réseau heurté. Cette technique se retrouve dans les dessins d'un carnet de 1819 (Paris, collection particulière) employée non seulement pour des portraits (dont celui d'un *Militaire blessé*) mais aussi pour l'étude d'après le plâtre d'un *Génie funèbre*.
En 1822, Auguste dessinera à nouveau le portrait de son frère accompagné de Paul, tous deux assis sous un parasol et occupés à dessiner ; et insérera le dessin dans son album personnel (Paris, collection particulière).
G. Ch. et J.D.

PARIS, COLLECTION PARTICULIERE

140. *Lithographies :* pages de titre de diverses romances

Trois lithographies de H. Béraud, 8, rue Saint-Côme et éditées par Arnaud, 1, rue Gentil à Lyon.

HISTORIQUE : Fonds familial Flandrin.

a) *Le Naufragé, ou la veillé du Nègre*, romance de Mme Desbordes-Valmore mise en musique avec accompagnement de piano ou harpe par A.-B. Roux-Martin. S.b.g. : A.F. (emmêlés).

b) *La Fauvette*, romance de Millevoye, musique et accompagnement de piano ou harpe par P. Multxer. S.b.g. : A.F.

BIBLIOGRAPHIE : Doublet, 1984, catalogue E 80, repr. pl. 11.

c) *Le Bonheur du chalet*, romance mise en musique avec accompagnement de piano ou harpe par Antoni Mocker. S.b.d. : a.f.

On connaît une trentaine de planches de cette nature, généralement imprimées par le graveur lithographe H. Béraud et éditée par Arnaud, marchand de musique et d'instruments. Une des plus anciennes romances paraît être le *Cri des philélènes* (sic), illustré par Auguste d'une *Explosion de Missolonghi* (1825).
Elles sont d'une structure assez constante : l'essentiel de la page étant réservé au texte composé avec une grande variété typographique et qu'Auguste orne de ses « *petites compositions pleines de grâce et de sentiments* », telles que les définit Hippolyte dans la note manuscrite (Paris, Institut néerlandais) qu'il adresse à la rédaction de l'*Artiste* en 1842.
Elles indiquent, ainsi que la lithographie pour une *Méthode d'Ophicléïde* ou les portraits de M. Lambert (n° 153), de Hainl et de Thalberg, l'attachement constant d'Auguste au milieu musical de sa ville.
G. Ch.

PARIS, COLLECTION PARTICULIERE

139

141. *Portrait de femme en robe bleue*

PEINTURE : T.H. 0,40 ; L. 0,32.

HISTORIQUE : Fonds familial Flandrin. Restauré en 1984.

BIBLIOGRAPHIE : Doublet, 1984, catalogue p. 44, repr. pl. 11.

Cette *Femme en bleu*, restaurée pour l'exposition, paraît antérieure au séjour de l'artiste à Paris (1833) et à la *Dame en vert* (1835) qui présente toutefois un dessin analogue et aussi sommaire dans le détail des mains. La pose et les lignes essentielles sont ici tout en courbes, dans le goût des années 1820 et encore loin des « progrès » constatés chez Auguste par son entourage après 1833-1834. *G. Ch. et J.D.*

PARIS, COLLECTION PARTICULIERE

142. *Tête de femme.* Etude

PEINTURE : T.H. 0,42 ; L. 0,32.

HISTORIQUE : Fonds familial Flandrin.

BIBLIOGRAPHIE : Doublet, 1984, catalogue P. 41, repr. pl. 10.

La tradition familiale désigne divers portraits peints (dont celui exposé ici) ou dessinés (*cf.* le nº 143) comme ceux de « l'amie de l'artiste » et les met en relation avec les épisodes mal connus (et mal conclus) de la vie sentimentale d'Auguste (*cf.* les allusions d'Hippolyte dans Delaborde, 1865, p. 296, 322, 339, et aussi dans Louis Flandrin, 1902, p. 104-105). Rien de tout ceci ne peut actuellement être contrôlé avec netteté, et on laissera prudemment ces portraits qui (au demeurant n'offrent que peu de ressemblance les uns avec les autres) dans leur anonymat. Dans le cas présent, tout en observant une grande parenté de traits avec le dessin de la *Femme au buste découvert* (nº suivant) on croira volontiers à une étude faite à l'atelier d'après un modèle professionnel : c'est le cas de certains tableaux d'Hippolyte, telle la *Jeune fille de Nantes* (1840) ou la tardive *Jeune Grecque* (1863) du Louvre exposées ici sous les nᵒˢ 112 et 117. L'entente concentrée des formes et le modelé continu semblent indiquer une date très voisine de l'expérience parisienne (1833-1834). *G. Ch. et J.D.*

PARIS, COLLECTION PARTICULIERE

143. *Femme au buste découvert.* Etude

DESSIN : Mine de plomb et crayon sur papier blanc. H. 0,30 ; L. 0,24.

HISTORIQUE : Fonds familial Flandrin.

BIBLIOGRAPHIE : Doublet, 1984, catalogue D-37, repr. pl. 39.

ŒUVRE EN RAPPORT : Un dessin d'après le même modèle, coiffé pareillement, mais réduit au visage seul, vu de face ; mine de plomb. H. 0,30 ; L. 0,24. Paris, collection particulière cf. Doublet, 1984, catalogue D-36, repr., pl. 38.

Le modèle pourrait être, malgré l'ajout des nattes retournées en macarons, celui du tableau ici exposé sous le nº 142. En tout cas un puissant exercice de nu fort utile pour la connaissance du dessinateur qui recherche ici une ampleur des formes rare chez lui, tout en respectant l'individualité des traits. La coiffure partagée par le milieu et ramenée en chignon, qui évoque par exemple celle du portrait dessiné de Mme Thiers par Ingres (1834, Allen Memorial Art Museum, Oberlin, U.S.A.), semble autoriser à dater ce dessin du séjour parisien d'Auguste Flandrin. *G. Ch. et J.D.*

PARIS, COLLECTION PARTICULIERE

141

142

143

144. *Portraits de membres de la Famille Borghèse*
(1833)

DESSIN : a) *Le prince Aldobrandini-Borghèse*. Mine de plomb.
H. 0,22 ; L. 0,12.
b) *Le prince Marc-Antoine Borghèse*. Mine de plomb.
H. 0,235 ; L. 0,180.
c) *Le prince Scipion Borghèse*. Mine de plomb. H. 0,212 ;
L. 0,160.
d) *La comtesse de Mortemart, née Borghèse*. Mine de plomb.
H. 0,210 ; L. 0,175.

HISTORIQUE : Don de Mme Paul-Hippolyte Flandrin, veuve du
fils d'Hippolyte Flandrin, en 1928. — N° d'inventaire : B 1559.

EXPOSITION : Lyon, 1904, n° 589.

BIBLIOGRAPHIE : Vial, 1904-1905, repr. pl. XIX ; Doublet,
1984, catalogue D 8, repr. pl. 16 à 19.

Arrivé à Paris en janvier 1833, Auguste accepta,
pendant l'été, de donner des leçons aux enfants
du Prince Borghèse, sans doute par l'entremise
de M. Lenourrichel, leur précepteur cité par
Hippolyte dans une lettre de juin 1836 (Delaborde, 1865, p. 252), dans leur maison de
campagne. Plusieurs lettres des Flandrin et de
Victor Bodinier nous renseignent sur ce point :
« *Quand à votre frère Auguste il est toujours
dans la famille Borghèse, il s'y fait aimer, il n'en
pouvait être autrement* », écrit Bodinier à Hippolyte le 19 juillet 1833 (G. Bodinier, 1912,
p. 34) ; il y est encore en août (Delaborde,
1865, p. 211) et s'en plaint presque : « *J'ai fait
bien peu de choses chez le Prince. Que de
temps perdu ! enfin c'est une bonne connaissance. Ils désirent beaucoup connaître Hippolyte et se sont chargés de lettres de lui* ». (lettre
d'Auguste à Victor Bodinier du 18 septembre
1833, *cf*. G. Bodinier 1912, p. 43). De fait, le
Prince Francesco Aldobrandini Borghèse
séjourne à Rome cette année-là et règle le
Fidecommisso qui fixe le statut de la célèbre
Villa Borghèse (acquise finalement par l'Etat
italien en 1902 et devenue musée national).
Auguste qui avait quitté les Borghèse en octobre
1833 (*cf*. Delaborde, 1865, p. 213-214), leur
avait donc recommandé de rencontrer Hippolyte, ce qui fut fait en janvier 1834 : ...« *j'attendais pour finir ma lettre que nous ayons vu la
princesse Borghèse... Nous l'avons vue ce
matin. Elle nous a très bien accueillis, elle parle
toujours de toi avec beaucoup d'intérêt* »...
(lettre du 14 janvier, *ibid*. p. 217-218). Quelques mois plus tard, Paul Flandrin sera à son
tour professeur de dessin des enfants Borghèse
qui lui semblent peu doués. Il s'agit de « *vérita-

bles oiseaux » et, en outre, « *c'est peu payé,
pour des princes* » écrit-il à Victor Bodinier le 8
janvier 1836, auquel il confie encore le 1er mars
qu'il y perd son temps (*cf*. Bodinier, 1912,
p. 73, 82). — Du moins, Paul a-t-il laissé
d'admirables vues dessinées du parc de la Villa
Borghèse (pour un exemple, *cf*. le catalogue de
l'exposition de Londres, 1979, n° 78 avec pl.).
Mais Auguste, dans la région parisienne, semble
avoir peu retiré de ces travaux alimentaires dont
seuls témoignent les petits dessins exposés ici.

G. Ch. et J.D.

LYON, MUSEE DES BEAUX-ARTS

233 *Auguste Flandrin*

145. *Portrait de René Dardel, architecte lyonnais*
(1835)

PEINTURE : Huile sur toile. 0,46 × 0,355. S.D.h.d. : *Auge Flandrin, Lyon 1835* en rouge. Au dos de la toile, marque au pochoir *Au génie des Arts Haro*, etc.

HISTORIQUE : Acquis dans le commerce d'art lyonnais.

Dardel (1796-1871) pose debout, la main gauche sur la hanche, sur fond gris neutre orné d'un rideau rouge à gauche et d'un lambris à motifs de grecque verte à droite. C'est un homme encore jeune aux yeux bleus, au teint coloré, aux lèvres charnues, au visage épanoui, aux cheveux châtain clair coupés court. Ces traits se retrouvent presque tels quels, mais agrémentés d'une barbe, dans les portraits de Dardel qui datent des années 1860-1865 (Buste de Guillaume Bonnet, 1860, *cf.* Hardouin-Fugier, 1982, p. 61-62 ; photographie dans l'*Album des Artistes Lyonnais* par Armbruster, Lyon, Archives municipales, *etc.*). Le futur architecte du Palais du Commerce de Lyon (*cf.* la monographie de Dardel par L. Charvet, Lyon, 1873) est vêtu d'une élégante redingote de drap noir à col de velours de la même couleur, laissant voir une chemise blanche et une cravate brune. Les mains cireuses, stylisées, impersonnelles, sont typiques de certains portraits d'Auguste Flandrin datant des années 1835. Sur la table de gauche recouverte d'un tapis vert bouteille à rinceaux jaunes, sont posés deux livres reliés, des dessins dont l'un est plié ainsi que le porte-crayon de l'architecte. En 1835, Dardel termine l'installation du Musée des Peintres Lyonnais, au deuxième étage de l'aile est du Palais des Arts. Le 10 novembre 1836, s'ouvre dans ces salles la première exposition de la Société des Amis des Arts renouvelée, où Auguste Flandrin expose un portrait de *M. Guerre* qui lui vaut une critique mitigée (*cf.* Du Pasquier, 1836).
S'agirait-il ici du pendant de la *Dame en vert* du musée des Beaux-Arts de Lyon ?   *E.G.*

LYON, COLLECTION PARTICULIERE

146. *Portrait de femme* dit *La dame en vert*
(1835)

PEINTURE : T.H. 0,46 ; L. 0,35. S.D.h.g. : *Auguste Flandrin/ 1835.*

HISTORIQUE : Don de Mme Lefebvre, de Sèvres, en 1918. — N° d'inventaire B 1195 a.

EXPOSITIONS : Saint-Etienne, 1948, n° 40 ; Paris-Lyon, 1948-1949, N° 39, pl. VIII.

BIBLIOGRAPHIE : Jullian, 1968, p. 16 ; Rocher-Jauneau, s.d., p. 24 ; Doublet, 1984, catalogue P6, repr. pl. 2.

ŒUVRES EN RAPPORT : Quatre études de portraits de femme (mine de plomb et rehauts de craie ; H. 0,270 ; L. 0,290 ; H. 0,310 ; L. 0,240 ; H. 0,310 ; L. 0,230 ; H. 0,440 ; L. 0,290 ; Paris, Fonds familial Flandrin ; *cf.* Doublet, 1984, repr. pl. 21 à 23) ont été mises en relation avec la *Dame en vert*.

Si l'esprit général, le costume et la pose sont voisins, les variantes sont multiples, notamment dans la position des mains, et les dessins impliqués doivent en fait préparer quelque autre portrait, non retrouvé.

Un des moins méconnus des tableaux d'Auguste, un des rares aussi à avoir été reproduits (lors de sa présentation au public parisien en 1948), la *Dame en vert* n'en demeure pas moins le portrait d'une inconnue, comme du reste une bonne partie des portraits peints ou dessinés de l'artiste.
Utilisant un format restreint, d'ailleurs volontiers adopté à Lyon et par Hippolyte lui-même, Auguste a mis au point une composition de savante harmonie assez rare chez lui, où se combinent le grand cercle des bras, le volume plein, régulier et plastiquement très isolé de la tête et les verticales de la boiserie. On notera aussi le rendu quasi ingresque des détails, la lampe, les bijoux et les petites jumelles de spectacle qui semblent placer cette sorte de *Belle Ferronnière* lyonnaise dans quelque loge du Grand Théâtre. Cette femme n'aurait-elle pas un pendant masculin avec le *M. Dardel* exposé ici (n° 145) ?   *G. Ch. et J.D.*

LYON, MUSEE DES BEAUX-ARTS

147. *Portrait de femme, vue de profil*
(1835)

DESSIN : Mine de plomb et estompe sur papier bis. H. 0,27 ; L. 0,20. S.D.b.d. : *1835/a Flandrin.*

HISTORIQUE : Fonds familial Flandrin.

BIBLIOGRAPHIE : Doublet, 1984, catalogue D 10, repr. pl. 20.

Un pur profil, contemporain de la *Dame en vert*, et qui traduit les mêmes recherches d'idéalisation formelle. Auguste soigne les traits du visage, tandis qu'il suggère, avec des formules d'une étonnante vivacité, les parties accessoires ainsi que l'assise pyramidale du sujet.
G. Ch. et J.D.

PARIS, COLLECTION PARTICULIERE

147

235 *Auguste Flandrin*

148. *Le repos des pêcheurs sur la plage de Pouzzoles*
(1838)

PEINTURE : Papier sur T. B.H. 0,235 ; L. 0,340. S.D.b.g. : *Augustre Flandrin/1838*.

HISTORIQUE : Acquis par le possesseur actuel sur le marché d'art parisien en décembre 1980.

EXPOSITION : Lyon, 1838, n° 124.

BIBLIOGRAPHIE : A. Joseph, 1839, p. 29 ; T.G., dans *Le courrier de Lyon*, 7 février 1839 ; Doublet, 1984, catalogue P. 16 (non localisé).

Ce tableau parfaitement inédit et qui nous a été signalé par M. Emmanuel Bréon pour la présente exposition correspond tout à fait à la description que donne A. Joseph (1839) du *Repos des pêcheurs sur la plage de Pouzzoles* exposé à Lyon en 1838 : « ce groupe est ravissant : ces hommes mâles, brunis par le soleil et l'existence aventureuse des marins sont admirablement modelés ; la femme qui allaite l'enfant est charmante ».

Avec une telle œuvre, Augustre Flandrin participe de ce courant, à la fois romantique et méditerranéen, mais représenté surtout par des artistes du Nord, dont la figure essentielle reste celle du suisse Léopold Robert et qu'illustrent pour la France un Guillaume Bodinier, un Jean-Victor Schnetz ou les lyonnais Jean-Claude Bonnefond et Jean-François Montessuy. A la même exposition de la Société des Amis des Arts de Lyon, Auguste montrait des tableaux d'une veine analogue ; *Un moine aveugle accompagné d'un jeune homme* (n° 123), des *Femmes à la fontaine de Terracine* (n° 125), et à l'exposition de 1839, *Deux jeunes filles napolitaines consultant un vieil ermite* (n° 121). Le peintre admirait le *Repos des moissonneurs dans les marais Pontins* peint par Léopold Robert en 1830. S'il ne connaissait sans doute pas le tableau lui-même, qui n'entre au Louvre qu'en 1835, après le départ du lyonnais de Paris, il possédait la gravure (sans doute celle de Prévost) qu'il recommande aux soins de Louis Lamothe (Bibliothèque municipale de Lyon, Fonds Charavay n° 375, n° 2158 et n° 2159,

deux lettres, la première datée du 3 juin 1838) et, en novembre 1839, il en demandera « l'esquisse » au même Lamothe, c'est-à-dire une pochade destinée à évoquer le coloris (*ibid.*, n° 2160).

Dans sa lettre de juin 1838 envoyée justement de Naples, Flandrin demande de mettre en ordre son atelier, de « *rassembler toutes les têtes peintes... un profil de femme, et toutes les figures* [qu'il avait prises] *pour un tableau de pêcheurs dans une barque* », tableau qui n'a pas laissé de traces, à moins qu'il ne s'agisse du *Souvenir d'Ischia* exposé à Amiens en 1840 et décrit par G. Laviron dans l'*Artiste* (1840, vol. VI, p. 70), et qui évoque par son sujet l'œuvre exposée ici.

Développé sous un grand ciel avec en lignes de fond le Château de l'Œuf et la masse du Vésuve, timbré d'un accord rouge bleu qui évoque l'*Autoportrait en pêcheur napolitain* vraisemblablement contemporain (n° 149), le *Repos des pêcheurs* représente un moment particulièrement heureux de l'art d'Auguste Flandrin, tout illuminé de la lumière de l'Italie, et son exquise contribution à la peinture de *Contadini* et de *Pescatori* récemment et parfaitement illustrée par l'exposition de Neuchâtel *Léopold Robert et les peintres de l'Italie romantique* (1983). M. Bréon (communication écrite du 24 février 1984) signale aussi les affinités du groupe de droite avec le *Radeau de la Méduse* de Géricault.

G. Ch.

PARIS, COLLECTION PARTICULIERE

148

149. *Autoportrait en pêcheur napolitain*
(vers 1838-1839)

PEINTURE : T.H. 0,40 ; L. 0,32.

HISTORIQUE : Fonds familial Flandrin.

BIBLIOGRAPHIE : Doublet, 1984, catalogue P. 19, repr. pl. A.

Le chromatisme, dominé par le contraste rouge-bleu, comme l'usage du bonnet du pêcheur napolitain engagent à situer ce portrait vers 1838-1839, juste après, sinon pendant le séjour italien de l'artiste. Qu'il s'agisse bien d'Auguste est attesté par la tradition familiale, ce que renforce aussi la comparaison avec les autres portraits connus d'Auguste qui ont été généralement dessinés par ses frères, à l'exception toutefois d'un *Autoportrait* à la mine de plomb (Paris, collection particulière). On retrouve le regard un peu fixe, le gros nez, la frontalité butée dans la lithographie éditée par Brunet en 1842 d'après un dessin de Paul et Hippolyte, mais aussi dans un portrait peint par Hippolyte et deux portraits à la mine de plomb, dont un de profil par Paul (tous dans des collections particulières).

G. Ch. et J.D.

PARIS, COLLECTION PARTICULIERE

149

150. *Portrait de femme*
(1838)

PEINTURE : T.H. 0,40 ; L. 0,32 ; S.D.b.g. *Hip^e Flandrin Lyon 1838* en rouge (signature non autographe).

HISTORIQUE : Acquis dans le commerce d'art lyonnais.

Vêtue d'une robe de satin noir à col de velours de même couleur, à manches gigot ornées de bouillonnés, gantée de blanc, une jeune femme est assise dans un fauteuil d'acajou tapissé de rouge, galonné de jaune, orné d'une draperie ocre. Elle porte sur ses cheveux noirs coiffés en bandeaux une mince ferronnière d'or dont le motif central est orné d'une pierre bleue et d'une perle. Un camée à monture d'or fermant le col de dentelle blanche et une boucle d'or à la ceinture éclairent cette toilette sévère. Des yeux bruns, légèrement bridés brillent dans un visage rose et poupin auquel ils donnent un air vaguement oriental. Le gros grain de la toile à tissage lâche, le même vert d'eau utilisé pour le fond, les accessoires traités de façon similaire sont autant d'éléments de comparaison entre le présent tableau et celui qui paraît bien son pendant masculin de 1839 (n° suivant).

La situation financière de la famille au lendemain de la succession de Jean-Baptiste Flandrin (mort le 2 janvier 1838) n'est pas brillante ; ses fils, Hippolyte et Auguste ont dû faire face à quelques dettes et à des frais de réparations de leur maison natale. (cf. Lyon, Archives Départementales, *Règlement entre les héritiers Flandrin*, Maître Jogand, 3E 11266, 19 octobre 1841). Ce joli portrait est peut-être une œuvre alimentaire, bienvenue en un temps où le jeune peintre ne roule pas sur l'or.   *E.G.*

LYON, COLLECTION PARTICULIERE

151. *Portrait d'homme*
(1839)

PEINTURE : T. H. 0,41 L. 0,33. S.D.h. d. :*Aug^e Flandrin 1839*.

HISTORIQUE : Acquis dans une vente publique à Lyon en 1937.

Un homme entre deux âges, aux cheveux et aux favoris bruns, aux yeux sombres et au teint coloré est assis sur une chaise à dossier tapissé de rouge et galonné de jaune. Il est vêtu d'un habit noir à col de velours et porte une bague à l'index de la main droite. A gauche, sur une table, une lettre cachetée, des bâtons de cire rouge, grise et verte ainsi que des plumes dans un encrier. Comme souvent dans ses portraits, Auguste Flandrin se montre réaliste, peu soucieux de flatter ses modèles. Il peint comme un constat les traits de ce notable du temps de Louis-Philippe et n'oublie ni le regard dénué d'aménité, ni la barbe qui bleuit le visage. Le gros grain de la toile et le fond vert d'eau accentuent cette impression de dureté. Typiques également des portraits d'Auguste Flandrin — exception faite pour certaines œuvres très

abouties —, les mains aux doigts uniformément fuselés, dépourvues de veines et d'ossature, auxquelles un modelé systématique enlève toute individualité.   *E.G.*

LYON, COLLECTION N. DHIKEOS

152. *Portrait de femme*
(1839)

DESSIN : Mine de plomb. H. 0,32 ; L. 0,25. S.D.b.g. *Auguste Flandrin/Lyon 1839*.

HISTORIQUE : Don de Mr Visseaux (célèbre marchand de lampe, dont on connaît le slogan : « Les petits visseaux font les grandes lumières ») en 1929. — N° d'inventaire B 1606.

On n'a guère retrouvé qu'une dizaine de ces portraits dessinés par Auguste, sans doute assez nombreux et qui évoquent bien sûr les crayons si demandés d'Ingres. Ils sont d'ailleurs assez difficiles à identifier, lorsqu'ils ont quitté la famille des modèles et qu'ils n'ont pas été lithographiés. Les leçons d'Ingres apparaissent, pour les feuilles postérieures à 1833, dans la souplesse des hachures et des attitudes, dans le maniement de la mine de plomb qui cherche la forme de l'extérieur, et laisse de larges réserves de papier blanc. Les femmes sont généralement représentées de trois quarts, assises dans un fauteuil : outre les deux exemples exposés ici (n°s 152 et 156), on citera ainsi le portrait dessiné (perdu) d'Adélaïde Perrin, celui de Mme Siran (1841), celui de Mme Cabuchet, la mère du sculpteur qui fut lui-même élève d'Auguste (S.D. 1842 (collection particulière, *cf.* A. Germain, 1911, repr.). Les hommes eux sont plutôt de face et souvent debout (par exemple, un portrait, S.D. 1841, dans une collection lyonnaise).
                                    G. Ch. et J.D.

LYON, MUSEE DES BEAUX-ARTS

153. *Portrait du chanteur Lambert*
(1839)

LITHOGRAPHIE : H. 0,300 ; L. 0,230 S.b.g. : *A. Flandrin*. En haut, lettre de l'estampe : *L'Entr'acte lyonnais / Mr Lambert / G^d Théâtre lith de Béraud, St. Côme n° 8 à Lyon*.

BIBLIOGRAPHIE : Beraldi, 1887, p. 136 ; Adhémar et Lethève, 1954, p. 593, n° 14 ; Doublet, 1984, catalogue E G1, repr. pl. 45.

L'exemplaire du Cabinet des Estampes de la Bibliothèque Nationale à Paris (recueil AA3) porte la date manuscrite de 1839. Monsieur Lambert était un chanteur de basse, actif sur la scène du Grand Théâtre de Lyon lors des saisons 1837-38, 1838-39 et 1839-40 (cf. Vuillermoz, 1932, p. 31-32). Outre ce portrait inséré dans l'*Entr'acte lyonnais*, Flandrin a exécuté en 1839 le *Portrait* (peint) *d'un musicien* exposé cette année-là à la Société des Amis des Arts de Lyon (n° 125) et celui du violoncelliste Georges Hainl, chef d'orchestre du Grand Théâ-

tre de Lyon et plus tard de l'Opéra de Paris (dessin inédit), s.d. 1839, au Musée Carnavalet à Paris (n° d'inventaire D. 6245 ; autre dessin lithographié en 1842). Auguste dessinera aussi en 1841 celui de Mme Siran, danseuse-étoile et femme du ténor Siran (l'idole du public lyonnais !), dessin conservé dans une collection particulière parisienne et, en 1842, le portrait du pianiste Thalberg, lithographié pour l'*Artiste en Province*, sans oublier le beau portrait peint du chanteur Champagne identifié ici-même par Mme Hardouin Fugier (*cf.* le n° 157).

Tout ce groupe d'œuvres, surtout si l'on se souvient en outre qu'Auguste a travaillé aux couvertures lithographiées de plusieurs partitions (*cf.* ici le n° 140), indique des relations étroites avec le monde de la scène vers les années 1830-1840 et un goût pour la musique qui permettait bien sûr aux Flandrin de se trouver un point d'accord supplémentaire avec M. Ingres (*cf.* ces faits bien connus que sont l'amitié d'Hippolyte et d'Ambroise Thomas ou l'évocation des soirées musicales de la Villa Médicis. Voir aussi le n° 89).   *G. Ch. et J.D.*

PARIS, COLLECTION PARTICULIERE

154

154. *Une prédication à San Miniato, dit aussi Savonarole prêchant à San Miniato*

(1836)

PEINTURE : T. H. 1,26 ; L. 1,77 - S.D.b.g. ; sur l'escalier d'accès à la chaire : *Auguste Flandrin 1840.*

HISTORIQUE : Exécuté entre 1838 et 1840 ; acquis par la Ville en 1841. Cité par Audin et Vial (1918) en dépôt à l'ancienne Faculté des lettres de Lyon ; restauré en 1974. — N° d'inventaire : A 338.

EXPOSITIONS : Lyon, janvier 1840 (exposition particulière dans l'atelier de Janmot et Frenet, rue de la reine) ; Paris, 1840, n° 584 (médaille d'or) ; Rouen 1841, n° 167 (médaille d'argent) ; Lyon, 1841, n° 120.

BIBLIOGRAPHIE : Janin, 1840, p. 165-169, 223, 260 ; Asmodée, *Le Lutin*, 7 novembre 1841 ; *L'Artiste en province*, n° 35, 12 décembre 1841, n° 36, 19 décembre 1841, n° 37 et n° 40, 16 janvier 1842 (lith) ; *Le Courrier de Lyon*, 16 décembre 1841 ; J Dubuisson, 1840-41, XIV, p. 527-528 ; Asmodée,

Le Lutin 19 décembre 1841 ; Batissier, *Journal de Rouen*, 11 juillet 1842 ; Catalogue du musée, 1842, p. 35 ; Catalogue du musée ; 1847, n° 73 ; Saglio, 1844, p. 106-107 ; Delaborde 1865, p. 293, 316-317 ; Catalogue du musée, 1869, p. 33 ; Tisseur 1869, p. 26 ; Pariset, 1873, p. 334 ; Catalogue du musée, 1877, n° 74 ; idem, 1887, n° 387 ; idem, s.d. [1899], n° 510 ; Vial, 1904-1905, p. 21 ; Vollemer, 1916, p. 72 ; Audin et Vial, 1918, p. 345-346 ; Hardouin-Fugier, 1981, p. 43 ; Doublet, 1984, Catalogue P. 25, repr. pl 4.

ŒUVRES EN RAPPORT : Esquisse non localisée, exposée en même temps que le grand tableau à la Société des Amis des Arts de Lyon en 1841 (n° 122).
Dessin non localisé : mine de plomb rehauts de lavis ; H. 0,175 ; L. 0,223 S.b.g. : *A. Flandrin.* Publié par E. Vial en 1904 (Vial, 1904-1905, p. 20, repr. pl.) et exposé par lui en 1914 (Lyon, 1914, n° 118 : dans la Collection Jean Beyssac).
Lithographie de H. Brunet et Cie d'après ce dessin. Premier état, avec, en haut, la lettre : « *Exposition de Lyon 1841* » ; second état, retiré en camaïeu et inséré dans *L'Artiste en province*, n° 40, 16 janvier 1842 (les deux états existent au Cabinet des Estampes de la Bibliothèque nationale à Paris, recueil AA3).
Un autre tableau est souvent confondu avec celui du musée de Lyon, l'*Intérieur de San-Miniato* exposé dès 1839 à la Société des Amis des Arts de Lyon (n° 122) puis au Salon de Paris en 1840 (n° 586) et à Amiens (1842, n° 111) — D'après les

descriptions d'A. Jouve (*Courrier de Lyon*, 29 janvier 1840) et de l'*Artiste* (1842, VIII, p. 82), il devait s'agir du tableau appartenant en 1904 à la veuve de Paul Flandrin (mais égaré depuis) et exposé cette année-là par Eugène Vial qui le décrit ainsi : « Intérieur de l'église de San Miniato à Florence. Cortège descendant le jubé et accompagnant un évêque vers son trône » (Lyon, 1904, n° 211. T.H. 0,79 ; L. 0,62 ; S.b.d. : *Auguste-Flandrin*).

Auguste Flandrin a longuement mûri cette composition à partir d'études faites en juillet 1838 dans l'église romane toujours existante de San Miniato al Monte sur les hauteurs de Florence. Tout en prenant de grandes libertés topographiques (si le rythme des arcades et la polychromie sont exacts, la chaire n'est pas ainsi latérale et les fresques sont en fait une reprise du décor bien connu de Giotto à l'Arena de Padoue), il y affirme des ambitions nouvelles de peintre d'histoire, là où la critique ne verra qu'une grande scène de genre. Le titre même de l'œuvre, telle qu'elle est présentée au Salon, assimile le prédicateur à Savonarole, ce qui justifie au centre la présence d'une minuscule effigie pontificale, absente du dessin préparatoire (reproduit par Vial en 1904 et lithographié pour l'*Artiste en province*) et celle, à gauche et dans l'ombre, d'un cardinal, d'un franciscain et d'un dominicain.

L'esquisse (perdue) devait être prête en août 1838 et vue par Hippolyte lors de son bref séjour à Lyon, avant qu'il ne regagne Paris. En janvier 1839, il semble y faire allusion lorsqu'il admoneste son frère qui laisse traîner l'exécution en grand : « *Une chose dans tes lettres me déplaît fort, c'est le ton de découragement que tu prends en parlant de ton tableau ; cela me fâche beaucoup car j'espérais tant ! Il est si bien disposé qu'on peut dire qu'il est fait. Mais mon Dieu ! fais donc une bonne fois ce que tu peux et je serai content* ». (Delaborde, 1865, p. 294-295).

Auguste ne parvint à achever son tableau qu'au début de 1840. Il l'expose en janvier dans l'atelier de Janmot et de Frenet auprès d'œuvres de ces artistes et d'un tableau de Florentin Servan, puis l'envoie à ses frères. Hippolyte y rajoute sa note, reconnaît avec joie quelques visages familiaux et fait part de sa satisfaction et de ses réserves : « *nous avons frotté, glacé, éteint, élargi quelques petits coins, toutes choses que tu aurais très bien faites si tu avais eu seulement huit jours de repos. Je te dis donc que nous trouvons très-contents. Nous trouvons seulement le grand tableau un peu noir, et puis un peu également fait. Certaines figures ne sont pas assez sacrifiées à l'harmonie générale. Tu as bien fait de mettre là la Maman ; tu t'es servi de René d'une manière charmante.* » (lettre du 6 février, Delaborde, 1865, p. 316).

Avant de l'être au Salon, le *San Miniato* est exposé dans l'atelier des Flandrin et jugé assez favorablement par un petit groupe d'Ingristes : Roger, Gatteaux, Lehmann, Marcotte, Baltard, Cazes (*ibid*, p. 317) sans oublier Louis Lamothe. Les observations d'Hippolyte seront reprises, sur un ton moins amène, par les critiques de Salon qui reprochent quelque chose de ténu, la séche-resse de l'exécution, le manque de profondeur des perspectives, la partie gauche « *entièrement sacrifiée* » et une faible crédibilité narrative. En fait, c'est surtout le groupe des femmes qui séduisit, avec ses verts, ses jaunes et ses roses. Cela dit, le tableau, médaillé à Paris et à Rouen, fut bien reçu à Lyon, et son acquisition fut disputée entre la Société des Amis des Arts qui voulait le joindre à sa loterie, le Conseiller Elleviou (ancien chanteur et compositeur — toujours le milieu musical ! — et remarquable collectionneur de peinture lyonnaise contemporaine) et la Ville, qui l'emporta pour sa *Galerie des peintres lyonnais*.

On notera enfin, en songeant à la *Cérémonie de l'eau sainte* de Bonnefond (1830, cf. Colin, 1980, fig. 3) ou au *Grand Pénitencier* d'Orsel (dessin, S.D. 1825, collection particulière) que ce type d'intérieur d'église en disposition latérale (à la différence des intérieurs d'un Granet) n'est pas à proprement parler une innovation en milieu lyonnais ; il semble par ailleurs que le tableau de Flandrin soit pour quelque chose, malgré un esprit pictural différent, dans la *Lecture de l'Evangile à Santa-Maria d'Arcoeli* exposée au Salon de 1842 par Charles-Olivier Blanchard (1814-1842) et appartenant aux Musées de Nice (1979, Nice, n° 16, repr. pl. V).

G. Ch. et J.D.

155. *Portrait de Louise-Adélaïde Perrin* (1841)

PEINTURE : T.H. 0,80 ; L. 0,60. S.D.h.g. : Au^Ste Flandrin Pin^xit/ 1841.

HISTORIQUE : Donné, selon l'inscription portée sur le cadre d'origine, par Mme Flandrin, mère de l'artiste, en 1843.

BIBLIOGRAPHIE : Audin-Vial, I, 1918, p. 345 (cité parmi les pièces non datées et non localisées) ; Doublet P. 36, pl. 8.

OEUVRES EN RAPPORT : Dessin (mine de plomb, signé *Auguste Flandrin*) au Centre Adélaïde-Perrin vers 1975 (photographié à cette date par l'ERA 445) mais introuvable aujourd'hui.
Lithographie de Edme Camille Martin-Daussigny S.b.g. : *E.C. Martin-Daussigny*.
Gravure de J.M. Fugère (Audin, 1909, p. 167 ; Martin, 1908, I, p. 329, repr.).

Louise-Adélaïde Perrin est née et morte à Lyon (11 avril 1789-15 mars 1838). Elle avait fondé en mars 1819 un hospice pour jeunes filles incurables, auquel est attaché son nom, établissement reconnu d'utilité publique en 1832 et qui subsiste toujours comme centre d'accueil et de soins pour polyhandicapées. (cf. Théodore Perrin, « Notice sur Louise-Adélaïde Perrin dans le *Journal des bons exemples*, 1852 et Martin, 1908, p. 327-330). (La chapelle a été bâtie en 1898 sur les plans du neveu de la fondatrice, Sainte-Marie Perrin et la fille de ce dernier y épousa Paul Claudel en 1906).

Postérieur de trois ans à la mort du modèle, le tableau a sans doute été exécuté d'après un dessin, aujourd'hui égaré, qui porte une date malheureusement indéchiffrable sur la photographie dont nous disposons. Ce portrait n'a assurément pas l'ampleur des portraits d'Hippolyte qui reprochait à son frère, à propos du *Portrait de Mme C...*, à peu près contemporain et exposé au Salon de 1842, la pose « *un peu roide* », les détails « *trop petits, ou un peu mesquins* », et jusqu'au sujet « *si peu agréable* » (lettre du 22 février 1842, cf. Delaborde, 1865, p. 333). Il reste le rendu objectif et sans grande grâce d'un modèle de la vertu lyonnaise, avec la discrète note de couleur d'un livre à la jolie couverture vert pâle.

G. Ch. et J.D.

155

156

156. *Portrait de femme*
(1841)

DESSIN : Mine de plomb. H. 0,335 ; L. 0,254. S.D.b.g. : *Auguste Flandrin / Lyon 1841.*

HISTORIQUE : Acquis en 1906 par le peintre Paul-Hippolyte Flandrin, fils d'Hippolyte ; Fonds familial Flandrin.

BIBLIOGRAPHIE : Doublet 1984, Catalogue D25, pl. 30.

Peut-être l'un des plus « ingresques » des portraits dessinés d'Auguste, tant par la tendre attention apportée à la psychologie du modèle que par l'exécution à la mine de plomb (qui est toutefois plus timidement appliquée chez l'élève que chez le maître). On songe aussi au portrait de la *Maman*, peint par Hippolyte l'année précédente (Flandrin, 1902, repr. face p. 408).

G.Ch. et J.D.

PARIS, COLLECTION PARTICULIERE

157. *Portrait du chanteur Alexis Champagne*
(1842)

PEINTURE : T. H. 0,92 ; L. 0,67. S.D.h.g. : *Auguste Flandrin / 1842.*

HISTORIQUE : Acquis par la Ville en 1842 ; figure au catalogue de la vente (annulée) de tableaux… provenant du Musée des Beaux-Arts de Lyon, Paris, Hôtel Drouot, 30 juin 1958, n° 27. — N° d'inventaire : H 714.

EXPOSITIONS : (?) Lyon, exposition de la Société des Amis des Arts, H. C. (?) ; Paris, Salon de 1842, n° 680. (« *Portrait de M. C… de Lyon* »).

BIBLIOGRAPHIE : Dissard, 1912, p. 25 (Portrait d'homme) ; Doublet, 1984, catalogue P34, repr. pl. 6 (*Portrait d'homme*).

ŒUVRE EN RAPPORT : Dessin d'Hippolyte (S.D. 1840, collection particulière) d'après le même personnage, *cf.* plus bas.

L'identité exacte de ce beau portrait qui ne peut certes évoquer tant par sa superbe que par son accoutrement (noter l'épée de théâtre et la pose !) qu'un représentant du monde des arts du spectacle, si cher à Auguste Flandrin, *cf.* les n°s 140 et 153, vient d'être brillamment trouvée par Mme Hardouin-Fugier grâce à des recherches fort érudites que nous consignons intégralement ici :
— Un dessin préparatoire (conservé dans une collection particulière de Lyon) pour le visage du personnage peint par Auguste, porte la mention manuscrite non autographe « *Portrait de Alexis Champagne, artiste dramatique et lyrique dessiné en quarante cinq minutes par Hippolyte Flandrin dans l'atelier de son frère Auguste rue des Bouchers 6 en 1840* ». Dessin signé b. g. : *H F* et daté b.d. : *1840* (sans doute de la même écriture que précédemment). Comparé au présent portrait de 1842 ce dessin montre une ressemblance certaine.
L'identification de cet acteur n'est pas aisée. Il existe bien une lignée d'Alexis Champagne (connue par un acte de mariage, *cf.* Lyon, Archives municipales, 15 février 1851, n° 242, 1er arrondissement), mais il s'agit de la famille d'un peintre plâtrier de la Guillotière. Dans la *Généalogie Frécon*, cependant, se trouve un Jean-Marie-Antoine Champagne (Lyon, Archives municipales, Dépouillement Frécon, bleu, né en 1814, mort le 18 janvier 1892). Alexis est sans doute le nom de théâtre de ce chanteur et Jean-Marie, son vrai nom : fils d'un épicier ancien émigré, né en Bourgogne, Jean-Marie Champagne est condamné le 29 août 1849 « *par le deuxième Conseil de guerre à trois ans de prison pour provocation au rassemblement* » (Lyon, Archives municipales, I² 63, pièce 114). Aux Archives nationales à Paris, on retrouve sa trace (F¹⁸ 495, F, 21 juin 1864) : « artiste lyrique rue de Villeroi à Lyon qui publie la Gazette lyrique, journal du Casino de Lyon. Ancien condamné politique qui a exercé pendant quelques temps une certaine influence sur la démagogie lyonnaise. Mais, depuis la révélation qu'il a faite, en 1856, à l'occasion de poursuites dirigées contre des membres d'une société secrète, il est considéré comme traître au parti et ne paraît plus s'occuper de politique ».
Un dépouillement de la presse lyonnaise autour de l'année 1840 n'a pas donné de résultats pour la connaissance de cet homme qui a passé 45 minutes dans la maison natale des frères Flandrin où Auguste conservait un atelier privé, tandis que deux pièces lui servent à faire travailler ses élèves (Lyon, Archives municipales, Recensement de 1840, 1 place Sathonay). Ce dessin est également un témoignage intéressant sur l'entente qui règne entre les frères Flandrin, et sur la méthode de travail d'Auguste (note d'E. Hardouin-Fugier, communication écrite à J. Foucart, mai 1984).
Comme nous l'ont signalé de leur côté Gilles Chomer et Jeannie Doublet, il serait tentant d'assimiler le présent tableau avec le *Portrait de M. C….* exposé hors catalogue à la Société des Amis des Arts de Lyon et envoyé à Paris à Hippolyte pour être montré au Salon de 1842. — De ce tableau, Hippolyte accuse réception dans une lettre du 22 février 1842 : « *J'ai reçu tes deux portraits… Celui du jeune homme nous a beaucoup plu par la pose et par l'heureuse ajustement du manteau. La tête est bien peinte, mais peut-être un peu trop soignée, trop peignée. J'ai pris la liberté d'introduire un peu d'irrégularité dans les cheveux, et si le temps l'avait permis, j'aurais bien voulu assouplir un peu la chemise qui pouvait prêter à quelque chose d'admirable mais que nous avons trouvée un peu fraîchement repassée.* » (Delaborde, 1865, p. 333).
Une description et une mention au Salon de 1842 qui pourraient bien convenir au portrait du musée de Lyon, surtout s'il s'agit, comme l'a prouvé Mme Hardouin-Fugier, d'un chanteur nommé Champagne ! M. Chomer nous indique encore à ce sujet une utile référence dans l'*Artiste en province*, n° du 25 janvier 1842, qui décrit en ces termes ledit portrait exposé au Salon de Lyon puis à Paris : « *La pose du jeune homme qui est pleine de vie et d'originalité, est souple gracieuse, sans efforts ; le haut de la figure est admirablement bien peint et à voir la vigueur de ton qui y règne, on se demande si c'est bien là l'œuvre d'un des élèves les plus fervents de M. Ingres et de cette école à laquelle on ne cesse de reprocher l'absence complète de la couleur* ». En revanche, nous ne pouvons supposer, comme M. Chomer était tenté — avec prudence, il est vrai — de le faire, que ce « *Portrait de M. C… de Lyon* » (Paris, 1842, n° 680) aurait pu avoir pour pendant le n° juste précédent du même Salon, un portrait de *Mme C….*, « sœur de feu le général Rognat », car le livret précise bien : « *Portrait de Mme veuve C…, sœur* »… etc., ce qui exclut évidemment une éventuelle association entre les deux portraits aux mêmes initiales.

J. F.

LYON, MUSÉE DES BEAUX-ARTS

243 *Auguste Flandrin*

158. ***Le Père Dominique de Colonia,***
jésuite lyonnais du XVIIIe siècle
(1842)

PEINTURE : T. H. 2,08 ; L. 1,40 S.D.h.g. *Auguste Flandrin /*
Lyon MDCCXLII.

HISTORIQUE : Commandé par la Ville de Lyon en 1839 ; les
dernières touches ont été posées par Hippolyte Flandrin (*cf.*
Tisseur) ; figure au catalogue de la vente (annulée) des tableaux
des XIXe et XXe siècles provenant du musée de Lyon, Paris,
Drouot, 30 juin 1958, n° 26. — N° d'inventaire : A 1243.

EXPOSITIONS : Lyon, 1842, n° 154 ; Paris, 1843, n° 427 ;
Paris, 1844, n° 427.

BIBLIOGRAPHIE : *L'Artiste*, 1842, XXIV, p. 250 ; catalogue du
musée, 1859 ; n° 54 ; idem, 1869, n° 54 ; Delaborde, 1865,
p. 336 ; Tisseur, 1869, p. 27 ; catalogue du musée, 1877,
p. 75 ; idem, s.d., (1899), n° 511 ; Dissard, 1912, p. 25 ;
Doublet, 1984, catalogue P35, repr. pl. 7.

ŒUVRES EN RAPPORT : Deux possibles dessins préparatoires
(encre et lavis sur papier bleu) dans le Fonds familial Flandrin
(clichés Documentation de la Fondation Getty et du Service
d'étude de Peintures du Louvre n° M.J. 84).

Le Père Dominique de Colonia, né à Aix-en-
Provence le 25 août 1660 et mort à Lyon le
12 septembre 1741, était jésuite et bibliothécaire du Collège de la Trinité de Lyon où il
enseignait la rhétorique, les humanités et la
théologie positive. Un des fondateurs de l'Académie de Lyon, auteur de plusieurs ouvrages de
religion, d'histoire et de littérature, il était
devenu illustre par son érudition, un grand zèle
antijanséniste (« *qui lui faisait souvent aperce-*
voir cette secte où elle n'est pas », dit un
biographe) et sa connaissance des médailles.
C'est sans doute pour commémorer le centenaire de sa mort que le maire de Lyon Christophe Martin, dès 1839, avait commandé ce
portrait destiné à prendre place dans la *Galerie*
des Lyonnais dignes de mémoire que le dessinateur de soieries François Grognard (1748-1823).
[le frère du premier maître d'Auguste, Alexis
Grognard] avait fondée en léguant à la Ville une
rente de 4 500 francs (testament du 11 octobre 1848). Cette suite de portraits peints (Bonnefond, Genod, Jacomin) et sculptés (Légendre-
Héral, Bonnassieux, Foyatier) jadis au Palais
Saint-Pierre, est aujourd'hui dispersée entre les
réserves du Musée des Beaux-Arts de Lyon,
celles du Musée historique et divers bâtiments
municipaux (le buste en marbre d'Hippolyte
Flandrin par Fabisch — de 1866 — se retrouve
ainsi dans l'escalier de la Mairie du Ve arrondissement de Lyon).
Selon les notes d'Hippolyte, le *Colonia* est
empreint « *d'un caractère de sagesse, de raison*
et de dignité vraiment historique » (note manuscrite rédigée pour servir de base à la notice
nécrologique d'Auguste publiée dans l'*Artiste*,
II, 1842 — Le manuscrit d'Hippolyte est à l'Institut néerlandais à Paris). De fait, Auguste
s'exerce ici au genre du portrait d'histoire, allusif
et documenté. Les traits du visage sont libre-
ment adaptés d'une gravure de Claude Séran-
court, le plan de Lyon et son cartouche s'inspirent de celui inséré dans l'*Histoire Civile et*
consulaire de Menestrier (1696), et les ouvrages

disposés à gauche évoquent l'essentiel de la bibliographie de Colonia : son *Histoire littéraire de la Ville de Lyon (1728-1730)*, ses *Antiquités de la Ville de Lyon* (1701), sa *Rhétorique* en latin et ses *Tragédies* en vers français.

Si l'intuition de Jacques Foucart est juste, Flandrin aurait choisi dès l'abord la présentation en pied, mais assise, ce dont témoigneraient deux dessins (cf. *Œuvres en rapport*) qui montrent un ecclésiastique méditant à sa table de travail la plume à la main, puis posant de face, tenant un livre appuyé sur le genou gauche. Abandonnant ces premières idées, Auguste optera pour une position debout : le jésuite est de face devant un grand fond rouge, sa main droite reposant sur la table, un siège à sa droite.

Ce schéma est le même que celui adopté pour le portrait du cardinal Maurice de Bonald (Lyon, Archevêché), peint par Auguste à peu près au même moment, mais achevé par Hippolyte en 1846 seulement et signé des deux frères ; il sera repris par Hippolyte non seulement pour son célèbre *Napoléon III* en 1861-1862 (n° 109) mais, dès 1855, pour le *Portrait du Dr Rostan* (ici n° 103). Le 24 mars 1842, Hippolyte Flandrin avait engagé en vain son frère à venir achever le *Colonia* et le *Cardinal de Bonald* à Paris, « *après avoir recueilli tous les documents* » : « *Tu aurais eu les conseils du Maître et tous les beaux exemples* » (Delaborde, 1865, p. 336). Hippolyte tiendra toutefois, après avoir, selon Tisseur, opéré quelques retouches, à faire figurer le tableau du musée de Lyon aux Salons de 1843 et de 1844 et il achèvera à Paris, en 1846 et d'après un daguerréotype le portrait du cardinal (Delaborde, 1865, p. 353).

G. Ch. et I.D.

LYON, MUSÉE DES BEAUX-ARTS

159. *Les vieux canuts*

PEINTURE : P. sur T. H. 0,41 ; L. 0,31 S.b.d. : *Augte Flandrin* (gravé dans la pâte) b.g. ; fragment d'étiquette de vente. Sur le cartouche du cadre : n° 145.

HISTORIQUE : Inconnu du propriétaire actuel.

ŒUVRES EN RAPPORT : Cette petite scène, peinte avec aisance et humour, est sans doute à mettre en rapport avec la lithographie publiée sous le titre : « *Croquis lyonnais. Les vieux canuts d'après le tableau d'A. Flandrin* » dans Alexis Rousset, *Exposition rétrospective d'autographes et de dessins...* Lyon, Thabourin, s.d., Cahier XIII.

Alexis Rousset (1799-1885), poète qui s'est voué à faire connaître des documents de l'histoire lyonnaise par des recueils entièrement lithographiés, textes et images, où voisinent des fac-similés d'autographes, des témoignages, des caricatures et des croquis signés. L'imprécision du dessin ne permet pas une comparaison très poussée avec la peinture exposée. Le personnage à bicorne diffère sensiblement ; sur le dessin publié par Rousset, il porte deux objets longs mal identifiables, il est vêtu à la mode de l'Ancien Régime, culotte et habit à queue. Le

décor et le personnage de face sont à peu près les mêmes. Le canut (ouvrier-tisseur lyonnais) porte le chapeau haut de forme déformé qu'affectionne Gnafron, l'inséparable compagnon de Guignol, héros du théâtre de marionnettes créé par Laurent Mourguet. Il est rare de voir le talent de peintre d'Auguste Flandrin si proche de la charge dessinée que pratique volontiers son frère Paul. Ici, tout surprend chez ce peintre réputé sérieux : la mise en place rapide et vigoureuse des silhouettes, la liberté de touche et le métier pictural qui laisse soupçonner un luministe ; en somme, c'est l'œuvre d'un élève d'Ingres en vacances !

F H F

LYON, COLLECTION PARTICULIERE

159

Paul FLANDRIN
(1811-1902)

PAUL FLANDRIN

Olivier Jouvenet

Etudiant de 3e cycle à l'Université de Lyon-II

Le talent accordé à Hippolyte Flandrin a laissé dans l'ombre l'œuvre et la personnalité pourtant si attachantes de Paul Flandrin. Le souvenir de son œuvre de paysagiste n'est cependant jamais tombé dans l'oubli, grâce à la critique de Charles Baudelaire au Salon de 1845 [1] : « Qu'on éteigne les reflets d'une tête pour mieux voir le modèle, cela se comprend, surtout lorsqu'on s'appelle Ingres, mais quel est donc cet extravagant et le fanatique qui s'est avisé le premier d'ingriser la campagne ? » Ce jugement si sévère a souvent été cité par les auteurs, le plus souvent à tort. L'opinion du critique négligeait, en réalité, certaines qualités de paysagiste de Paul Flandrin.

Mais l'œuvre de l'artiste ne s'est pas limité au seul paysage. Il a été également un portraitiste de talent, renommé à son époque. Il aida également de manière fort active Hippolyte Flandrin dans ses peintures murales et certains de ses tableaux de Salon. Hippolyte et Paul étaient inséparables durant leur jeunesse. Leurs camarades, les voyant ensemble, s'écriaient : « Ah ! Voilà Flandrin tout entier ». Frère cadet d'Hippolyte, Paul suit son aîné dans l'atelier de J.A. Duclaux (1783-1863), puis, à l'Ecole des Beaux-Arts de Lyon, de 1827 à 1829, enfin dans l'atelier d'Ingres à partir de 1829. En 1832, Hippolyte subit avec succès l'épreuve du Grand Prix de Rome et part pour l'Italie. Son frère Paul le rejoint en janvier 1834, et les deux frères ne se sépareront plus durant leur séjour à Rome de 1834 à 1838. Paul Flandrin s'estimait « l'ombre portée de son frère ». L'artiste possédait pourtant un réel talent de paysagiste.

La conception du paysage de Paul Flandrin et l'influence d'Ingres

Dès son enfance dans le Bugey, où il est mis en nourrice avec son frère Hippolyte, il dessine de petits croquis à la plume, d'une facture hollandaise. Son premier maître, Antoine Duclaux (1783-1863), peintre animalier mais aussi paysagiste, lui conseille de peindre d'après nature aux environs de Lyon. Dans l'atelier d'Ingres où il entre en 1829, Paul Flandrin ne reçoit pas de formation spéciale concernant le paysage. Il remporte cependant, en octobre 1832, un concours d'esquisses en Paysage historique. Au contact d'Ingres, il adopte des méthodes de travail très différentes. Toute la conception du paysage d'Ingres est contenue dans une lettre de Paul Flandrin adressée au critique Raymond Bouyer qui l'interrogeait sur sa conception du paysage [2] : « M. Ingres, tout en appréciant le paysage, ne le concevait que sous sa forme historique, c'est-à-dire poétique… Il voulait que les sites fussent choisis parmi les plus beaux et ceux qui parlent le plus à l'âme. Il voulait que les paysagistes, comme les autres peintres s'appuyassent avant tout sur l'étude et l'imitation de la nature… » Paul Flandrin ajoute encore : « nous qui avons eu le bonheur de suivre son enseignement, nous cherchions avant tout la beauté des lignes, l'harmonieux balancement des masses ; nous nous efforcions, en représentant un site, de le représenter sous son aspect le plus beau et le plus pittoresque. Enfin, notre école ayant par-dessus tout le culte du vrai, nous avons multiplié les dessins et les études d'après nature ». Ainsi, Ingres ayant accordé peu de place au paysage dans son œuvre, Paul Flandrin devra transposer la doctrine de son maître, élaborée pour la peinture d'histoire et le portrait, au genre du paysage. Ingres s'intéresse pourtant tout particulièrement à son élève ; il lui donne des leçons d'après nature à Subiaco [3]. Les

1. Ch. Baudelaire, « Le Salon de 1845 », rééd. H. Lemaître, sd. (1962), p. 67.

2. R. Bouyer « Paul Flandrin et le paysage de style » in *Revue de l'Art ancien et moderne*, août 1902, vol. 12, p. 48-49.

3. R. Bouyer, 1902, op. cit., p. 49.

conseils du Maître se poursuivent plus tard dans sa carrière. En mars 1850, Hippolyte écrit à son frère [5] : « J'ai causé avec M. Ingres, autour du lac d'Enghien, plus de deux heures. Il m'a bien recommandé de te dire qu'il fallait absolument mettre des figures dans tes paysages, qu'elles devaient avoir de l'importance, et qu'il fallait faire le choix du motif avec cette intention ».

Ainsi, Paul Flandrin, comme son beau-père, Alexandre Desgoffe (1802-1885), se différencie du courant néo-classique par l'influence qu'Ingres exerce sur son œuvre. C'est à Rome que s'affirme véritablement la vocation de paysagiste historique de Paul. Poussin devient alors son modèle, et il étudie à plusieurs reprises les bords du Tibre « *Aqua Acetosa* » que les Romains appelaient encore « *Promenade du Poussin* ». Enthousiasmé par la Campagne romaine, il écrit à Victor Bodinier [6] : « Ici, plus je vais, plus je me trouve heureux de pouvoir admirer et copier cette nature ; plus je vais, plus je la trouve belle… ».

Paul Flandrin, dans ses études d'après nature, reste donc indifférent aux préceptes du peintre Valenciennes qui préconise, pour les études sur le motif, des indications d'une sensibilité presque impressionniste. L'artiste suit plus volontiers les conseils de son maître Ingres, qui préconise « La beauté des lignes » et « l'harmonieux balancement des masses ». Il exprime le caractère du paysage par une ou deux lignes principales sensibles malgré les détails secondaires. L'artiste choisit donc avec soin les sites qui deviendront plus tard des motifs de tableaux. Il sait d'ailleurs trouver avec un goût très sûr l'angle et la distance les plus favorables à son étude. Dès sa première étude d'après nature, Paul Flandrin a déjà dans la pensée son tableau de Salon. Aussi, très fréquemment, place-t-il une figure qui doit donner une valeur morale à son étude.

A la recherche de sites suffisamment intéressants pour devenir plus tard des tableaux de Salon, Paul Flandrin quitte chaque été Paris et s'intéresse à de nouveaux motifs. Dans les premières années de sa carrière, il se rend dans la région lyonnaise, à Lacoux, chez son ami Florentin Servan, à Sainte-Colombes-les-Vienne, chez un ancien élève de l'Ecole des Beaux-Arts, Pirouelle. Plus tard, il descend la vallée du Rhône, séjourne à Bagnols, chez sa tante, Mme Ladroit. Il fréquente Crémieu avec H. Allemand, Harpignies, Daubigny et certainement Ravier en 1847. Il aide son frère Hippolyte dans l'exécution des peintures murales de l'église Saint-Paul de Nîmes. Il s'éprend de la région et peint aux bords du Gardon, durant l'été 1849. Il y retourne en 1852. Il passe l'été à Montmorency et épouse le 18 décembre 1852 Aline Desgoffe, fille du paysagiste, élève d'Ingres. Cette alliance renforce le courant du paysage ingriste fidèle aux théories néo-classiques. En 1857 et 1859, il se rend à Marseille, puis dans la propriété d'un ami, M. Voulaire, à la Tour d'Aigues, près de Pertuis (Vaucluse). Après le décès de sa mère, en 1858, il fréquente plus volontiers la côte normande, Le Tréport en 1856, Arromanches en 1860, puis il visite la famille Oudiné à Etretat, de 1863 à 1869, où il peint les célèbres falaises, mais aussi la mer. Plus tard, dans sa vieillesse, il loue à l'année une maison à Montgeron et se rend dans la forêt de Sénart et dans la vallée d'Yerres.

Les peintures et dessins préparatoires pour les tableaux de Salon seront modifiés avec des préoccupations de style, d'élégance et de noblesse. Ces études d'après nature semblent même avoir constitué une sorte de répertoire utilisé par l'artiste pour trouver les motifs de ses tableaux. Ainsi le motif de l'« *Idylle* » (Bergues, Musée municipal) est donné par un dessin daté 1862. Le tableau est pourtant signé « *Paul Flandrin 1868* ».

Paul introduit dans ses paysages de Salon, des figures chargées de donner un sens moral ou poétique à la scène. Ces figures illustrent très rarement un sujet précis de la mythologie, de la littérature classique ou de la Bible. Aussi a-t-il bien souvent du mal à grouper les nombreuses figures et à donner un sens à la scène. Ce défaut est particulièrement sensible dans l'« *Idylle* » de Bergues, où il s'est contenté, comme bien souvent, de placer dans le paysage composé, des figures drapées à l'antique. De certains paysages émane toutefois une certaine poésie mélancolique qui atténue la raideur du schéma conventionnel. C'est en particulier le cas dans ses solitudes où un berger, drapé à

4. H. Flandrin à J.L. Lacuria, Rome non daté, cité in *Revue du Lyonnais,* 1888 5ᵉ Vol. p. 104.

5. H. Flandrin à P. Flandrin, le 9 mars 1850, cité in L. Flandrin, 1902, p. 274.

6. P. Flandrin à V. Bodinier, Rome le 9 mai 1834, cité in G. Bodinier, 1912, p. 65.

l'antique, médite, seul, dans un vaste paysage. Le meilleur exemple d'une telle manière serait la « *Solitude* » du Musée du Louvre. Quelquefois, au contraire, il réunit, comme dans « *Bords de l'Eau* » (Bordeaux, Musée des Beaux-Arts) plusieurs figures de femmes aux silhouettes allongées, en train de rêver annonçant, par l'âme virgilienne qui y est contenue, une forme de symbolisme. Le métier de l'artiste demeure lisse, la touche peu apparente, la couche picturale manque parfois d'épaisseur et donne au tableau l'aspect d'une peinture sur porcelaine.

A partir du métier de l'artiste, il s'avère néanmoins possible de créer plusieurs groupes dans l'œuvre de paysagiste de Paul Flandrin. Ce sont les tableaux de la période romaine qui suivent le plus fidèlement les règles du Paysage historique. Il s'agit essentiellement de paysages aux lignes amples ; les détails secondaires, en particulier le feuillage, sont fréquemment sacrifiés au profit d'une vision d'ensemble. Il réduit le coloris à un ton monochrome. Ce premier groupe est constitué par les « *Montagnes de la Sabine* » (Paris, Louvre), la « *Campagne de Rome* » (Laval, Musée municipal), les « *Pénitents de la Mort* » (Lyon, Musée des Beaux-Arts), les « *Buffles dans la campagne romaine* » (Paris, collection particulière). Seule, la « *Nymphée* » exposée en 1839 (Angers, Musée des Beaux-Arts) se détache du groupe par un coloris un peu plus vif. La « *Vallée du Dauphiné au-dessus de Voreppe* » (Aix-en-Provence, Musée Granet) peut être rapprochée des tableaux de la période romaine, tant par le coloris que par la soumission des parties à un effet général.

Vers 1850, l'exécution commence à s'assouplir. Des empâtements apparaissent pour exprimer les reflets de lumière. A partir de cette époque, Paul Flandrin commence aussi à utiliser une touche fragmentée, pour exprimer le feuillage. Cette méthode est particulièrement sensible dans les magnifiques arbres qu'il place dans ses différents tableaux intitulés « *Bords du Gardon* » ou « *Tireurs d'arc* » (Aix-en-Provence, Musée Granet). Par la suite, son évolution est plus difficile à retracer. On remarque simplement quelques paysages du Midi de la France, caractérisés par des couleurs vives, un peu crues, comme « *Environs de Marseille* » (Angers, Musée des Beaux-Arts) ou « *La Fuite en Egypte* » (Orléans, Musée des Beaux-Arts).

Paul Flandrin, mort en 1902, semble en effet avoir continué très tard à produire d'authentiques paysages historiques, même s'il devient plus difficile de connaître son évolution après 1880. Il expose cependant, en 1875, un paysage historique : « *Terrassiers dans une carrière* » (Lyon, collection particulière) [7] et, en 1880, une *Pastorale* (Tenay, collection particulière) [8].

On peut s'interroger sur cette fidélité de Paul Flandrin au Paysage historique. Faut-il mettre en cause l'influence d'Ingres ? L'élève n'aurait pu échapper à l'emprise du Maître, qui lui a si souvent conseillé de conserver les règles du paysage historique. Il faut noter que le second élève d'Ingres, paysagiste, Alexandre Desgoffe (1805-1882) a suivi la même évolution. On peut aussi penser que Paul Flandrin a si bien su assimiler les règles du paysage historique qu'elles sont devenues siennes. Il n'a donc pu s'adapter aux changements imposés par l'approche nouvelle du paysage XIXe siècle.

Paul Flandrin n'en demeure pas moins lié avec les artistes de son temps. Il peint avec Allemand, Ravier, et Harpignies, à Crémieu. J.B. Corot est un ami, et travaille à plusieurs reprises avec Paul Flandrin [9]. Le traitement du feuillage de certains paysages de Paul Flandrin, comme « *Bord de l'Eau* » (Bordeaux, Musée des Beaux-arts) est visiblement marqué par la leçon de Corot.

Il est encore nécessaire de déceler l'originalité de Paul Flandrin par rapport aux autres paysagistes néo-classiques. La tâche est difficile ; les monographies publiées sont rares, sauf peut-être pour Caruelle d'Aligny (1798-1871), Léon Fleury (1804-1858), C. Rémond (1795-1875), Bidauldt (1758-1846). Paul Flandrin se distingue bien sûr, comme son beau-père Alexandre Desgoffe (1805-1882), par l'interprétation ingriste de ses paysages. Souvent, l'artiste a su éviter certains des défauts de ses condisciples. Il semble, en effet, avoir mieux su choisir les motifs de ses tableaux, arranger avec plus de goût les différents

7. Lyon, Salon de 1875, nº 298 « *Terrassiers dans une Carrière* ». (Lyon, collection particulière).

8. Lyon, Salon de 1880, nº 221 « *Pastorale* » (Tenay, collection particulière).

9. J.B. Corot à P. Flandrin, Ville d'Avray le 25 mars 1852, Paris, collection particulière.

éléments de la composition. Son paysage ne manque certes pas de style. L'originalité de son interprétation réside néanmoins en ce qu'on pourrait appeler « son âme virgilienne » [10]. Il émane fréquemment de ses paysages une poésie mélancolique qui lui permet d'échapper à l'âpreté des compositions des autres paysagistes néo-classiques. Sans doute faut-il l'attribuer à sa grande sensibilité de paysagiste, à la profonde spiritualité qui anime toute son existence, et l'amour de la nature qu'il avait acquis dès son enfance, dans le Bugey où il avait mené un temps la vie des bergers. Il écrira [11] d'ailleurs quelques années plus tard, alors qu'il peint à Crémieu : « C'est joli d'entendre le chant des bergers rentrant le soir avec leur troupeau ; ça me rapporte à mon jeune temps quand j'étais moi aussi berger ».

Paul Flandrin, par ses choix artistiques, ne pouvait avoir de postérité. Il semble falloir cependant attirer l'attention sur certains faits. Par sa volonté d'idéalisation, par l'âme virgilienne contenue dans certaines de ses peintures, ses paysages annoncent l'art d'un Puvis de Chavannes (1824-1898) que Paul Flandrin a connu. Il est d'ailleurs troublant que le site du tableau de Paul Flandrin de « *Mont-Redon* » (Nantes, Musée des Beaux Arts) constitue le fond de la « *Vision antique* » commandée à Puvis de Chavannes pour orner le grand escalier d'honneur du Musée des Beaux-Arts de Lyon. Cette peinture se trouve justement placée face à l'« *Inspiration Chrétienne* » où Puvis de Chavannes a représenté Hyppolyte sous les traits d'un moine du Trecento. Maints paysages de Puvis de Chavannes présentent d'ailleurs des analogies avec certaines peintures de Paul Flandrin : même vision virgilienne de la nature, même poésie mélancolique. Puvis de Chavannes a mieux su, toutefois, s'adapter aux données du genre en choisissant comme terrain d'élection la peinture monumentale où il supprime le modelé et joue seulement sur l'équilibre des masses.

Le portrait

Les portraits de Paul Flandrin, on ne sait pourquoi, sont totalement tombés dans l'oubli. Le frère d'Hippolyte s'est révélé pourtant un excellent portraitiste, à défaut de faire preuve d'une grande originalité. Castagnary, pourtant peu indulgent à son égard, a su apprécier la délicatesse de ses portraits à la mine de plomb. [12]

Le portrait d'Ambroise Thomas (n° 190, musée de Metz) se révèle un excellent exemple de la méthode de tavail des deux frères. Louis Flandrin écrit à ce propos : « C'était d'ailleurs une habitude chez-lui de dessiner pour son compte les modèles dont Hippolyte peignait le portrait ». Une telle méthode se retrouve dans les portraits de Mme Vinet (Tours, Musée des Beaux-Arts, ici n° 199) ou de Mme Balaÿ (Paris, collection particulière, ici n° 202).

Un autre trait de leur manière de travailler est la technique du double autoportrait. Paul exécute le portrait de son frère, tandis qu'Hippolyte réalise celui de Paul sur la même toile ou la même feuille de dessin. Les deux artistes travaillent fréquemment tous les deux pour un même portrait. Paul et Hippolyte recherchent ensemble avec soin la pose du modèle. Hippolyte aide ensuite son frère dans les dernières retouches à apporter à la peinture ; Paul peint les accessoires des portraits d'Hippolyte. Paul peint autant que possible « au premier coup » et par conséquent morceau par morceau, ébauchant souvent le portrait à la terre de Cassel. Paul reçoit toutefois un grand nombre de portraits de commande dont 64 furent exposés aux Salons de Paris. Paul eut sans doute la possibilité d'étudier la méthode d'Hippolyte, lorsque les deux artistes travaillèrent ensemble sur le même modèle. Louis Auvray note d'ailleurs dans son *Salon de 1868* [13] : « Du reste, le lecteur s'en souvient, quand, dans le temps, les deux frères exposaient des portraits peints, nous avons dû souvent avoir recours au livret pour savoir auquel des deux nous devions attribuer tel portrait peint ». Paul Flandrin emprunte à son frère la pose conventionnelle

10. P. Dorbec « *La tadition dans le paysage au XIXe Siècle* » in « *Revue de l'art Ancien et Moderne* », 1908, Vol. 24, p. 357.

11. P. Flandrin à sa mère, Crémieu le 13 septembre 1847, cité in P. Miquel, 1974, p. 417.

12. Castagnary, in « *Le Siècle* », 22 mai 1868.

13. Louis Auvray, *Le Salon de 1868*, rééd. Vve Jules Renoir, 1870, P. 77.

du modèle, les tons sombres du vêtement qui se détachent sur le fond vert clair du portrait. Les portraits des deux frères suivent également les conceptions artistiques d'Ingres : recherche de la pose du modèle, absence de modelé pour les chairs, exagération des proportions du corps humain. Paul Flandrin place aussi, dans le fond de ses portraits, bien souvent, des paysages. C'est en tout cas ce que note Th. Thoré dans son compte-rendu du Salon de 1844 : « M. Flandrin a bien prouvé son impuissance d'exécution dans le double portrait n° 686, au milieu d'un de ses paysages stéréotypés ». Il reprendra cette manière de faire dans le portrait de M. Bouchot (1856) (Paris, collection particulière) et dans celui de Mme Holker (1863) (New Orléans, U.S.A.). Là encore, le degré d'invention de Paul Flandrin demeure faible, même s'il se révèle le plus souvent un excellent exécutant.

A côté des portraits peints, Paul exécute un grand nombre de portraits à la mine de plomb. Ce genre, très apprécié à son époque, lui valut un accueil favorable de la critique et de nombreuses commandes de la haute société du Second Empire et des débuts de la Troisième République [14].

Paul Flandrin exécute aussi de nombreux portraits de ses proches, membres de sa famille, condisciples dans l'atelier d'Ingres. Les portraits antérieurs à l'entrée de Paul dans l'atelier d'Ingres, comme celui du « *Docteur Ladroit 1829* » (musée de Bagnols-sur-Cèze) se caractérisent par l'absence d'idéalisation du modèle, un caractère plus réaliste, une volonté de recherche dans les détails.

Dès les premières œuvres réalisées sous l'autorité du maître, les méthodes de travail changent. L'interprétation réaliste fait alors place à un souci accru d'idéalisation du modèle. Il insiste alors sur les traits du visage, qu'il modèle avec soin, avec une volonté évidente d'idéalisation, comme dans le portrait de Janmot (Cambridge, Fitz William Museum). Les vêtements sont traités avec plus de désinvolture, les mains le plus souvent à peine esquissées.

Paul Flandrin exécute aussi seul un grand nombre de portraits à la mine de plomb, qui lui sont commandés par une vaste clientèle aristocratique. Les œuvres qu'il expose au Salon lui valent une excellente réputation de portraitiste. Castagnary, pourtant peu favorable à son égard, écrit : « Ce qui m'a frappé le plus, c'est deux portraits au crayon de P. Flandrin, dans le goût d'Ingres ». L'album de fac-similés conservé à la Bibliothèque nationale permet d'en présenter quelques exemples[14]. Ces portraits sont généralement étudiés avec soin. La pose du modèle fait l'objet de plus de recherche, les détails de la toilette sont traités avec minutie, comme l'incroyable coiffure de Mme de Castelnau (localisation actuelle inconnue). L'artiste adopte plus volontiers la mine de plomb, qu'il rehausse de craie blanche pour exprimer les reflets de lumière. On retrouve même parfois chez l'élève la finesse et la délicatesse du trait d'Ingres. Malheureusement, la pose du modèle reste très conventionnelle, les attitudes semblent figées. Le même geste est souvent reproduit d'un portrait à l'autre.

La collaboration de Paul aux peintures de son frère Hippolyte

Sa participation aux peintures de son frère Hippolyte a été souvent évoquée, mais il n'existe encore aucune véritable étude sur le sujet. B. Horaist a naturellement mentionné les études préparatoires de Paul Flandrin pour les peintures murales de son frère Hippolyte dans les églises parisiennes.
Les auteurs ont le plus souvent étudié les peintures d'Hippolyte, mentionnant brièvement l'aide apportée par son frère Paul. L'étude du problème mérite une approche nouvelle. Ainsi, pour connaître la participation de Paul, il semble préférable d'utiliser comme point de départ le catalogue des œuvres de Paul, et de ses carnets de notes entre 1832 et 1864. Pour être mieux comprise, cette collaboration doit être remise dans le contexte de

14. Album de photographies de portraits à la mine de plomb par Paul Flandrin (Paris, BN Estpes DC 294C—36 fac-similés.

15. Crayon. H. 0,264 ; L. 0,209. S.D.b.g. : *Paul Flandrin*, 1834 ; b.d. : *tableau du Dante*. Paris, collection particulière.

16. Etude pour la chapelle St Jean à l'église St Séverin. Crayon H. 0,290 ; L. 0,220 hd : « *Paul Flandrin à St Séverin, chapelle St Jean* ».

l'époque. Le retour à la peinture monumentale, sous la Monarchie de Juillet, avait modifié les méthodes de travail de nombreux artistes. Il était fréquent que plusieurs d'entre eux travaillent ensemble sur un même ouvrage. Cette pratique correspond d'ailleurs à la découverte par le XIXᵉ siècle de l'idéal spirituel des *Botteghe* du Trecento, où l'identité de l'artiste disparaît au profit du travail en commun.

Il faut également prendre conscience qu'un seul artiste, quel que soit son génie, ne serait pas parvenu seul à réaliser un tel travail, d'autant qu'il s'agissait de surfaces importantes à couvrir et de travaux le plus souvent fastidieux (mise aux carreaux, exécution à partir des cartons du maître).

Hippolyte et son frère Paul sont bien parvenus à cet idéal de travail en commun. Le rôle de Paul n'est jamais celui d'un simple praticien, mais aussi celui d'un collaborateur qui participe à l'élaboration de la composition des peintures murales.

Ainsi, dès son séjour en Italie, il exécute plusieurs figures utilisées dans la composition finale du tableau d'Hippolyte « *Dante aux Enfers* » (Lyon, Musée des Beaux-Arts), en particulier pour le groupe des envieux au pied du roc et pour le Dante qui se penche avec sollicitude sur les damnés. [15]

De retour en France, il participe aux peintures murales qu'Hippolyte réalise à Paris dans les églises Saint-Séverin [16] et Saint-Germain-des-Prés [17] où il exécute le bœuf et l'âne de la crèche, « tatonne pour trouver la place d'un ange dans la crèche », étudie d'après un modèle la pose d'un ange de l'Annonciation [18], dessine la figure d'Adam et le Moïse devant le buisson ardent [19]. Il aide également son frère Hippolyte dans les églises Saint-Paul à Nîmes [20] et Saint-Vincent-de-Paul, à Paris [21].

Cette collaboration si étroite n'aurait pas été possible sans les liens unissant les deux frères. Paul et Hippolyte eurent très tôt l'habitude de travailler ensemble [22]. Leurs caractères, d'ailleurs, se complétaient certainement utilement, Hippolyte avait besoin du soutien moral de son frère. Séparé de son frère Paul, il écrit de Rome en 1833 : « Pour moi, je me sens grandement besoin d'une aide, d'un soutien, d'un homme auprès de qui je puisse chercher du courage quand le mien est abattu » [23].

La participation de Paul concerne deux choses très différentes. Il aide son frère dans l'élaboration de la composition des peintures murales, il dessine sur le mur à grandeur d'exécution, et peint certains détails. Le plus original est peut-être la collaboration de Paul dans l'élaboration de la composition des peintures d'Hippolyte. Ainsi, souvent, Hippolyte prenait la pose, se drapant comme il l'entendait, et Paul dessinait la figure projetée. Paul Flandrin, également, dessinait d'après des modèles de profession, des figures qu'Hippolyte souhaitait introduire dans la composition. Certes, Hippolyte n'utilisait pas toujours les études de son frère, et les modifiait parfois. En revanche, Hippolyte Flandrin n'hésitait pas à suivre certains conseils donnés par son frère. Ainsi est-ce Paul qui lui a donné l'idée de peindre en blanc les apôtres de l'église de Saint-Germain-des-Prés [24], alors qu'Ingres et Edouard Gatteaux désapprouvaient un tel parti. Dans l'exécution proprement dite, la tâche de Paul Flandrin apparaît moins originale et se rapproche du travail exécuté par les autres collaborateurs d'Hippolyte. Là encore, cependant, Hippolyte accorde à Paul une confiance totale. Ainsi, il s'en remet à lui pour achever les derniers détails de la peinture de l'église Saint-Paul de Nîmes. Hippolyte lui écrit, le 11 mai 1849 [25] : « Si tu vois quelque chose qui t'ennuie, je me recommande à toi ; fais tout ce qui te semblera bon ». Il ajoute : « Je te remercie d'avoir retouché quelque chose dans nos peintures. Lorsque tu passeras à Nîmes, tu me diras l'impression que tu en a reçue ». Ces quelques lignes expriment la place qu'Hippolyte accorde à Paul dans ses peintures murales. Toutefois, il ne faudrait pas donner trop d'importance à cette collaboration. Les carnets de Paul qui rapportent les faits quotidiens de son existence, montrent que cette collaboration se trouve limitée dans le temps. Paul reste avant tout un paysagiste.

Th. Thoré écrivait à propos des paysages de Paul Flandrin [26] et de ceux de son beau-père Alexandre Desgoffe (1805-1882) : « Ils ont pour eux les gens bien élevés, l'Institut, les

17. Carnet de P.F., 30.06.1856 : « *Sur le mur place l'âne et le bœuf, tatonne pour trouver la place d'un ange dans la crèche* ».

18. Carnet de P.F., 16.06.1856, : « *Dernière séance avec Petit Vincent pour l'Ange de l'Annonciation qu'Hippolyte a approuvé* ».

19. Carnet de P.F. 07.1856. Dessine « *le Moïse du Buisson Ardent* » Repr. in R. Bouyer 1902, p. 50.

20. Crayon. H. 0,21 ; L. 0,094. S.h.d. : *Paul Flandrin pour Nîmes. 23 février 49.* Paris, collection particulière.

21. « *Etude d'Homme* » H.0,218 : L. 0,165. S bd D hg 17 mars 50 St Vincent de Paul (Paris, Bibliothèque nationale, Réserve du Cabinet des Estampes).

22. *Cf.* dessin au crayon : « *Paul et Hippolyte dans la Vallée de Charabotte* » H. L. SD bg « *Paul et Hippolyte dessinés l'un par l'autre. 1826* ».

23. H. Flandrin à son frère Auguste, Rome, le 25 février 1833, cité in H. Delaborde, 1865, p. 195.

24. H. Flandrin à P. Flandrin, 26 mars 1847, cité in L. Flandrin, 1902, p. 134-135.

25. H. Flandrin à P. Flandrin, Lyon, 11 mai 1849, cité in H. Delaborde, 1965, p. 390 381.

26. Th. Thoré, pseud. Th. Bürger, in « *Le Temps* » 1863, t.I, p. 403.

administrations gouvernementales, la Surintendance et ses annexes, la haute critique. Ils sont de cette classe favorite dont on peut dire justement qu'elle est autorisée ». Certes, Paul Flandrin a bénéficié pour une large part, des acquisitions et des commandes de l'Etat[27]. Il ne faudrait pourtant pas réduire Paul Flandrin à un peintre officiel. L'artiste fait preuve d'une grande sensibilité devant la nature ; il a su aider de manière active et originale son frère Hippolyte. Exposer à nouveau ses œuvres tombées dans l'oubli le plus total permettra de poser un regard neuf sur ses peintures et de vérifier qu'il a su échapper à un prétendu académisme.

27. Jouvenet : *Catalogue des œuvres de Paul Flandrin dans les collections publiques françaises*, Université de Lyon-II, 1982, 500 p. hors ill.

160. *Ulysse et Nausicaa*
(1832)

PEINTURE : T. H. 0,37 ; L. 0,47. S.b.g. : *Paul Flandrin*. Contresigné b. g. : *heim* (sur la présence d'une signature de professeur de l'Ecole, *cf*. la notice du *Cypsélos*, nº 1).

HISTORIQUE : Peint à l'Ecole des Beaux-Arts de Paris lors d'un concours d'esquisses en Paysage historique en octobre 1832 ; primé à ce concours et devenu ainsi propriété de l'Ecole.

BIBLIOGRAPHIE : Delaborde, 1865, p. 179 ; Flandrin, *Le Mois*, 1902, p. 588 ; Bouyer, 1902, p. 44 ; Gairal de Serezin, 1904, p. 1 ; Lanvin, 1967, t. I, appendice p. 2 ; Jouvenet, 1982, t. II, p. 299-300, nº1 ; Grunchec, 1983, p. 114, repr. *ibidem*, 214.

Cette esquisse est l'un des premiers témoignages de l'œuvre de paysagiste de Paul Flandrin. Elève dans l'atelier d'Ingres et à l'Ecole des Beaux-Arts de Paris, il se présente en octobre 1832 à un concours d'esquisses en Paysage historique (il ne faut pas confondre de tels concours internes à l'Ecole et le Prix de Rome de Paysage historique).

L'épreuve consistait en une esquisse sur un sujet donné. Le mythe d'Ulysse et Nausicaa avait été choisi, cette année-là, par le jury. Le livre Six de l'Odyssée nous montre Nausicaa, fille du roi des Phéaciens, allant, guidée à son insu par Athénée, laver son linge à la fontaine et recueillir Ulysse naufragé. Ce sujet de concours interne en 1832 deviendra, comme ce sera le cas se produisit quelquefois, le sujet définitif pour le concours du Prix de Rome en Paysage historique en 1833 et 1845 (*cf*. Grunchec, 1983, p. 114).

L'esquisse qui nous montre la rencontre décisive entre Nausicaa, craintive, et Ulysse, le corps protégé par des branchages de feuillage, possède déjà bien des caractères de la peinture de l'artiste : l'arbre de convention, placé sur la gauche pour équilibrer la composition, le fleuve qui serpente dans la vallée, les montagnes bleutées qui se découpent avec sécheresse sur le ciel. Tous ces éléments se retrouveront plus tard dans ses grands paysages hitoriques.

Son succès — Paul Flandrin fut lauréat avec Philippe Ledieu dont l'esquisse sur le même sujet est également conservée à l'Ecole des Beaux-Arts et contresignée par Heim (Grunchec, *op. cit.*, repr. p. 114) — est d'autant plus remarquable que Paul ne semble pas avoir suivi d'étude spéciale concernant le paysage, durant son passage dans l'atelier d'Ingres.

Hippolyte se fait l'écho de ce succès dans une lettre à son père, en date du 21 octobre 1832 : « *Maintenant, une nouvelle ! Paul a concouru pour la première fois à la composition de paysage historique. C'était hier le jugement, et c'est lui, c'est Paul qui a remporté la médaille. Oh ! nous sommes bien contents. M. Ingres l'est aussi beaucoup, il regarde ça comme d'un heureux augure pour le concours du grand prix, l'année prochaine. Vive donc, vive l'école de M. Ingres ! ! !* » (*cf*. Delaborde, 1865, p. 179). En dépit de ces débuts prometteurs, Paul Flandrin échoua dans le concours du Prix de Rome en Paysage historique (avril 1833) puis en Peinture historique (mai 1833), de même que son frère Auguste dans cette deuxième catégorie (*cf*. Grunchec, 1983, p. 211, 212). Paul partit néanmoins, rejoindre à Rome Hippolyte, et bénéficia, à partir de 1835, des leçons d'Ingres, devenu directeur de l'Académie de France à Rome. *O.J.*

PARIS, ECOLE NATIONALE SUPERIEURE DES BEAUX-ARTS

161. *Buffles dans la campagne romaine*
(1835)

PEINTURE : T. H. 0,55 ; L. 0,82. S.D.b.d. : *Paul Flandrin Rome 1835*.

HISTORIQUE : Vendu par l'intermédiaire de Simart à Mr Bertin, de Rouen ; racheté en 1930 par les descendants de l'artiste.

160

EXPOSITIONS : Paris, 1934, nº 207 ; Lyon, 1937, nº 121 ; Venise, 1940 ; Paris, 1947, nº 64 ; Paris, 1948, nº 45 ; Montauban, 1967, nº 240.

BIBLIOGRAPHIE : Lanvin, 1967, t. I, appendice p. 9 ; Miquel, 1974, t. III, repr. p. 404.

ŒUVRES EN RAPPORT : — Crayon, H. 0,22 ; L. 0,34. S.b.d. : *tableau de moi appartenant à Mr Bertin. Reconnaissance envers le bon Simart. Décembre 1834*.
— T. H. 0,40 ; L. 0, 60. Paris, collection particulière.

Ce paysage est le premier grand tableau de paysage peint par l'artiste. Exécutée durant la première année de son séjour à Rome, en 1834, cette œuvre reflète l'attrait qu'exerçait sur Paul Flandrin la campagne environnant Rome. Ainsi, il écrit à cette date, une lettre à son ami et condisciple Victor Bodinier : « *Je ne m'étonne pas que vous nous ayiez si souvent parlé de la campagne de Rome... C'est sublime ! Quel beau caractère ! Puis, avec cela, des troupeaux de buffles, de distance en distance, avec ces hommes à cheval qui les conduisent, tout cela a un caractère que l'on ne trouve vraiment que là* ». (lettre de Paul Flandrin à Victor Bodinier, 9 mai 1834, *cf*. Bodinier, 1912 p. 64-65).

L'œuvre présente déjà sous une forme particulièrement heureuse tous les traits caractéristiques de la période romaine de l'artiste : recherche du jeu des lignes, absence de recherche des détails, en particulier pour le feuillage, ensemble des coloris soumis à un ton général ocre. *O.J.*

PARIS, COLLECTION PARTICULIERE

161

162

162. *Aqueducs de la Villa Borghese à Rome*

PEINTURE : Carton. H. 0,16 ; L. 0,26. Au dos inscription de Louis Flandrin : *Paul Flandrin, Aqueduc de la villa Borghèse.*

HISTORIQUE : Fonds familial Flandrin.

ŒUVRES EN RAPPORT : « *Aqueducs de la villa Borghèse* », mine de plomb, H. 0,430 ; L. 0,295. S.d.b.g. : *Rome, sept. 1836.* Paris, Bibliothèque nationale, Réserve du Cabinet des Estampes, et « *Vue des aqueducs de la villa Borghèse* » T. H. 0,285 ; L. 0,43. S.h.g. : « *Paul Flandrin, campagne de Rome* ». Paris Collection particulière.

Les aqueducs de la Villa Borghèse et son orangerie sont l'un des motifs le plus souvent peints par Paul Flandrin durant son séjour à Rome. L'artiste étudie à plusieurs reprises le même motif, sous des angles différents. Sans doute, le site est-il à proximité de la Villa Médicis, mais il faut se souvenir que ce paysage constitue l'un des motifs des trois *tondi* d'Ingres (*L'orangerie de la Villa Borghèse*, Montauban,

Musée Ingres, cf. Ternois, 1980, n° 43). On sait, d'ailleurs, par une lettre d'Hippolyte Flandrin à son ami J.L. Lacuria que « *Paul se rend à Subiaco en compagnie d'Ingres* » et « *qu'il y reçoit des leçons très soignées* ». Il ajoute même que « *cela se sent à ses progrès* (lettre d'Hippolyte Flandrin à Jean-Louis Lacuria, Rome, non datée, cf. *Revue du Lyonnais*, 1888, 5ᵉ vol., p. 104). Sans doute le maître a-t-il conseillé à son élève l'étude de ce motif qu'Ingres avait peint durant son premier séjour en Italie.

L'étude ne manque d'ailleurs pas de qualités : les arbres sont étudiés avec finesse. Plus tard, les diverses études de ce motif servirent à l'élaboration de plusieurs grands tableaux de Salon, en particulier : *Campagne de Rome* (Laval, exposé ici), *Aqueducs de la villa Borghèse* (Paris, collection particulière, Lyon, 1904, n° 217, repr.), *Jésus et la Cananéenne* (5) (localisation actuelle inconnue, repr. dans l'*Illustration 19 septembre 1857*). *O.J.*

PARIS, COLLECTION PARTICULIERE.

163. *Vue du Temple de Vénus et de Rome*

PEINTURE : T. H. 0,25 ; L. 0,45. S.b.g. : *Paul Flandrin.*

HISTORIQUE : Figure dans l'atelier de l'artiste en 1896 (cliché Roger Viollet n° 29716) ; collection du peintre J.-J. Henner, (1829-1905) ; donné par Mme Jules Henner, nièce du peintre Henner avec le fonds du Musée Henner, 1920.

EXPOSITION : Paris, 1902, *La Plume*, n° 18.

BIBLIOGRAPHIE : Flandrin, *Le Mois*, 1902, p. 591 ; Jouvenet, 1982, t. II, p. 302-303, n° 2.

ŒUVRE EN RAPPORT : Aquarelle représentant le même site. H. 0,25 ; L. 0,32. Paris, collection particulière.

Cette vue de l'Arc de Titus et du Temple de Vénus et de Rome est prise depuis l'Arc de Constantin. Paul Flandrin semble avoir été séduit, comme tous les artistes de son temps, par les ruines antiques de Rome. Le paysage n'est d'ailleurs pas sans évoquer les réalisations contemporaines de J.-B. Corot. Bonirotte, son condisciple, durant une partie de son séjour romain, exécute une étude du même site (Paris, collection particulière).

Il existe une aquarelle de Paul Flandrin qui est une réplique exacte du même motif. Peut-être a-t-elle servi pour l'exécution de la peinture sur toile qui ne serait alors plus une étude d'après nature.

Par son souci d'exactitude, la finesse des effets de lumière, l'artiste se rapproche des « vedute » italiennes. Seuls, le métier lisse, la couleur crue, enlèvent du charme à l'ensemble. *O.J.*

PARIS, MUSEE J.-J. HENNER.

164. *Une nymphée* (1839)

PEINTURE : T. H. 0,85 ; L. 1,05. S.b.d. : *Paul Flandrin.*

HISTORIQUE : Acquis par le musée en 1884.

EXPOSITIONS : Paris, 1839, n° 736 ; Lyon, 1839, n° 129 ; Paris, 1845, n° 604 ; Paris, 1855, n° 3086 (« une nymphée »).

BIBLIOGRAPHIE : Thoré, 1839, t. III, 2ᵉ série, p. 152 ; Album de l'Artiste, 1845, p. 414-415, lithographié ; Baudelaire, Salon de 1845 ; *Inventaire des Richesses d'art...*, 1885, t. III, p. 328 ; Thiollier, 1896, p. 15 ; Girodie, 1902, p. 48 ; Schnerb, 1902, p. 120 ; *Inventaire des Richesses d'art*, t. VIII, p. 380 n° 126 ; Vollmer, 1916, t. XII, p. 75 ; Vergnet-Ruiz et Laclotte, 1962, p. 236 ; Bénézit, 1966, t. IV, p. 394 ; Lanvin, 1967, t. I, appendice : p. 21 ; Miquel, 1974, t. III, p. 409 ; Jouvenet, 1982, t. II, p. 326, n° 13.

La *Nymphée* d'Angers évoque bien l'intérêt de Paul Flandrin pour les grandes compositions de caractère poussinesque. Tableau parfaitement représentatif qui permet de comprendre les réactions d'une certaine critique devant ce type de paysage stylisé. Le tableau fut, en effet, exposé lithographié dans l'*Album de l'Artiste* (p. 415), en 1845, l'année même où Charles Baudelaire émit son jugement si féroce sur les paysages de Paul Flandrin : « *qu'on éteigne les reflets d'une tête pour mieux voir le modèle, cela se comprend, surtout quand on s'appelle Ingres. Mais quel est donc l'extravagant et le fanatique qui s'est avisé le premier d'ingriser la campagne ?* » (Baudelaire, *Salon de 1845*, réèd. H. Lemaître, 1962, p. 67).

Par la présence de l'Hermès, Paul Flandrin a voulu faire preuve de son érudition, mais la scène ne semble pas devoir illustrer un épisode précis de la littérature classique. Si Paul Flandrin a lu Virgile dans sa jeunesse, sa culture classique demeure, en fait, très limitée. L'influence poussinesque s'est plus volontiers faite par l'intermédiaire des œuvres du maître que l'élève a eu l'occasion de copier.

L'artiste a repris le motif d'un tableau de Poussin, *La Danse de la vie humaine*, où des nymphes dansent autour d'une borne de Mercure (Thuillier, n° 123).

La composition suit fidèlement les règles du Paysage historique établies par Nicolas Poussin. La lumière est distribuée avec soin et contribue à articuler les différents plans de la composition. Emanant de la cîme des arbres qui dominent la clairière, le faisceau éclaire l'Hermès et les nymphes réunies autour de la statue traverse la prairie avant de s'arrêter au bord de l'étang. Le coloris du tableau est fondé sur une harmonie de tons vert-brun. Seul, le vêtement blanc de la nymphe debout au bord de l'étang crée une tache plus vive dans l'ensemble. Le métier est lisse, la touche peu apparente. La cîme des arbres se détache avec beaucoup d'intensité sur le ciel d'un bleu profond.

Le paysage semble avoir peu séduit le public, puisque c'est seulement en 1884 que le tableau trouve un acquéreur en la personne de la Ville d'Angers, où Paul Flandrin avait conservé de nombreuses attaches. L'artiste avait séjourné dans la famille d'Emile Pichon (un peintre,

ancien élève d'Ingres) durant la Commune, et était devenu membre de la Société d'Agriculture, Sciences et Arts d'Angers, grâce à Henri Jouin qui œuvra si bien pour les musées d'Angers. *O.J.*

ANGERS, MUSEE DES BEAUX-ARTS

165. *Les montagnes de la Sabine* ou *Adieux d'un proscrit à sa famille* (1838)

PEINTURE : T.H. 2,01 ; L. 1,50. S.D.b.g. : *Paul Flandrin. Rome 1838.*

HISTORIQUE : Présenté à divers Salons depuis 1839 (cf. la rubrique *Expositions*), il fut acquis à l'issue de celui de 1852 par le Musée du Louvre, le 14 juillet 1852, pour 2.000 Fʳˢ (Archives du Louvre, p. 30). Envoyé directement au Musée du Luxembourg le 6 août 1852 ; transféré au Musée du Louvre le 30 mars 1898 et inscrit alors sur l'Inventaire RF ; déposé au Conseil d'état le 9 mai de la même année ; rentré au Louvre le 18 juin 1970, en mauvais état... et restauré depuis. — N° d'inventaire : INV 4453 et RF 1119.

EXPOSITIONS : Paris, 1839, n° 755 ; Rouen, 1845 ; Lyon, 1845, n° 130 ; Paris, 1852, n° 452 ; Paris, 1855, n° 3085 ; Londres, 1862, n° 96 ; Paris, 1974, n° 82.

BIBLIOGRAPHIE : le *Journal des Artistes*, 1839, p. 197 ; Delécluze, cité par Miquel, 1974, t. III, p. 409 ; Clément de Ris, 1852, p. 10 ; *Revue Contemporaine*, 1852, cité par Miquel, 1974, t. III, p. 417. *Revue des Beaux-Arts*, 1852, p. 165 ; Perrier, 1855, p. 139 ; Delécluze, 1855, p. 285 ; Perrier, *L'Artiste*, 1855, p. 155 ; Du Camp, 1855, p. 238 ; Thiollier, 1896, p. 15 ; Girodie, 1902, p. 9 ; Schnerb, 1902, p. 120 ; Bouyer, 1902, p. 47-48 ; Dorbec, 1908, p. 357 ; TB 1916, t. XII, p. 75 ; Ladoue, 1936, p. 188 ; Bénézit, 1966, t. IV, p. 394 ; Lacambre, 1974, n° 82 ; Miquel, 1974, t. III, p. 409, 417, 419 ; Jouvenet, 1982, t. II, p. 359, cat. n° 10.

ŒUVRE EN RAPPORT : Petite réplique peinte, exécutée pour *souvenir* par l'artiste en 1852. H. 0,23 ; L. 0,17. Fonds familial Flandrin.

Les Adieux d'un proscrit à sa famille fut le premier envoi de Paul Flandrin au Salon, à son retour de Rome. Le paysage évoque d'ailleurs bien les aspirations néo-classiques du jeune artiste, avec une recherche évidente dans la composition, des préoccupations de noblesse et d'élégance dans l'arrangement des éléments. Le tableau, peint à Rome, rappelle la grande manière classique.

La lumière est distribuée avec soin, et, dans le tableau, articule les différents plans de la composition. Un faisceau éclaire le petit groupe de personnages, tandis que le premier plan dans l'ombre sert de repoussoir. La valeur plus vive des vêtements rompt l'harmonie un peu terne des coloris. Le jeu des lignes est savamment étudié, avec la courbe du chemin interrompu par la diagonale de la ruine. Au-dessus de la scène se développe la masse brune du feuillage qui sert de fond à la composition. Les arbres ne sont pas, toutefois, étudiés avec suffisamment de soin. On entrevoit les aqueducs de la Villa Borgnèse (?) et un petit temple avec autel que nous ne sommes pas parvenus à identifier. Ce tableau fut bien accueilli par la critique et les artistes, si l'on en croit Hippolyte (lettre d'Hippolyte Flandrin à Eugène Roger, 11 mars 1839, cf. Delaborde, 1865, p. 298). En 1839, il est vrai, le genre du Paysage historique n'est nullement passé de mode. Ainsi, le critique du *Journal des Artistes* écrit : « *... Ses sites historiques ont beaucoup de style, on peut seulement leur reprocher un peu de crudité et trop d'uniformité de tons, mais ils se distinguent par une touche ferme, par de belles lignes sagement coupées.* « Les Adieux du Proscrit » *font penser au Poussin* ».

Le paysage eut, cependant, du mal à trouver un acquéreur. Les grandes dimensions, le coloris un peu terne, pouvaient difficilement intéresser les collectionneurs. Le tableau se trouvait encore, quelques années plus tard, dans l'atelier de Paul, lorsque ce dernier peignit, en collaboration avec Hippolyte, le *Double auto-portrait* du Musée des Beaux-Arts de Nantes (n° 201 de la présente exposition). Le paysage fut finalement acquis pour le Musée du Luxembourg en 1852, après avoir été exposé cette année-là sous un autre titre : « *Les Montagnes de la Sabine* ». Ainsi que l'a démontré G. Lacambre « *cette modification est due, sans doute, au règlement du Salon qui n'acceptait pas plusieurs fois la même œuvre, mais aussi au fait qu'en 1839, la justification d'un titre historique était utile, alors qu'en 1852, le naturalisme triomphe et que le public s'intéresse au site représenté — des montagnes des environs de Rome — plus qu'à la scène que vivent les personnages* ».   O.J.

PARIS, MUSEE DU LOUVRE.

163

164

260 *Paul Flandrin*

166. *Campagne de Rome*
(1840)

PEINTURE : — T. H. 0,86 ; L. 1,13. S.b.g. : *Paul Flandrin.*

HISTORIQUE : Acquis en 1873 par la Ville de Laval ; mis en dépôt à l'Hôtel de Ville.

EXPOSITION : Paris, 1840, nº 592 ; Paris, 1900, nº 28.

BIBLIOGRAPHIE : Album Challamel du *Salon de 1840*, repr. ; Schnerb, 1902, p. 121 ; Girodie, 1902, p. 9 ; Vollmer, 1916, p. 75 ; Vergnet-Ruiz et Laclotte, 1962, p. 236 ; Lanvin, 1967, t. I, appendice p. 13 ; Jouvenet, 1982, t. II, p. 324, nº 12.

ŒUVRES EN RAPPORT : — Lithographie du tableau par Français, Salon de 1840. Album Challamel, Paris, Bibliothèque nationale, Cabinet des Estampes, Ad 90. — Petite réplique exécutée pour *souvenir*. Huile sur carton. H. 0,198 ; L. 0,252 S.D.b.g. : *Paul Flandrin 1874.* Fonds familial Flandrin.

166

Le grand tableau du musée de Laval reprend en partie le motif d'un des trois *tondi* d'Ingres. Ce site des aqueducs de la Villa Borghèse, si souvent représenté par Paul Flandrin, évoque la dépendance de l'artiste à l'égard des choix de son maître.

Paul Flandrin s'est surtout attaché au jeu des lignes avec la courbe sinueuse du chemin qu'empruntent les figures de femmes. Ce parti pris de composition se retrouvera souvent par la suite dans ses tableaux. Paul Flandrin reprendra également fréquemment le motif des paysannes romaines, porteuses d'amphore par exemple, dans la *Vue de Montredon* à Nantes, nº 170 de la présente exposition.

Par son métier lisse, sa recherche de la composition, le tableau apparaît particulièrement caractéristique de sa période romaine.   *O.J.*

LAVAL, MUSEE DES BEAUX-ARTS

167. *Les Pénitents dans la Campagne de Rome*
(1840)

PEINTURE : T. H. 0,98 ; L. 1,32. S.b.g. : *Paul Flandrin.*

HISTORIQUE : Acquis par la Ville de Lyon en 1854, 1200 Frs (Archives départementales du Rhône T. 387).

EXPOSITION : Paris, 1840, nº 591 ; Orléans, 1840 ; Nantes, 1840 ; Moulins, 1845 ; Lyon, 1851, nº 157 ; Paris, Bonne Nouvelle, 1853 ; Paris, 1925, nº 41.

BIBLIOGRAPHIE : Delécluze, *Le Journal des Débats* 1840 ; Jouin, 1871, p. 277 ; Thiollier, 1896, p. 15 ; Catalogue du musée, 1899, nº 515 ; Schnerb, 1902, p. 121 ; Bouyer, 1902, p. 48 ; Flandrin, 1902, *Le Mois*, p. 591 ; Gairal de Serezin, 1904, p. 16 ; Dorbec, 1908, p. 357, repr. p. 263, Dissard, 1912, p. 25, repr. p. 191 ; Vollmer, 1916, p. 75 ; Vergnet-Ruiz et Laclotte, 1962, p. 236 ; Bénézit, 1966, t. IV, p. 394 ; Lanvin, 1967, t. I, appendice p. 10 ; Miquel 1974, p. 408 ; catalogue de l'exposition *Bonnat*, 1979, Paris, Louvre, p. 51, nº 65 ; Jouvenet, 1982, t. II, p. 322, nº 11.

ŒUVRES EN RAPPORT : *Aqua Traverse*. Motif représentant le site du tableau. Dessin, localisation actuelle inconnue, repr. par Bouyer, 1902, p. 42.
Motif représentant le site du tableau. T. H. 0,22 , L. 0,24. Paris, collection particulière.
Motif représentant le site du tableau. T.H. 0,23 ; L. 0,29. Lyon, collection particulière.
Étude pour les Pénitents de la mort. Dessin au crayon. H. 0,19 ; L.0,39. h.d. : *haut de la manche trop court.* Paris, collection particulière.
Étude pour les Pénitents de la Mort. H. 0,315 ; L. 0,215. Paraphé *H. Flandrin*, et de la main de Paul : *pour mes pénitents de la mort.* Paris, collection particulière.

La scène représente la confrérie des Pénitents de la mort, cherchant dans la campagne romaine les corps sans sépulture, pour les inhumer.
Le sujet rappelle, par sa gravité et la réflexion philosophique qui y est contenue, les recherches de Poussin. Paul Flandrin a d'ailleurs pu être influencé par les *Funérailles de Phocion*, dont il a pu voir une gravure.
Le tableau a été bien analysé par Mme Lanvin qui est parvenue à repérer les diverses études préparatoires. Les figures ont été étudiées avec plus de soin que d'habitude, la disposition générale semble avoir été donnée par Hippolyte (*cf.* la cinquième œuvre en rapport citée *supra*). Ces deux faits demeurent toutefois une exception dans les méthodes de travail de Paul. Hippolyte intervient, en fait, assez rarement dans l'œuvre de paysagiste de son frère, sauf pour quelques conseil généraux (*cf.* Flandrin, 1902, p. 274-276) et quelques retouches, une fois l'œuvre achevée.
D'autre part, l'artiste semble avoir rarement multiplié les études préparatoires pour les personnages qu'il place dans ses tableaux. Bien souvent, il se contente de reproduire d'un paysage à l'autre, les mêmes figures.
Le paysage, très représentatif de sa période romaine par son coloris qui est soumis à un ton général vert-bronze, manque toutefois quelque

167

peu de séduction. E.J. Delécluze observe avec raison « *que Paul Flandrin a abusé du droit que l'on a de faire de la peinture grave dans la campagne de Rome* » et « *que son sujet, qui pourrait devenir concevable pour la décoration d'une église ou d'un cloître, n'est pas heureusement choisi pour orner le cabinet d'un amateur* ».

La composition conserve, néanmoins, un jeu de lignes harmonieux.   O.J.

LYON, MUSÉE DES BEAUX-ARTS

168.   *Gorges de l'Atlas*
(vers 1844-1845)

PEINTURE : T. H. 0,85 ; L. 1,41. S.b.d. : *Jean-Paul Flandrin.*

HISTORIQUE : Peint vers 1844-1845 à la suite d'un voyage en Provence effectué en 1843 ; acquis par l'Etat après le Salon de 1855, le 22 janvier 1856, pour 1.500 Frs (Archives nationales, F. 21 80) ; envoyé au musée de Langres en 1857.

EXPOSITIONS : Lyon, 1845-1846, n° 163 ; Paris, 1855, n° 3087 (« *Gorges de l'Atlas* »)

BIBLIOGRAPHIE : Delécluze, 1855, p. 285 ; Gautier, 1855, p. 139 ; catalogue du musée, 1861, n° 13 ; idem, 1873, n° 29 ; idem, 1886, n° 23 ; idem, 1902, n° 36 ; Vollmer 1916, p. 75 ; catalogue du musée, 1931, n° 36 ; Vergnet-Ruiz et Laclotte, 1962, p. 236 ; Bénézit, 1966, p. 394 ; Lanvin, 1967, t. I, appendice p. 2 ; Angrand, 1968, p. 333 ; Miquel, 1974, t. III, p. 419 ; Jouvenet, 1982, t. II, p. 361, n° 32 ; May, 1983, n° 68 p. 38, repr.

ŒUVRE EN RAPPORT : *Paysage* au fond du *Baptême du Christ,* peinture murale pour la Chapelle des Fonts Baptismaux, église Saint-Séverin, Paris (vers 1843-1844).

Le tableau est un excellent exemple du paysage de convention, tel qu'a pu souvent le pratiquer Paul Flandrin. Les *Gorges de l'Atlas* gardent en fait le souvenir d'un séjour du peintre à Ollioules (Var), en 1843, en compagnie de son futur beau-père Alexandre Desgoffe (*cf.* Flandrin, *Le Mois*, 1902, p. 595 et dessins des Gorges d'Ollioules, Paris, Fonds familial Flandrin). Un personnage s'enfuit du paysage, effrayé par la lionne qui s'abreuve à la source. Le sujet reprend, certainement, le thème d'un tableau de Poussin, *Les effets de la Terreur* (Thuillier n° 159), que Paul Flandrin a pu connaître par les gravures. Il collectionnait, en effet, les estampes de Poussin et de Dughet.
Cette méthode révèle les larges emprunts de Paul Flandrin aux conceptions de Poussin. L'artiste copie des paysages du Maître auquel il voue une grande admiration. Ainsi écrit-il le 1er août 1856, alors qu'il exécute une copie du *Déluge* : « *C'est égal, ma séance a été bonne ; c'est si beau, si poétique, que je ne me fatigue pas devant ce chef d'œuvre. Il me semble, en même temps, entendre les plus belles symphonies de Beethoven. Tu vas dire que je me manière. Il est vrai, cependant, que j'éprouve là des joies immenses, ce qui me fait dire que je voudrais revenir encore à l'âge de 15 ans pour jouir encore souvent comme cela, en faisant quelques bonnes copies du maître, car ce n'est que comme cela qu'on les voit comme elles*

sont » (lettre de Paul Flandrin à sa femme, 1er août 1856, *cf.* Miquel, 1974, p. 420).
Le choix du site s'adapte particulièrement bien au caractère dramatique de la scène représentée.   O.J.

LANGRES, MUSÉE DU BREUIL DE SAINT-GERMAIN

169.   *Vallée du Dauphiné*
au-dessus de Voreppe
(vers 1845)

PEINTURE : T. H. 0,275 ; L. 0,400. S.b.g. en rouge : *Paul Flandrin.*

HISTORIQUE : Collection du professeur Rostan à Paris. Don de sa fille au Musée Granet d'Aix-en-Provence, en 1904. Sur la Collection Rostan, *cf.* n° 103.

EXPOSITION : Aix-en-Provence, 1977, n° 65.

BIBLIOGRAPHIE : Vergnet-Ruiz et Laclotte, 1962, p. 236 ; Lanvin, 1967, t. I, appendice p. 15 ; Jouvenet, 1982, t. II, p. 346, n° 24.

ŒUVRE EN RAPPORT : *Etude d'après nature du même motif* T.H. 0,272 ; L. 0,34. S.b.g. : *Paul Flandrin.* Paris, collection particulière.

Dans son carnet de voyage, à la date du 12 août 1845, l'artiste écrit cette simple mention : « *parti pour Grenoble et la Grande Chartreuse avec Pagnon* » ; le 18 août, « *retour à Lyon* ». Le récit de Pagnon, élève d'Hippolyte, se révèle plus intéressant, et donne des détails utiles sur l'itinéraire des deux artistes et le comportement de Paul Flandrin.
Les deux artistes séjournent au monastère de Chalay, que venait de fonder le Père Lacordaire,

169

pour être le premier couvent des Dominicains depuis leur restauration en France ; ils y sont reçus par un camarade d'Hippolyte, le Père Besson, un artiste entré dans les ordres. Après une nuit passée en prières, Paul Flandrin fit plusieurs études d'après nature. Ces dernières lui servirent plus tard de motifs pour ses tableaux (*cf.* la lettre de J. Pagnon à Cl. Tisseur, 7 septembre 1845, citée dans Tisseur, 1869, p. 242). Ainsi, dans sa *Vallée au-dessus de Voreppe,* Paul Flandrin a juste introduit une figure de berger drapé à l'antique pour animer sa composition et conférer un caractère bucolique au paysage. Quant au troupeau, il rappelle l'enseignement de son premier maître, Antoine Duclaux (1783-1863), peintre animalier bien connu à Lyon.
Dans la composition définitive, les arbres sont étudiés avec moins de finesse et forment une masse compacte : Paul devient moins sensible aux détails secondaires. Le coloris de la prairie, d'un vert bronze, est plus assourdi. Ce tableau demeure, en fait, encore très proche des œuvres de la période romaine.   O.J.

AIX-EN-PROVENCE, MUSÉE GRANET

170.   *Vue prise à Montredon*
près de Marseille
(1851)

PEINTURE : T. H. 0,20 ; L. 0,29. S.D.b.g. : *Paul Flandrin 1851.*

HISTORIQUE : Collection Edgar Clarke, duc de Feltre ; légué avec la collection Clarke en 1852. — Sur cette collection, *cf.* le n° 112. N° d'inventaire : 852-1-51.

BIBLIOGRAPHIE : Catalogue du musée, 1857, n° 88 ; idem, 1876, n° 744 ; Merson, 1883, t. II, p. 31 ; catalogue du musée 1903, n° 880 ; Nicolle, 1913, n° 969 ; Benoist, 1953, n° 969 ; Jouvenet, 1982, t. II, p. 356, cat. 29.

Le tableau est daté 1851, mais l'étude d'après nature doit être bien antérieure. Lors de son séjour à Nîmes, en 1849, l'artiste ne se rend pas à Marseille. Il faut remonter à 1843, pour trouver un voyage en Provence.
Le motif du tableau est celui du Mont Redon, que l'artiste reprendra quelques années plus tard, dans une toile de 1859, *Environs de Marseille* (Angers, Musée des Beaux-Arts). Ce site inspirera aussi Puvis de Chavannes (1824-1898) qui placera sa *Vision Antique* du Musée des Beaux-Arts de Lyon dans le même lieu.
Paul Flandrin a su, pour une fois, échapper à la crudité et à l'uniformité des tons qui lui sont habituelles. Si la mer reste d'un bleu assez vif, les couleurs s'atténuent légèrement devant les effets du soleil. L'artiste a également essayé des effets d'ombre dans les touffes d'arbres du premier plan. Les figures de convention, toutefois, sont toujours là : le berger d'après l'antique, qu'on retrouve dans la *Vallée du Dauphiné au-dessus de Voreppe* (catalogue n° 169) et dans la *Solitude du Louvre* (catalogue n° 173).   O.J.

NANTES, MUSÉE DES BEAUX-ARTS

168

170

171. *Les tireurs d'arc ; paysage*
(vers 1851-1853)

PEINTURE : H. 0,41 ; L. 0,33. Au revers, de la main de la donatrice, Melle Rostan : *Bords du Gardon/paysage.*

HISTORIQUE : Esquisse du tableau, le 21 mai 1851 (carnets de l'artiste) ; collection du professeur Rostan, ami de Paul Flandrin ; donation de sa fille, Melle Rostan, au Musée, en 1903. Sur cette collection, *cf.* le n° 103.

EXPOSITIONS : Paris, 1855, n° 3092 (« Les tireurs d'arc ; paysage ») ; Aix-en-Provence, 1961, sans catalogue ; Aix-en-Provence, 1977, n° 66.

BIBLIOGRAPHIE : Gautier, 1855, p. 139 ; Dorbec, 1908, p. 358 ; Vergnet-Ruiz et Laclotte, 1962, p. 236 ; Lanvin, 1967, t.I, appendice p. 16 ; Jouvenet, 1982, t. II, p. 335, n° 18.

ŒUVRE EN RAPPORT : Lithographie du tableau (1853), Paris, Bibliothèque nationale, Cabinet des Estampes, DC 294 C.

Paul Flandrin se rend, en 1848, à Nîmes, pour aider son frère à la décoration de l'église Saint-Paul. L'artiste s'éprend de la région et Hippolyte écrit à son maître Ingres, le 10 mars 1849 : « *Les rares promenades que nous avons pu faire, nous ont permis de voir des choses si admirables que Paul veut rester dans ce pays quelques temps et rapporter des études* » (lettre d'Hippolyte Flandrin à Ingres, 10 mars 1849, *cf.* Delaborde, 1865, p. 337). L'artiste demeure donc après le départ de son frère Hippolyte, au mois de mai, dans la région, et prend pension en compagnie de Louis Lamothe, à l'auberge Fabre, de Lafoux. Dans son carnet de notes, il écrit : « *promenade au pont du Gard, admirable effet sous le soleil, le gardon comme un miroir le soir* ». Il rencontre peut-être, durant l'été, D. Papety et un Allemand appelé E. Scheimer (carnets de l'artiste).

Le tableau a été lithographié en 1853. Dans son carnet de notes, l'artiste écrit, le 21 mai 1851 : « *triste esquisse du tireur à l'arc* ». Le paysage a donc été composé entre ces deux dates. Le thème bucolique du paysage évoque bien l'âme virgilienne de l'artiste. Paul Flandrin lisait parfois l'*Enéïde*. Rappelons qu'Hippolyte, de son côté, a peint les « *Bergers de Virgile* » (n° 2 de la présente exposition) où le paysage rappelle assez bien la manière de Paul. Malgré les nombreuses figures qui animent la composition, la scène ne semble pas illustrer un épisode précis. En fait, le paysage vaut surtout par la magnifique étude d'arbre qui occupe le fond. Paul Flandrin utilise, à partir de cette époque, de petites touches juxtaposées pour exprimer la finesse du feuillage. Malgré son caractère répétitif, cette technique donne généralement plus de fraîcheur à l'ensemble. Une recherche identique se retrouve dans les *Bords du Gardon* (Montauban, Musée Ingres). *O.J.*

AIX-EN-PROVENCE, MUSÉE GRANET

172. *Sous-bois*

PEINTURE : H. 0,26 ; L. 0,21.

HISTORIQUE : Acquis sur le marché d'art à Paris en 1983 et provenant antérieurement du fonds de l'atelier de l'artiste.

Cette peinture évoque les études de l'artiste sur le motif. Le coloris est plus vif, la touche plus franche que dans les grands tableaux de Salon. L'ensemble révèle plus de fraîcheur et de spontanéité.

Le ciel, d'un bleu vif, est caractéristique de sa période de maturité. Les premiers plans sont étudiés avec soin, l'artiste insistant sur les reflets de lumière et les nuances des tons. *O.J.*

LYON, COLLECTION PARTICULIERE.

172

171

173. *La Solitude*
(1857)

PEINTURE : T. H. 0,26 ; L. 0,52. S.b.d. : *Paul Flandrin*.

HISTORIQUE : L'artiste commence à peindre la *Solitude* le 21 janvier 1857 (carnets de l'artiste). Acquis par l'Etat le 2 avril 1861, 1.500 Frs ; livré par l'artiste au Palais de l'Industrie le 29 avril 1861 (Archives nationales, F21.139) ; entré au Musée du Luxembourg en 1864 où il reste jusqu'en 1924 ; déposé au Musée Rodin (Archives nationales, F. 21.4208) ; attribué au Palais de l'Elysée le 11 juillet 1924 (Archives nationales, F. 21. 4309) ; déposé par le Musée d'Art Moderne au Louvre, le 26 février 1973 ; attribué au Louvre et réinventorié en 1977. — N° d'inventaire : RF 1977-434.

EXPOSITIONS : Paris, 1857, n° 983 ?, Paris, 1860, n° 208 ; Saint-Etienne, 1860 ; Londres, 1862, n° 221 ; Vienne, 1873, n° 258 ; Paris, 1974, n° 83, repr. au catalogue.

BIBLIOGRAPHIE : Burty, 1861, p. 350 ; *Chronique de l'Artiste*, 1862, t. I, p. 235 ; Catalogue illustré du Musée du Luxembourg, 1884, 1887, 1892, repr. p. 158 ; Bouyer, 1902, p. 49 ; Schnerb, 1902, p. 120 ; Dorbec, 1908, p. 359, repr. ; Vollmer, 1916, p. 75 ; Vergnet-Ruiz et Laclotte, 1962, p. 236 ; Bénézit, 1966, t. IV, p. 394 ; Lanvin, 1967, t. I, appendice p. 21 ; Lacambre, 1974, p. 74, n° 83 ; Jullian, 1980, p. 414 ; Jouvenet, 1982, t. II, p. 352-353, cat. 27.

ŒUVRES EN RAPPORT : *Coteau boisé*, tableau exposé à Paris, *la Plume*, 1902, n° 37. (localisation actuelle inconnue). Lithographie par J. Laurens, 1857 (commencée le 20 novembre, *cf.* les carnets de l'artiste).

Le tableau a sans doute bien mérité son attribution au Musée du Luxembourg. L'Inspecteur des Beaux-Arts écrit que le tableau est « *d'une bonne couleur et d'un aspect agréable* » (Archives nationales, F. 21 139).
Le paysage, il est vrai, ne manque pas de qualités. Paul Flandrin a su exprimer avec finesse les effets de lumière sur les rochers par de petites touches fragmentées. Ses préférences pour les sites solitaires, les gorges profondes du Bugey, apparaissent dans le choix du motif. La pose du philosophe méditant au bord du lac donne à la composition une poésie un peu grave qui a inspiré à Philippe Burty ces quelques lignes : « *Est-ce Virgile qui module ses Géorgiques ? Est-ce Horace qui s'endort en murmurant carpediem ?… Quelle variation de la Mode pourra jamais lui faire perdre ses belles lignes, son ton solide et le vaste silence de son bois sacré* ». Et, de fait, cette poésie mélancolique qui émane du paysage, annonce une certaine forme de symbolisme.
Depuis l'étude de G. Lacambre, des éléments nouveaux sont venus éclaircir la chronologie obscure du tableau. Les carnets de notes de l'artiste précisent à la date du 21 mai 1857 que l'artiste commence à peindre le tableau. Le paysage est lithographié en novembre de la même année par J. Laurens puis figure successivement à des expositions à Paris puis à Saint-Etienne en 1860. Le titre du tableau est un choix direct de l'artiste, puisqu'il est noté dans ses carnets à la date de 1857 et qu'on le retrouve fréquemment dans son œuvre, par exemple dans les Salons de 1839 et de 1855.   *O.J.*

PARIS, MUSÉE DU LOUVRE

174. *Paysage. La Fuite en Egypte*
(1861)

PEINTURE : T. H. 1,24 ; L. 1,62. S.D.b.g. : *Paul Flandrin 1861*.

HISTORIQUE : Commandé par le Ministère d'Etat le 28 janvier 1859, pour 3.000 Frs (Archives nationales, F. 21 80) ; l'artiste montre l'esquisse du tableau à M. Tournois, du Ministère d'Etat, le 13 février 1860 ; le tableau est livré le 4 avril 1861 (Archives nationales, F. 21 80) ; envoyé au Musée d'Orléans en 1862 (*cf.* Burty, 1862, t. III, p. 189). — N° d'inventaire : 421.

EXPOSITION : Paris, 1861, n° 1117.

BIBLIOGRAPHIE : Chronique de la *Gazette des Beaux-Arts*, 1859, t. I, p. 320 ; Lagrange, 1861, vol. XI, p. 138 ; Gautier, 1861, p. 159 ; Vinet, 1861, p. 613 ; Saint-Victor, *La Presse*, 2 avril 1861 ; Auvray, « Le Salon de 1861 », cité par Miquel, 1974, t. III p. 422 ; Burty, 1862, p. 189 ; Catalogue du musée, 1876, n° 125 ; *Inventaire des Richesses d'art*, 1878, t. I, p. 87 ; Thiollier, 1896, p. 15 ; Girodie, 1902, p. 9 ; Vergnet-Ruiz et Laclotte, 1962, p. 236 ; Lanvin, 1967, t. I, appendice p. 23 ; Angrand, 1968, p. 309 ; Miquel, 1974, t. III, p. 422 ; Jouvenet, 1982, t. II, p. 333, n° 17.

ŒUVRES EN RAPPORT : *Etude d'après nature*, Salon de Lyon, 1880, n° 221 (photo J. Garcin dans l'*Album du Salon de 1880*) Lyon, collection particulière. — *Etude d'après nature*. H. 0,26 ; L. 0,36. S.D.b.d. : *A la Gassaude Paul Flandrin, 1859*. Paris, collection particulière.

Cette scène du Nouveau Testament, commandée en 1859 par l'Etat, appartient à ces « sujets de dévotion » si appréciés sous le Second Empire (Angrand, 1968).
A considérer l'ensemble des commandes passées à l'artiste, on est surpris par la rareté des sujets religieux. Paul Flandrin ayant fréquemment collaboré aux peintures religieuses de son frère Hippolyte, on aurait pu imaginer que l'Etat lui ait confié un plus grand nombre de paysages à sujet religieux. Cette absence de sujets religieux dans les achats de l'Etat ne signifie pas un oubli des pouvoirs publics. Elle exprime plutôt le choix de l'artiste qui n'a jamais recherché de telles commandes, se considérant avant tout comme un paysagiste.
On peut relever quand même dans l'œuvre de Paul Flandrin, quelques exemples de sujets religieux. Ainsi, peint-il un *Saint Jérôme dans le Désert* (Paris, collection particulière) (*cf.* le catalogue de l'exposition *Caruelle d'Aligny et ses compagnons*, Dunkerque, 1979, n° 105) et un *Jésus et la cananéenne* (localisation actuelle inconnue).
L'exécution du tableau valut à l'artiste un rapport élogieux de l'Inspecteur des Beaux-Arts qui note « *que le tableau est composé avec art et exécuté avec soin* » (Alfred Arago au Ministre d'Etat, 30 mars 1861, archives nationales, Paris, F 21 80).
La critique ne partagea pas toujours cette opinion. Entre autres, Paul de Saint-Victor (*La Presse*, 2 avril 1861) décrit en ces termes le tableau : « *Que dire de la fuite en Egypte de M. Paul Flandrin, de ses terrains beurrés, de ses arbres ronds, de son ravin d'ocre vif, et de son ciel bleu de perruquier. Rien n'égale la fausseté de cette peinture, si ce n'est son mortel ennui. Elle attristerait le parloir d'un monastère janséniste* ». Heureusement, Théophile Gautier est plus mesuré : « *L'artiste cherchait de belles lignes, et il les a trouvées. La Fuite en Egypte est,*

dans la force du terme, louange et blâme, un bon paysage historique ». (1861, p. 159).   *O.J.*

ORLEANS, MUSÉE DES BEAUX-ARTS

175. *Plage normande*

PEINTURE : Carton. H. 0,185 ; L. 0,239. S.b.g. : « *Paul Flandrin* ».

HISTORIQUE : Fonds familial Flandrin.

ŒUVRES EN RAPPORT : D'autres vues de plage normande, notamment une *Vue du Tréport* en hauteur, sont à signaler dans le Fonds familial Flandrin.

A partir de 1856, Paul Flandrin fréquente régulièrement la côte normande : au Tréport, où il se rend en famille en 1856, puis à Arromanches, en 1860. Plus tard, il séjourne chez son ami le sculpteur Oudiné, à Etretat où il peint les falaises. Après 1871, l'artiste se rend chaque année en famille à Pornic.
Aussi est-il bien difficile d'identifier la plage représentée ici.
Le plus surprenant est la liberté d'interprétation de Paul Flandrin, la facilité avec laquelle il a su traduire les effets du vent et la force des vagues s'échouant sur la plage. Paul Flandrin semble avoir multiplié ce genre de pochades à l'occasion de ses séjours balnéaires, si l'on se réfère à ses carnets.   *O.J.*

PARIS, COLLECTION PARTICULIERE

175

174

176. **Au bord de l'eau**
(1867)

PEINTURE : T. H. 0,36 ; L. 0,28. S.D.b.g. : *Paul Flandrin 1867.*

HISTORIQUE : Acquis par l'Etat au Salon, le 20 juin 1868, 1 500 Frs (Archives nationales, F21.139) ; attribué au Musée de Bordeaux le 30 juin 1868. — N° d'inventaire : D 868-2-1.

EXPOSITION : Paris, 1868, n° 985.

BIBLIOGRAPHIE : Clément, 1868 ; catalogue du musée, 1869, n° 609 ; idem, 1875, n° 618 ; idem, 1877, n° 618 ; Vallet, 1881, n° 465 ; idem, 1894, n° 555 ; Girodie, 1902, p. 9 ; Alaux, 1910, n° 427 ; Vollmer, 1916, p. 75 ; catalogue du musée, 1933, n° 256 ; Ricaud, 1938, p. 19 ; idem, 1938, p. 170 ; Vergnet-Ruiz et Laclotte, 1962, p. 236 ; Bénézit, 1966, t. IV, p. 394 ; Lanvin, 1967, t. I, appendice p. 21 ; Bonnefoy, 1975, t. II, p. 286 ; Miquel, 1974, t. III, p. 425 ; Jouvenet, 1982, t. II, p. 359, n° 67.

Ch. Clément a très bien su décrire ce tableau dans le *Journal des Débats* de 1868 : « *l'un de ses ouvrages surtout est charmant. Il représente quelques figures nues ou drapées au bord d'un lac. Sur la rive opposée s'élèvent de beaux arbres, bien disposés, dessinés de la manière la plus fine et la plus pure. L'exécution, encore bien sèche et bien dure, me paraît cependant meilleure qu'à l'ordinaire. Mais c'est la beauté du site, son caractère poétique et je dirai virgilien, qu'il faut remarquer* ».
On peut regretter, toutefois, que l'eau ne soit pas étudiée avec plus de soin et manque de transparence.

176

177

Ces figures de femmes allongées au bord de l'eau confèrent une note de mélancolie un peu triste à l'ensemble. Une attitude comparable se retrouvera quelques années plus tard, dans l'art d'un Puvis de Chavannes, lyonnais lui-aussi et qui connut Paul Flandrin. *O.J.*

BORDEAUX, MUSEE DES BEAUX-ARTS

177. **Idylle**
(1868)

PEINTURE : T. H. 0,37 ; L. 0,46. S.D.b.g. : *Paul Flandrin 1868.*

HISTORIQUE : Acquis par l'Etat le 28 mai 1869, pour la somme de 2.200 Frs ; attribué au Musée de Bergues, le 29 septembre 1869 (Archives nationales, F. 21 139) ; envoyé au Musée de Bergues en 1872.

EXPOSITION : Paris, 1869, n° 941 ; Lyon, 1869, n° 334. Londres, 1872, n° 330.

BIBLIOGRAPHIE : Album Michelez, *Achats et commandes de l'Etat*, Salon de 1869, n° 941, repr. ; Roy, 1869, p. 368 ; Clément, *Journal des Débats*, 16 juin 1869 ; Auvray, 1869, p. 56 ; Jouin, 1871, p. 278 ; Vergnet-Ruiz et Laclotte, 1962, p. 236 ; Lanvin, 1967, t. I, appendice p. 21 ; Miquel, 1974, vol. III, p. 425 ; Jouvenet, 1982, t. II, p. 330-331, cat. 15.

ŒUVRES EN RAPPORT : *Intérieur de Parc.* T. H. 0,275 ; L. 0,38. S.b.g. Repr. par Miquel, 1974, t. III, p. 418. *Parc Réserve de Fontainebleau.* Mine de plomb, H. 0,245 ; L. 0,239. Paris, Cabinet des Estampes, Réserve. *Parc de Fontainebleau.* Crayon, H. 0,246 ; L. 0,295 ; U.S.A., Stanford University.

Idylle rappelle la fidélité tardive de Paul Flandrin au Paysage historique. Deux dessins et une étude peinte évoquent ses recherches sur le motif.
Ce tableau de Salon surprend par ses petites dimensions. Les figures ont été étudiées avec soin, mais l'artiste n'est pas parvenu à ordonner les groupes, ni à donner de la vie à ses personnages. La composition, avec son grand nombre de figures, aurait sans doute également mérité un cadre plus aéré.
Le paysage vaut surtout par le beau dégradé des tons du feuillage. Par des touches juxtaposées de valeur différente, Paul Flandrin est parvenu à obtenir une harmonie de couleur vert orangé très réussie. Pour une fois, Paul Flandrin a su rester sensible aux effets de la lumière.
La critique accueillit le tableau de manière très diverse. E. Roy écrit : « *Son Idylle, peinte dans une monochromie de verdure sèche... n'a qu'un intérêt d'archaïsme c'est le paysage qu'enseignait l'école il y a quarante ans, on n'y trouve rien de la nature vraie* ». Ch. Clément conservateur-adjoint du Musée Napoléon III,

estime « *que les figures sont dessinées avec une rare élégance ; malgré leur petitesse, elles ont beaucoup de caractère. Les lignes sont simples, grandes et savamment balancées ; les terrains remarquablement construits* ». O.J.

BERGUES, MUSEE MUNICIPAL

178. *La Promenade du Poussin*
(1836)

DESSIN : Crayon noir, estompe et légers rehauts de blanc sur papier bleu (vieilli depuis). H. 0,342 ; L. 0,295. S.D.b.g. : *Promenade du Poussin, bords du Tibre, Rome 1836* [et non 1838 !]. P. Flandrin. Inscription au verso : *Rome mars 1835. Promenade du Poussin* et d'une autre main : *Paul Flandrin* : Cachet *ML* b.g.

HISTORIQUE : Don de la veuve de l'artiste en 1903 au Musée du Luxembourg ; entré dans les collections du Louvre en 1930. — N° d'inventaire : RF 2796.

EXPOSITIONS : Paris, 1933, hors catalogue ; Lyon, 1937, n° 122.

BIBLIOGRAPHIE : Thiollier, 1896, pl. 4 repr. ; Lanvin, 1967, t. I, appendice p. 7 ; Jouvenet, 1982, t. II, p. 411, n° 56 ;

ŒUVRES EN RAPPORT : *Bords du Tibre appelés Promenade du Poussin* Paris, Salon de 1843, n° 432. Lithographié par Français. Bibliothèque nationale, Cabinet des Estampes, DC 294 C. *Promenade du Poussin. Bords du Tibre* Mine de plomb. H. 0,29 ; L. 0,44. S.D.b.d. : *Bords du Tibre, Promenade du Poussin. Rome 1836. Paul Flandrin*. Paris, Fonds familial Flandrin. *cf.* Bouyer, 1902, p. 45, repr. ; cliché de la Documentation de la Fondation Getty et du Service d'étude des Peintures du Louvre, n° M.-J. 83-1421.

Le choix du site illustre bien les recherches du jeune artiste pendant son séjour à Rome. Les bords du Tibre, au-delà du Ponte Molle, ont en effet passé, au XIXe siècle, pour avoir été fréquentés par Poussin. Pour cette raison, la berge du fleuve avait été appelée à cet endroit « Promenade du Poussin ».

Le site, à l'époque de Paul Flandrin, inspira certains paysagistes hantés par le souvenir de Poussin. J.-B. Corot peint en 1826-1828 une étude des bords du Tibre, conservée au Musée du Louvre (Robaut, n° 53). Florentin Servan expose au Salon de 1845 une *Promenade du Poussin*. Léon Benouville peint en 1855 un *Poussin sur les bords du Tibre (trouvant la composition de son Moïse sauvé des eaux)*, etc. Sur ce thème, *cf.* Richard Verdi, 1969, p. 742-745. Quant à Paul, il exécute au moins deux dessins du site. Celui du Cabinet des Dessins est le plus connu.

La présente étude servit à l'élaboration d'un tableau du Salon de 1843 qui n'est plus connu que par la lithographie, *Bords du Tibre. Promenade du Poussin*. Dans sa composition définitive, Paul Flandrin ne modifie pas le motif de son étude d'après nature, mais place Poussin sur les berges du fleuve, dans l'attitude de l'autoportrait du Louvre. Sur la rive droite, l'artiste a également figuré le château Saint-Ange et une tour. Cette construction pourrait bien être le château que Poussin passe pour avoir visité durant ses promenades dans la Campagne de Rome (Verdi). O.J.

PARIS, MUSEE DU LOUVRE, CABINET DES DESSINS

178

Lithographie de L. Français d'après le tableau perdu de Paul Flandrin exposé au Salon de 1843, *Bords du Tibre, appelés à Rome promenade du Poussin*.

270   *Paul Flandrin*

179. *Padoue*
(1837)

DESSIN : Mine de plomb. H. 0,27 ; L. 0,22. S.D.b.g. : *Padoue, 1837, Paul Flandrin.*

En 1837, Paul et Hippolyte quittent Rome, fuyant le choléra qui sévissait dans la cité. Ils se rendent successivement à Pérouse, Assise, Florence, Bologne, Padoue, Ferrare et Venise.
Sur le chemin du retour, ils repassent à Padoue, où « ils dévorent » les Titien, les Mantegna, et surtout les Giotto, de Santa Maria dell Arena. Dans une lettre au peintre Eugène Roger, Hippolyte écrit : « *Quel bijou que cette chapelle, quelle blonde et douce harmonie. Giotto ne s'est jamais élevé plus haut pour la force de l'expression et la beauté du style* » (lettre du 10 octobre 1837, *cf.* Flandrin, 1902, p. 69).
Le motif représenté ici est le Duomo de Padoue, reconstruit à plusieurs reprises et en dernier lieu sur les plans, dit-on, de Michel-Ange. La vue est prise d'une des faces du transept ; au fond apparaissent le campanile et la coupole qui marque la croisée du transept.   *O.J.*

PARIS, COLLECTION PARTICULIERE

180. *Environs de Naples*
(1838)

AQUARELLE : H. 0,103 ; L. 0,148. S.D.b.g. : *Napoli 1838 Paul Flandrin.*

HISTORIQUE : Fonds familial Flandrin.

En juin 1838, Paul et Hippolyte Flandrin quittent à regret Rome et la Villa Médicis pour Naples, brève escale avant leur retour en France. Auguste est venu les rejoindre pour quelques semaines (*cf.* nos 147-148 de la présente exposition). Les trois frères visitent Herculanum, Pompéï et la baie de Naples, que chacun transposa selon son propre tempérament. La version de Paul se distingue par l'intensité du coloris, l'absence de nuance dans les tons. Seules les collines fermant la baie sont étudiées avec un peu plus de finesse.

PARIS, COLLECTION PARTICULIERE

181. *Vue de Florence depuis San Miniato*
(1838)

DESSIN : Mine de plomb. H. 0,22 ; L. 0,30. S.b.g. : *Paul Flandrin Florence vue de San Miniato.*

HISTORIQUE : Fonds familial Flandrin.

Le dessin date probablement du dernier séjour de l'artiste à Florence en 1838. Plusieurs études prises à l'intérieur de l'église San Miniato in Monte par ses frères confirment cette hypothèse ; *cf.* à cet égard le tableau d'Auguste au musée de Lyon (n° 154 de la présente exposition).

Cette étude appartient au genre des *vedute*, si répandues à l'époque.
Le dessin présente un intérêt essentiellement topographique : à l'horizon, se dresse le Duomo de Santa Maria dei Fiori, avec son baptistère et son campanile ; un peu plus loin, apparaît la tour du Palais de la Seigneurie. Paul Flandrin avait déjà exécuté, en 1835, une vue du même site, en se plaçant cette fois-ci, des bords de l'Arno. (Paris, collection particulière).   *O.J.*

PARIS, COLLECTION PARTICULIERE

182. *(Faux) Vernis du Japon*
(après 1864)

DESSIN : Crayon noir sur papier gris avec légers rehauts de blanc. H. 0,270 ; L. 0,250. S.b.d. : « *Vernis du Japon. Sèvres P. Flandrin.*

HISTORIQUE : Don de la veuve de l'artiste au Musée du Luxembourg en 1903, entré dans les collections du Louvre en 1930. N° d'inventaire : RF 2779.

BIBLIOGRAPHIE : Jouvenet, 1982, t. II, p. 431, n° 67.

Dessiné d'après nature à Sèvres, sans doute dans la propriété de la veuve d'Hippolyte Flandrin (elle l'acheta en 1864) l'arbre étudié est un Vernis du Japon, à proprement parler, ce qu'on appelle un faux Vernis du Japon, (*Ailanthus altissima*), et non un Vernis vrai (*Rhus vernici-flua*) qui est très peu répandu en Europe. Les carnets de l'artiste nous apprennent que Paul dessina un autre Vernis du Japon en juillet 1858, dans la forêt de Sénart, durant son séjour à Montgeron. Dans le présent dessin, Paul Flandrin insiste essentiellement sur l'enchevêtrement des branches et le caractère sauvage du site. De

telles préoccupations le rapprochent pour une fois des recherches de son beau-père Alexandre Desgoffe (1805-1882).   *O.J.*

PARIS, MUSEE DU LOUVRE, CABINET DES DESSINS.

183. *Route de Remiremont près de Plombières*
(1881)

DESSIN : Crayon noir. H. 0,345 ; L. 0,285. S.D.b.g. : *Paul Flandrin 7bre 1881*, un peu plus à gauche : *sur la route de Remiremont, près Plombières. Paul Flandrin.* b.d. : *reflets bleus violâtres dans l'eau, 7bre 1881*, voir pour l'harmonie l'étude du Tréport h.g. : *Ombre et encore pelouse verte.*

HISTORIQUE : Acquis sur le marché d'art parisien à une date non précisée.

Le paysage a été étudié d'après nature durant un séjour à Plombières chez le paysagiste Louis Français (1814-1897), dont Paul Flandrin avait fait la connaissance.
Le dessin reflète bien l'attitude de Paul Flandrin devant le motif. Dès ses premières recherches d'après nature, ces études étaient savamment composées. Ainsi, place-t-il dans son dessin un berger vêtu à l'antique pour donner un sens à son étude.
Il note aussi des indications sur les couleurs « *reflets bleus violâtres dans l'eau, pelouse verte* » et fait des comparaisons avec des tableaux déjà terminés comme telle vue du Tréport (*cf.* ici le n° 175). Si de telles annotations montrent la sensibilité de l'artiste devant la nature, on regrette toutefois qu'il n'ait pas toujours su traduire par le pinceau de telles indications.   *O.J.*

PARIS, COLLECTION PARTICULIERE.

182

183

184. *Autoportrait*
(1833)

DESSIN : T. H. 0,22 ; L. 0,16. S.D.b.g. : *Paul Flandrin Octobre 1833.*

HISTORIQUE : Fonds familial Flandrin.

La date du portrait (1833) est intéressante. L'artiste vient d'échouer au Grand Prix de Rome, dans la catégorie du Paysage historique. De retour à Lyon, il s'apprête à rejoindre son frère Hippolyte en Italie, comme simple touriste. L'artiste s'est représenté à son chevalet, le visage tourné vers le spectateur et se détachant fortement en sombre sur un fond clair. Paul Flandrin a su modeler avec soin son visage, ménageant des transitions entre les zones d'ombre et de lumière.   *O.J.*

PARIS, COLLECTION PARTICULIERE.

185. *Portrait de Madame Martin*
(1830)

DESSIN : — Pierre noire. H. 0,28 ; L. 0,227. S.D.b.g. : *Paul Flandrin 1830.*

HISTORIQUE : Fonds familial Flandrin.

BIBLIOGRAPHIE : Miquel, 1974, t. III, p. 405.

Madame Martin était née Marie Flandrin et se trouvait donc être la sœur de Jean-Baptiste Flandrin (1773-1838), le père d'Hippolyte et Paul. Très généreuse à l'égard de ses neveux, elle servit une pension aux deux frères durant leur séjour a Paris, dans l'atelier d'Ingres (*cf.* Flandrin, 1902, p. 16). C'est en témoignage de reconnaissance que Paul exécuta le portrait de sa tante en 1830.
Le portrait reste fidèle à l'enseignement donné à l'école des Beaux-Arts de Lyon, et ne se ressent guère du premier apprentissage de Paul dans l'atelier d'Ingres. Le modèle est étudié sans complaisance. L'idéalisation à laquelle tenait tant Ingres est totalement absente du portrait.
                    O.J.

PARIS, COLLECTION PARTICULIERE.

185 186

186. *Portrait de Monsieur Martin*
(1830)

DESSIN : Pierre noire. H. 0,267 ; L. 0,227. S.D.b.g. : *Paul Flandrin 1830.*

187

274   *Paul Flandrin*

BIBLIOGRAPHIE : Miquel, 1974, t. III, p. 405.

HISTORIQUE : *Cf.* le n° précédent.

Monsieur Martin, oncle par alliance d'Hippolyte et Paul Flandrin, était premier adjoint à la mairie de la Ville de Lyon. Doué d'une certaine aisance, il aida financièrement, comme sa femme, née Marie Flandrin, les deux frères durant leur séjour dans l'atelier d'Ingres.

Par la minutie des détails, par son réalisme sans concession, le présent dessin reste très proche de l'Ecole lyonnaise et peut être comparé au portrait du Docteur Ladroit, maire de Bagnols-sur-Cèze et oncle maternel de l'artiste, dessiné par Paul en 1829 et conservé au musée de Bagnols-sur-Cèze (don du fondateur du musée, Léon Alègre ; Jouvenet, 1982, t. II, p. 434, n° 69). *O.J.*

PARIS, COLLECTION PARTICULIERE

187. *Portrait du peintre Clément Lacuria*

(1833)

DESSIN : Mine de Plomb. Collé en plein. H. 0,195 ; L. 0,140. S.D.b.d. : *Clément Lacuria. ancien camarade. Paris 1833.* Marque *ML* (Lugt), b.d.

HISTORIQUE : Don de la veuve de Paul Flandrin au Musée du Luxembourg, en 1903 ; entré dans les collections du Louvre en 1930. — N° d'inventaire : R.F. 2794.

BIBLIOGRAPHIE : Jouvenet, 1982, t. II, p. 436, n° 71.

Clément Lacuria (1813-1878) est le frère de Jean-Louis Lacuria (1808-1863) qui collabora avec Orsel et Périn au décor de l'église Notre-Dame-de-Lorette à Paris. De 1837 à 1878, Clément fut professeur de dessin et de peinture à Lyon, sa ville natale, à l'Ecole Saint-Thomas d'Aquin.

Les deux frères Lacuria furent unis aux Flandrin par une profonde amitié pendant leur jeunesse. D'abord élèves à l'Ecole des Beaux-Arts de Lyon, les Lacuria retrouvèrent Paul et Hippolyte dans l'atelier d'Ingres. Paul écrit à Victor Bodinier, le 13 août 1833 : « *Les Lacuria sont partis, il y aura dimanche 15 jours. Leloup et moi les avons accompagnés jusqu'à cinq lieues de Paris ; là, nous les avons embrassés et sommes revenus tristement chez-nous* », (lettre de Paul Flandrin à Victor Dodinier, Paris, 13 août 1833, cf. Bodinier, 1912, p. 42).

Les rapports des Lacuria avec les frères Flandrin ont été étudiés par Mme Hardouin-Fugier (1976). L'auteur a souligné le rôle joué par Jean-Louis Lacuria « *qui indique les livres à ne pas manquer* ». Il encourage les frères Flandrin à faire la connaissance du Père Lacordaire, et se réjouit de les voir lire *L'Université catholique*. La correspondance d'Hippolyte Flandrin avec les Lacuria a été publiée de façon fragmentaire dans la *Revue du Lyonnais,* mais les lettres de Paul en raison de la date de publication (Paul vivait encore) ne sont pas citées (cf. Cl. Tisseur, 1888).

Le portrait est daté de 1833. Cette année-là, les

Lacuria sauvèrent la vie de Paul, si l'on en croit Hippolyte : « *Oh ! nous avons parlé de vous avec bien du plaisir, l'année dernière vous lui avez sauvé la vie* » (Tisseur, 1888, p. 54 : lettre d'Hippolyte à J.-L. Lacuria, Rome, 18 mars 1834).

Le portrait exprime bien le tempérament de Lacuria « *profond, compliqué, introverti, scrupuleux, en un mot, lyonnais* » (cf. Hardouin-Fugier, 1976, p. 20). On retrouve une expression comparable dans le portrait de Dubasty (Grande-Bretagne, collection Ed. Konblok). Paul Flandrin exécute la même année un portrait de J.L. Lacuria (Collection Brindsley Ford, Londres).

Paul Flandrin conserva longtemps de profonds liens d'amitié avec les frères Lacuria, et ne manquait jamais de leur rendre visite lors de ses brefs séjours à Lyon. *O.J.*

PARIS, MUSEE DU LOUVRE, CABINET DES DESSINS

188. *Portrait du peintre Robert Didier*

(vers 1833)

DESSIN : Mine de plomb. Collé en plein. H. 0,20 ; L. 0,14. S.h.d. : *Didier ancien camarade d'atelier.* Paul Flandrin. b.d. : *Faubourg du Roule 75.* Marque *MN* (Lugt 1899a) b.d. ; marque *ML* (Lugt 1886) b.d.

HISTORIQUE : Don de la veuve de Paul Flandrin au Musée du Luxembourg, en 1903 ; entré dans les collections du Louvre en 1930. N° d'inventaire : RF. 2793

EXPOSITION : Lyon, 1937, n° 129.

BIBLIOGRAPHIE : Bouyer, 1902, p. 47. repr. ; Alexandre, 1916, p. 24 repr. ; Jouvenet, 1982, t. II, p. 435, n° 70.

ŒUVRE EN RAPPORT : *Portrait de Robert Didier,* mine de plomb. H. 0,275 ; L. 0,213. S.D.b.g. : *Paul Flandrin à son ami Didier, le 18 août 1833.* Nantes, collection particulière (dessin signalé par M. Souviron).

La pose est entièrement différente. Le modèle, assis est vu de trois quarts, la tête tournée vers le spectateur. Le dessin, daté du 18 août 1833, précède de peu le départ de l'artiste pour Rome.

Robert Didier (1813-1883) fut un condisciple de Paul Flandrin dans l'atelier d'Ingres. Il se disait peintre d'histoire, mais on ne connaît de lui que quatre portraits de famille et un dessin.

L'étude du dessin présente un grand intérêt pour suivre l'évolution des conceptions artistiques de Paul Flandrin après son entrée dans l'atelier d'Ingres. Il y a plus de recherche dans la pose du modèle, les détails sont traités avec moins de soin, la physionomie du modèle est fortement idéalisée. Le geste de Didier est repris, de manière presque identique dans le portrait de Jean-Louis Lacuria (Collection Brindsley Ford, Londres). *O.J.*

PARIS, MUSEE DU LOUVRE, CABINET DES DESSINS.

189. *Portrait d'Hippolyte Flandrin*

(1834)

DESSIN : Crayon. H. 0,165 ; L. 0,128. S.D.b.g. : *Hippolyte mon frère, à Rome. 1834.* Paul Flandrin.

HISTORIQUE : Fonds familial Flandrin. Le dessin a été monté avec un portrait de Paul par Hippolyte, de 1835, *cf.* le n° 90 exposé ici.

BIBLIOGRAPHIE : Lanvin, 1967, t. III, p. 80.

Le dessin ne correspond pas vraiment aux critères du portrait. La mise aux carreaux du dessin suggère une autre utilisation. Peut-être Hippolyte souhaitait-il se représenter dans un de ses tableaux exécutés durant son séjour à Rome, comme le *Dante aux Enfers* du musée de Lyon. Hippolyte est vu de profil. Paul a insisté, sur les traits un peu ingrats de son frère. L'habit est simplement matérialisé par un trait. *O.J.*

PARIS, COLLECTION PARTICULIERE

189

190. *Portrait d'Ambroise Thomas* (1834)

PEINTURE : T. H. 0,46 ; L. 0,37. S.D.b.d. : *Paul Flandrin, 1834*

HISTORIQUE : Don de la famille Flandrin au musée en 1920.

EXPOSITIONS : Paris, 1846, n° 665 (« Portrait d'homme ») ; Lyon, 1904, n° 222 (3).

BIBLIOGRAPHIE : Lanvin, 1967, t. III, p. 65 ; Foucart, 1972, p. 26, repr. p. 25 ; Lanvin, 1975-1977, p. 66 ; Jouvenet, 1982, t. II, p. 381, n° 41.

ŒUVRES EN RAPPORT : — Dessin de Paul, s.d. 1834, représentant Thomas de profil, au Louvre ; legs de Mme veuve Thomas, 1911 cf. Lanvin, 1967, t. III, p. 69-70 et Jouvenet, 1982, t. II, p. 440 n° 73.

Ce portrait rappelle l'amitié des deux frères Flandrin pour Ambroise Thomas (1811-1896) compositeur, auteur de l'opéra *Mignon*. Le musicien séjourna comme pensionnaire de la Villa Médicis sous le directorat d'Ingres, et resta très apprécié de ce dernier.

Thomas initia sans doute les deux frères à la musique, et devint rapidement leur camarade préféré. Paul et Hippolyte exécutèrent son portrait quelques mois avant son départ de Rome. Hippolyte écrivit à son frère Auguste : « *Mon Cher Thomas nous fait connaître les chefs d'œuvres les plus admirables. C'est une nouvelle porte ouverte aux sensations les plus délicieuses, mais ce bonheur va bientôt cesser. Dans quelques mois, il faudra dire adieu à l'ami, à ce beau talent...* » (lettre d'Hippolyte à Auguste, 30 mai 1834, *cf.* Delaborde, 1865, p. 67). C'est d'ailleurs à Ambroise Thomas qu'ils dédièrent leur double autoportrait dessiné aujourd'hui conservé au Cabinet des dessins du Musée du Louvre. (exposé ici sous le n° 194). L'album de caricatures de la Collection Bulloz le représente fréquemment aussi avec les autres pensionnaires de la villa Médicis au cours d'excursions dans la campagne romaine. Paul et Hippolyte firent aussi, à plusieurs reprises, son portrait (*cf.* plus haut).

Ce portrait semble avoir été réalisé durant les même séances de pose que le portrait exécuté par Hippolyte et aujourd'hui conservé au Musée de Montauban (n° 89 de la présente exposition). La version de Paul reste assez proche de l'interprétation d'Hippolyte, et se différencie surtout par l'angle sous lequel le modèle est étudié, les deux ajb ates ne pouvant se trouver à la même place. Paul Flandrin a représenté le modèle de trois quarts vers la gauche.   *O.J.*

METZ, MUSÉE DES BEAUX-ARTS

191. *Portrait du peintre Alexandre Desgoffe* (1835)

DESSIN : Mine de plomb. H. 0,200 ; L. 0,155. S.D.b.d. : *Paul Flandrin. Rome 1835*.

HISTORIQUE : Fonds familial Flandrin.

EXPOSITIONS : Lyon, 1904, n° 593 ; Paris, 1925, n° 179 ; Paris, 1934, n° 67.

ŒUVRES EN RAPPORT : Portrait dessiné de Desgoffe par Paul Flandrin, reproduit dans Thiollier, 1896, pl. 48.

Alexandre Desgoffe (1805-1882) est avec Paul Flandrin, le principal représentant du paysage ingriste. Il commença sa formation en 1826, auprès de Watelet et de Rémond, avant d'entrer parmi les premiers dans l'atelier d'Ingres, en 1827.

Attiré par la peinture de paysage, il fréquente, dès 1828, le fameux site de Barbizon. Il visita l'Auvergne et surtout l'Italie, de 1835 à 1837, où il rejoignit son maître Ingres, nommé directeur de l'Académie de France à Rome. C'est de cette période que date ce portrait. Paul a choisi une pose (bien ingresque) qu'il adopte fréquemment lorsqu'il portraiture ses familiers : le bras appuyé sur le dossier de la chaise, la main dans la poche ; la pose pourrait paraître nonchalante sans le regard sombre et songeur du modèle qui révèle un caractère sauvage, comme le rapportent ses proches.

Alexandre Desgoffe revint, de 1839 à 1842, en Italie, où il se lia avec Gounod, qui composait à cette date son *Faust*. Comme Paul Flandrin, à son retour en France, Desgoffe s'adonna au paysage historique, et bénéficia d'importantes commandes officielles à Paris : Hôtel de Ville et Bibliothèque nationale, églises du Gros-Caillou et de Sainte-Geneviève. Ingres, qui l'appréciait tout particulièrement, lui fit exécuter les rochers sur lesquels se détache la *Source*, le fond de l'*Age d'Or*, dans la salle de bal du château de Dampierre, le paysage de la *Vénus à Paphos* (Paris, Musée d'Orsay).

Très proche, par sa formation et ses choix artistiques, de Paul Flandrin, il se distingue de ce dernier par un sens moins recherché de la composition et par le caractère sévère de ses études où l'on ne retrouve pas la poésie mélancolique de Paul.

Sa fille Aline épousa le 18 décembre 1852 Paul Flandrin, et les deux familles se trouvèrent ainsi unies par de solides liens affectifs.   *O.J.*

PARIS, COLLECTION PARTICULIERE.

190

Paul Flandrin
rome. 1835.—

192

192. *Portrait de Madame Desgoffe et sa fille Aline*
(1835)

DESSIN : Mine de plomb. H. 0,265 ; L. 0,295. S.D.b.g. : *Paul Flandrin à son ami Desgoffe. Rome 1835.*

HISTORIQUE : Fonds familial Flandrin.

EXPOSITIONS : Paris 1925, n° 178. Paris 1934, n° 68.

Ce touchant portrait de *Madame Alexandre Desgoffe et de sa fille Aline* a une valeur documentaire. Paul Flandrin épousera, en effet, en 1852, la jeune Aline Desgoffe, qui, dans ce portrait, n'est encore qu'un tout jeune enfant. Il est vrai que ce portrait reflète bien les sentiments de Paul Flandrin pour la famille Desgoffe, qui avait suivi Ingres à Rome en 1835.
La pose des deux modèles est bien choisie : Aline s'appuie sur les genoux de sa mère, qui tend ses bras vers sa fille. La physionomie de Madame Alexandre Desgoffe est empreinte de douceur, et contraste avec le regard grave de l'enfant.   *O.J.*

PARIS, COLLECTION PARTICULIERE

193. *Portrait d'Hippolyte Flandrin*
(1835)

DESSIN : Mine de plomb. H. 0,28 ; L. 0,215. S.D.b.d. : *Paul Flandrin/1er Mai Rome 1835.* Marques MN (lugt...) et ML (lugt...), b.d.

HISTORIQUE : Don de la veuve de Paul Flandrin en 1903 au Musée du Luxembourg ; entré dans les collections du Louvre en 1930. — N° d'inventaire RF 2795.

BIBLIOGRAPHIE : Bouyer, 1902, p. 43, repr. ; Jouvenet, 1982, t. II, p. 442, n° 74.

EXPOSITION : Zurich, 1937, n° 102.

ŒUVRES EN RAPPORT : De la même année 1835 (21 février) existe un portrait d'Hippolyte en moine, dessiné par Paul, Fonds familial Flandrin, *cf.* Lanvin, 1967, t. III. p. 80-81.

Le portrait accentue la physionomique, un peu grave d'Hippolyte Flandrin. Ce dernier souffrit beaucoup, dans les premiers mois de son séjour à Rome, d'être séparé de son frère Paul resté dans l'atelier d'Ingres, à Paris. L'artiste l'attend impatiemment, et confie à son ami, le peintre Jean-Louis Lacuria : « *c'est aussi que j'aurai tant de plaisir à le voir ! à lui montrer tout ce que je connais et puis, je lui ai gardé bien des choses. Je n'ai pas voulu les voir afin qu'elles soient neuves pour tous les deux. Il me semble qu'avec lui je travaillerai plus, et profiterai mieux, il me faut un ami* » (lettre écrite de Rome, le 20 septembre 1833, *cf.* Tisseur, 1888, p. 428-429).   *O.J.*

PARIS, MUSEE DU LOUVRE, CABINET DES DESSINS

194. *Double autoportrait d'Hippolyte et de Paul Flandrin*
(1835)

DESSIN : Mine de plomb. H. 0,455 ; L. 0,195. S.D.b.d. (sans doute de l'écriture de Paul) : « *Hippolyte et Paul Flandrin à leur ami Thomas. Rome 1835* ».

HISTORIQUE : Resté chez Ambroise Thomas. Don de la veuve du compositeur au Musée du Louvre en 1911. — N° d'inventaire RF. 4021.

EXPOSITIONS : Paris, 1934, n° 439 ; Zurich, 1937, n° 101 ; Bucarest, 1938, n° 33, repr. pl. IX ; Lyon, 1958, n° 330 ; Rome, 1961, n° 130, repr. ; Paris, 1967, n° 26, repr. ; Darmstadt, 1972, n° 38, repr.

BIBLIOGRAPHIE : Thiollier, 1896, pl. 1 reprod. ; Schnerb, 1902, p. 114, repr. ; Alaux, 1933, vol. II, p. 152, repr. ; Lanvin, 1967, t. III, p. 80 ; Lanvin, 1975 (1977) p. 56, fig. 2 p. 55 ; Ternois, 1980, p. 112 notes 5 ; Jouvenet, 1982, t. II, p. 475-476, n° 93.

Inséparables, leurs amis, quand ils les voyaient ensemble, s'écriaient : « *Ah ! Voilà Flandrin tout entier* » (Flandrin, 1902, p. 266).
Ce double autoportrait exprime bien les liens d'affection unissant les deux frères. Mme Lanvin a noté avec justesse « *combien leurs attitudes correspondaient bien à leur place respective dans la société* ». Le regard échangé entre les deux frères révèle également le caractère de chacun des deux artistes. Paul vu de face et à l'arrière-plan, le visage tourné vers son frère, l'observe attentivement, et son regard est plein d'admiration. Hippolyte au premier plan, plus mélancolique, semble absorbé dans ses pensées. Paul a traité avec minutie chacun des détails du portrait de son frère. Hippolyte a seulement modelé avec soin les traits du visage de Paul, esquissant le reste du corps en grisaille hachurée.
La méthode du double autoportrait a été déjà adoptée par les deux frères dans « Paul et Hippolyte dans la Vallée de Charabotte en 1826 » (Paris, collection particulière) et sera repris quelques années plus tard dans le *Double autoportrait* peint du Musée de Nantes (*cf.* le n° 201).   *O.J.*

PARIS, MUSEE DU LOUVRE, CABINET DES DESSINS

Paul Flandrin
1ᵉʳ mai rome 1835

Hyppolite et Paul Flandrin
à leur ami Thomas
Romae 1855.

280   *Paul Flandrin*

195. *Portrait du peintre Signol*
(1835)

DESSIN : Mine de plomb. H. 0,24 ; L. 0,19. S.D.b.d. : *Paul Flandrin./Rome 1835.*

HISTORIQUE : Don de la veuve du peintre Signol à l'Ecole des Beaux-Arts en 1894.

BIBLIOGRAPHIE : Jouin, 1894, p. 19 n° 68. Jouvenet, 1982, t. II, p. 444, n° 75 ; Grunchec, 1984, repr. n° 28.

Emile Signol (1804-1892) dont Michel Caffort est en train d'écrire la monographie, suivit une voie très proche des frères Flandrin. Représentant passionné de la tradition académique, il réalisa des peintures décoratives dans plusieurs églises de Paris, notamment à Saint-Eustache, La Madeleine, Saint-Augustin. De tels choix étaient de nature à le rapprocher des Flandrin. L'artiste qui remporta le Prix de Rome en 1830 fit leur connaissance en 1834, alors qu'il était encore pensionnaire à la Villa Médicis à Rome, et Hippolyte peignit Signol dans la série des portraits des pensionnaires de la Villa (T. H. 0,47 ; L. 0,37. S.D.d. : *H. Flandrin 1835. Cf.* Brunel, 1979, repr. fig. 81 p. 181, tableau toujours conservé à la Villa Médicis).

Paul réalisa deux portraits à la mine de plomb dont l'un fut offert au modèle (celui exposé ici), l'autre conservé par Paul Flandrin et à présent au Louvre (Cabinet des dessins, R.F. 2791, *cf.* Jouvenet, 1982, t. II, p. 438 n° 72).

Le présent portrait, daté de 1835, a sans doute été exécuté peu de temps avant le retour en France de Signol.

Hippolyte écrit en effet, le 29 septembre 1835, dans une lettre à son frère Auguste : « *Dans un mois, passera, peut-être, à Lyon, Signol dont tu connais la réputation comme artiste, mais que tu ne connais pas encore comme homme. C'est un de ceux avec qui je m'estime heureux d'avoir vécu. Si par hasard, il allait vous voir, recevez-le bien* » (lettre d'Hippolyte à Auguste, Rome 29 septembre 1835, *cf.* Delaborde, 1865, p. 238).

La pose, de profil, les mains jointes, a été étudiée avec soin. Les détails du costume sont rendus avec exactitude. La physionomie du visage est grave, un peu mélancolique, mais il émane de l'ensemble une certaine élégance.

O.J.

PARIS, ECOLE NATIONALE SUPERIEURE DES BEAUX-ARTS

194

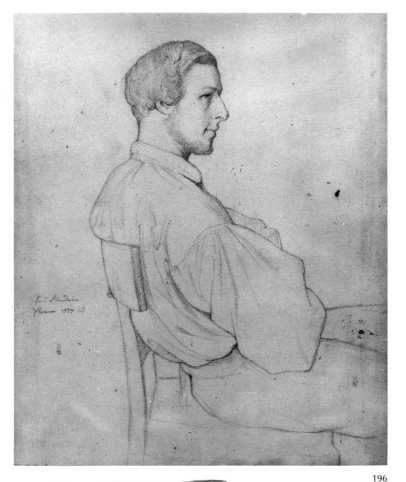

196

197

196. *Portrait du compositeur Boulanger*
(1837)

DESSIN : Mine de plomb. H. 0,27 ; L. 0,16. S.D.b.g. : *Paul Flandrin. Florence 1837.*

HISTORIQUE : Fonds familial Flandrin.

BIBLIOGRAPHIE : Thiollier, 1896, repr. pl. 37.

EXPOSITION : Paris, 1934, n° 69.

Ernest Boulanger (1815-1900) remporta en 1835 le Grand prix de Rome de musique avec sa cantate *Achille.* Pensionnaire de la Villa Médicis, il devint un ami de Paul et d'Hippolyte qu'il initia à la musique. Par la suite, il s'adonna à l'opéra-comique avec le *Diable à l'Ecole* (1842), *Les deux Bergères.* C'était un familier de l'atelier d'Ingres où il retrouvait Hippolyte et Paul Flandrin.

L'inscription *Florence 1837* est intéressante à relever. Une lettre d'Hippolyte adressée à son frère Auguste (lettre du 24 août 1837, *cf.* Delaborde, 1865, p. 268-269) rapporte qu'une partie des pensionnaires avaient fui le choléra qui sévissait à Rome durant l'été 1837. Ils gagnèrent Florence où l'épidémie finit d'ailleurs par les rejoindre. Hippolyte se trouvait encore à Florence le 25 septembre, comme le prouve une lettre d'Hippolyte à Ambroise Thomas, écrite de cette ville (*cf.* Delaborde, 1865, p. 271-272).

Dans ce bel exercice de profil, Paul Flandrin a su idéaliser le portrait et donner une grande pureté au regard du modèle. La pose a été étudiée avec soin, et met en valeur l'élégance du compositeur. *O.J.*

PARIS, COLLECTION PARTICULIERE

197. *Portrait de Madame Ladroit, tante des Flandrin*
(1838)

DESSIN : Crayon. H. 0,29 ; L. 0,22. S.D.b.g. : *Paul Flandrin 7bre 1838.*

HISTORIQUE : Fonds familial Flandrin.

Madame Ladroit était la sœur de Jeanne Bibet (1769-1858), mère d'Hippolyte et Paul Flandrin. Elle avait épousé le docteur Ladroit, maire de Bagnols-sur-Cèze (*cf.* son portrait dessiné par Paul en 1829, conservé au musée de Bagnols). Paul et Hippolyte y firent de fréquents séjours, en particulier en 1829, 1841 et surtout en 1843, lorsque Paul partit visiter le midi de la France en compagnie de Desgoffe.

Comme il arrive souvent pour des portraits de famille, Paul Flandrin a abandonné les conceptions esthétiques d'Ingres pour une vision plus réaliste du modèle. Les traits du visage, loin d'être idéalisés, montrent l'empâtement du menton, le regard vide, les yeux exorbités. Le modèle garde la pose avec raideur. *O.J.*

PARIS, COLLECTION PARTICULIERE

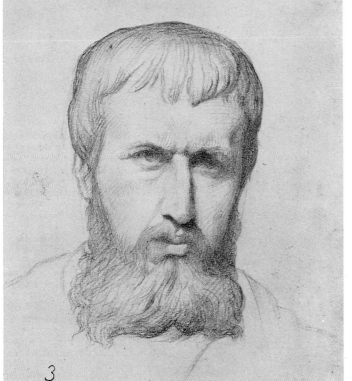

198

199

198. *Portrait du peintre Janmot*
(vers 1838-1840)

DESSIN : Au crayon. H. 0,168 ; L. 0,109. S.b.g. : *Paul Flandrin*. Plus haut, inscription : *3*.

HISTORIQUE : Collection Robert Dunthore ; The Rembrandt Gallery, Londres ; collection de Sir Edmund Davis (sans doute le donateur anglais du Musée du Luxembourg à Paris en 1915) ; légué par lui au Fitzwilliam Museum en 1916. — N° d'inventaire . 829.

EXPOSITION : Paris-Lille-Strasbourg, 1976, n° 29 (comme *Étude d'une tête d'homme*).

BIBLIOGRAPHIE : Thiollier, 1896, pl. XLIII, repr.

C'est en décembre 1835, date à laquelle l'artiste arrive à Rome en compagnie de Lavergne, que Paul et Hippolyte Flandrin font véritablement connaissance du peintre lyonnais Janmot (1814-1892). Jean-Louis Lacuria écrit en ces termes pour lui recommander les deux artistes :
« *Vous verrez arriver deux de nos amis, Janmot et Lavergne, deux jeunes gens charmants, bons catholiques, pensant bien et véritablement artistes. Janmot a un jugement plus profond, plus mélancolique, plus poétique, mais il est un peu bourru... Je suis persuadé qu'ils vous feront plaisir, quoique ce soit un peu difficile de vivre avec Janmot* » (lettre de Jean-Louis Lacuria à Hippolyte Flandrin, 26 décembre 1835, Paris, collection particulière).
La physionomie de Janmot, telle que l'évoque

Flandrin, correspond bien au jugement de Lacuria. Le regard est sombre, le visage fermé n'exprime aucun sentiment. En fait, il semble que le dessin ne soit pas à proprement parler un portrait, mais plutôt une étude en vue d'une composition religieuse. Cet argument se trouve confirmé par l'étude de Janmot en pied, drapé, reproduite par Thiollier (1896, pl. XL).
Seule la datation du portrait reste encore imprécise. La meilleure solution est de comparer cette étude avec les portraits de Janmot déjà connus. Le plus proche semblerait l'autoportrait de l'artiste, daté 1838 (Mine de plomb. H. 0,56 ; l 0,53. S.D.b. au centre : « *Louis Janmot* » *d'après moi. Paris 1838*, cf. Hardouin-Fugier, dans *Le Poème de l'Ame*, Lyon, 1977, p. 113). La comparaison avec la figure du fils de la veuve de Naïm (église de Pugetville, 1839) est peut-être moins convaincante. Il faut également tenir compte du fait que le présent portrait est profondément idéalisé. Quoi qu'il en soit, il semble raisonnable de placer sa date d'exécution entre 1838 et 1840.
Les Flandrin conservèrent toujours d'excellentes relations avec Louis Janmot. Ainsi Paul visita-t-il en 1859 ses peintures de l'église Saint-Polycarpe de Lyon. *O.J.*

CAMBRIDGE, FITZWILLIAM MUSEUM

199. *Portrait de Madame Vinet mère*
(1840)

DESSIN . Mine de plomb. H. 0,272 ; L. 0,207. S.D.b.d. : *Paul Flandrin/1840*.

HISTORIQUE : Legs de Mlle Denouille au musée de Tours, en 1919.

BIBLIOGRAPHIE : Jouvenet, 1982, t. II, p. 448, n° 77.

ŒUVRES EN RAPPORT : Portrait de Mme Vinet mère peint par Hippolyte flandrin la même année que le dessin de Paul (1840), cf. le n° 93 de la présente exposition.

Le dessin de Paul a certainement été réalisé pendant les séances de pose accordées par Mme Vinet à Hippolyte en 1840. « *C'était d'ailleurs une habitude chez lui de dessiner pour son compte les modèles dont Hippolyte peignait le portrait* » (Flandrin, 1902, p. 252-253). Paul Flandrin adopte fréquemment cette méthode pendant les premières années de sa carrière. Outre l'exemple du portrait du Père Lacordaire, il faut citer le cas de Mme Balaÿ, récemment étudié par Hans Naef (1979, p. 283-286) dont un portrait dessiné par Paul est exposé aussi dans cette exposition (n° 202).
Paul Flandrin a représenté son modèle de trois quarts vers la droite, ne pouvant se trouver à la même place que son frère. La pose et la toilette du modèle restent toutefois identiques à celles du portrait peint par Hippolyte. Ce portrait semble avoir été le début d'une longue amitié avec la famille Vinet. Ces liens se concrétisèrent par plusieurs portraits et par une abondante correspondance léguée par la famille à la Bibliothèque nationale à Paris (cf. le n° 200). *O.J.*

TOURS, MUSÉE DES BEAUX-ARTS

200. *Portrait d'Ernest Vinet*
(1841)

PEINTURE : T.H. 0,44 ; L. 0,36. S.D.b.g. : *Paul Flandrin 1841.* — Au verso, étiquette ancienne avec le nº 20.

HISTORIQUE : Payé par Ernest Vinet 500 frs, en août 1841 ; apparu dans une vente à Paris, 3 juin 1884, Hôtel Drouot, salle 7, nº 20 (comme *Portrait d'homme*) ; peut-être acquis là par l'Ecole des Beaux-Arts qui l'enregistre en tout cas dans son inventaire le 29 juillet 1884 (comme *Portrait de Vinet* ; aucune précision sur un achat en vente publique n'est donnée dans l'inventaire). — Restauré à l'occasion de la présente exposition.

BIBLIOGRAPHIE : Müntz, s.d. [1889], p. 139, note 1 (Portrait de Vinet) ; Müntz, 1890, p. 288 ; Jouvenet, 1982, t. II, p. 383 nº 42.

ŒUVRES EN RAPPORT : Dessin. Mine de plomb. H. 0,21 ; L. 0,22. S.D.b.d. « *A Mme Vinet son fidèle serviteur 4 mars 1845* », Tours, Musée des Beaux-Arts (Jouvenet, 1982, t. II, p. 452 nº 79).
Tableau représentant Ernest Vinet âgé (vers 1860) peint par l'épouse du bibliothécaire, élève de Cogniet et conservé à l'Ecole des Beaux-Arts à Paris, don de l'auteur en 1881 (signalé par M. Grunchec).

Ernest Vinet (1804-1878) fut d'abord magistrat auditeur au Tribunal de Pontoise, puis substitut du Procureur du roi à Mantes en 1826. Il avait une telle passion pour l'archéologie qu'elle devait bientôt l'amener à démissionner. Membre de nombreuses sociétés savantes, critique d'art, il devint le premier bibliothécaire de l'Ecole des Beaux-Arts en 1862.
En 1840, Hippolyte peint le portrait de sa mère, Mme Vinet (*cf.* le nº 93) et Paul réalise durant les mêmes séances de pose une étude dessinée du modèle (*cf.* le nº 199). Vinet les remercia chaleureusement et écrivit à Hippolyte cette lettre : « *C'est une des nécessités de mon cœur de vous témoigner une nouvelle fois mon éternelle reconnaissance* » (lettre de Vinet à Hippolyte, 4 avril 1841, *cf.* Flandrin, 1902, p. 249).
C'est peut-être à la suite de cette circonstance que Vinet décida de faire exécuter son portrait par Paul. Dans cette dernière peinture la pose du modèle demeure très conventionnelle.
Paul Flandrin et Ernest Vinet restèrent très liés, comme le montre le portrait de Vinet exécuté par l'artiste quelques années plus tard. En 1847, Paul Flandrin rendait également fréquemment visite à Mme Vinet dans sa villa de Sèvres, et l'artiste a peint une vue de Saint-Cloud prise depuis sa propriété. La correspondance de Vinet avec les frères Flandrin, conservée à la Bibliothèque nationale à Paris, évoque également bien cette amitié. (Cabinet des manuscrits, N.A.F., 12237, vol. 3, p. 163-185). *O.J.*

PARIS, ECOLE NATIONALE SUPERIEURE DES BEAUX-ARTS

201. *Portrait de Paul et Hippolyte Flandrin*
(1842)

PEINTURE : T.H. 0,38 ; L. 0,30. S.D.b.g. : *Paul Flandrin 1842.*

HISTORIQUE : Acquis par Edgar Clarke, duc de Feltre pour 600 frs le 24 octobre 1842. Légué avec la Collection Clarke en 1852. Sur cette collection et ce legs, *cf.* le nº 112. — Nº d'inventaire : 852.1.50.

EXPOSITION : Paris, 1843, nº 434 ; Pau, 1973, nº 47.

BIBLIOGRAPHIE : *L'Artiste*, 1843, p. 212 ; catalogue du musée, 1859, nº 86 ; Merson, 1860, p. 310 ; Delaborde, 1865, p. 98 ; catalogue du musée, 1876, nº 743 ; Merson, 1883, t. II, p. 30-31 ; Girodie, 1902, p. 9 ; catalogue du musée, 1903, nº 978 ; Nicolle, 1913, nº 968 ; Audin et Vial, 1918, p. 345 ; Benoist, 1953, nº 968 ; Lanvin, 1967, t. III, p. 78-79 ; Jouvenet, 1982, t. II, p. 389 nº 45.

En dépit de la seule signature de Paul Flandrin, il semblerait qu'il faille attribuer l'exécution du portrait aux deux frères. Cette hypothèse est d'ailleurs confirmée par le témoignage de l'artiste lui-même consigné dans l'*Inventaire des Richesses d'Art*. De plus, la mention du testament olographe du duc de Feltre est ainsi rédigée : « *Le portrait de MM. H. et P. Flandrin, peint dans un cadre par eux-mêmes* ».
Paul aurait donc exécuté le portrait d'Hippolyte, tandis que ce dernier réalisait celui de son frère, ce qui correspondrait bien à la méthode de travail adoptée par les deux frères. Dans leur jeunesse, ils s'étaient déjà portraiturés mutuellement (Paul et Hippolyte dans la vallée de Charabotte (Paris, collection particulière. Inscription bg : « *Paul et Hippolyte dessinés l'un par l'autre, 1826* »). Plus tard, pendant leur séjour romain, les deux frères se représentent sur le même dessin, *cf.* le nº 194 exposé ici.
Cependant, la peinture a bien été réalisée dans l'atelier de Paul. Sur les murs, sont accrochés ses « *Montagnes de la Sabine* » (Paris, Louvre) tableau exposé ici (nº 165) et exécuté à son retour de Rome, une copie du tableau d'Hippolyte, « *Jésus et les Enfants* » (copie conservée du musée des Beaux-Arts de Lyon) et du « *Saint Clair guérissant les aveugles* » (Est-ce la copie par Paul conservée chez les descendants de l'artiste, *cf.* Œuvres en rapport, nº 11 de la présente exposition ?). Un second paysage (de genre ancien) n'a pu être identifié.
Paul est à son chevalet, en train de peindre. Hippolyte, au second plan, pose la main sur la tranche d'un livre. La place accordée à Paul dans la toile pourrait laisser supposer que le visage d'Hippolyte a été ajouté par la suite. *O.J.*

NANTES, MUSEE DES BEAUX-ARTS

200

201

286 *Paul Flandrin*

202. *Portrait de Mme Balaÿ*
(1852)

DESSIN : Mine de plomb. H. 0,320 ; L. 0,240. b.g. : *Mdme Balaÿ*

HISTORIQUE : Fonds familial Flandrin.

BIBLIOGRAPHIE : Lanvin, 1967, t. III, p. 168 ; Naef, 1979, repr. fig. 3, p. 286, cité ibidem.

ŒUVRE EN RAPPORT : Selon Fosca (1921) rapporté par Naef, la version originale du dessin exposé ici se trouverait chez les descendants de Mme Balaÿ ; en fait, cette version *princeps* paraît introuvable aujourd'hui.

En 1852, Hippolyte peint le portrait de Mme Balaÿ, femme d'un député, *cf.* le n° 98 de la présente exposition. Pendant qu'Hippolyte peignait, Paul fit un portrait à la mine de plomb du même modèle. La lecture de son journal est à ce propos intéressante : le 10 avril 1852, Paul aide Hippolyte à trouver la pose du modèle. Il revient le 14, et décide de réaliser sa propre version du portrait. Le 19, il écrit : « *Ingres est venu et a paru content de mon portrait au crayon de Mme Balay* ». Avant de l'offrir à Madame Balaÿ, Paul en fait un calque, et de ce calque, un nouveau dessin. Ingres est tellement enthousiaste qu'il offre à Paul 500 francs du portrait. Paul, plus simplement, l'offre à son maître, le 17 mai 1852. La suite est bien connue et a récemment donné lieu à un important article d'Hans Naef (1979, p. 283-286). Ingres, en effet, utilisa le portrait comme modèle pour sa *Vénus à Paphos*. Paul Flandrin, épouvanté par les réactions possibles de la famille, demanda à son maître de ne pas exposer ce tableau. La peinture resta donc dans l'atelier d'Ingres, et fut donnée par Mme Ingres à Paul Flandrin d'où elle passa, à la mort du paysagiste en 1902, dans une collection privée qui la recéda au Musée d'Orsay à Paris en 1981 (*cf.* le catalogue *Nouvelles acquisitions du musée d'Orsay 1980-1983*, Paris, 1983, n° 47, p. 22, repr. p. 23). Le présent dessin viendrait-il lui aussi d'Ingres, ayant pu être redonné à Paul Flandrin après 1867 par Mme Ingres ?   *O.J.*

PARIS, COLLECTION PARTICULIERE

203. *Portrait de la Baronne Henrye*
(1860)

PEINTURE : H. 1,00 ; L. 0,85 ; S.D.b.g. : *Paul Flandrin 1860*.

HISTORIQUE : Portrait commandé le 23 avril 1860 pour la somme de 3 000 Fr. par Mme de Fontenay, mère du modèle ; le tableau est livré en juillet 1860 ; resté dans la famille Henrye à Balençon ; acquis dans une vente à Paris, Hôtel Drouot, 25 mai 1976. — N° d'inventaire 76-11-1.

EXPOSITION : Paris, 1861, n° 1121.

BIBLIOGRAPHIE : Vinet, 1861, p. 613 ; Merson, 1861, p. 140 ; Callias, *L'Artiste*, 1861, t. XI, p. 266 ; Delaborde, 1861, p. 190 ; Gautier, 1861, p. 158-159. Jouvenet, 1982, t. II, p. 386-387, cat. 44.

ŒUVRE EN RAPPORT : *Calque*. H. 0,21 ; L. 0,20. En h.g. : *Baronne Henrye, portrait peint grandeur naturelle, le portrait à Balençon* ». Paris, collection particulière.

Grâce à un calque conservé par les descendants de Paul Flandrin, nous avons pu identifier ce portrait comme celui de la Baronne Henrye, alors que ce modèle était resté inconnu jusqu'alors.

Les carnets de notes de l'artiste permettent de suivre, avec précision, l'élaboration du portrait et de connaître ainsi les méthodes de l'artiste. Paul Flandrin fait un premier croquis pour trouver la pose du modèle et se trouve aidé dans cette recherche par son frère Hippolyte. Il met ensuite ce premier dessin aux carreaux et l'indique sur la toile. Il peint d'abord le fond du portrait puis les cheveux et le front du modèle, un peu plus tard, le bas du visage. Hippolyte vient observer la progression du travail, et assister au besoin son frère dans sa tâche. Paul Flandrin traite ensuite la robe du modèle, grâce à un mannequin en fil de fer loué chez Haro. Il termine le portrait par les accessoires choisis avec soin : dans le cas présent, une broche et une chaîne en or. Le portrait, commencé le 23 avril 1860, est achevé au mois de juillet de la même année.

La méthode de Paul Flandrin suit fidèlement les conceptions d'Ingres et ne fait guère preuve, en fait, d'originalité. Par la pose conventionnelle du modèle, par l'harmonie des coloris, le portrait rappelle, en effet, de près les réalisations d'Hippolyte. Comme dans les modèles de ce dernier, la robe noire de la baronne se détache sur un fond vert pâle, mais l'ombre des chairs reste un peu bleutée. La main droite manque aussi de modelé et ne s'attache pas correctement au bras. Le châle, posé sur le fauteuil, la stylisation de l'épaule, évoquent bien la méthode d'Ingres. Dans sa critique du Salon de 1861, où le tableau fut exposé, Hector de Callias a sans doute raison d'écrire que « *Paul Flandrin traite le portrait d'une main aussi magistrale que son frère* » et qu' « *on sent bien la famille dans celui de la baronne H... ».* Théophile Gautier admire, lui aussi, le portrait : « *Les chairs ressortent jeunes, fraîches et vivantes de la robe de velours décolletée, les bras s'arrondissent gracieusement et les mains se joignent avec une pose de nonchalante coquetterie* ».

Le succès obtenu par Hippolyte l'année précédente n'est d'ailleurs peut-être pas étranger à la commande du portrait. H. Flandrin écrit, en effet, à Jean-Louis Lacuria, le 25 janvier 1861 : « *Je vous l'ai déjà dit, le succès ridicule parce qu'il était sans mesure, de deux portraits, me vaut ce surcroît de commandes. J'en ai refusé au moins cent cinquante depuis la dernière exposition ; mais il y a les princes, les ministres...* » (lettre d'Hippolyte Flandrin à Jean-Louis Lacuria, 25 janvier 1861, *cf.* Flandrin, 1902, p. 259). Hippolyte a fort bien pu transmettre quelques-unes de ses commandes à son frère Paul.   *O.J.*

MOULINS, MUSÉE DEPARTEMENTAL ET MUNICIPAL

203

204. **Etude de femme pour le tableau d'Hippolyte Flandrin, *Le Dante aux enfers***
(1835)

DESSIN : Crayon. H. 0,25 ; L. 0,18. S.h.d. : *Maria di Sora (plutôt que Sona ou Rosa !) à Rome. 1835. Paul Flandrin* ; b.d. : *Pour le Dante.*

HISTORIQUE : Fonds familial Flandrin.

BIBLIOGRAPHIE : Lanvin, 1967, t. III, p. 77 (l'inscription est lue : *Maria di Jona*).

Cette belle étude de femme a servi pour une des figures du tableau d'Hippolyte Flandrin *Le Dante aux Enfers* (Lyon, Musée des Beaux-Arts, exposé ici sous le n° 9). C'est un bon exemple de l'étroite collaboration des deux frères. La production d'Hippolyte fourmille de tels exemples et la discrimination entre la part de chacun des frères n'est pas toujours aisée à établir.
Dans la composition définitive, le geste du modèle appuyant le mention sur son coude gauche, n'a pas été repris, et se trouve dissimulé par la position de la figure voisine. Il faut noter la qualité de l'étude. La pose du modèle donne à la figure une impression d'accablement en harmonie avec le sujet traité. Les traits du visage expriment particulièrement bien la fatigue et la résignation. *O.J.*

PARIS, COLLECTION PARTICULIERE

205. ***Portrait de brigand italien***
(1835)

PEINTURE : H. O,327 ; L. 0,225. Annoté au dos : *Vendu par P. juin 72. Rome au Palais Borghèse. P. Flandrin 1835.*

HISTORIQUE : Fonds familial Flandrin.

Le sujet surprend de la part de Paul Flandrin. L'artiste n'a jamais manifesté beaucoup d'intérêt pour la couleur locale et le pittoresque à la Léopold Robert. L'homme porte l'habit des brigands romains : le fusil à la main, un chapeau pointu, une longue cape qui laisse entrevoir une paire de bottes. L'inscription suggère que Paul a vendu ce tableau ou plutôt un exemplaire analogue (à moins qu'il ne faille supposer un rachat ultérieur) en 1875. Mais la deuxième partie de l'inscription implique bien que Paul a trouvé son modèle et l'a peint à Rome en 1835. *O.J.*

PARIS, COLLECTION PARTICULIERE

206. ***La Florentine***
(vers 1840)

PEINTURE : T. H. 0,39 ; L. 0,35 avec les rajouts (anciens) ; H. 0,28 ; L. 0,23 sans les agrandissements.

HISTORIQUE : Fonds familial Flandrin.

EXPOSITIONS : Paris-Lyon, 1948, n° 43 ; Lyon, 1958, n° 33 ; Charleroi, 1965, n° 34 ; Montauban, 1967, n° 242.

BIBLIOGRAPHIE : Lanvin, 1967, t. III, p. 290.

De l'étude de cette « Jeune Florentine » émane une certaine poésie mélancolique qui donne à ce portrait toute sa valeur. L'artiste a su choisir avec soin la pose du modèle, levant un bras au-dessus de la tête, tandis que de la main droite elle tresse son ample chevelure qui coule, telle une « source noire » (Lanvin). Les mains, les épaules, sont modelées avec soin. A comparer avec les tableaux d'Hippolyte Flandrin (n° 112, 114) qui utilise le même modèle (*cf.* Lanvin) et à dater des mêmes années, autour de 1840. *O.J.*

PARIS, COLLECTION PARTICULIERE

204
205

207. *Etudes de jeune femme*
(1843)

DESSIN : Crayon. H. 0,292 ; L. 0,217. S.D.h.d. : *25 juillet 1843. Paul Flandrin.* En bas à droite, inscription d'une autre main et apparemment sans rapport avec le sujet du dessin.

HISTORIQUE : Acquis à Paris par le possesseur actuel vers 1980.

Paul Flandrin a su conférer une parfaite stylisation à ces deux visages étudiés à partir du même modèle. La première figure a le regard levé vers le ciel ; la seconde a les yeux baissés, exprimant ainsi un sentiment de recueillement. La pureté des visages est bien rendue par l'insistance de l'ovale et l'intensité du regard.
Ces études furent certainement utilisées pour une des peintures murales que le frère de Paul, Hippolyte, réalisa dans les églises parisiennes.
Dans le Fonds familial Flandrin se trouve une belle étude dessinée de Paul Flandrin d'après la même jeune femme, les mains jointes avec l'annotation : *Berthe Le Cesne*, qui donne peut-être le nom du modèle utilisé ici.   *O.J.*

PARIS, COLLECTION PARTICULIERE

208. *Ingres jouant du violon*
(vers 1850)

DESSIN : Carnet. Couverture en papier bleu. 2 dessins. Crayon. H. 0,08 ; L. 0,05.

HISTORIQUE : Fonds familial Flandrin.

BIBLIOGRAPHIE : Naef, 1968, p. 17, n° 10.

Ce petit croquis se trouve dans un minuscule album de dessins de Paul Flandrin qui porte sur une étiquette apposée ultérieurement la date de 1850. C'est, à la connaissance de Hans Naef, le seul document représentant Ingres jouant de son fameux violon. Paul Flandrin a bien su choisir la pose de son modèle : « *L'artiste, assis, vu de dos, est concentré sur la partition qu'il déchiffre* ». Le croquis d'Ingres est accompagné d'un seul autre croquis (un lion) qui rappelle celui, signé de Paul, d'une panthère noire de Java au Jardin des Plantes, dans un autre carnet (*cf.* le n° 134). Par cet indice et par le style, le présent petit croquis peut être attribué avec quelque probabilité à Paul Flandrin.   *O.J.*

PARIS, COLLECTION PARTICULIERE

209. *Carnet de voyage*
(1830)

Carnet de 53 pages contenant 67 dessins environ. Reliure cartonnée. Crayon sur papier blanc. H. 0,19 ; L. 0,13 (chaque page).

HISTORIQUE : Fonds familial Flandrin.

Soit un relevé sommaire des sujets : Pont-Neuf et Tour Saint-Jacques à Paris, 1830 ; Gladiateur Borghèse ; copie d'un « Giotto » au Palais des Papes d'Avignon ; vue cavalière de Paris avec Saint-Germain-des-Prés ; l'ami Brisset à Etrépagny ; Châlon-sur-Saône ; environs de Lyon ; détail du Pérugin du musée de Lyon (1830) : le saint Paul ; Camp de César, près de Bagnols ; copie du Dominiquin conservée à la cathédrale de Lyon ; Château d'If près de Marseille ; Villeneuve-les-Avignon ; Bords du Rhône près d'Avignon ; Saint-Brie en Bourgogne ; Bords de la Cèze près de Bagnols ; Paris vu d'Arcueil, avec le Panthéon ; saint copié à Saint-Denis ; détails tirés de la *Trève* d'Adriaen van de Venne au Louvre Melun ; copie d'après une Madone de Raphaël (du type de celle de Dresde) au musée de Rouen (1830) ; buste antique trouvé à Lyon, statues antiques diverses ; étude de chien ; le Rhône au nord de Lyon ; environs d'Autun ; église de Semur ; Auxerre, environs de Joigny (août 1830) ; Melun, bords de la Seine ; copie du petit Saint Michel de Raphaël au Louvre ; monuments romains d'Autun.

Ce carnet se révèle un document précieux. 1830 est une période déterminante dans la formation de Paul Flandrin. Il abandonne le paysage romantique, pratiqué à ses débuts à Lyon, pour les méthodes d'Ingres, dans l'atelier duquel il est entré en 1829.
L'année suivante, les deux frères retournent à Lyon, après la tourmente révolutionnaire. Paul Flandrin dessine à plusieurs reprises sur son carnet de notes, le Rhône au Nord de Lyon. Des préoccupations nouvelles apparaissent dans ses croquis. L'artiste s'intéresse davantage au jeu des lignes, à l'équilibre des masses.   *O.J.*

PARIS, COLLECTION PARTICULIERE

210. *Carnet de croquis*
(1863-1868)

Carnet de 81 pages. Reliure en toile bis. Feuilles de couleurs diverses (bleu, blanc, ocre, etc.). Crayon. Certains dessins avec rehauts de blanc. H. 0,119 ; L. 0,115 (chaque page).

HISTORIQUE : Fonds familial Flandrin.

Soit une liste sommaire des principaux sujets représentés : Louis Flandrin (fils de Paul) bébé, en 1864 et 1865 ; Bosquet d'Apollon à Versailles ; Etretat (septembre 1865) ; chez M. Gatteaux à Neauphle ; *idem* (1864) ; Etretat (1864) ; Sèvres (1865) ; Fécamp et Etretat ; rochers à Bouligny (1866) ; Fontainebleau et Bouligny ; rochers de Chambersart ; le Franchard ; grenade dessinée le 24 février 1864 ; Fontainebleau ; Versailles ; Louis Flandrin enfant à Versailles ; Fontainebleau ; divers enfants de Paul Flandrin ; Fontainebleau, parc (1863) ; chapiteau au Château de Fontainebleau.

A partir de 1855, Paul Flandrin fréquente la côte normande, le Tréport en 1856, Arromanches en 1860, puis Etretat où il est reçu dans la famille du sculpteur Oudiné. De 1863 à 1869, il s'y rend chaque été et dessine ou peint d'après nature les célèbres falaise, bien sûr, mais aussi la mer. Sur le papier bleuté, l'artiste a su exprimer la force des flots échouant sur la grève, et traduire l'écume par des rehauts de craie blanche.   *O.J.*

PARIS, COLLECTION PARTICULIERE

208

Enfance de l'artiste

1811   Le 28 mai, naissance de Paul Flandrin, rue des Bouchers à Lyon, fils de J.-B.-J. Flandrin (1773-1838) peintre de miniature et de J.-J. Bibet (1769-1858). La famille compte également deux autres fils artistes : Auguste (1804-1842) lithographe et portraitiste, et Hippolyte (1809-1864) devenu célèbre pour ses peintures murales dans les églises parisiennes.

1811-1818   Mis en nourrice dans le Bugey, avec son frère Hippolyte, au hameau de Nantuy, près de Hauteville. Les deux frères resteront inséparables pendant toute leur existence.

1818-1823   Inscrit à l'école Saint-Pierre à Lyon où on lui inculque les rudiments de calcul et de grammaire. C'est là qu'il fait la connaissance des Lacuria.

1823   Le sculpteur Foyatier (1793-1863) parvient à convaincre leurs parents de leur laisser suivre une vocation artistique. Il les présente au peintre Magnin, qui mourut peu après, et à Legendre-Héral, qui les met en relation avec J.-A. Duclaux (1783-1863), peintre animalier et paysagiste, qui leur conseilla de travailler d'après nature, aux environs de Lyon.

La formation de l'artiste

1826   Il rentre avec son frère Hippolyte, le 30 janvier, à l'école des Beaux-Arts de Lyon, où il est admis dans la classe de la bosse, puis dans la classe de la figure le 14 octobre 1826. Ils en sortent définitivement à la fin de l'année scolaire (1827-1828).

1829   Court séjour des deux frères à Bagnols-sur-Cèze, chez leur oncle M. Ladroit. En avril, Paul et Hippolyte quittent Lyon pour Paris, où ils entrent dans l'atelier d'Ingres. Le 5 août 1829, les deux frères sont admis au concours de l'Ecole des Beaux-Arts de Paris. Hippolyte est reçu neuvième, Paul trentième seulement sur cent quatorze.

1830   Pendant les troubles de juillet, les deux frères qui ne se quittent pour ainsi dire jamais, retournent auprès de leurs parents. Ils reviennent à Paris en octobre, qu'ils quittent à nouveau en décembre, pour échapper à la tourmente révolutionnaire. Ils se réfugient près des parents d'un de leurs camarades, Jules Brisset, à Etrepagny-sur-Eure. Ils font un court voyage à Rouen.
Les deux frères doivent subsister pendant leur apprentissage à Paris, avec 1 000 francs par an, que leur envoient leurs parents restés à Lyon, et leur tante Martin, dont Paul fait le portrait (cat. 185). Heureusement, la douceur de leur caractère et surtout leur assiduité leur attirent la bienveillance de leur maître Ingres, qui les dispense de scolarité. Paul est reçu cinquième au concours des places de l'Ecole des Beaux-Arts à Paris.

1831   Hippolyte et Paul deviennent les élèves préférés du Maître. Ils suivent d'ailleurs avec application ses théories sur l'art. Lors de leur retour à Lyon, Ingres adresse au père des deux jeunes artistes une lettre qui manifeste sa satisfaction.

1832   Hippolyte obtient le grand prix de Rome en peinture d'histoire. Son frère Paul l'aide en exécutant des études de drapé pour les figures de « *Thésée reconnu par son père* », sujet du concours. Hippolyte part pour Rome à la fin de l'année. La séparation, pour les deux frères qui ne s'étaient jamais vraiment quittés, est une véritable épreuve. En octobre, Paul remporte un prix dans un concours d'esquisses en paysage historique avec *Ulysse et Nausicaa* (cat. 160).

1833   Courageusement, Paul se prépare à son tour au Prix de Rome. Paul échoue dans les deux concours (Paysage historique en avril, Peinture d'histoire en mai) ; ne souhaitant pas rester plus longtemps séparé de son frère, il décide de gagner Rome. Son frère, Hippolyte l'attend avec impatience et écrit « Il me semble qu'avec lui, je travaillerai plus et profiterai mieux. Il me faut un ami ».

La période romaine

1834   Paul arrive à Rome le 7 janvier 1834. Paul et Hippolyte, à nouveau réunis, redeviennent inséparables, et leurs amis, les voyant ensemble, s'écrient « Ah ! voilà Flandrin tout entier ». Ce séjour apparaît comme une des périodes les plus heureuses de l'existence de Paul Flandrin. Au contact de la campagne romaine, sa vocation de paysagiste s'affirme. Il écrit une lettre enthousiaste à son ami Victor Bodinier, dans laquelle il décrit la campagne désertique environnant Rome.

1835   En janvier, Ingres arrive comme directeur de l'Académie de France à Rome. Ce dernier lui obtient une participation aux copies des loges du Vatican, aux côtés des frères Balze et de Philippe Comeiras. Paul devient un familier de la villa Médicis, dont il partage les loisirs des pensionnaires. Il participe à leurs excursions dans la campagne romaine, qu'il évoque dans de spirituelles caricatures. Il se trouve ainsi lié aux compositeurs Boulanger (1815-1900) (cat. 196), et A. Thomas (1811-1896) (cat. 190) à l'architecte V. Baltard (1805-1874), aux peintres E. Signol (1804-1892) (cat. 195), A. Desgoffe (1805-1882) (cat. 191), au sculpteur E.-A. Oudiné (1810-1897). Le soir, tous se retrouvent dans le salon de la villa Médicis. En juin-juillet, les deux frères visitent à pied la Toscane, en compagnie de E.-A. Oudiné. Ils voient successivement Sienne, Pise, Florence, Pérouse, Assise. Paul devient également professeur de dessin des enfants du Prince Borghèse, tâche qu'il n'apprécie guère.

1836 La fièvre atteint les deux frères, qui doivent partir se reposer à Albano, empêchant ainsi un projet de voyage à Naples, avec leur frère Auguste. Paul parvient à vendre quelques toiles à un français de passage.

1837 L'année suivante, les deux artistes fuient le choléra qui sévit à Rome, en compagnie d'autres pensionnaires. En dépit des cordons sanitaires qui se créent un peu partout, le petit groupe visite Pérouse, Padoue, Venise, Vicence, Vérone, le Lac de Garde, Mantoue. De retour, ils s'arrêtent à Florence et à Assise, subjugués par les peintures de Giotto et les paysages d'Ombrie. En 1837, ils rencontrent également D. Papety (1815-1849) qui deviendra plus tard un ami.

1838 Paul et Hippolyte quittent Rome le 4 juin, en compagnie de leur frère Auguste venu les rejoindre quelques semaines en Italie. Ils se dirigent vers Naples, où ils séjournent quelque temps. Au retour, les trois frères passent par Livourne, Pise, Florence et Milan. Ils sont en août à Lyon.
Ainsi s'achève la période romaine de Paul Flandrin, qui exercera sur lui une si grande influence. Il en restera en effet, marqué pour la vie. Au contact de la Campagne romaine, Paul aura acquis le goût des vastes horizons aux plans fortement accusés. Les nombreuses études d'après nature prises sur le motif lui serviront longtemps pour les tableaux qu'il exposera au Salon, comme « Jésus et la cananéenne » (Paris, Salon de 1857, n° 980).

Les débuts de sa carrière

1839 Paul expose pour la première fois au Salon de Paris « Les Montagnes de la Sabine » (Paris, Louvre ; cat. 165 et « Nymphée » (Angers, Musée des Beaux-Arts ; cat. 164). Il obtient une médaille de seconde classe, mais aucun de ses tableaux exposés n'est vendu. L'artiste s'installe définitivement à Paris, où il partage un atelier avec son frère Hippolyte.

1840 Sans ressources, Paul Flandrin, sur la recommandation d'Ingres, donne des cours de dessin à Mlle de Rothschild. Il aide également Hippolyte aux travaux que ce dernier exécute dans la Chapelle Saint-Jean de l'église Saint-Séverin, à Paris. Au mois de juillet, il est à Lyon, puis il rend visite, en août, à son ami Florentin Servan (1811-1879) à Lacoux, dans le Bugey.

1841 L'artiste participe aussi à la décoration de la salle de bal du château de Dampierre. Il peint deux paysages pour les écoinçons, et aide son frère à réaliser certaines figures allégoriques que le duc de Luynes lui avait commandées. Il en profite pour peindre, dans le parc du château et dans la vallée de Chevreuse. Ingres lui demande un paysage que le maître placera dans le fond du tableau « L'Odalisque à l'esclave » (Baltimore, Walters Art Gallery).

1842 Il obtient la commande de la décoration de la Chapelle des Fonts-Baptismaux dans l'église Saint-Séverin. En août, il se rend à Lyon, où il assiste à la mort de son frère Auguste (1805-1842).

1843 Il voyage durant l'été, descend la vallée du Rhône, s'arrête à Bagnols, Viviers, puis gagne Toulon et les Gorges d'Ollioules. Là, il est rejoint par son ami et futur beau-père, Alexandre Desgoffe (1805-1882) et trouve le motif de son tableau « Gorges de l'Atlas » (cat. 168) et le paysage du « Baptême du Christ » qui lui a été commandé pour la Chapelle des Fonts-Baptismaux de l'église Saint-Séverin.

1845 En août, il travaille d'après nature aux environs de Lyon, à « Rochecardon » et « aux Etroits ». L'artiste part aussi dans la Chartreuse, avec un élève de son frère, Joseph Pagnon. Il visite le monastère de Chalais, que venait de fonder le R.P. Lacordaire. Il rencontre aussi le R.P. Besson, artiste, devenu religieux. Il travaille aux peintures murales qui lui avaient été commandées dans l'église Saint-Séverin. Au Salon, Baudelaire porte un jugement particulièrement sévère sur ses tableaux.

1846 Mariage de son frère Hippolyte avec Aimée Ancelot, cousine du mécène des deux frères, E. Gatteaux (1788-1881). Les deux frères continuent à se voir chaque jour, et Paul participe toujours aux peintures murales de son frère. Pour trouver des motifs de tableaux de Salon, il peint à Crémieu et Optevoz, en compagnie de J.-H. Harpignies (1819-1916), J.-B. Corot (1796-1875) et Ravier (1814-1895), paysagistes qui ne semblent guère l'avoir influencé.

1847 Il est reçu chez le Comte de Baussiers, au château de Ressons, près de Compiègne. Il peint dans le parc. En novembre, il accompagne Hippolyte à Nîmes, où ce dernier doit décorer l'église Saint-Paul.

1848 Il retourne à la fin de l'automne à Nîmes, avec Hippolyte qu'accompagnent Louis Lamothe (1822-1869), et Paul Balze. Paul Flandrin prend une part active et originale à l'élaboration des peintures murales exécutées par Hippolyte dans l'église Saint-Paul.

1849 Hippolyte part au mois de mai, dès l'achèvement des travaux. Paul, séduit par la région, reste encore quelque temps. Il en profite pour achever les derniers détails des peintures murales, à la demande d'Hippolyte. Il peint aussi aux bords du Gardon, en compagnie de Louis Lamothe (1822-1869), rencontre J. Laurens (1825-1901) à Montpellier. Il voit D. Papety (1815-1849). Son frère Hippolyte, dans sa correspondance, multiplie ses recommandations concernant les paysages : « Fais des choses bien souples, bien larges, mets-y ton esprit, laisse-toi aller » (lettre du 15 mai 1849).

1850 Il passe une partie de l'été auprès de son frère Hippolyte, à Montmorency, puis part au mois d'août à Lyon. En septembre, il est à Lacoux, dans le Bugey, chez son ami Florentin Servan (1811-1879), puis à Sainte-Colombe-les-Vienne, chez Pirouelle, son condisciple.

1851 A la recherche de motifs susceptibles de devenir des tableaux de Salon, il peint d'après nature, en août à Sainte-Colombe-les-Vienne, puis chez son ami Jules Laurens (1825-1901) à Carpentras. Un premier tableau de Salon lui est acquis par l'Etat et envoyé au musée de Nîmes.

Le peintre "officiel"

1852 Il est nommé Chevalier de la Légion d'Honneur, le 16 juillet 1852. Un tableau, « Les Montagnes de la Sabine » lui est acheté pour le musée du Luxembourg. Dorénavant, à l'occasion de chaque salon, un paysage lui sera acquis par l'Etat et envoyé dans un musée de province. Il épouse, en décembre, Aline, fille du paysagiste Alexandre Desgoffe (1805-1882) qui fut lui aussi élève d'Ingres.

1855 Il achève une commande pour la Ville de Paris : un tableau « Les Cascades du Bois de Boulogne » destiné à orner une galerie de l'Hôtel de Ville de Paris. A l'Exposition universelle, il expose dix tableaux et le portrait dessiné d'Ambroise Thomas. Il obtient une médaille de première classe.

1856 L'Etat lui acquiert « Les Gorges de l'Atlas », envoyé au musée de Langres (cat. 168). Il séjourne pour la première fois au Tréport, sur la côte normande. En août, il peint dans le parc de la propriété d'un de ses collectionneurs, M. Freteau, à Vaux-le-Pénil.

1857 Paul Flandrin se présente, en vain, à l'Institut. Au mois de septembre, il peint à Marseille une vue du Montredon, depuis le parc du château d'un certain M. Talabot. Il admire « le ciel admirable de couleur et d'harmonie, avec la mer et les Iles ». Au mois d'octobre, il séjourne à la Gassaude, près de Pertuis, chez un ami, Ed. Voulaire. Il travaille beaucoup d'après nature. Jules Laurens lithographie le tableau de Paul Flandrin « La Solitude » (Paris, Louvre).

1858 Mort de sa mère, à Lyon. Il passe l'été à Valéry-sur-Somme. Il peint au Tréport.

1859 L'Etat lui commande un tableau devant représenter « La Fuite en Egypte ». Il trouve le motif de ce paysage à la Gassaude, chez son ami Voulaire. Il peint aussi sur les bords du Gardon, en Avignon, à Marseille.

1860 Paul Flandrin séjourne au début de l'été à Montgeron, où il peint dans la forêt de Sénart. Il achève la saison sur la côte normande, à Arromanches.

1861 « La Fuite en Egypte » est exposé au Salon et envoyé au musée d'Orléans. Son tableau « La Solitude » est acquis par l'Etat pour le Musée du Luxembourg. Il peint en forêt de Fontainebleau.

1862 Il trouve dans le parc du château de Fontainebleau le motif de son tableau « Idylle » (musée de Bergues) cat. 177. Il peint également avec J.-B. Corot à Ville-d'Avray.

1863 Il passe le début de l'été à Fontainebleau, puis se rend à Etretat, chez son ami le sculpteur E.-A. Oudiné où il trouve une « masse de connaissances ». A son retour, il visite, sous la direction d'Eugène Lami (1800-1890), le château de Ferrières, appartenant aux Rothschild. Il éprouve du chagrin « de voir Ingres abandonner le paysage à son malheureux sort », après la suppression du Grand Prix de Rome de Paysage historique.

1864 Mort à Rome, le 21 mars, d'Hippolyte. Paul Flandrin, accablé par la nouvelle, n'expose pas au Salon. Toutefois, il termine les peintures laissées inachevées par son frère à Saint-Germain-des-Prés. Il se rend aussi fréquemment à Sèvres, chez la veuve d'Hippolyte où il multiplie les études d'après nature.

1865 Il peint au début de l'année à Saint-Cloud, puis expose au Salon « Souvenir de l'Yerres à Brunoy » acquis par l'amateur Alfred Bruyas, et « Souvenir du Midi » acquis par l'Etat et envoyé au Musée des Beaux-Arts de Lyon où, pour une raison inexpliquée, ce tableau prend le titre de « Paysage Indien ». Paul retourne, comme chaque année, à Etretat.

1866 Il expose au Salon « Paysage en Languedoc » acquis par l'Etat et envoyé au Musée Ingres, à Montauban. A l'automne, il peint en forêt de Fontainebleau.

1867 Il expose au Salon « Dans les Bois » acquis par l'Etat et envoyé au Musée Vivenel de Compiègne. Il séjourne l'été à Etretat, puis en automne à Fontainebleau.

1868 Il expose au Salon « Au Bord de l'Eau » acquis par l'Etat et envoyé au musée de Bordeaux. L'été, il est'à Etretat, chez Oudiné et retrouve des amis, le plus souvent musiciens.

1869 Il expose au Salon « Idylle » acquis par l'Etat et envoyé au musée de Bergues.

Vieillesse de l'artiste

1870-1871 Paul Flandrin quitte précipitamment Paris avec sa famille et se réfugie à Angers, chez E. Pichon (1805-1900) élève d'Ingres. Il est accompagné de la famille d'Alexandre Desgoffe (1805-1882).
La situation politique le contraint à rester dans la ville pendant toute l'année 1871. Pour subvenir à ses besoins, il multiplie les portraits au crayon de notables de la ville. Il parvient à être nommé membre de la Société d'Art, Sciences et Agriculture d'Angers, sur la recommandation d'H. Jouin. Il retrouve également Guillaume Bodinier (1795-1872) qu'il avait connu

pendant son séjour à Rome. Il profite de ce repos forcé pour dessiner avec L.-N. Cabat (1812-1893) à Pornic, durant une partie de l'année.

1872   De retour à Paris, Paul Flandrin s'installe 10, rue Garancière. Durant l'été, il retourne à Pornic et dans la baie du Pouliguen où il multiplie avec son beau-père Desgoffe des études de rochers et des bosquets de chênes verts.

1873   Il expose au Salon de Paris « Souvenir de Provence » acquis par l'Etat et envoyé au musée d'Evreux.

1874   Il expose au Salon de Paris « Souvenir de Provence » acquis par l'Etat et envoyé au musée des Beaux-Arts de Dijon ; il passe la fin de l'été à Pornic. Le 29 décembre, il reçoit la commande d'un tableau pour le vestibule d'honneur du Palais de la Légion d'Honneur à Paris.

1875   L'Etat lui achète un tableau exposé au Salon « Souvenir du Bas Préau » qui est envoyé au musée de Bagnols-sur-Cèze. Paul reste toujours fidèle à Pornic.

1876   Paul Flandrin, oublié par la critique, délaissé des collectionneurs, ne bénéficie plus de l'appui des milieux officiels. Pour faire face à ses charges de famille, il consacre beaucoup de temps à un cours de dessin pour jeunes filles. Il a notamment pour élève Emma Thiollier, fille de l'amateur stéphanois Félix Thiollier.

1877   Désormais, il passe une partie de l'année à Montgeron, où il loue une maison à l'année

1878   Grâce à l'appui de son ami Philippe de Chennevières, il obtient la commande d'un carton de tapisserie pour l'Escalier Chalgrin, au Sénat.

1879   Il peint à Lacoux et à Rossillon, dans l'Ain, puis dans les Vosges, à Plombières, avec L. Français (1814-1897).

1881   Second séjour à Plombières. Il dessine d'après nature « Le chemin de Remiremont » (cat. 183).

1882-1889   L'artiste persiste à envoyer chaque année plusieurs tableaux au Salon, que nul ne songe à lui acheter. Il obtient une médaille de bronze à l'Exposition universelle. Il peint toujours d'après nature aux environs de Paris, dans la forêt de Sénart, à Montgeron et Sèvres. Il continue à voir ses vieux amis, les peintres J.-J. Henner (1829-1905), A. de Curzon (1820-1895). Il reste en relation épistolaire avec Jules Laurens qui demeure à Carpentras.

1900   Vers la fin de ses jours, Paul Flandrin mène une vie toujours plus difficile. Très âgé, il ne peut plus peindre et sollicite en vain l'achat de ses tableaux. A titre de secours, l'Etat lui acquiert, le 1er juillet 1900 « Bouquet d'arbres » (Montreuil, Sous-Préfecture) sur la demande insistante de J.-H. Harpignies (1819-1916).

1901   Jules Laurens consacre des passages importants de son ouvrage « La légende des Ateliers » à Paul Flandrin, artiste qu'il avait toujours tenu en estime.

1902   Paul meurt à Paris, le 8 mars 1902. Dès le mois d'août, une exposition rétrospective de son œuvre est organisée dans les salons de la revue La Plume. Diverses grandes revues d'art lui consacrent des articles monographiques. Toutes soulignent sa sensibilité de paysagiste et la grande qualité de son dessin. Mais son œuvre retombe rapidement dans l'oubli.

Expositions
rangées par dates

1834/1835
Rome Villa Médicis. Paris, Ecole des Beaux-Arts, Envois de Rome.

1836, Lyon
Exposition de la société des Amis des Arts.

1836, Paris
Explication des ouvrages de peinture, sculpture, architecture, gravure et lithographie des artistes vivants exposés au Musée Royal le 1er mars 1836 [Salon de 1836].

1836
Rome, Villa Médicis. Paris, Ecole des Beaux-Arts, Envois de Rome.

1837, Paris
Explication des ouvrages de peinture, sculpture, architecture, gravure et lithographie des artistes vivants exposés au Musée Royal le 1er mars 1837 [Salon de 1837].

1837, Rome
Villa Médicis. Paris, Ecole des Beaux-Arts, Envois de Rome.

1838, Lyon
Exposition de la Société des Amis des Arts.

1838, Rome
Villa Médicis. Paris, Ecole des Beaux-Arts, Envois de Rome.

1839, Lyon
Exposition de la Société des Amis des Arts.

1839, Paris
Explication des ouvrages de peinture, sculpture, architecture, gravure et lithographie des Artistes vivants exposés au Musée Royal le 1er mars 1839 [Salon de 1839].

1840, Amiens
Exposition de la Société des Amis des Arts de la Somme.

1840, Nantes
Exposition de la Société des Amis des Arts.

1840, Orléans
Exposition de la Société des Amis des Arts.

1840, Paris
Explication des ouvrages de peinture, sculpture, architecture, gravure et lithographie des Artistes vivants exposés au Musée Royal le 5 mars 1840 [Salon de 1840].

1841, Lyon
Exposition de la Société des Amis des Arts.

1841, Paris
Explication des ouvrages de peinture, sculpture, architecture, gravure et lithographie des Artistes vivants exposés au Musée Royal le 15 mars 1841 [Salon de 1841].

1841, Rouen
Exposition de la Société des Amis des Arts.

1842, Amiens
Exposition de la Société des Amis des Arts de la Somme.

1842, Lyon
Exposition de la Société des Amis des Arts.

1842, Paris
Explication des ouvrages de peinture, sculpture, architecture, gravure et lithographie des Artistes vivants exposés au Musée Royal le 15 mars 1842 [Salon de 1842].

1843, Paris
Explication des ouvrages de peinture, sculpture, architecture, gravure et lithographie des Artistes vivants exposés au Musée Royal le 15 mars 1843 [Salon de 1843].

1844, Paris
Explication des ouvrages de peinture, sculpture, architecture, gravure et lithographie des Artistes vivants exposés au Musée Royal le 15 mars 1844 [Salon de 1844].

1845, Lyon
Exposition de la Société des Amis des Arts.

1845, Moulins.
Exposition de la Société des Amis des Arts.

1845, Paris
Explication des ouvrages de peinture, sculpture, architecture, gravure et lithographie des Artistes vivants exposés au Musée Royal le 16 mars 1845 [Salon de 1845].

1845, Rouen
Exposition de la Société des Amis des Arts.

1846, Paris
Explication des ouvrages de peinture, sculpture, architecture, gravure et lithographie des Artistes vivants exposés au Musée Royal le 15 mars 1846 [Salon de 1846].

1848, Paris
Explication des ouvrages de peinture, sculpture, architecture, gravure et lithographie des Artistes vivants exposés au Musée National du Louvre le 15 mars 1848 [Salon de 1848].

1850, Paris
Explication des ouvrages de peinture, sculpture, architecture, gravure et lithographie des artistes vivants exposés au Palais National le 30 décembre 1850 [Salon de 1850/51].

1851, Lyon
Exposition de la Société des Amis des Arts.

1852, Paris
Explication des ouvrages de peinture, sculpture, architecture, gravure et lithographie des Artistes vivants exposés au Palais Royal le 1er avril 1852.

1853, Paris. Bazar Bonne Nouvelle
Exposition de tableaux.

1855, Paris
Exposition Universelle de 1855. *Explication des ouvrages de peinture, de sculpture, gravure, lithographie et architecture des Artistes vivants étrangers et français, exposés au Palais des Beaux-Arts avenue Montaigne le 15 mai 1855.*

1857, Paris
Explication des ouvrages de peinture, sculpture, architecture, gravure et lithographie des Artistes vivants exposés au Palais des Champs-Elysées le 15 juin 1857 [Salon de 1857].

1859, Paris
Explication des ouvrages de peinture, sculpture, architecture, gravure et lithographie des Artistes vivants exposés au Palais des Champs-Elysées le 15 avril 1859 [Salon de 1859].

1860, Paris, 26 Boulevard des Italiens
Catalogue des tableaux tirés des collections d'amateurs et exposés au profit de la caisse de secours des artistes peintres, sculpteurs, architectes et dessinateurs.

1860, Saint-Etienne
Livret explicatif de l'exposition de la Société des Amis des Arts du département de la Loire.

1861, Paris
Explication des ouvrages de peinture, sculpture, architecture, gravure et lithographie des Artistes vivants exposés au Palais des Champs-Elysées le 1er mai 1861 [Salon de 1861].

1862, Londres
International Exhibition. *French Painting.*

1863, Paris
Explication des ouvrages de peinture, sculpture, architecture, gravure et lithographie des Artistes vivants exposés au Palais des Champs-Elysées le 1er mai 1863 [Salon de 1863].

1865, Paris
Ecole impériale des Beaux-Arts.
Exposition des œuvres d'Hippolyte Flandrin à l'école Impériale des Beaux-Arts Association des Artistes peintres, Sculpteurs…

1867, Paris
Exposition universelle, Catalogue général publié par la commission impériale de l'Exposition universelle à Paris, 1867. 1re partie, groupe I à V contenant les œuvre d'arts. Paris, Dentu, 1867.

1869, Lyon
Exposition organisée par la Société des Amis des Arts.

1869, Munich Königlicher Glaspalast, I. internationale Kunstausstellung.

Paris
Explication des ouvrages de peinture, sculpture, architecture, gravure et lithographie des artistes vivants exposés au Palais des Champs-Elysées le 1er mai 1869 [Salon de 1869].

1872, Londres
Exposition internationale, *France, œuvres d'Art et produits industriels.*

1873, Vienne
Exposition universelle, *France, œuvres d'art et manufactures nationales.*

1874, Paris
Présidence du Corps législatif, *Catalogue des ouvrages de peinture exposés au profit de la colonisation de l'Algérie par les Alsaciens-Lorrains au Palais de la présidence du corps législatif [depuis] le 22 juin 1874* (catalogue, suivi d'un supplément).

1883, Paris
Siège de la Société philanthropique
Portraits du siècle (1783-1883).

1884, Paris
Ecole nationale des Beaux-Arts, *Catalogue des dessins de l'Ecole Moderne / Association des artistes.*

1855, Paris
Ecole nationale des Beaux-Arts, *Catalogue de la 2e exposition de portraits du Siècle.*

1887, Aix-en-Provence
Quatrième centenaire de la réunion de la Provence à la France. Exposition provençale.

1889, Paris
Grand Palais, Exposition universelle, Exposition Centennale de l'Art Français, 1789-1889.

1900, Paris
Grand Palais, Exposition universelle, *Catalogue officiel illustré de l'exposition centennale de l'Art Français de 1800 à 1889.*

1902, Paris
Salons de la revue « La Plume », *Exposition rétrospective des œuvres de Paul Flandrin.*

1904, Lyon
Palais municipal des expositions, *Catalogue illustré de l'exposition rétrospective des artistes Lyonnais, peintres et sculpteurs* (par E. Vial).

1904-1905, Lyon
Dessins de trente artistes lyonnais du XIXe siècle (par E. Vial).

1904, Rome
Société romaine des Beaux-Arts, exposition d'œuvres des anciens pensionnaires de l'Ecole de Rome.

1908, Paris
Palais du Domaine de Bagatelle, *Exposition des portraits d'hommes et de femmes célèbres (1830-1900)*, exposition organisée par la Société nationale des Beaux-Arts.

1910, Paris
Domaine de Bagatelle. *Les enfants, leurs portraits, leurs jouets* / Société nationale des Beaux-Arts.

1914, Lyon
Exposition internationale de Lyon, *Beaux-Arts ; section rétrospective lyonnaise.*

1921, Paris
Galerie de la rue de la Ville-L'évêque, *Ingres.*

1923, Paris
Hôtel Charpentier, *L'Art et la vie romantique.*

1925, Lyon-Paris
L'Art Lyonnais

1928, Copenhague
Udstilligen af Fransk Malerkunst, fra den frste Halvdel af det 19 Aarhundrede.

1933, Paris
Musée de l'Orangerie, *Paysagistes Français du XIXe siècle.*

1934, Paris
Galerie Jacques Seligman, *Portraits par Ingres et ses élèves.*

1934, Venise
XIXe Exposizione biennale d'arte.

1935, Paris
Petit Palais, *Les Chefs d'œuvre du musée de Grenoble.*

1935, Grenoble
Musée des Beaux-Arts, *Le Portrait.*

1937, Lyon
Musée des Beaux-Arts, *Puvis de Chavannes et la peinture lyonnaise au XIXe siècle* (cf. Paris, 1948). (Catalogue et préface de René Jullian.)

1937, Zurich
Kunsthaus, *Zeichnungen Französischer Meister von David zu Millet.*

1938, Bucarest
Musée Toma Stelian, *Portretul Francez in desen si gravira (ecole XVI a - XIX a).*

1943, Paris
Musée de l'Orangerie, *Donation Paul Jamot.*

1945, Paris
Galerie Charpentier, *Portraits français.*

1947, Paris
Galerie Charpentier, *Paysages d'Italie.*

1948, Paris
Orangerie des Tuileries, *La peinture lyonnaise du XVIe au XIXe siècle.*

1948, Saint-Etienne
Musée d'Art et d'Industrie, *Exposition de la peinture lyonnaise XVIIIe-XIXe siècles.*

1949, Lyon
Musée des Beaux-Arts, *Exposition de la peinture lyonnaise du XVIe au XIXe siècle* (cf. Paris, 1948).

1953, Compiègne
Musée national de Compiègne, *Le temps des Crinolines à Compiègne.*

1958, Lyon
Expositions du Bimillénaire : chapelle du Lycée Ampère : *Lyon de la Révolution à nos jours.*

1958, Münich
Haus der Kunst, *München 1869-1958 Aufbruch zur modernen Kunst.*

1959, Milan
Palazzo Reale, *Centenaire du Risorgimento.*

1960, Nice
Centenaire du rattachement du Comté de Nice à la France.

1960, Paris
Musée des Arts Décoratifs, *Antagonismes.*

1961, Aix-en-Provence
Musée Granet, *De David à Géricault* [sans catalogue].

1961, Turin
Mostra storica dell'unita Italiana.

1962, Rome
Palais de Venise, *Il ritratto francese da Clouet a Degas.*

1964-65, Munich
Haus der Kunst, *Französische Malerei des 19. Jahrhunderts von David bis Cézanne.*

1964-1965, Paris
Atelier de Marthe Flandrin, exposition privée d'œuvres des Flandrin (sans catalogue).

1965, Charleroi-Luxembourg
Les peintres lyonnais du XIXe siècle.

1967, Montauban
Musée Ingres, *Ingres et son temps. Exposition organisée pour le centenaire de la mort d'Ingres (Montauban 1780, Paris 1867).*

1967, Paris
Institut de France, *Evocation de l'Académie de France à Rome à l'occasion de son troisième centenaire.*

1967, Paris
Petit Palais, *Ingres* (catalogue par D. Ternois et H. Naef).

1968, Rueil-Malmaison
Orangerie du Château de Bois-Préau, *Souvenirs de la famille impériale de Napoléon Ier à Napoléon III.*

1968-1969, Paris
Petit Palais, *Baudelaire.*

1971, Cambridge (Mass.)
Harvard University, Fogg Art Museum, *Edward Waldo Forbes, Yankee visionary.*

1972, Darmstadt
Hessisches Landesmuseum. *Von Ingres bis Renoir.*

1972, Londres
Royal Academy, *The age of the neoclassicism. The fourteenth exhibition of the council of Europe.*

1972, Princeton University
19th and 20th Century French Drawings from the Art Museum.

1973, Paris
Musée des Arts Décoratifs, *Equivoques.*

1973, Pau
Musée des Beaux-Arts, *L'autoportrait du XVIIe à nos jours.*

1974, Paris
Galeries Nationales. Grand Palais, *Le Musée du Luxembourg en 1874* (catalogue par G. Lacambre).

1975, New York
Shepherd Gallery, *Ingres & Delacroix through Degas & Puvis de Chavannes. The figure in the French Art 1800-1870.*

1976, Aix
Musée Granet, *Naissance de l'œuvre d'art* [sans catalogue].

1976, New York
Shepherd Gallery, *Non dissenters. One Hundred and seventy French nineteenth century drawings, Pastel and Watercolors.*

1976, Paris
Galerie Heim, Lille. Palais des Beaux-Arts, Strasbourg. Musée des Beaux-Arts, *Cent dessins français du Fitzwilliam Museum, Cambridge.*

1977, Aix-en-Provence
Musée Granet, *Célébration de l'Arbre* [sans catalogue].

1977, Florence
Palazzo Pitti, *Pittura Francese nelle collezioni pubbliche Fiorentine* (catalogue par P. Rosenberg et I. Julia).

1977, Francfort
Stadtische Galerie im Städelschen Kunstinstitut, *Die Nazarener.*

1977, Londres
The Alpine Club gallery, *French 19th. Century Paintings presented by Shephered Gallery associates.*

1977, Paris
Galerie Fischer-Kiener, *Visages du XIXe siècle.*

1978, Adelaid Museum
Chapel Hill (North Carolina), *French XIX century, oil sketches: David to Degas.*

1978, Angers
Musée des Beaux-Arts, *Cent dessins du musée d'Angers* (catalogue par V. Huchard).

1977-1978 même exposition itinérant en Grande-Bretagne, *the finest drawings from the museum of Angers.*

1978-1979, Paris
Palais de Tokyo, *Autour de quelques œuvres du second Empire.*

1979, Detroit
The Detroit Institute of Art, *The figure in the nineteenth century French painting* (catalogue par D. Mosby).

1979, Londres
Galerie Hazlitt, Gooden and Fox, *The lure of Rome, some northern artists in Italy in the 19th Century. Paintings and drawings.*

1979, Nice
Galerie des Ponchettes, *Chers Maîtres et Cie.*

1979, Paris
Musée du Louvre, Cabinet des dessins, *Dessins français du XIXᵉ du musée Bonnat à Bayonne.*

1979, Paris
Grand Palais Philadelphie, Detroit, *L'art en France sous le second Empire* (notices par O. Sebastiani, L.A. Prat, etc.).

1979-80, Pontoise
Musée Tavet, *Aquarelles et dessins du musée de Pontoise. Acquisitions et dons récents.*

1980, Lakeview Museum
The Changing Image: Aspects of XIXth century French Art.

1980, Montauban
Musée Ingres, *Ingres et sa postérité jusqu'à Matisse et Picasso.*

1980, Nantes
Musée des Beaux-Arts, « *Anniversaires* ».

1980, New York
Shepherd Gallery, *Christian Imagery in French nineteenth Century Art. 1789-1906* (catalogue par R. Kashey et M. Reymert).

1980, Cambridge (Mass.)
Fogg Art Museum, Harvard University, *Works by J.A.D. Ingres in the collection of the Fogg Art Museum* (catalogue par Marjorie Cohn et Susan L. Siegfried).

1980, Autun
Musée Rolin, *70-80. Dix années d'acquisitions.*

1980, Paris
Grand Palais, *Viollet-le-Duc.*

1981, Lyon
Musée des Beaux-Arts, *Les peintres de l'Ame, art lyonnais du XIXᵉ siècle* (catalogue par E. Hardouin-Fugier et Et. Grafe).

1981, Paris
Galerie De Bayser, *Dessins français, sculptures 1800-1930.*

1981, Paris
Musée Hebert, *Portraits de femmes* (catalogue par I. Julia).

1982, Besançon
Musée des Beaux-Arts et d'archéologie, *Autour de David et Delacroix. Dessins français du XIXᵉ siècle* (Collections du Musée : 4).

1982, Gifu (Japon)
Musée des Beaux-Arts, *Paris autour de 1882.*

1983, Neuchâtel
Musée des Beaux-Arts, *Léopold et les peintres de l'Italie Romantique.*

1983-1984, Dunkerque
Musée des Beaux-Arts, *Acquisitions, dons et restauration* (catalogue par J. Kuhmünch).

1983-84, Paris
Galeries Nationales du Grand Palais, *Raphaël et l'Art Français* (catalogue par J.-P. Cuzin).

1984, Paris
Musée Rodin, *Dante et Virgile aux enfers.*

1984, Paris
Petit Palais, *Bouguereau et l'art de son temps. Peinture et sculpture* (catalogue par Louise d'Argencourt).

1984, Vizille
Musée de la Révolution Française, *Une dynastie bourgeoise dans la Révolution : les Périer.*

1984-1985, exposition itinérante aux U.S.A., *The « Grand Prix de Rome ». Paintings from Ecole des Beaux-Arts. 1797-1863* (catalogue par Ph. Grunchec).

Bibliographie des ouvrages cités

Les anonymes sont classés au premier mot du titre (non compris les articles) :

ABOUT (E.)
Voyage à travers l'exposition des Beaux-Arts. Peinture et Sculpture, Paris, Hachette, 1855. — « Salon de 1861 », *L'Opinion Nationale*, 29 mai 1861.

ADHEMAR (J.) - LETHEVE (J.)
Inventaire du fonds français après 1800. Paris, Bibliothèque Nationale, 1954.

ALAUX (J.-P.)
Académie de France à Rome ; ses directeurs, ses pensionnaires. Paris, Duchartre, 1933.
Album de l'*Artiste*
L'Artiste, 1845, p. 414-415.

ALEGRE (L.)
Notices biographiques du Gard (canton de Bagnols). Bagnols, A. Baile, 1880, 2 vol.

ALEXANDRE (A.)
« Le dessin français au Luxembourg », *Les Arts*, nᵒ 156, 1916.

ANGRAND (P.)
« L'Etat mécène, période autoritaire du second empire (1851-1860) », *Gazette des Beaux-Arts*, mai-juin 1968.

ARGENCOURT (L. d')
Voir Exposition Bouguereau. Paris, Petit Palais, 1984.

ARJUZON (J. d')
Histoire et Généalogie de la famille d'Arjuzon. Paris, 1978 (livre non commercialisé).

[ARNOULD (A.)]
« Beaux-Arts. Salon de 1840 », *Le Commerce*, 21 avril 1840.
L'Artiste en Province
nᵒ 35, 12 décembre 1841. — nᵒ 36, 19 décembre 1841. — nᵒˢ 37 et 40, 16 janvier 1842.

ASMODEE
Dans *Le Lutin*, 7 nov. 1841 ; *ibidem*, 19 décembre 1841.

ASTRUC (Z.)
Quatorze stations du salon de 1859, préface de George Sand. Paris, 1859. — *Le salon, feuilleton quotidien paraissant tous les jours* (sic) *pendant les deux mois de l'exposition.* Paris, Cadart, [1863].

AUBERT (M.)
Souvenirs du salon de 1859. Paris, Tardieu, 1859.

AUBRUN (M.-M.)
« Plaidoyer pour un comparse (?). Louis Lamothe (1822-1869), chronologie critique et aspects de son œuvre original », *Bulletin du Musée Ingres*, décembre 1983, nᵒ 51-52.

AUDIN (M.)
Bibliographie iconographique du Lyonnais. Lyon, 1909, vol. I, 1ʳᵉ partie, *portraits*.

AUDIN (M.) et VIALE (E.)
Dictionnaire des artistes et ouvriers d'art du Lyonnais. Paris, Bibliothèque d'Art et d'Archéologie, 1918.

AUVRAY (L.)
Exposition des Beaux-Arts. Salon de 1859. Paris, Taride, 1859. — « Exposition des Beaux-Arts. Salon de 1861 ». Paris, *Revue Artistique*, 1861. — *Exposition des Beaux-Arts. Salon de 1863*. Paris, 1863. — *Le salon de 1869*, Paris, Renouard, 1869.

BAR (A. de)
« Peintures murales de l'église Saint-Vincent-de-Paul, par M.M. Picot et H. Flandrin », *Revue des Beaux-Arts*, 1853, t. 4.

BARBIER (A.)
Salon de 1836. Paris, Renouard, 1836. — *Salon de 1839*. Paris, Joubert, 1839.

BAROUSSE (P.)
Catalogue du Musée Ingres. Montauban, Musee Ingres, 1973.

BAS (P.)
Question écrite du conseiller de Paris Pierre Bas, en date du 20 juillet 1974, sur un éventuel nettoyage de l'intérieur de l'église Saint-Germain-des-Prés, *Bulletin municipal*, 1974 (question 1285).

BATISSIER
Dans *Le Journal de Rouen*, 11 juil. 1842.

BAUDELAIRE (C.)
Œuvres complètes. t. II, *Curiosités esthétiques* ; édition définitive avec préface de T. Gautier. Paris, Calmann-Lévy, [1868-70]. — *Baudelaire. Salon de 1846/texte établi et présenté par D. Kelley*. Oxford, Clarendon Press, 1975.

BECKER (W.)
Paris und die deutsche Malerei - 1750-1840. Munich, 1871.

BECLARD (J.)
« Notice sur la vie et les travaux de M. Rostan lue dans la séance de l'Académie de médecine le 17 décembre 1867 », *Mémoires de l'Académie de médecine*, t. XXVIII (1867-1868).

BELLOY (de)
« Salon de 1859. article II », *l'Artiste*, nelle série, t. VI, p. 257.

BENEDITE (L.)
Paris, musée du Luxembourg. Catalogue raisonné et illustré des peintures, sculptures, dessins, gravures en médailles et pierres fines et objets divers des écoles contemporaines. Paris, 1896.

BENOIST (L.)
Catalogue du musée des Beaux-Arts de Nantes. Nantes, 1953.

BERALDI (H.)
Les graveurs du XIXe siècle. Paris, Conquet, 1887.

B[ERGOUNIOUX] (E.)
« La chapelle Saint-Jean dans l'église Saint-Séverin », *Revue de Paris*, 1841, t. 28, p. 148-151.

BERTALL
« Le salon de 1855 », *Le Journal pour Rire*, 22 août 1855.

BEULE (E.)
Eloge de M. Flandrin lu dans la séance publique de l'académie, le 19 novembre 1864. Paris, Didier, 1864. — « Hippolyte Flandrin », *l'Artiste*, mars 1872.

BLANC (C.)
« Salon de 1840 », *Revue du Progrès politique, social et littéraire*, t. III, 1840. — *Les artistes de mon temps*. Paris, Firmin-Didot, 1876.

BODINIER (G.)
Un ami angevin d'Hippolyte et de Paul Flandrin ;

correspondance de Victor Bodinier avec Hippolyte et Paul Flandrin (1832-1839). Angers, Grassin, 1912.

BOIME (A.)
« The second Republic's contest for the figure of the Republic », *Art Bulletin*, mars 1971. — « Ingres et Egress chez Ingres », *Gazette des Beaux-Arts*, avril 1973, VIe période, t. LXXXI, p. 194-214.

BOISSARD (F.)
« De la peinture religieuse. M. Hippolyte Flandrin — M. Eugène Delacroix », *Le Correspondant*, avril 1862, t. 59, nelle série, t. 19.

BONNEFOY (F.)
Les peintures lyonnais aux salons parisiens du second Empire. Lyon, 1975. Mémoire de maîtrise.

BOREL D'HAUTERIVE
Annuaire de la pairie et de la Noblesse de France, 1843....

BOTH DE TAUZIA (P.-P.)
Notice supplémentaire des tableaux exposés dans les galeries du musée national du Louvre et non décrits dans les trois catalogues des diverses écoles de peinture. Paris, Mourgues, 1878.

BOUNIOL (B.)
« Les grands artistes : Hippolyte Flandrin, sa vie, son œuvre », *Revue du Monde Catholique*, 4e année, t. XI, n° 96, 25 mars 1865, p. 804-826.

BOURNAND (F.)
Histoire de l'art chrétien. Paris, Blond, s.d., t. II.

BOUYER (R.)
« Paul Flandrin (1811-1902) et le paysage de style », *Revue de l'Art ancien et moderne*, 10 juil. 1902, t. 12, n° 64, 6e année.

BRIERE (G.)
Catalogue des Peintures exposées dans les galeries du Musée National du Louvre. Paris, Musées Nationaux, 1924.

BRUNEL (G.)
Correspondance des directeurs de l'Académie de France à Rome. Nouvelle série, vol. 1, *Répertoires publiés par les soins de Georges Brunel*. Rome, Elefante, 1979.

BURTY (R.)
« L'exposition de la Société des Amis des Arts de la Loire », *Gazette des Beaux-Arts*, t. VIII, p. 350, 1860. — *Chronique de l'Artiste*, 1862, t. I, p. 235.

CAFFORT (M.)
« De la séduction nazaréenne ou note sur Ingres et Signol (Rome, 1835) », *Bulletin du Musée Ingres*, décembre 1983, n° 51-52.

CALLIAS (H. de)
« Salon de 1861, *l'Artiste*, 1861. — « Salon de 1863 », *l'Artiste*, 1863.

CALONNE (A. de)
« Peinture sacrée. Les frises de Saint-Vincent-de-Paul peintes par M. Hippolyte Flandrin », *Revue Contemporaine*, t. XI, décembre 1853-janvier 1854. — « La peinture contemporaine à l'Exposition de 1861 », *Revue contemporaine*, 2e série, t. XXI.

CANTREL (E.)
« Les artistes contemporains. Le Salon de 1863 », *L'Artiste*, 1863.

CASTAGNARY
Salons (1857-1879), avec une préface d'Eugène Spuller et un portrait à l'eau-forte par Bracquemond. Paris, Charpentier, 1892.
Catalogue du Musée fondé... par la société historique et archéologique de Langres.

Langres, 1873 ; autres éditions, 1886, 1902, 1931.
Catalogue du musée des Beaux-Arts de Nantes. Nantes, 1876. — Nantes, 1903, 9e édition.
Catalogue des tableaux statues et dessins exposés au Musée d'Orléans. Orléans, Herluisson, 1876.

[Cat. musée Lyon 1877]
MARTIN-DASSIGNY (E.-C.)
Notice des tableaux exposés dans les galeries du musée de Lyon au Palais des Beaux-Arts. Lyon, 1877.
Catalogue sommaire des Musées de la Ville de Lyon. — Lyon, 1877. — Lyon, 1887. — Lyon, [1899].
Ville de Nîmes, Musée des Beaux-Arts, catalogue. [s.l.], 1940.

CHAIX (A.)
Inventaire général des œuvres d'art appartenant à la Ville de Paris, dressé par le service des Beaux-Arts. Edifices religieux. Paris, Chaix, 1881, t. II. — *Inventaire général des œuvres d'art décorant les édifices du département de la Seine*. t. II, *Arrondissement de Sceaux*. Paris, Chaix, 1880.

[CHALLAMEL]
Album du Salon de 1840 ; collection des principaux ouvrages exposés au Louvre, reproduits par les peintres eux-mêmes ou sous leur direction, texte par Jules Robert [Augustin Challamel], préface par le baron Taylor. Paris, Challamel, 1840. — « Salon de 1845 », *Moniteur des Arts de la Littérature et de toutes les Industries relatives à l'Art... Album des expositions du Louvre*. Paris, Challamel, 1845.

CHAMPFLEURY
Œuvres posthumes. Salons 1846-1851. Introduction par Jules Troubat, Paris, Lemerre, 1894.

CHAVANNE (B.)
Catalogue raisonné des peintures anciennes du musée d'Art et d'Industrie de St-Etienne. Mémoire inédit de l'Ecole du Louvre, 1981.

CHENNEVIERES (Ph. de)
Souvenirs d'un directeur des Beaux-Arts, Paris. Arthéna, 1979 (réédition d'articles parus en feuilleton dans l'*Artiste* de 1883 à 1889).

CHESNEAU (E.)
« Beaux-Arts. Salon de 1863 », *Le Constitutionnel*, 3 mai 1863.

CLARETIE (J.)
« Deux heures au Salon », *L'Artiste*, 1865.

CLAVEL (B.)
« L'Ecole lyonnaise de peinture », *Jardin des Arts*, mars 1963.

CLEMENT (C.)
Etudes sur les Beaux-Arts en France. Paris, Michel Lévy Frères, 1865. — « Le Salon de 1868 », *Le Journal des débats*, 20 juin 1868. — « Le Salon de 1869 », *Le Journal des débats*, 16 juin 1869.

CLEMENT DE RIS (L.)
« Le Salon de 1852 », *L'Artiste*, t. VIII, V[e] série. — « Mouvement des arts : les peintures de M. Flandrin à Saint-Vincent-de-Paul », *L'Artiste*, 15 septembre 1853, 5e série, t. XI.

COHN (M.) et SIEGFRIED (S.)
Voir *Expositions*, Cambridge, 1980.

COLIN (N.)
« Jean-Claude Bonnefond, peintre lyonnais (1796-1860) », *Travaux de l'Institut d'Histoire de l'Art de Lyon*, n° 6, 1980.

COMPIN (I.) voir Rosenberg.
« Concours de peinture », *L'Artiste*, t. IV, 9e livraison, 1832.

CONSTANS (C.)
Musée National du Château de Versailles. Catalogue des peintures, Paris, Musées nationaux, 1980.

CUZIN
Voir Laclotte ; voir aussi *Expositions*, Paris, 1983-84.

DARCEL (A.)
« Exposition des œuvres d'Hippolyte Flandrin à l'Ecole des Beaux-Arts », *l'Illustration*, tome XLV, 1er semestre 1865.

DAUBAN (C.)
Le Salon de 1861. Paris, Renouard, 1861. — *Le Salon de 1863*. Paris, Renouard, 1863.

D.B., voir *Expositions*, Chapel Hill, 1978.

DELABORDE (H.)
Le Salon de 1861, *Revue des deux Mondes*, 15 mai 1861. — Les Cabinets d'Amateur à Paris : la collection de tableaux de M. Duchâtel, *Gazette des Beaux-Arts*, 1862, t. XII, 1er janvier et 1er mars. — *Lettres et pensées d'Hippolyte Flandrin accompagnées de notes et précédées d'une notice biographique et d'un catalogue des œuvres du maître par le Vte Henri Delaborde*. Paris, Plon, 1865. — « La peinture religieuse en France : M. Hippolyte Flandrin », *Revue des deux Mondes*, XXIXe année, 2e période, t. 24, décembre 1859.

D[ELECLUZE] (E.)
« Concours pour le grand prix de Rome », *Le Journal des Débats*, 27 septembre 1832. — « Envois des pensionnaires de l'école de Rome », *Le Journal des Débats*, 11 octobre 1834. — « Envois des pensionnaires de l'école de Rome », *Le Journal des Débats*, 2 septembre 1835. — « Le Salon », *Le Journal des Débats*, 16 mars 1836. — « Salon de 1837 », *Le Journal des Débats*, 16 mars 1837. — « Envois des pensionnaires de l'école de Rome », *Le Journal des Débats*, 21 septembre 1837. — « Salon de 1839 », *Le Journal des Débats*, 24 mars 1839. — « Salon de 1840 », *Le Journal des Débats*, 12 mars 1840. — « Salon de 1841 », *Le Journal des Débats*, 4 avril 1841. — « Feuilleton sur les Beaux-Arts », *Le Journal des Débats*, 9 avril 1845. — « Salon de 1846 », *Le Journal des Débats*. — *Les Beaux-Arts dans les deux mondes en 1855, par M.E.J. Delécluze. Architecture. Sculpture. Peinture. Gravure*. Paris, Charpentier, 1856. — « Exposition de 1859 », *Le Journal des Débats*, 27 avril 1859. — « Exposition de 1861 », *Le Journal des Débats*, 8 mai 1861.

DENIS (M.)
« Les élèves d'Ingres », *L'Occident*, juil-août-septembre 1902 (réimprimé dans *Théories*, 1890-1910. Paris, 1920).

DEVILLE (E.)
Catalogue des œuvres de Peinture, Aquarelles, Dessins et Sculpture exposés dans le Musée de Lisieux par Etienne Deville, conservateur du Musée. 6e édition. 1925. — « Un tableau de Flandrin : "Jésus et les petits enfants" », *Journal de Rouen*, 7 février 1924.

DISSARD (P.)
Le Musée de Lyon : les peintures par Paul Dissard, conservateur des Musées. (Musées et collections de France). Paris, Laurens, 1912.

DORBEC (P.)
« La tradition classique dans le paysage du XIXe siècle », *Revue de l'Art Ancien et moderne*, vol. XXIV.

DORRA (H.)
« Dante et Virgile par Hippolyte Flandrin au musée des Beaux-Arts », *Bulletin des Musées et Monuments Lyonnais*, vol. V, 1976, n° 1. — « Die französischen "Nazarener" », essai dans le catalogue de l'exposition *Die Nazarener* Francfort/s./Main, 1977. — « Notes sur deux sources de Daumier », *Les nouvelles de l'Estampe*, n° 46-47, juil.-octobre 1979.

DOUBLET (J.)
Le peintre Auguste Flandrin, mémoire inédit de maîtrise, Université de Lyon-II, 1984.

DRIAULT (E.)
Mohamed Aly et Napoléon (1802-1814), Le Caire, 1925 ; — *La formation de l'Empire de Mohamed Aly de l'Arabie au Soudan (1814-1823)*, Le Caire, 1927 (sur la correspondance diplomatique de Roussel).

DRISKEL (M.-P.)
« Paintings, Piety and Politics in 1848 : Hippolyte Flandrin's Emblem of Equality at Nîmes », *Art Bulletin*, juin 1984.

DUBUISSON (J.)
Dans *Revue du Lyonnais*, 1840-41, XIV.

DU CAMP (M.)
Les Beaux-Arts à l'exposition universelle de 1855. Paris, 1855. — *Le Salon de 1861*. Paris, Librairie Nouvelle, 1861. — *Les Beaux-Arts à l'exposition universelle et aux Salons de 1863, 1864, 1865, 1866 et 1867*. Paris, Renouard, 1867.

[DUPASQUIER]
L'Art à Lyon en 1836, Revue critique de la première exposition de la société des Amis des Arts, Lyon, 1837.

DUPLESSIS (G.)
« Les nouvelles peintures murales de M. Hippolyte Flandrin, à Saint-Germain-des-Prés », *Revue Universelle des Arts*, t. 16, octobre 1862-mars 1863, p. 287-296.

DURET (Th.)
Les peintres français en 1867. Paris, Dentu, 1867.

DURET Voir RUSSON

DUVAL (C.)
Eugène Delacroix et Hippolyte Flandrin. Parallèle - le Salon de 1864. Meaux, A. Cochet, 1864.

ELDER (M.)
« Les Musées de province », *Bulletin de la vie artistique*, n° 16, 15 août 1921.
« Exposition des ouvrages envoyés par les élèves de l'Ecole de Rome », *L'Artiste*, 1835, t. VIII, p. 117.
« Envois de l'Ecole de Rome », *L'Artiste*, 1836, t. XII.
« Envois de Rome », *L'Artiste*, 1837, t. XIII.

F. [Fabien Pillet ?]
« Ecole Royale des Beaux-Arts. Concours pour le grand prix de peinture », *Journal des artistes et des amateurs*, VIe année, n° XIV, 30 septembre 1832.

F[ABIEN] P[ILLET]
« Salon de 1836 », *Le Moniteur Universel*, 1836.

FABRE (A.)
Pages d'art chrétien. Paris, 1910-1915. Réédité en 1920 et 1926.

FLANDRIN (H.)
Frise de la nef de l'église de St-Vincent-de-Paul à Paris, peinte par Hippolyte Flandrin, reproduit par lui-même en lithographie. Paris, Haro, 1855.
Journal d'Hippolyte Flandrin en Italie. Manuscrit inédit publié par Madeleine Froidevaux et Marthe Flandrin, (à paraître à la fin de l'année 1984).

FLANDRIN Voir Vente

FLANDRIN (L.)
« La jeunesse d'Hippolyte Flandrin. L'atelier d'Ingres (avec portrait) », *La Quinzaine*, 4e année, n° 80, 16 février 1898, pp. 443-446. — *Hippolyte Flandrin, sa vie et son œuvre. Paris, Laurens*, 1902. — *Un peintre religieux au XIXe, Hippolyte Flandrin*. Paris, 1909, à quelques variantes près, texte repris du précédent. — « Paul Flandrin », *Le mois littéraire et pittoresque*, mai-juin 1902, t. VII.

FOCILLON
Le Musée de Lyon : peintures. Paris, H. Laurens, [s.d.]

FOSCA (F.)
« Ingres et la Vénus à Paphos », *L'Art et les Artistes*, juil. 1921.

FOUCART (B.)
La peinture religieuse en France dans la première moitié du XIXe siècle, thèse de doctorat d'Etat, Université de Paris X-Nanterre, 1980. — Préface de *Débats et polémiques. A propos de l'enseignement des Arts du dessin. Louis Vitet, Eugène Viollet-le-Duc*. Paris, Ecole des Beaux-Arts, 1984.

FOUCART (B.) et LASSALLE (Chr.)
« Le premier triomphe du Néo-roman : Saint-Paul de Nîmes », *Bulletin de la Société de l'histoire de l'Art français* (à paraître).

FOUCART (J.)
« Deux lettres inédites d'Ingres à Amiens », *Bulletin du Musée Ingres*, n° 32, décembre 1972.

FOURCAUD (L. de)
Revue de l'exposition universelle de 1889. Paris, Louis Baschet, 1889.

FOURNEL (V.)
Les artistes français contemporains. Tours, 1884.

FRECON
Généalogies lyonnaises, manuscrit inédit conservé aux Archives municipales de Lyon.

FROMENTIN (E.)
« Le Salon de 1845 », réédition dans *Œuvres complètes, textes établis, présentés et annotés par Guy Sagnes*. Paris, Gallimard, 1984 (*Bibliothèque de la Pléiade*).

GABORIT (P.)
Iconographie de la Cathédrale de Nantes. Nantes, 1892. — *Histoire de la Cathédrale de Nantes*. Nantes, 1888. — *Le Beau dans les Arts*. Paris, Lyon, 1913. — 5e édition.

GAIRAL DE SEREZIN
P. Flandrin. Lyon, Vitte, 1904.

GALIMARD (A.)
Peintures murales de l'Eglise St-Germain-des-Prés par M. Hippolyte Flandrin. Examen [par Auguste Galimard]. Paris, Dentu, 1864.

GANDY (G.)
« L'église Saint-Martin d'Ainay, à Lyon », *Revue de l'Art Chrétien*, t. I, août 1857.

[GARNIER] Voir à *Rapport...*

GAUTIER (Th.)
« Salon de 1841 », *Revue de Paris*, 3e série, t. XXVIII. — « Revue des Arts », *Revue des deux mondes*, t. XXVII, 4e série, 1841. — « Salon de 1845 », *La Presse*, 20 mars 1845. — « L'Exposition universelle de 1855 », *Le Moniteur Universel*, 8 septembre 1855. — *Les Beaux-Arts en Europe en 1855*. Paris, Lévy frères, 1856. — « Exposition de 1859 », *Le Moniteur Universel*, juillet 1859. — *Abécédaire du salon de 1861*. Paris, Dentu, 1861 (tiré à part de l'article du *Moniteur Universel* du 25 juin 1861). — « Salon de 1863 », *Le Moniteur Universel*, 1er septembre 1863. — Introduction au Catalogue de la *Vente de M. le comte de [Lambertye]*, Paris, Hôtel Drouot, 17 décembre 1868. — « Hippolyte Flandrin », *Le Moniteur*, 24 juillet 1864, repris dans *Portraits contemporains*, 1874.

GEFFROY (G.)
Versailles. Paris, 1904.

GENTY (M.)
Les biographies médicales. Paris, Berillière, 1927-1930. t. IV.

GERMAIN (A.)
« L'Art religieux au XIXe siècle en France », *Le Correspondant*, 1907. — Les Artistes lyonnais des origines à nos jours. Lyon, 1911.

GIRARD DE RIALLE (J.)
L'art contemporain. 1re série. A travers le Salon de 1863. Paris, Dentu, 1863.

GIRAUD (J.-B.)
Les Legs Arthur Broelmann au musée de Lyon. Lyon, 1905.

GIRODIE (A.)
« Paul Flandrin » dans *Notes d'Art et d'archéologie*, Moutiers, 1902.

GONSE (L.)
Les chefs-d'œuvre des Musées de France, peinture. Paris, 1900.

GRAFE (E.) Voir *Expositions*, Lyon, 1981.

GRONKOWSKY (C.)
Palais des Beaux-Arts de la Ville de Paris. Catalogue sommaire des collections municipales. Paris, 1927.

GRUNCHEC (Ph.)
Le Grand prix de peinture. Les concours des prix de Rome de 1797 à 1863. Paris, Ecole Nationale des Beaux-Arts, 1983. — Catalogue de l'exposition 1984-1985, itinérante aux U.S.A.

GRUYER (A.)
« Des conditions de la peinture en France et des Peintures murales de M. Hippolyte Flandrin dans la nef de St-Germain-des-Prés », *Gazette des Beaux-Arts*, 1re période, t. XII, 1862.

GUIFFREY (J.) et MARCEL (P.)
Inventaire général des dessins du Musée du Louvre et du Musée de Versailles. Paris, édition des Musées Nationaux, 1910, t. V.

HARDING (J.)
Les peintres pompiers. La peinture académique en France de 1830 à 1880. Paris, Flammarion, 1980.

HARDOUIN-FUGIER (E.)
Louis Janmot (1814-1892). Lyon, 1981. — « J.-L. Lacuria, élève d'Ingres, ami d'Hippolyte Flandrin, *Bulletin du Musée d'Ingres* », décembre 1976, n° 40. — Voir aussi *Expositions*, Lyon, 1981.

HAUSSARD (P.)
« Salon de 1841 », *Le Temps*, 31 mars 1841.

HEPP (P.)
« L'exposition de portraits d'hommes et de femmes célèbres (1830-1900) à Bagatelle », *Gazette des Beaux-Arts*, 3e période, t. 40, 1908.

HOFFMANN (W.)
Das Irdische Paradies. Motive und Ideen des 19. Jahrunderts, München, Prestel Verlag, 1960, réédité en 1974.

HORAIST (B.)
« Les peintures religieuses d'Hippolyte Flandrin à Paris », mémoire inédit de maîtrise, Université de Paris X-Nanterre, 1978. — « Hippolyte Flandrin à Saint-Germain-des-Prés, *Bulletin de la Société d'Histoire de l'Art Français*, 1979. — « Iconographie d'Hippolyte Flandrin », *Monuments Historiques*, 1983, dossier technique n° 2.

HUCHARD (V.)
Voir *Expositions*, Angers, 1970.

Inventaire général des richesses d'Art de la France, T. II, *Province. Monuments civils*. Paris, Plon-Nourrit, 1887. — T. VIII, *Province. Monuments civils*. Paris, Plon-Nourrit, 1908.

JAMOT (P.)
La peinture au Musée du Louvre. Paris, L'Illustration, 1929.

JANIN (J.)
« Salon de 1839 », *L'Artiste*, 2e série, t. II, 3e article. — « Le Salon de 1840 », *L'Artiste*, 2e série, t. V, 5e article.

JANNET (C.)
Hippolyte Flandrin, sa vie, son œuvre. Marseille, 1866.

JOANNE (A.)
Paris, illustré en 1870 et 1873. Guide de l'étranger et du Parisien (Collection des guides-Joanne) Paris, s.d. (la préface, datée du 15 juillet 1871, explique que l'ouvrage était prêt à l'impression en 1870).

JOHNSTON (W.)
The Nineteenth century paintings in the Walters Art Gallery. Baltimore, Walters Art Gallery, 1982.

JOSEPH (A.)
« Société des Amis des Arts. 3e exposition. — 1re lettre », *Revue du Lyonnais*, IX, décembre 1839.

JOUGLA DE MORENAS (H.)
Grand Armorial de France. nelle éd., Paris, Franckelve et Berger, 1975 (fac. similé de l'édition précédente).

JOUIN (H.)
Notices des peintures et Sculptures du Musée d'Angers et de la Galerie David précédée d'une biographie de P.-J. David d'Angers. Angers, Lachèse, Belleuvre et Dalbeau, 1870. — « Paul Flandrin à Angers », *Mémoires de la société nationale d'agriculture sciences et Arts d'Angers*, nelle période, t. 14, 1871. — « Hippolyte Flandrin. Les Frises de St-Vincent-de-Paul », conférences populaires faites à la salle du progrès, à Paris les 12 et 19 janvier 1873 avec projection, *Mémoires de la société nationale d'agriculture, sciences et Arts d'Angers*, nelle période, 1873, t. 16. *Musée d'Angers. Peintures, sculptures, cartons, miniatures, gouaches et dessins. Coll. Bodinier, coll. Lenepveu, Legs Robin, musée David*. Angers, Lachèse et Dolbeau, 1881, réédition. — « Les portraits d'artistes français à la Villa Médicis », *Revue de l'Art français ancien et moderne*, 1884 ; — *Le Musée des portraits d'Artistes*, Paris, 1888. — *Ecole nationale et spéciale des Beaux-Arts. Salle des portraits, directeurs, professeurs, membres du conseil supérieur d'enseignement ; notice sur cette collection et son développement du 1er janvier au 3 décembre 1894 par H. Jouin*. Paris, Imprimerie nationale, 1895.

JOUVE (abbé)
Dictionnaire d'esthétique chrétienne. Paris, 1856.

JOUVENET (O.)
Catalogue des œuvres de Paul Flandrin dans les collections publiques françaises, mémoire inédit de maîtrise, Université de Lyon-II, 1982.

JULIA (I.)
Voir *Expositions*, Florence, 1977 ; Paris, Musée Hébert, 1977.

JULLIAN (R.)
Voir *Expositions*, Lyon, 1937. — *Le Musée de Lyon - peinture*. Paris, collection Memoranda, 1968. — *Le mouvement des Arts du Romantisme au Symbolisme*. Paris, Albin Michel, 1980 (*Evolution de l'Humanité*).

KASHEY (R.) et REYMERT (M.)
Voir *Expositions*, New York, 1980.

KUHNMÜNCH (J.)
« Dunkerque. Musée des Beaux-Arts. Acquisitions. Œuvres du XIXe siècle », *La Revue du Louvre et des Musées de France*, n° 5-6, 1981. — Voir aussi *Expositions*, Dunkerque, 1983-1984.

LACAMBRE (G.)
voir *Expositions*, Paris, 1974.

LACAMBRE (J.)
« Les Elèves d'Ingres et la critique du temps », *Actes du colloque Ingres*, Montauban, 1967 ; Montauban, 1969.

LACLOTTE (M.) et CUZIN (J.-P.)
Le Louvre. La Peinture européenne. Paris, Scala, 1982.

LACLOTTE (M.) et VERGNET-RUIZ (J.)
Petits et Grands Musées de France, la peinture française des Primitifs à nos jours. Paris, Cercle d'art, 1962.

LACROIX (P.)
« L'Exposition des Beaux-Arts à Paris », *Revue Universelle des Arts*, 1855.

LADOUE (P.)
« Musée du Luxembourg. Le nouveau Musée de 1886 », *Bulletin des Musées de France*, décembre 1936.

LAGARDE (L.)
Dans *Le Pays*, 2 mai 1863.

LAGRANGE (L.)
« Salon de 1861 », *ibidem*, t. X, 1861. mai-juin, juillet. — « Hippolyte Flandrin », *Le Correspondant*, nelle série, t. 25, janvier-avril 1864. — « Bulletin mensuel » : *Gazette des Beaux-Arts*, t. XVIII, janvier, février, mars et avril 1865.

LANGLOIS
Voir *Séance publique de l'Académie...*

LANVIN (Ch.)
H. Flandrin. mémoire inédit de l'Ecole du Louvre, 1967. 3 volumes de textes, 3 albums de photos. — « Les frères Flandrin, Hippolyte et Paul, élèves d'Ingres », dans *Actes du colloque international Ingres et le néo-classicisme*, Montauban, 1975, *Bulletin du Musée Ingres*, n° spécial, Montauban, s.d., [1977].

LAPAUZE (H.)
Histoire de l'Académie de France à Rome, t. II : *1802-1910*. Paris, Plon, 1924.

LA ROCHENOIRE (J. de)
Le Salon de 1855 apprécié à sa juste valeur pour un franc. Paris, 1855.

LARTHE-MENAGER (A.)
« Flandrin », *Les Contemporains*, 3e année, n° 73, 4 mars 1894.

LAURENT-PICHAT (L.)
« Notes sur le Salon de 1861 », *Le Progrès de Lyon*, 1861, (tiré à part).

LAVERGNE (A.)
« L'exposition de 1863 », *Le Monde*, 1863. — « Du réalisme historique dans l'Art et l'Archéologie. I. Réponse à une critique des peintures murales exécutées dans l'église Saint-Germain-des-Prés, par M. Hippolyte Flandrin », *Le Monde*, 1864.

LECANU (abbé)
« Les peintures murales de Saint-Germain-des-Prés par M. Hippolyte Flandrin », *Revue du Monde Catholique*, t. VII, 3e année, n° 63, 10 novembre 1867.

LECANUET (E.)
Montalembert. Paris, C. Poussielgue, 1895-1902.

LEMOINE (S.)
Donation Granville. Musée des Beaux-Arts de Dijon. Catalogue des peintures, dessins, estampes et sculptures. Tome 1 : œuvres réalisées avant 1900. Dijon, 1976.

LE NORMAND (A.)
La tradition classique et l'esprit romantique. Les sculpteurs de l'Académie de France à Rome de 1824 à 1840. Rome, Elefante, 1981.

LENORMANT (C.)
« Beaux-Arts. Souvenirs du Salon. M. Picot et M. Flandrin à Saint-Vincent-de-Paul », *Le Correspondant*, t. 32, 25 août 1853.

LEROY
« Salon de 1859 », *Le Charivari*, 1859.

LESCURE (H. de)
« Hippolyte Flandrin d'après son œuvre et sa correspondance », *Revue Contemporaine*, 1865, t. 44, mars-avril, p. 509-532.
Livret illustré du Musée du Luxembourg contenant environ 250 reproductions d'après les dessins originaux des artistes gravures et divers documents publiés sous la direction de F.-G. Dumas. Paris, Baschet, 1884 ; réédition en 1887, 1892.

LOCKROY (E.)
« Première [douzième] lettre d'un éclectique », *Le Courrier artistique*, 16 mai 1863.

LOUDUN (E.)
« Décoration de l'église Saint-Vincent-de-Paul par MM. Picot et Flandrin », *Revue de l'Art Chrétien*, 1858, t. II.

LUGT (F.)
Les marques de collections, de dessins et d'estampes. Amsterdam, 1921.

MANTZ (P.)
« Salon de 1863 », *Gazette des Beaux-Arts*, t. XV, juillet 1863 (2e article).

MARCEL Voir GUIFFREY

MARCEL (H.)
La Peinture française au XIXe siècle. Paris, 1905.

MARIONNEAU
« Quelques tableaux remarquables des églises de province », Nouvelles Archives de l'*Art Français*, 4e année, 1887, t. III.

MARTIN (J.-M.)
Histoire des églises et chapelles de Lyon. Lyon, 1908-1909.

MASSON (F.)
Hippolyte Flandrin. Lyon, 1900.

MAURICHEAU-BEAUPRE (C.)
Versailles. Paris, 1949.

MAY (R.)
Catalogue des peintures des musées de Langres. Langres, 1983.

MEROT (A.)
« La "légende dorée" d'un peintre Eustache LeSueur au XIXe siècle ». *Bulletin de la Société de l'histoire de l'art français. Année 1892-1984.*

MERSON (O.)
« La Galerie Clarke de Feltre, Musée de Nantes », *Gazette des Beaux-Arts*, t. VIII, 1860. *Exposition de 1861. La peinture en France. Paris, Dentu, 1861.* [Catalogue du] *Musée de Nantes, Inventaire des richesses d'Art de la France*, t. II, 1883. — « Compte rendu du salon », *L'Opinion Nationale*, 16 mai et 18 juillet 1863. — « Hippolyte Flandrin », *L'Opinion Nationale*, 8 mai 1865.

[MICHELEZ]
Salon de peintures ; ouvrages commandés ou acquis par le Service des Beaux-Arts, photographiés par Michelez. Paris, 1869.

MIQUEL (P.)
Le Paysage français au XIXe siècle, 1824-1874. L'école de la nature. Maurs-la-Jolie, La Martinelle, 1975. MM. « Le charme discret de la peinture bourgeoise », *Valeurs actuelles*, no du 9 avril 1973.

MONTALEMBERT (Ch. de)
De l'état actuel de l'art religieux en France, 1837 ; repris dans Mélanges dArt et de Littérature.

MONTIFAUD (M. de)
« Le Salon de 1865 », *L'Artiste*, 1865, t. I.

MONTLAUR (E. de)
L'école française contemporaine. Salon de 1863. Besançon, 1863.

MONTROND (M. de)
Hippolyte Flandrin. Lille, Paris, 1866.

MONTROSIER (E.)
Peintres Modernes : Ingres, H. Flandrin, Robert-Fleury. Paris, Ludovic Baschet, 1882.

MORIN-PONS (H.) *Arthur Broelmann. Lyon, 1904.*

MOSBY (D.) Voir *Expositions*, Détroit, 1979.

MÜNTZ (E.)
Guide de l'Ecole Nationale des Beaux-Arts par Eugène Müntz, Paris, Quantin, s.d. [1889]. — « Le Musée de l'Ecole des Beaux-Arts », *Gazette des Beaux-Arts*, 1890.

Musée du Louvre. Catalogue des Peintures. L'Ecole française, Paris, Musées Nationaux, 1972. Musée National du Louvre. Catalogue sommaire des Peintures. Ecole française. Paris, 1909.

MUSSET (A. de)
« Salon de 1836 », *Revue des deux mondes*, 15 avril 1836 ; réédité dans *Mélanges de littérature et de critique, Paris, Lefenestre, 1867.*

NADAR (F. Tournadon, dit)
« Nadar. Jury au Salon de 1861 », *L'Art pour rire*, no 3, 5 juillet 1861.

NAEF (H.)
« Pour une iconographie d'Ingres », *Bulletin du Musée Ingres*, juillet 1968. — *Die Beldniszeichnungen von J.-A.-D. Ingres, Berne, Bentelli, 1977-1980.* — « Zuwachs zum Werk von Ingres », *Panthéon*, juillet-septembre 1979. — Voir aussi *Expositions*, Paris, Petit Palais, 1967.

NATHANIEL
« Chronique », *La Semaine des Familles*, 1865.

NICOLLE (M.)
Ville de Nantes. Catalogue du musée municipal des Beaux-Arts. Nantes, 1913.

Notice des Peintures et des Sculptures exposées dans la galerie du corps législatif. Paris, Ch. de Mourgues, 1866. Notice sur la chapelle St-Clair dans l'église cathédrale de Nantes, Nantes, Mellinet, 1845.

PARISET (E.)
Les Beaux-Arts à Lyon. Lyon, 1873.

PARISET (F.-G.)
« Ingres et le néoclassicisme », *Actes du colloque international Ingres et le Néo-classicisme*, Montauban, 1975, *Bulletin du musée Ingres*, no spécial, Montauban, [1977].
« Peintures murales de la chapelle Saint-Jean dans l'église Saint-Séverin de Paris par M. Hippolyte Flandrin », *L'Artiste*, 1841, tome VII.

PERRIER (Ch.)
« Exposition universelle des Beaux-Arts », VI., *L'Artiste*, 5e série, t. XV, 1855.

PERRIN (E.)
« Salon de 1861 », *Revue Européenne*, t. XV, 1861.

PICAUD (A.)
Le docteur Arthur Bordier, Grenoble, Allier, 1911.

PLANTIER (H.)
Lettre circulaire de Monseigneur l'évêque de Nîmes, invitant le clergé de son diocèse à prier pour l'âme

d'Hippolyte Flandrin, Nîmes, mars 1864, réédité dans Delaborde, 1865.

PLANCHE (G.)
« Salon de 1840 », *Revue des deux Mondes*, 1er avril 1840. — Réimprimé dans *Etudes sur l'école française*. — « Le salon de 1846. La peinture », *Revue des deux mondes*, 15 mai 1846. — « Peinture monumentale : E. Delacroix et H. Flandrin », *Revue des deux mondes*, juillet 1846, nelle série, t. 15. — *Etudes sur l'Ecole française, Paris, Lévy frères, 1855.* — « Peinture murale, Saint-Séverin, Saint-Eustache, Saint-Philippe-du-Roule », *Revue des deux Mondes*, XXVIe année, 2e période, t. VI, 1856.

PONCET (J.-B.)
Hippolyte Flandrin esquissé par J.-B. Poncet son élève, avec portraits et lettres et inédites. Paris, Martin-Beaupré, 1864. — *Peintures murales par H. Flandrin dans les églises de St-Paul de Nîmes et de St-Martin d'Ainay à Lyon, reproduite en lithographie par J.-B. Poncet, Paris, Haro, 1864.*

PRAT (L.-A.)
Voir *Expositions*, Paris, Grand Palais, 1979.

P.S.
« Peintures de M. Flandrin à Saint-Germain-des-Prés », *Revue de l'Art Chrétien*, 1862, t. VI.

PREVITALI (G.) *Giotto e la sua bottega. Milan, 1967.*

QUINIOU (P.)
Musée des Beaux-Arts. Quimper. Quimper, 1976.

« Rapport général sur les ouvrages envoyés par les élèves de l'école de France à Rome pour l'année 1833, lu dans la séance publique du 11 octobre 1834 », *Académie Royale des Beaux-Arts. Séances publiques, Paris, Firmin-Didot, 1834.*
« Rapport général sur les ouvrages envoyés par les élèves de l'école de France à Rome pour l'année 1834 », *Académie Royale des Beaux-Arts. Séances publiques, Paris, Firmin-Didot, 1835.*
« Rapport général sur les ouvrages envoyés par les élèves pensionnaires de l'école de France à Rome, pour l'année 1835, lu dans la séance publique du 8 octobre 1836 », *Académie Royale des Beaux-Arts. Séances publiques, Paris, Firmin-Didot, 1836.*
« Rapport sur les ouvrages envoyés de Rome par les pensionnaires de l'académie de France, lu dans la séance publique du 7 octobre 1837, par M. Garnier, membre de l'académie », *Académie Royale des Beaux-Arts. Séances publiques, Paris, Firmin-Didot, 1837.*
« Rapport sur les ouvrages envoyés de Rome par les pensionnaires de l'académie de France pour l'année 1838, lu par M. Langlois, membre de la section de peinture », *Académie Royale des Beaux-Arts. Séances publiques, Firmin-Didot, 1838.* — Voir aussi *Séances...*

REFF (Th.)
The notebooks of Edgar Degas. A catalogue of the thirty-eight notebooks in the bibliothèque Nationale and other collections. Oxford, Clarendon press, 1976.

REROLLE (M.)
« XIXe siècle. Nouvelles Acquisitions des musées de province 1973-1976 », *La Revue du Louvre et des Musées de France*, 1976, no 5/6.

REY (E.G.)
« Hyppolite Flandrin », *Revue de Musique sacrée*, juin 1864.

REYMERT (M.) Voir Kashey.

REYMOND (M.)
Le Musée de Lyon. Tableaux anciens. Paris, Fischbacher, 1887.

RIALLE Voir Girard.

RIANCEY (C. de)
« De quelques œuvres contemporaines d'Art religieux (2e article) : les fresques et l'album de M. Flandrin », L'Ami de la Religion, n° 6095, samedi 27 décembre 1856.

RICAUD (Th.)
« Le Musée de peinture et de sculpture de Bordeaux », Revue Historique de Bordeaux, janvier-mars 1938.

ROBAUT (A.)
Corot, catalogue raisonné et illustré, 5 vol. Paris, 1905 (avec supplément par A. Schoeller et J. Dieterle, 1948).

ROCHER-JAUNEAU (M.)
Musée des Beaux-Arts. Lyon - peintures. Lyon [s.d.]

ROSENBERG (P.) et COMPIN (I.)
« Quatre nouveaux Fragonard au Louvre II ». La Revue du Louvre et des Musées de France, 1974, n° 4-5.

ROSENBLUM (R.)
« The Ingres centenary at Montauban », The Burlington Magazine, t. 109, 1967.

ROSENTHAL (L.)
Musée du Palais des Arts de la Ville de Lyon ; guide du visiteur par Léon rosenthal. Paris, Morancé, 1929.

ROUSSEAU (J.)
« Exposition Flandrin », L'Univers illustré, 4 mars 1865.

ROY (E.)
« Le salon de 1869 », L'Artiste, septembre 1869.

RUSSON (J.-B.) et DURET (D.)
La Cathédrale de Nantes. Savenay, 1933.

SAGLIO (E.)
« Hippolyte Flandrin », Gazette des Beaux-Arts, 1re série, t. XVII, 1er août 1864 puis septembre 1864.

SAINT PULGENT (abbé de)
« Hippolyte Flandrin », Revue du Lyonnais, 1864, I. — Hippolyte Flandrin et ses œuvres, Revue du Lyonnais, 1869.

SAINT-RENE TAILLANDIER
« Peinture Monumentale, travaux de M. H. Flandrin à l'église Saint-Paul de Nimes », Revue des deux Mondes, Nouvelle période, t. 2, 1er mai 1849.

SAINT-VICTOR (P. de)
« Salon de 1836 », L'Artiste, t. XI, 2e article.
« Salon de 1837 », L'Artiste, t. XIII.
« Le Salon de 1839 », Le Journal des Artistes, 1839.
« Salon de 1841 », L'Artiste, 1841, 2e série, t. VII.
« Le Salon de 1843 », L'Artiste », 1843.
« Salon de 1852 », Revue des Beaux-Arts, 1852.
« Salon de 1859 », La Presse, 18 juin 1859.

Salon (livrets des Salons) Voir Expositions.

SAULT (C. de)
Essais de critique d'Art. Salon de 1863. Peintures murales de Saint-Germain-des-Prés, Concours des Prix de Rome ; Envois de Rome, 1861, 1862, 1863 ; Musée Campana. Paris, Michel Lévy, 1864.

SAUNIER (Ch.)
Les grands prix de peinture, sculpture, gravure en médaille depuis la fondation du prix de Rome. Paris, 1896.

SCHNEIDER (P.)
« Splendeurs et misères des églises de Paris », l'Express, 20-26 décembre 1980.

SCHNERB (J.-F.)
« Artistes contemporains. Paul Flandrin », Gazette des Beaux-Arts, août 1902.

SCHOMMER (P.)
« "Le Décaméron" de Wintechalter », La Renaissance des Arts et industries de luxe, 1927.

SCHURR (G.)
1820-1920, les petits maîtres de la peinture, valeur de demain. Paris, Editions de l'Amateur, 1975.

« Séance publique de l'académie royale des Beaux-Arts du samedi 13 octobre 1832 présidée par M. Debret, « Académie Royale des Beaux-Arts. Séances publiques, Paris, Firmin-Didot, 1832.

SEBASTIANI (O.)
Voir Expositions, Paris, Grand Palais.
Selected works from the Detroit Institute of Arts. Détroit, 1979.

SIEGFRIED (S.) Voir Cohn.

SOUVIRON (C.)
« Formation et mouvement des collections [du musée de Nantes] », Anniversaires 1800-1830-1900-1980, Nantes, Musée des Beaux-Arts, 1980.

STERLING (Ch.)
« Portraits d'Ingres et de ses élèves », L'Amour de l'Art, avril 1934.

STERLING (Ch.) et ADHEMAR (H.)
Musée du Louvre. Peintures. Ecole française, XIXe siècle. Paris, Musées nationaux, 1959.

STEVENS (A.)
Le Salon de 1863, suivi d'une étude sur Eugène Delacroix et d'une notice biographique sur le prince Gortschakow. Paris, Bruxelles, 1866.
Le Temps, article paru dans le n° du 10 mars 1836.

TERNOIS (D.)
Guide du Musée Ingres par D. Ternois. Montauban, Société des amis du musée Ingres, 1959. N° spécial du Bulletin du musée Ingres. — « Lettres inédites d'Ingres à Hippolyte Flandrin », Bulletin du musée Ingres, n° 11, juillet 1962. — Montauban, Musée Ingres, peintures : Ingres et son temps (Artistes nés entre 1740 et 1830) par D. Ternois. (inventaire des collections publiques, n° 11). Paris, Musées Nationaux, 1965. — « La peinture lyonnaise au XIXe siècle, état des travaux et bibliographie », Revue de l'Art, juin 1980, n° 48. Ingres. Paris-Milan, 1980. Voir aussi Expositions, Paris, Petit Palais, 1967.

THIERRAT (A.)
Notice des tableaux exposés dans les musées de Lyon publiée par Augustin Thierrat, conservateur des Musées et du Palais des Beaux-Arts. Lyon, 1847. — Galerie des Peintres Lyonnais publiée par Augustin Thierrat, conservateur des musées et du Palais des Beaux-Arts, Lyon, 1851.
T.G. dans Le Courrier de Lyon, 7 février 1839 ; — ibidem, 16 décembre 1841.

THIEME (F.) et BECKER (U.)
Algemeines Künstler Lexikon. Leipzig, 1907-1950.

THIOLLIER (F.)
Paul Flandrin, peintre. Saint-Etienne, 1896.

THORÉ (T.)
« Lettres sur la province, exposition de Nantes », L'Artiste, t. 3, 2e série, 1839. — « Des envois de Rome », L'Artiste, 1839, 2e série, t. I. — Salons de T. THORE, 1844, 1845, 1846, 1847, 1848 avec une préface par W. Bürger. Paris, Librairie internationale, 1868. — Les salons. Etude de critique et d'esthétique. Avant-propos par Emile Leclercq. Bruxelles, H. Lamertin, 1893.

THUILLIER (J.)
Tout l'œuvre peint de Poussin, Milan, Rizzoli, et Paris, Flammarion, 1974.

TISSEUR (C.)
Joseph Pagnon, Lettres et fragments, Paris, Girard, 1869. — « Lettres d'Hippolyte Flandrin », Revue du Lyonnais, 1888, t. I, II ; ibidem, 1889, t. I.

TOURTIER-BONAZZI (Ch. de)
Archives Mackau, Watier de Saint-Alphonse et Maison, Inventaire par Ch. de Tourtier-Bonazzi. Paris, Archives Nationales, 1972. (Inventaires et documents).

VALLET (E.)
Catalogue des tableaux, sculptures, gravures, dessins exposés dans les galeries du Musée de Bordeaux par Vallet. Bordeaux, Gounouilhou, 1881 ; autres éditions en 1875, 1877, 1879, 1894.

VAUDOYER (I.-L.)
« Ingres et ses élèves », La Revue de Paris, II, 15 avril 1934.
VENTE par suite du décès de H. Flandrin. Tableaux, esquisses, études. Vente les lundi 15, mardi 16, mercredi 17 mai 1865. Me Boulhand et Me Ch. Pillet, commissaires-priseurs.

VERDI (R.)
« Poussin's Life in Nineteen Century Pictures », The Burlington Magazine, décembre 1969.

VERGNET-RUIZ, voir LACLOTTE.

VERNIER (V.)
Salon de 1861, L'Artiste, nelle série, t. XI, 1861.

VEUILLOT (E.)
« Chronique de la Quinzaine. Polémique : les droits de l'art et les droits de la vérité », Revue du Monde Catholique, 3e année, t. VIII, n° 65, 1864.

VIAL (E.)
Voir Audin ; — voir aussi Expositions, Lyon, 1904-1905.

VIALLEFOND (G.)
La peinture au 19e siècle au Musée d'Evreux. Evreux, 1970.

VIARDOT (L.)
Salon de 1837, Le Siècle, octobre 1837.

VILLOT (F.)
Notices des peintures, sculptures et dessins de l'école moderne de France, exposés dans les galeries du Musée Impérial du Luxembourg. Paris, Mourgues, 1858 ; réédité en 1865.

VINCENT (M.)
La peinture lyonnaise du XVIe au XIXe siècle. Lyon, Guiot, 1980. — « Le portrait de Madame Thierry Broelmann au musée des Beaux-Arts », Bulletin des Musées et Monuments Lyonnais, 1965, vol. III, n° 3.

VINET (E.)
Salon de 1861, Revue Nationale, t. IV, 2e article.

VIOLLET-LE-DUC (E.) et DELECLUZE (J.-F.)
« Exposition de 1863 », Le Journal des Débats, 12 mai 1863.

VITET (L.)
De la peinture murale (1853), Etudes sur l'Histoire de l'Art, IIIe série, Paris, 1864.

VOLLMER (H.)
Notice « Paul Flandrin » dans le dictionnaire de Thieme et Becker, Leipzig, t. 12, 1916 (notice signée H.V.)

VUILLERMOZ (G.)
Cent ans d'Opéra à Lyon. Lyon, 1932.

WEY (F.)
« Salon de 1846 », Le Courrier Français, 1846.

YRIARTE (Ch.)
« Exposition des Beaux-Arts », Le Monde illustré, 1863, t. I.

Photographies :
Bulloz, Chuzeville, Fillioley,
Fiori, Jeanneteau, Michot,
Caisse nationale des Monuments historiques,
service photographique de la Réunion des Musées nationaux,
et musées prêteurs.

Maquette et couverture :
Pierre-Louis Hardy

Le présent ouvrage
a été composé et imprimé
par I.C.C., Paris
J. London, impr.
Octobre 1984

Photogravure : Haudressy, Paris